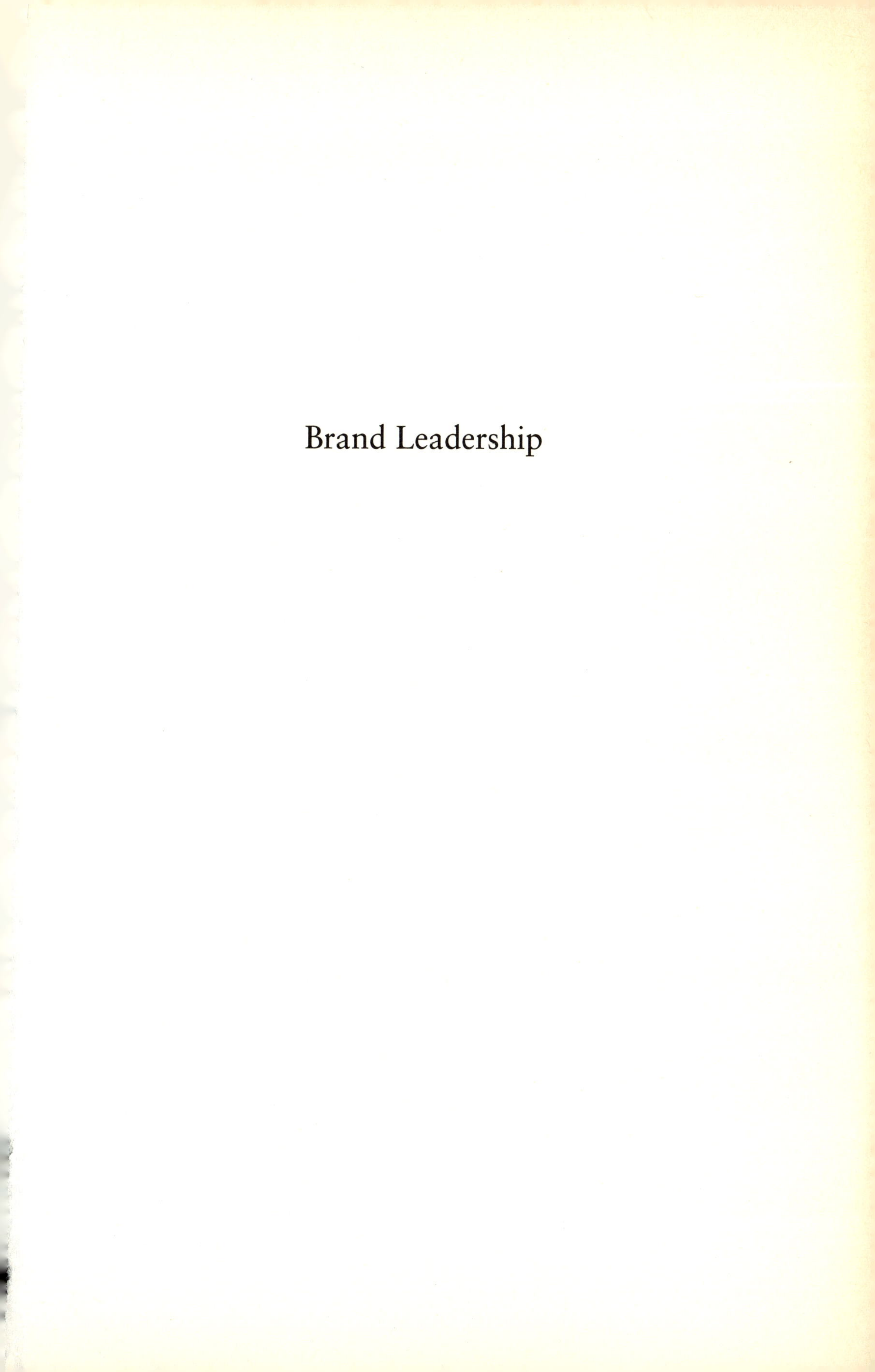

Brand Leadership

David A. Aaker
Erich Joachimsthaler

Brand Leadership

Die Strategie
für Siegermarken

Aus dem Englischen
von Brigitte Hilgner

FINANCIAL TIMES PRENTICE HALL

München • Amsterdam • Hong Kong • Kapstadt
London • Madrid • New York • Paris • San Francisco
Singapur • Sydney • Tokio • Toronto

Die Deutsche Bibliothek – CIP-Einheitsaufnahme

Ein Titeldatensatz ist bei
Der Deutschen Bibliothek erhältlich.

Die englische Originalausgabe erschien 2000
im Verlag Simon & Schuster, New York.

Umwelthinweis:
Dieses Buch wurde auf chlorfrei gebleichtem Papier gedruckt.
Die Einschrumpffolie – zum Schutz vor Verschmutzung – ist aus
umweltverträglichem und recyclingfähigem PE-Material.

10 9 8 7 6 5 4 3 2 1

03 02 01

ein Imprint der Pearson Education Deutschland GmbH
Martin-Kollar-Straße 10–12, D-81829 München/Germany
Übersetzung: Brigitte Hilgner, Wien
Redaktion: TeXt in form, Gerhard Seidl, München
Lektorat: Dr. Enrik Lauer, elauer@pearson.de
Herstellung: Claudia Bäurle, cbaeurle@pearson.de
Einbandgestaltung: DYADEsign, Düsseldorf
Satz: text&form GbR, Fürstenfeldbruck
Druck und Verarbeitung: Kösel, Kempten (www.KoeselBuch.de)
Printed in Germany

Inhaltsverzeichnis

Vorwort 7

Einführung 11

1 Siegermarken – das neue Gebot 13

Die Identität einer Marke 41

2 Die Identität einer Marke ist der Eckpfeiler der Markenstrategie 43

3 Definition und Erläuterung der Markenidentität 75

Markenstrukturen: Klarheit, Synergien und Hebelwirkung erzielen 105

4 Beziehungen von Marken untereinander 107

5 Markenstruktur 139

Zum Aufbau einer Marke braucht man mehr als Werbung 173

6 Adidas und Nike – Lektionen über den Aufbau von Marken 175

7 Die Bedeutung von Sponsoring für den Aufbau einer Marke 207

8 Markenaufbau und Markenpflege im Internet 239

9 Medienwerbung allein genügt nicht zum Aufbau einer Marke 271

Wie erzeugt man Siegermarken? 309

10 Siegermarken auf der ganzen Welt – nicht eine weltweite Einheitsmarke 311

Anmerkungen 339

Stichwortverzeichnis 343

Vorwort

Als Ende der achtziger Jahre des 20. Jahrhunderts der Markenwert zu *dem* Lieblingsthema wurde, sah es anfangs ein wenig danach aus, als handele es sich dabei um eine dieser Modeerscheinungen, die nach kurzer Zeit wieder verschwinden. Stattdessen hat sich jedoch in mehr und mehr Branchen die Erkenntnis durchgesetzt, dass die Bekanntheit einer Marke, ihre Qualitätsaussage, die Treue der Kunden, eine starke Markenpersönlichkeit und damit verbundene starke Assoziationen notwendig sind, um konkurrenzfähig zu bleiben. Manche Organisationen, beispielsweise Krankenhäuser, Ölgesellschaften und Softwareunternehmen, entdecken Marken zum ersten Mal. In anderen Branchen, beispielsweise bei Banken, bei Anbietern von verpackten Konsumgütern und Automobilherstellern, wird den Verantwortlichen bewusst, dass sie ihre Marken sowie ihr System zur Markenpflege wiederbeleben müssen, um sich im ständig wechselnden Wettbewerbsumfeld behaupten zu können.

Für dieses anhaltende Interesse an den Marken gibt es gute Gründe: Überkapazitäten, heftige Preiskämpfe, ein Überangebot an täuschend ähnlichen Produkten und mächtige Einzelhandelsketten sind nur einige der Faktoren, die den Aufbau einer Marke zwingend notwendig machen; ein Manager, der das nicht tut, wird die unangenehmen, um nicht zu sagen katastrophalen Folgen zu spüren bekommen. Dieses Buch zeigt auf, wie man angesichts dieser Einflussfaktoren und Widerstände erfolgreiche Marken etabliert.

Das vorliegende ist das dritte Buch einer Trilogie, die sich mit der Schaffung und Pflege von Marken beschäftigt. Das erste Buch, *Managing Brand Equity* (Deutsch: *Management des Markenwertes*) untersuchte Anzeichen dafür, dass Marken tatsächlich Werte schaffen, diskutierte im Detail, wie diese Werte entstehen und definierte und strukturierte das Konzept des Markenwertes. Es befasste sich auch mit der Rolle und Bedeutung von Namen und Symbolen und erläuterte die guten, schlechten und hässlichen Aspekte einer Markenausweitung.

Das zweite Buch, *Building strong brands*, half Managern auf dreifache Weise, eine Markenstrategie zu entwickeln. Zunächst führte es das Konzept der

Markenidentität oder Vision der Marke ein, um beim Aufbau dieser Marke zu helfen. Zweitens untersuchte es, wie viele einzelne Marken als Teil eines Systems zusammenwirken können, um eine markenübergreifende Synergie, Klarheit und Hebelwirkung zu erzielen. Drittens analysierte es, wie man den Markenwert messen kann, insbesondere bei Marken, die für verschiedene Produkte verwendet werden und in vielen Ländern vertreten sind.

In diesem dritten Buch werden vier Themen entwickelt, die erläutern, wie dank der richtigen Markenpflege Siegermarken kreiert werden können. Zunächst wird das Konzept der Markenidentität so ausgeweitet, dass es eine Aussage über das Wesen der Marke trifft, auf die Verwendung verschiedener Identitätsmerkmale eingeht, um unterschiedliche Märkte gezielt anzusprechen und effektive Identitätsmerkmale herauszuarbeiten. Eine klare Vorstellung über die Markenidentität hilft, diese Identität deutlich denjenigen gegenüber zu kommunizieren, die an der Umsetzung dieser Identität beteiligt sind, wozu häufig nicht nur die Beschäftigten im eigenen Unternehmen, sondern auch die Geschäftspartner gehören.

Zweitens wird das Problem der Markenstruktur angesprochen – in welcher Beziehung einzelne Marken zueinander stehen sollten, wie weit man eine Marke ausdehnen sollte und welche Rollen individuelle Marken im Rahmen eines ganzen Markensystems spielen müssen. Das Konzept der Markenstruktur wird, zusammen mit den dazugehörenden Komponenten und Werkzeugen, definiert. Dieses Buch geht besonders auf das Beziehungsspektrum zwischen Marken ein und legt im Detail dar, wie untergeordnete und gestützte Marken zu wichtigen Mitteln werden können, um die Hebelwirkung starker Marken zu erhöhen.

Drittens verdeutlicht dieses Buch, dass man mehr als Werbung braucht, um Marken effektiv und effizient aufzubauen. Ein Schlüssel zum Erfolg ist eine optimale Umsetzung von Konzepten, die ein Produkt deutlich von anderen abhebt. Die Fähigkeit, verschiedene Medien effektiv zu nutzen, ist ein anderer. Eine Fülle von guten Fallbeispielen unterstreicht diese Aspekte, und es gibt ein paar Lektionen, die man von den Firmen Adidas und Nike lernen kann. Zwei Kommunikationsmittel, die bisher relativ wenig beachtet wurden, Sponsoring und das Internet, werden ausführlich behandelt. Verschiedene Modellansätze – Konsumentenvorlieben, innovative Idee, Konsumentenbeziehung und Geschäftsbeziehung – werden als Werkzeuge vorgestellt, mit denen Produktmanager Programme für den Erfolg ihrer Marken entwickeln können.

Viertens befassen sich die Autoren mit der Herausforderung, die die Organisation und Betreuung von Marken in einem globalen Zusammenhang bedeutet. Die Tatsache, dass verschiedene Geschäftsfelder und Produkte unter einem Markennamen zusammengefasst sind, sowie die Notwendigkeit, in verschiedenen Märkten (die sich häufig in unterschiedlichen Ländern befinden) zu konkurrieren, komplizieren die Markenpflege noch zusätzlich, machen sie aber auch umso notwendiger. Die Herausforderung besteht darin, eine Organisation und Prozesse zu schaffen, mit denen man starke Marken aufbauen kann, und dabei alle Möglichkeiten zu Einsparungen und Vorteile auszunutzen.

Dieses Buch basiert teilweise auf einer groß angelegten Felduntersuchung von Markenstrategien. Wir führten über 300 Fallstudien in Europa, den Vereinigten Staaten und an anderen Orten durch und suchten uns dabei solche Fälle aus, in denen Marken mit den unterschiedlichsten Bedingungen in verschiedenen Ländern fertig werden mussten. Jede der Untersuchungen konzentrierte sich auf die Identifizierung und Beurteilung der Markenstrategie und ihrer Umsetzung. Einige dieser Einzelbeispiele liefern wertvolle Einblicke und verdienen daher eine ausführliche Darlegung, während der Rest dazu verwendet wurde, spezifische Konzepte und Methoden zu erläutern. Das Buch hat auch von zahlreichen Beratungsprojekten profitiert, bei denen wir die Gelegenheit hatten, Modelle und Ideen in der Praxis zu testen.

Viele Menschen haben einen Beitrag zu diesem Buch geleistet. Auf die Gefahr hin, dass wir jemanden übersehen haben, möchten wir mit angesehenen Kollegen beginnen, die ihr Verständnis von Marken, das sie im Lauf der Jahre erworben haben, mit uns teilten; sie haben nicht nur unser Wissen vermehrt, sondern auch diesen Ausflug in die Welt der Marken interessanter gemacht: Jennifer Aaker von der Stanford University, Roberto Alvarez von ESADE und der Haas School of Business, Arnene Linquito von AT & T, Rob Holloway und Larry Ruff von Levi Strauss, Nancy Carlson von Mobil, Andy Smith von bigwords.com, Anthony Simon und Johnny Lucas von Best Foods, Kambiz Safinya und Paul Campbell von Schlumberger, Sandeep Sander von Sander & Company, Gert Burmann von Volkswagen, Michael Hogan von Frito-Lay, Jerry Lee und Katy Choi von Brand & Company, Susan White und Charles Castano von Compaq, Peter Sealey (inzwischen involviert in CKS/USWeb und die Haas School of Business), Duane Knapp von Brand Strategies, Peter Georgescu und Stuart Agres von Young and Rubicam, Alexander Biel von Alexander Biel Associates sowie Russ Winer, Rashi Glazer, Paul Farris, Mark Parry, Robert Spekman, Joe Pons, Paddy Miller, Stein Jacobsen, Michael Rukstad, Guillermo d'Andrea und andere Kollegen von der Haas School, der Darden School, Harvard, IAE und IESE. Außerdem möchten wir Scott Galloway danken, Connie Hallquist, Sterling Lanier und anderen von Prophet Brand Strategy, ebenso James McNamara, Hubert Weber und Steve Salee von The Brand Leadership Company; sie alle haben wertvolle Ideen zu diesem Buch beigetragen und es unterstützt. Dana Pillsbury von The Brand Leadership Company war uns die ganze Zeit über eine besondere Hilfe, und Monica Marchlewski hat sich außerordentlich um das Zusammentragen und Sortieren von Beispielen und Belegen bemüht.

Ein besonderes Dankeschön geht an Scott Talgo und Lisa Craig von der St. James Group sowie an Kevin O'Donnell und Jason Stabers von Prophet Brand Strategy, die wesentlich zu den Kapiteln über das Internet und die Markenstruktur beigetragen haben; diesen Analysten von Marken verdanken wir wertvolle Einblicke und zahlreiche Anregungen. Wir möchten uns auch bei John Quelch bedanken, dem Dean der London School of Business, der uns großzügig erlaubte, Material aus seiner hervorragenden Fallstudie über MasterCard als Sponsor des World Cups zu verwenden. Besonderer Dank gebührt auch Kevin Keller von

Dartmouth und Bob Jacobson von der University of Washington, die dem erstgenannten Autor halfen, ein paar faszinierende Fragen über Marken auf wissenschaftliche Weise anzugehen, wodurch diese Arbeit zum Vergnügen wurde.

Einige außerordentliche Studenten halfen uns bei der Arbeit: Terra Terwilliger, James Cook, Joao Adao, Penny Crossland, Marc Sachon (inzwischen an der Stanford School of Engineering), Madhur Metha (nun bei Chase), Brian Hare (inzwischen bei Translink), Eva Krauss (jetzt bei Ogilvy & Mather), Edward Hickman (nun bei Technical Solutions Group), Nancy Spector und insbesondere Julie Templeton (inzwischen bei Clorox) und Michael Dennis (nun bei MBA Enterprise Corps), die einen Preis für die gelungenste Verbesserung des Manuskripts gewannen. Eine ganze Reihe von Haas Studenten half dabei, das Manuskript im Endstadium der Produktion zu korrigieren und Fehler zu beseitigen, und wir stehen in ihrer Schuld. Außerdem profitierten wir von der Arbeit eines ausgezeichneten Lektors, Chris Kelly, und vom Redigieren und der steten Hilfe von Carol Chapman, die sich wieder einmal als unentbehrliche Partnerin erwies, mit der die Zusammenarbeit Spaß machte. Bei The Free Press sorgte Celia Knight dafür, dass alles voranging; Anne-Marie Sheedy half stets freundlich in vielerlei Hinsicht. Bob Wallace ist zu unserem Glück ein erstklassiger Herausgeber und Freund, der uns verständnisvoll mit Rat und Tat zur Seite stand. Dies ist das dritte Buch über Marken, bei dem er Geburtshelfer spielte. Schließlich möchten wir auch unseren Familien danken, die uns bei einem weiteren Buchprojekt unterstützten.

Einführung

1

Siegermarken – das neue Gebot

Wir leben in einer neuen Markenwelt.
Tom Peters

Eine Markenstrategie muss der Geschäftsstrategie folgen.
Dennis Carter, Intel

Produktmanagement – das klassische Modell

Im Mai 1931 war Neil McElroy, der später ein erfolgreicher Geschäftsführer von Procter & Gamble (P&G) und noch später Verteidigungsminister der USA werden sollte, ein junger Produktmanager, der die Verantwortung für die Werbung für Camay Seife trug. Damals war Ivory (»99,44 Prozent rein«, seit 1879) das wichtigste Produkt bei P&G, um alle anderen Marken kümmerte man sich nur ab und zu. McElroy beobachtete, dass die gelegentlichen Marketingaktivitäten für Camay ziemlich kunterbunt und unkoordiniert waren (vgl. die Camay-Werbung aus dem Jahr 1930, Schaubild 1.1) und dass es kein festes Budget oder Managementziel dafür gab. Infolgedessen dümpelte die Marke Camay vor sich hin und kam auf keinen grünen Zweig. Frustriert schrieb McElroy daraufhin ein zum Klassiker gewordenes Memo, in dem er ein System für die Markenpflege entwarf.

In diesem Memo arbeitete McElroy (Schaubild 1.2) eine detaillierte Lösung aus; sie sah ein Team für die Markenpflege vor, das dafür verantwortlich sein sollte, ein Marketingprogramm für die Marke zu erarbeiten und dieses mit der Verkaufsabteilung und der Produktion zu koordinieren. Dieses Memo, das auf den Vorstellungen und Aktivitäten von mehreren Leuten, sowohl bei Procter & Gamble als auch außerhalb des Unternehmens basierte, hatte immense Auswirkungen auf die Art und Weise, wie Unternehmen auf der ganzen Welt ihre Markenpflege betreiben.

"The Helen Chase?"

the lawyer asked

"My wife always reads your complexion articles–and won't use any soap but Camay"

Can you imagine how surprised and pleased I was when I found that a lawyer, whom I met at dinner the other night, knew all about Camay and my complexion articles?

He told me how pleased his wife had been when she read about a soap which had a really authoritative approval, because her skin was so very sensitive. And—that, ever since the first week she tried Camay, she had been most enthusiastic about its gentleness.

As a matter of fact, incidents like this are constantly coming up. I'm always running into people from every part of the country—relatives or old friends come from down home in Kentucky or friends of friends look me up. And they *all* tell me news about Camay.

Besides that—the *mail* I get! Letters asking advice about personal problems. Others telling me how glad the writers are to find such a lovely soap that gives their complexions *scientific* care. Still others acknowledging my booklet and telling me how helpful it's been.

But, really, *don't* you feel good when you realize that the loveliest soap you can possibly use has the approval of the very highest authorities on complexion care? For, as you'll remember, 73 of America's most eminent dermatologists have given Camay their unanimous approval as an unusually mild complexion soap, gentle enough for even the most delicate complexions.

Probably your complexion has already claimed Camay's gentle, fragrant, velvety care as its favorite beauty treatment. If not, let me give you my word (and that of the hundreds and hundreds of girls who write me) that there just *never* before was such a complexion soap as Camay!

Helen Chase

What is a dermatologist?

The title of dermatologist properly belongs only to registered physicians who have been licensed to practice medicine and who have adopted the science of dermatology (the care of the skin) as their special province.

The reputable physician is the *only* reliable authority for scientific advice upon the care and treatment of the skin.

I have personally examined the signed comments from 73 leading dermatologists of America who have approved the composition and cleansing action of Camay Soap. I certify not only to the high standing of these physicians, but also to the accuracy with which their approval has been stated in this advertisement.

Wm Allen Pusey, M. D.

(The 73 leading dermatologists who approved Camay were selected by Dr. Pusey who, for 10 years, has been the editor of the official journal of the dermatologists of the United States.)

Face Your World With Loveliness—is a free booklet with advice about skin care from 73 leading American dermatologists. Write to Helen Chase, Dept. YC-70, 509 Fifth Avenue, New York City.

Camay is 10¢ a cake

Camay is a Procter & Gamble Soap—(called Calay in Canada)

Schaubild 1.1: Anzeige für Camay, Juni 1930

Dieses Memo vom Mai 1931, das teilweise geschrieben wurde, um die Einstellung von zwei neuen Leuten zu rechtfertigen, beschreibt ein für die Markenpflege zuständiges Team, bestehend aus einem Produktmanager, einem Assistenten des Produktmanagers und mehreren Beschäftigten, die die Lage vor Ort prüfen sollen. Der folgende Auszug beschreibt die Aufgaben und den Verantwortungsbereich des Produktmanagers (gelegentlich sind in Klammern Erläuterungen hinzugefügt).

Produktmanager

(1) Untersuchen Sie sorgfältig die Abverkäufe (Stückzahl) Ihres Produktes.

(2) Wenn grundsätzlich viel und zunehmend mehr zur Entwicklung der Marke unternommen wird, untersuchen Sie sorgfältig diejenigen Bemühungen, die Erfolge zu bringen scheinen, und probieren Sie die gleiche Vorgehensweise auf anderen, vergleichbaren Gebieten aus.

(3) Wenn die Marke wenig entwickelt ist,

(a) untersuchen Sie die bisher durchgeführte Werbung und die Promotionskampagnen für die Marke; recherchieren Sie persönlich vor Ort – bei Händlern und Konsumenten – um das Problem klar erkennen zu können.

(b) Wenn Sie die Schwachstellen entdeckt haben, entwickeln Sie einen Plan, der eine lokale Schwachstelle bekämpfen kann. Natürlich ist es notwendig, nicht nur den Plan auszuarbeiten, sondern auch sicherzustellen, dass der dafür eingeplante Betrag Resultate zu einem vernünftigen Preis-Leistungs-Verhältnis bringt.

(c) Erläutern Sie diesen Plan im Detail dem Gebietsverkaufsleiter, der für das absatzschwache Gebiet zuständig ist; sichern Sie sich seine Hilfe und Unterstützung für die Verbesserungsmaßnahmen.

(d) Bereiten Sie Verkaufshilfen und alles notwendige Material vor, um Ihren Plan auszuführen. Leiten Sie diesen Plan an die Verkaufsgebiete weiter. Arbeiten Sie mit dem Außendienst zusammen, während dieser mit der Umsetzung des Plans beginnt. Begleiten Sie die Aktion bis zum Ende um sicherzustellen, dass der Eifer bei dessen Ausführung nicht nachlässt.

(e) Machen Sie sich alle nötigen Aufzeichnungen und führen Sie alle Marktuntersuchungen durch, die notwendig sind, um festzustellen, ob Ihr Plan zu den erwarteten Ergebnissen geführt hat.

(4) Übernehmen Sie die volle Verantwortung; kritisieren und korrigieren Sie nicht nur Einzelheiten des Plans, sondern übernehmen Sie die Verantwortung für den gesamten Plan für Ihre Marke(n).

(5) Übernehmen Sie die volle Verantwortung für alle Werbeausgaben für Ihre Marke [auch für Displays im Laden und Promotionskampagnen].

(6) Experimentieren Sie mit unterschiedlicher Verpackungsgestaltung, und machen Sie Vorschläge hinsichtlich der Verpackung.

(7) Treffen Sie sich mehrmals im Jahr mit jedem Gebietsverkaufsleiter, und diskutieren Sie mit ihm alle möglichen Schwachstellen im Plan für die Promotionskampagnen in seinem Gebiet.

Schaubild 1.2: Auszug aus dem Memo, das Neil McElroy 1931 bei Procter & Gamble über Markenpflege schrieb

Das System, das McElroy ausarbeitete, hatte das Ziel, »Verkaufsprobleme« zu lösen, indem es für jeden einzelnen Markt den Absatz und die Gewinne analysierte, um dadurch Problemmärkte zu identifizieren. Der Produktmanager erhob Marktdaten, um die Gründe für das Problem zu verstehen, entwickelte Programme, um darauf zu reagieren und die Situation zu ändern, und verwendete dann ein bestimmtes System zur Planung um sicherzustellen, dass die Programme rechtzeitig umgesetzt wurden. Als Reaktion auf eine Krisensituation wurden neben der Werbung auch andere Marketinginstrumente eingesetzt, beispielsweise Preisgestaltung, Verkaufsförderungskampagnen, Displays im Laden, Incentives für den Außendienst, Veränderungen der Verpackung oder Verbesserungen des Produkts.

Die klassische Markenpflege war bei Procter & Gamble und anderen Unternehmen zum Teil deshalb erfolgreich, weil sie üblicherweise von außergewöhnlichen Planern, Machern und motivierenden Menschen betrieben wurde. Die Steuerung eines solch komplexen Systems – das häufig Forschung & Entwicklung, die Produktion und Logistik ebenso wie die Werbung, sonstige Verkaufsförderungsmaßnahmen und Aspekte der Distribution umfasste – erforderte Führungsqualitäten und eine zupackende Arbeitsethik. Erfolgreiche Produktmanager brauchten außerdem außerordentliche Fähigkeiten hinsichtlich der Koordinierung und Motivierung von Leuten, denn üblicherweise hatten sie eine Stabsstelle und keine direkte Weisungsbefugnis den Leuten (innerhalb und außerhalb des Unternehmens) gegenüber, die mit der Durchsetzung des Markenprogramms beschäftigt waren.

Obwohl er sie in seinem Memo nicht ausdrücklich erwähnte, war die Annahme, dass jede einzelne Marke gegen alle anderen Marken des eigenen Unternehmens in Wettbewerb treten würde (sowohl was den Marktanteil als auch die Verfügung über Ressourcen im Unternehmen betraf), ein wichtiger Aspekt des Markenpflegekonzeptes, das McElroy entwarf. Zeitgenössische Berichte über McElroys Gedankengänge deuten darauf hin, dass er diese Idee General Motors verdankte, einem Unternehmen, dessen deutlich verschiedene Marken Chevrolet, Buick und Oldsmobile miteinander konkurrierten. Der Produktmanager hatte das Ziel, seine Marke zum Erfolg zu führen, auch wenn das auf Kosten anderer Marken aus dem eigenen Unternehmen ging.

Das klassische System der Markenpflege beschränkte sich gewöhnlich auf einen wichtigen Markt in einem einzigen Land. Handelte es sich um eine multinationale Marke, dann wurde das System üblicherweise in jedem einzelnen Land kopiert, und eigene Produktmanager übernahmen vor Ort die Verantwortung.

Außerdem tendierte der Produktmanager in dem ursprünglichen P&G-Modell dazu, aufgrund von Beobachtungen der Wettbewerber, der Absatzkanäle, der Abverkäufe und der Entwicklung der Margen seine Taktik zu ändern. Sobald Probleme erkannt wurden, bestand die Zielsetzung des Reaktionsprogramms darin, »den Zeiger« so bald wie möglich wieder in die richtige Richtung zu bewegen; dieser Prozess wurde hauptsächlich durch die Abverkäufe und Margen gesteuert. Die Entwicklung oder Durchführung von Strategien wurde häufig an Werbeagenturen delegiert oder einfach ignoriert.

Siegermarken – das neue Gebot

Viele Jahrzehnte lang funktionierte die klassische Markenpflege optimal für Procter & Gamble und viele seiner Nachahmer. Viele Leute arbeiten zusammen an der Betreuung der Marke und garantieren Fortschritte. Das System zeigt jedoch seine Schwächen, wenn Märkte komplexer werden und der Wettbewerbsdruck steigt, Absatzkanäle sich dynamisch entwickeln oder globale Kräfte eine Rolle spielen, außerdem in einem Umfeld mit vielen Marken, bei aktiver Markenerweiterung und komplexen Strukturen von untergeordneten Marken.

Infolgedessen ersetzt nach und nach bei P&G und vielen anderen Unternehmen ein neues Modell die klassische Methode der Markenpflege. Was sich da abzeichnet und was wir als Modell der Siegermarken bezeichnen, unterscheidet sich deutlich von früheren Ansätzen. Wie die Zusammenfassung in Schaubild 1.3 zeigt, betont das neue Modell sowohl Strategie als auch Taktik, ist komplexer als das vorhergehende und wird nicht nur von den Abverkäufen, sondern auch von der Markenidentität bestimmt.

Vom taktischen zum strategischen Vorgehen

In dem Modell der Siegermarken verhält sich der Produktmanager eher strategisch und visionär statt taktisch und reaktiv. Er oder sie übernimmt die Verantwortung für die Markenstrategie, legt fest, wofür die Marke in den Augen der Konsumenten und einflussreicher anderer Menschen stehen soll und kommuniziert diese Identität kontinuierlich, effizient und effektiv.

Um diese Aufgabe wahrnehmen zu können, muss der Produktmanager sowohl in die Entwicklung der Unternehmensstrategie als auch in deren Implementierung involviert sein. Die Markenstrategie sollte von der Unternehmensstrategie beeinflusst werden und die gleiche strategische Vision und Unternehmenskultur reflektieren. Außerdem sollte die Markenidentität nichts versprechen, was die Strategie nicht halten kann oder will. Nichts ist so schädlich und eine so große Verschwendung wie die Entwicklung einer Markenidentität oder einer auf einem strategischen Imperativ basierenden Vision von einer Marke, für die dann keine Mittel bereitgestellt werden. Leere Versprechungen sind schlimmer als gar keine Versprechen.

	Das klassische Modell der Markenpflege	Das Modell der Siegermarken
	Vom taktischen zum strategischen Management	
Perspektive	taktisch, reaktionär	strategisch, visionär
Stellung des Produktmanagers	weniger erfahren, eher kurzfristig denkend	hochrangige Position, langfristig denkend
Konzept	Markenimage	Markenwert
Fokus	kurzfristige, umsatzbezogene Messwerte	Messung des Markenwerts
	Vom eingeschränkten zum erweiterten Fokus	
Umfang der Marke des Marktes	ein einzelnes Produkt, ein einziger Markt	viele Produkte und viele Märkte
Strukturen der Marke	einfach	komplexe Markenstrukturen
Anzahl von Marken	Konzentration auf eine Marke	Konzentration auf Produktkategorien
Länder	ein einzelnes Land	globale Perspektive
Kommunikative Rolle des Produktmanagers	Koordinator mit wenigen Optionen	Leiter eines Teams mit vielen kommunikativen Optionen
Fokus der Kommunikation	extern, auf Kunden gerichtet	sowohl intern als auch extern
	Von bloßen Abverkäufen zur Markenidentität als Initiator der Strategie	
Initiator der Strategie	Abverkäufe und Marktanteil	Markenidentität

Schaubild 1.3: Siegermarken – die Entwicklung des Paradigmas

Eine hochrangige Position im Unternehmen

Im Rahmen der klassischen Markenpflege war der Produktmanager nur zu oft eine Person mit vergleichsweise wenig Erfahrung, die selten mehr als zwei oder drei Jahre lang in dieser Position blieb. Die strategische Perspektive macht es erforderlich, dass der Produktmanager in der Firmenhierarchie höher angesiedelt ist und auch längere Zeit in dieser Position bleibt: Im Rahmen des Modells der Siegermarken ist der Produktmanager häufig der führende Marketingprofi im Unternehmen. Innerhalb derjenigen Organisationen, in denen Marketingtalent wirklich groß geschrieben wird, kann diese Person sogar Geschäftsführer sein und ist das auch häufig.

Konzentration auf das Konzept des Markenwertes

Das Modell, das wir entwickeln wollen, kann man teilweise durch einen Vergleich des Markenimage mit dem Markenwert verdeutlichen. Das Markenimage ist eine taktische Größe – ein Aspekt, der kurzfristig Ergebnisse bestimmt und den man ruhig den Werbe- und Verkaufsförderungsspezialisten überlassen kann. Dagegen ist der Markenwert ein strategischer Parameter – ein Aktivposten, der die Basis für einen Wettbewerbsvorteil und langfristige Rentabilität darstellen kann und daher von den Spitzenmanagern eines Unternehmens beobachtet werden muss. Ziel des Siegermarkenkonzeptes ist es, den Markenwert aufzubauen, nicht einfach nur das Markenimage zu pflegen.

Messungen des Markenwertes

Das Konzept der Siegermarken befürwortet die Entwicklung von Instrumenten zur Messung des Markenwertes als Ergänzung zu den kurzfristigen Verkaufs- und Gewinndaten. Diese Messzahlen, die üblicherweise über einen längeren Zeitraum erhoben werden, sollten wesentliche Dimensionen des Markenwertes widerspiegeln, beispielsweise die Bekanntheit der Marke, die Markentreue, die Qualitätsaussage sowie mit der Marke verbundene Assoziationen. Die Identifizierung einzelner Elemente der Markenidentität, die die Marke von anderen abheben und die Beziehung zwischen den Konsumenten und der Marke beeinflussen, ist ein erster Schritt in Richtung auf die Schaffung von Messwerten für den Markenwert.

Vom eingeschränkten zum erweiterten Fokus

In dem klassischen Procter & Gamble-Modell war das Aufgabengebiet des Produktmanagers nicht nur auf eine Marke beschränkt, sondern auf eine Marke in einem einzigen Markt. Außerdem waren die Kommunikationsbemühungen üblicherweise auf einen engen Bereich konzentriert (es standen auch weniger Optionen zur Verfügung), und eine Markenkommunikation innerhalb des Unternehmens fand normalerweise nicht statt. In dem Modell der Siegermarken sind sowohl die Herausforderungen als auch das Umfeld deutlich verschieden, und das Aufgabenspektrum des Produktmanagers ist erweitert worden.

Viele Produkte und viele Märkte

Da eine Marke im Rahmen des Modells der Siegermarken in zahlreichen Produktkategorien und auf vielen Märkten vertreten sein kann, besteht eine der wichtigsten Managementaufgaben darin, den Umfang der Marke im Hinblick auf Produkte und Märkte festzulegen.

Der *Produktumfang* bestimmt die Betreuung von Markenerweiterungen und Lizenzprogrammen. Für welche Produkte sollte eine Marke verwendet werden?

Welche passen nicht zu der gegenwärtigen und für die Zukunft geplanten Markensphäre? Manche Marken, beispielsweise Sony, werden stark ausgedehnt und verdanken diesem Prozess viel Energie und Publicity; die Kunden wissen, dass sie unter dem Markennamen Sony immer neue und ungewöhnliche Produkte erwarten können. Andere Marken sind dagegen sehr bemüht, sich nicht von eindeutigen, starken Assoziationen zu lösen. Kingsford Charcoal, beispielsweise, hat sich immer auf Holzkohle und damit eng verbundene Produkte beschränkt.

Der Ausdruck *Marktumfang* bezieht sich auf die Ausbreitung einer Marke über einzelne Märkte. Diese Ausbreitung kann eine horizontale sein (beispielsweise das Auftreten von 3M in industriellen und Konsumgütermärkten) oder eine vertikale (3M-Produkte findet man sowohl im oberen als auch im unteren Preissegment). Manche Marken, so zum Beispiel IBM, Coke und Pringles (Chips von Procter & Gamble), haben in vielen verschiedenen Märkten die gleiche Identität. Andere Kontexte erfordern dagegen unterschiedliche Markenidentitäten oder sogar verschiedene Marken. Beispielsweise muss die Marke GE (General Electric) im Bereich Düsenmotoren ganz andere Assoziationen wecken als bei Haushaltsgeräten.

Die Herausforderung bei der Pflege des Produkt- und Marktumfangs besteht darin, dass man flexibel genug sein muss, um auf verschiedenen Märkten mit unterschiedlichen Produkten erfolgreich zu sein, während man gleichzeitig markt- und produktübergreifende Synergien nutzt. Eine rigide, starre Markenstrategie auf einzelnen Märkten birgt die Gefahr, der eigenen Marke angesichts von vitalen, weniger streng geführten Wettbewerbern zu schaden. Andererseits werden durch Markenanarchie Marketingaktivitäten ineffizient und ineffektiv. Eine Reihe von Ansätzen, die in den Kapiteln 2 und 4 ausführlich erläutert werden, befasst sich mit dieser Herausforderung.

Komplexe Markenstrukturen

Während sich ein Produktmanager im klassischen Sinne selten mit Markenerweiterungen und untergeordneten Marken beschäftigte, braucht der Manager von Siegermarken die Flexibilität komplexer Markenstrukturen. Die Notwendigkeit, Marken auszuweiten und ihre Stärke voll auszunutzen, hat zu der Einführung von gestützten Marken (beispielsweise Post-its von 3M, Hamburger Helper von Betty Crocker [hauptsächlich bekannt für Backwaren und Backmischungen] und Courtyard von Marriott) sowie untergeordneten Marken (zum Beispiel Chunky von Campbell, Wells Fargo Express und dem Laserjet von Hewlett Packard) geführt, die für verschiedene Produktkategorien stehen und manchmal sogar auch für die Marke einer Organisation. In Kapitel 4 und 5 werden Markenstrukturen sowie Konzepte und Werkzeuge erörtert.

Konzentration auf Produktkategorien

Das klassische Procter & Gamble Management System befürwortete die Existenz von mehreren Marken eines Unternehmens, die innerhalb der gleichen Warengruppe konkurrierten – beispielsweise Pantene, Head & Shoulders, Pert und Vidal Sassoon bei der Haarpflege – weil man damit verschiedene Marktsegmente abdecken konnte und Wettbewerb im eigenen Haus als stimulierend empfand. Zwei Faktoren haben jedoch viele Unternehmen dazu bewegt, sich um ganze Produktkategorien zu kümmern (das heißt, Gruppen von Marken) statt um ein Portfolio von vielen verschiedenen Einzelmarken.

Erstens sind Einzelhändler von Konsumgütern dazu übergegangen, mit Hilfe von Computern und Datenbanken ganze Warenklassen als Grundlage ihrer Analyse zu nutzen und sie erwarten, dass sich auch die Anbieter bei Diskussionen auf Produktkategorien beziehen. Inzwischen fordern einige Einzelhandelsketten, die in mehreren Ländern oder gar auf mehreren Kontinenten vertreten sind, eine einzige weltweite Kontaktperson für eine Warengruppe, weil sie überzeugt sind, dass ein Produktmanager in einem Land nicht den großen Überblick haben kann, der nötig ist, um der Kette zu helfen, länderübergreifende Synergien zu nutzen.

Zweitens haben es Schwestermarken, angesichts eines zunehmend überbesetzten Marktes, innerhalb der gleichen Warengruppe schwer, ein eigenes Profil zu wahren, was nur zu oft zu Verwirrung, Kannibalisierung und ineffizienter Kommunikation führt. Sehen Sie sich nur die konfuse Überschneidung der Positionierungen innerhalb der General Motors Familie von Einzelmarken an. Wenn ganze Produktkategorien betreut werden, lassen sich leichter Klarheit und Effizienz erzielen. Außerdem können wichtige Entscheidung über die Verteilung von Ressourcen, bei denen es auch um die Werbebudgets und Produktneuheiten geht, nüchterner und strategisch sinnvoller getroffen werden, weil die Marke, die den höchsten Gewinn erzielt, nicht länger automatisch das Budget bestimmt.

Im Rahmen des neuen Modells konzentriert sich der Produktmanager nicht mehr nur auf eine einzige Marke, sondern auf eine ganze Produktkategorie. Ziel ist es, alle Marken innerhalb dieser Kategorie oder Geschäftseinheit zusammenarbeiten zu lassen, um die größte Kollektivwirkung und die stärksten Synergien zu erreichen. Daher müssen auch Druckermarken bei Hewlett Packard, verschiedene Marken von Frühstückszerealien bei Kellogg's oder Haarpflegemarken bei Procter & Gamble als Team betreut werden, um die größte organisatorische Effizienz und ein möglichst effektives Marketing zu erzielen.

Eine Markenpflege, die sich auf ganze Kategorien oder Geschäftseinheiten konzentriert, kann die Gewinnsituation und den strategischen Erfolg verbessern, indem sie sich um markenübergreifende Aspekte kümmert. Welche Identitäten und Positionen der einzelnen Marken werden zu dem klarsten und am wenigsten redundanten Markensystem führen? Weisen die Bedürfnisse der Konsumenten und Absatzkanäle auf die Möglichkeit zu einem entscheidenden Durchbruch? Bieten die in einer Kategorie betreuten Marken Möglichkeiten zu

Einsparungen bei der Beschaffung und Logistik? Wie kann man Forschungs- und Entwicklungserfolge am besten markenübergreifend für eine Kategorie nutzen?

Eine globale Perspektive

Innerhalb des klassischen Modells bedeutete multinationales Produktmanagement die Existenz eines autonomen Produktmanagers in jedem Land. Nachdem der globale Wettbewerb heutzutage aber andere Anforderungen stellt, wird zunehmend deutlich, dass diese Vorgehensweise unangemessen ist. Infolgedessen experimentieren mehr und mehr Unternehmen zur Unterstützung weltweiter, umfassender Geschäftsstrategien mit Organisationsstrukturen, zu denen die Beschaffung, die Herstellung sowie die Forschung und Entwicklung genauso gehören wie das Branding.

Das Modell der Siegermarken hat eine globale Perspektive. Daher besteht ein Hauptziel dieses Konzeptes darin, eine Marke märkte- und länderübergreifend zu betreuen, um Synergien, Effizienz und strategische Klarheit zu erzielen. Diese Perspektive führt eine neue, komplexe Dimension ein: Welche Elemente der Markenstrategie sollen weltweit einheitlich sein, und welche müssen an die Märkte vor Ort angepasst werden? Die Durchsetzung der Strategie erfordert eine Koordination, die viele Leute und Organisationen einschließt. Darüber hinaus kann sich der Anspruch als schwierig erweisen, Erkenntnisse über die ganze Welt zu haben und bestmögliche Vorgehensweisen zu entwickeln. Die Vielfalt der Organisationsstrukturen und Systeme für länderübergreifende Markenbetreuung werden in Kapitel 10 vorgestellt.

Der Produktmanager als Leiter eines Kommunikationsteams

Der Produktmanager im klassischen Modell fungierte häufig nur als Koordinator und Planer von taktischen Kommunikationsprogrammen. Außerdem waren diese Programme relativ leicht zu betreuen, weil man sich der Massenmedien bedienen konnte. Peter Sealey, Professor an der UC Berkeley, hat herausgefunden, dass im Jahr 1965 ein Produktmanager bei Procter & Gamble 80 Prozent der 18- bis 49-jährigen Frauen mit drei Werbespots erreichen konnte, die jeweils 60 Sekunden dauerten. Heutzutage müsste dieser Manager 97 Spots in der besten Sendezeit schalten, um das gleiche Ergebnis zu erzielen. Die Fragmentierung von Medien und Märkten erschwert die Kommunikation immens.

Das Modell der Siegermarken sieht vor, dass der Produktmanager sowohl Stratege als auch Leiter eines Kommunikationsteams ist, der den Einsatz von vielen verschiedenen Kommunikationsmitteln steuert, einschließlich Sponsoring, Internet, Direktwerbung, Öffentlichkeitsarbeit und Promotionskampagnen. Diese Menge von Optionen stellt in zweierlei Hinsicht eine Herausforderung dar: Wie kann man effektiv verschiedene Medien nutzen und wie kann man Botschaften so koordinieren, dass sie in unterschiedlichen Medien wirksam sind; Medien, die alle von verschiedenen Organisationen und Individuen betreut werden (die alle individuell verschiedene Perspektiven und Ziele haben). Um sich beiden Herausforderungen stellen zu können, muss man effektive Markenidentitäten und Strukturen schaffen, die der Markenbetreuung in einem komplexen Umfeld dienen können.

Darüber hinaus muss sich der Produktmanager die Strategie, statt sie an andere zu delegieren, sich zu eigen machen – er leitet alle kommunikativen Bemühungen, um die der Marke gesetzten strategischen Ziele zu erreichen. Genau wie der Dirigent eines Orchesters muss der Produktmanager Höchstleistungen von anderen fördern und gleichzeitig die einzelnen Kommunikationskomponenten disziplinieren und sicherstellen, dass sie die gleiche Partitur verwenden.

Im vierten Teil dieses Buches wird anhand einer Reihe von Fallstudien aufgezeigt, wie man Kommunikationsstrategien, die eine Vielzahl von Medien umfassen, so koordinieren kann, dass Synergien, Effizienz und eine große Wirkung erzielt werden. Kapitel 7 und 8 konzentrieren sich besonders auf zwei zunehmend wichtige Medien – Sponsoring und Internet.

Interne und externe Kommunikation

Innerhalb des neuen Modells ist die Kommunikation in der Regel sowohl nach innen als auch nach außen, auf die Beeinflussung der Kunden, gerichtet. Die Markenstrategie kann nur dann erfolgreich sein, wenn sie mit den Partnern innerhalb und außerhalb des Unternehmens kommunizieren und sie inspirieren kann. Alle Personen, die mit der Marke zu tun haben, sollten die Markenstrategie verinnerlichen. Kapitel 3 zeigt eine Reihe von Methoden auf, wie man eine Marke einsetzen kann, um die Werte eines Unternehmens und seine Kultur klar zu definieren und zu kommunizieren.

Nicht die Abverkäufe, sondern die Markenidentität bestimmt die Strategie

Im Rahmen des Modells der Siegermarken wird die Strategie nicht nur von Messzahlen kurzfristiger Resultate bestimmt, beispielsweise dem Abverkauf und dem Gewinn, sondern auch von der Markenidentität, die genau darlegt, wofür die Marke stehen möchte. Wenn man sich über die Identität im Klaren ist, kann die jeweilige Ausführung einer Maßnahme so gesteuert werden, dass sie mit dem Ziel übereinstimmt und effektiv ist.

Die Entwicklung einer Markenidentität fußt auf einem gründlichen Verständnis der Kunden und Wettbewerber eines Unternehmens sowie der Unternehmensstrategie. Letztendlich bestimmen die Kunden den Markenwert wesentlich mit, und daher muss eine Markenstrategie auf einer wirkungsvollen und disziplinierten Segmentierungsstrategie basieren sowie auf dem tief greifenden Verständnis der Motive der Kunden. Die Analyse der Wettbewerber ist ein weiterer wichtiger Punkt, denn die Markenidentität muss über Unterscheidungsmerkmale verfügen, die längerfristig gültig sind. Letztendlich muss die Markenidentität die Unternehmensstrategie reflektieren sowie die Bereitschaft der Firma, in die notwendigen Programme zu investieren, damit die Marke ihre Versprechungen gegenüber den Kunden erfüllen kann. Die Entwicklung und Verfeinerung der Markenidentität werden in den Kapiteln 2 und 3 analysiert.

Es lohnt sich, eine Marke aufzubauen

Da sich das klassische Modell der Markenpflege auf kurzfristige Abverkäufe konzentrierte, waren Investitionen in eine Marke leicht zu rechtfertigen. Entweder führten sie zu einem steigenden Absatz und Gewinn oder nicht. Das Modell der Siegermarken konzentriert sich stattdessen auf den Aufbau von Aktivposten, die zu langfristigen Gewinnen führen werden, was sich oft schwer oder gar nicht demonstrieren lässt. Der Aufbau einer Marke kann jahrelang ständige Unterstützungsmaßnahmen erfordern, und nur ein Teil der Ausgaben mag sich schnell in Erfolgen niederschlagen – es kann sogar sein, dass der Aufbauprozess kurzfristig die Gewinne sinken lässt. Außerdem erfolgt der Aufbau einer Marke häufig in diffusen Märkten mit undurchsichtigen Wettbewerbsverhältnissen, wo sich Erfolge schlecht messen lassen.

Das Modell der Siegermarken basiert auf der Annahme, dass der Aufbau einer Marke nicht nur Aktiva schafft, sondern dass er für den Erfolg (und häufig sogar das Überleben) eines Unternehmens unabdingbar ist. Die Geschäftsführung muss überzeugt sein, dass die Markenpflege zu einem Wettbewerbsvorteil führt, der sich finanziell lohnen wird.

Die Herausforderung, Investitionen zum Aufbau einer Marke zu rechtfertigen, ist die gleiche wie bei Ausgaben für andere immaterielle Vermögenswerte. Obgleich in fast jedem Unternehmen die drei wichtigsten Aktivposten das Personal, die Informationstechnologie und die Marken sind, erscheint keiner dieser Posten in der Bilanz. Es ist so gut wie unmöglich, ihre Auswirkungen auf das Unternehmen quantitativ zu messen; infolgedessen gibt es nur grobe Schätzungen über ihren Wert. Die Begründung für Investitionen in immaterielle Vermögenswerte muss daher zumindest teilweise auf konzeptuellen Unternehmensmodellen beruhen, die häufig nur schwer zu schaffen und zu verteidigen sind. Ohne ein solches Modell führt jedoch kein Weg zu Siegermarken.

Weiter unten in diesem Kapitel werden wir Untersuchungen betrachten, die aufzeigen, dass die Markenpflege zu einem wesentlichen Wachstum der Aktiva von Unternehmen beigetragen hat und dass Investitionen in eine Marke positive Auswirkungen auf die Aktienrendite haben. Zunächst wollen wir jedoch den Aufbau von Marken der strategischen Alternative, dem Preiskampf, gegenüberstellen – denn an diesem Punkt beginnt die Argumentation.

Eine Alternative zum Preiskampf

Nur wenige Manager werden das Umfeld, in dem sie arbeiten, beschreiben, ohne Überkapazitäten und heftige Preiskämpfe zu erwähnen. Lediglich der Betreiber des Panamakanals hat vermutlich das Glück, konkurrenzlos arbeiten zu können. Das folgende Szenario ist allen nur zu vertraut: Neue Firmen drängen auf den Markt, was zu einem Druck auf die Preise, Überkapazitäten, sinkenden Abverkäufen und/oder einer zunehmenden Macht des Handels führt. Die Preise sinken, es kommt zu Preisnachlässen und/oder Sonderangeboten. Die Wettbewerber, insbesondere die dritt- oder viertplazierten im Markt, gehen in die Defensive. Die Konsumenten beginnen, mehr auf den Preis als auf die Qualität und andere Unterscheidungsmerkmale zu achten. Marken gleichen mehr und mehr Massenartikeln, und die Unternehmen fangen an, sie als solche zu behandeln. Die Gewinne schrumpfen.

Die Auswahl von Aktien

Nehmen Sie einmal an, jemand gäbe ihnen 0,1 Prozent der Aktien einer der beiden folgenden Unternehmen. Die Aktien welcher Firma würden Sie bevorzugen, wenn Sie die folgenden Informationen über Abverkäufe, Gewinne und Aktiva (Stand Januar 1998) hätten?

	Abverkäufe	**Aktiva**	**Gewinn**
General Motors	$ 166 Mrd.	$ 229 Mrd.	$ 7 Mrd.
Coca-Cola	$ 19 Mrd.	$ 17 Mrd.	$ 4 Mrd.

Aufgrund dieser Zahlen würden sich die meisten Leute für General Motors entscheiden und sich von Coca-Cola abwenden. Aber im Januar 1998 hatte Coke einen Wert, der das Vierfache des Wertes von GM betrug, teilweise deswegen, weil der Wert der Marke Coke mehr als doppelt so hoch war wie der Wert des ganzen Unternehmens General Motors.

Man muss kein strategischer Visionär sein, um zu begreifen, dass eine Entwicklung in Richtung Massenartikel verhindert werden sollte. Die einzige Alternative besteht darin, Marken aufzubauen.

Der etwas höhere Preis, den man für Bad Reichenhaller Salz bereit ist zu zahlen (Salz ist eine typische Massenware), für die Dienste von Charles Schwab (Discount-Broker) oder Saturn (die Marke für Kompaktwagen von General Motors), zeigt, dass sich die Entwicklung zum Massenprodukt durchaus vermeiden lässt. In allen diesen Fällen ist es einer starken Marke gelungen, dem Druck zu widerstehen, allein über den Preis zu konkurrieren. Ein anderes Beispiel ist die Ladenkette Victoria's Secret, deren Abverkäufe und Gewinne rapide anstiegen, als das Unternehmen aufhörte, jede Woche Sonderangebote mit Preisreduktionen von 40 oder gar 50 Prozent zu offerieren.

Man kann die Bedeutung des Preises als wichtiges Attribut für ein Produkt überschätzen. Untersuchungen zeigen, dass nur wenige Kunden ihre Kaufentscheidung ausschließlich mit dem Preis begründen. Sogar Kunden von Boing, denen zahlreiche günstige Angebote vorliegen, werden letztendlich eine subjektive Entscheidung treffen, die auf ihrer Beziehung zu der Marke Boing basiert. Einer der *Peanuts*-Comics von Charles Schultz verdeutlicht diesen Punkt auf ironische Weise. Lucy sitzt in einem kleinen Kiosk, der wie eine Limonadenbude ausschaut, und hat den Preis für ihre Psychiaterdienste von fünf Dollar auf zunächst einen Dollar und dann 25 Cents reduziert. Offenbar ist sie der Meinung, dass man eine solche Dienstleistung nur aufgrund des Preises kauft – eine amüsante Idee in einem Comic, aber nicht das, was im wirklichen Leben passiert. Tom Peters hat es auf den Punkt gebracht: »In einem zunehmend überbesetzten Markt lassen sich nur Narren auf einen Preiswettbewerb ein. Die Sieger werden einen Weg finden, um in den Augen der Konsumenten bleibende Werte zu schaffen.«

Der Wert einer Marke

Man kann den Wert einer Marke nicht exakt messen, aber man kann ihn grob einschätzen (beispielsweise mit einer Standardabweichung von plus oder minus 30 Prozent). Wegen der hohen Irrtumswahrscheinlichkeit können solche Schätzungen nicht dazu verwendet werden, Marketingprogramme zu beurteilen, aber sie können aufzeigen, dass ein Markenvermögen geschaffen wurde. Diese Schätzungen bilden auch einen Bezugspunkt, wenn man Programme zum Aufbau von Marken entwickelt und Budgets dafür bereitstellt. Wenn beispielsweise eine Marke 500 Millionen Dollar wert ist, wird ein Budget von fünf Millionen Dollar möglicherweise als zu niedrig für die Markenpflege angesehen. Wenn, um einen anderen Fall zu betrachten, 400 Millionen Dollar des Wertes einer Marke in Europa liegen und nur 100 Millionen in den USA, würde man wahrscheinlich eine Entscheidung, das Budget zum Aufbau der Marke in zwei gleiche Hälften zu teilen, in Frage stellen.

Die Einschätzung des Wertes einer Marke erfordert logisches Denken. Zunächst werden die Einkünfte betrachtet, die in jeder Warengruppe, in der die Marke vertreten ist, erzielt werden. (Im Fall von Hewlett Packard könnte eine Produktkategorie der Markt für Business Computer in den Vereinigten Staaten sein.) Die Einkünfte werden dann aufgeteilt in solche, die man (1) direkt der Marke zuordnen kann, die (2) auf das Anlagevermögen, beispielsweise Fabriken und Anlagen, zurückzuführen sind oder die sich (3) anderen immateriellen Vermögenswerten, beispielsweise dem Personal, bestehenden Systemen, Prozessen oder Patenten zuordnen lassen. Die Einkünfte, die man der Marke zuschreiben kann, werden kapitalisiert und liefern einen Wert für diese Marke in der bestimmten Warengruppe. Die Addition der verschiedenen Werte in einzelnen Kategorien ergibt den Gesamtwert der Marke.

Die Einkünfte, die auf das Anlagevermögen zurückzuführen sind, lassen sich verhältnismäßig leicht einschätzen, sie stellen ganz einfach eine annehmbare Verzinsung (beispielsweise acht Prozent) des Wertes des Anlagevermögens dar. Der Rest der Einkünfte muss dann in diejenigen aufgeteilt werden, die der Marke, und diejenigen, die anderen immateriellen Vermögenswerten zuzuschreiben sind. Diese Aufteilung ist subjektiv und basiert auf der Einschätzung von erfahrenen Personen innerhalb des Unternehmens. Einen wichtigen Einfluss auf dieses Urteil hat die Bedeutung der anderen immateriellen Vermögenswerte. (Beispielsweise hat für Fluggesellschaften der Zugang zu einzelnen Flugsteigen am Flughafen einen großen Einfluss auf die Einkünfte.) Ein anderer wesentlicher Faktor ist die Stärke der Marke, die sich in ihrer relativen Bekanntheit, ihrer Qualitätsaussage, der Kundentreue und damit verbundenen Assoziationen widerspiegelt.

Was ist der Markenwert?

Das Modell der Siegermarken hat das Ziel, starke Marken zu schaffen – aber was ist eine starke Marke? In dem Buch *Managing Brand Equity* wurde der Marktwert als das Markenvermögen (oder die Verbindlichkeiten) definiert, das mit dem Markennamen und dem Markensymbol verbunden ist und einem Produkt oder Service einen gewissen zusätzlichen Wert gibt (beziehungsweise etwas davon abzieht). Dieses Vermögen kann in vier Dimensionen unterteilt werden: Bekanntheit der Marke, Qualitätsaussage, mit der Marke verbundene Assoziationen und Markentreue.

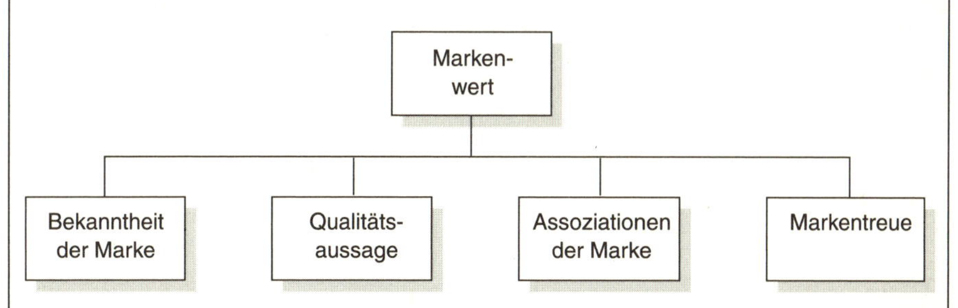

Diese vier Dimensionen haben Einfluss auf die Entwicklung, die Betreuung und die Messung der Bedeutung einer Marke.

- Die *Bekanntheit der Marke* ist häufig ein Aktivposten, der unterbewertet wird; es wurde jedoch nachgewiesen, dass der Bekanntheitsgrad einen Einfluss auf die Wahrnehmung der Marke und sogar auf den Konsumentengeschmack haben kann. Die Menschen lieben Dinge, die ihnen vertraut sind, und sind bereit, einem Gegenstand, den sie kennen, alle möglichen positiven Eigenschaften zuzuschreiben. Die Intel-Inside-Kampagne hat auf überwältigende Weise die Bekanntheit der Marke in eine Wahrnehmung technischer Überlegenheit verwandelt und die Akzeptanz im Markt erhöht.

- Die *Qualitätsaussage* ist eine besondere Art der Assoziation, teilweise deshalb, weil sie die mit der Marke verbundenen Assoziationen in ganz verschiedenen Bereichen beeinflusst, teilweise auch, weil empirisch nachgewiesen wurde, dass die Qualitätsaussage die Rentabilität (gemessen als Ertrag des investierten Kapitals und als Aktienrendite) beeinflusst.
- Die *mit einer Marke verbundenen Assoziationen* sind alles das, was Kunden mit einer Marke verbinden. Dazu können die bildlichen Vorstellungen der Konsumenten von der Marke gehören, die Produkteigenschaften, das Umfeld, in dem man das Produkt nutzt, Assoziationen zum Unternehmen, die Markenpersönlichkeit und mit der Marke verbundene Symbole. Ein großer Teil der Markenpflege besteht darin festzulegen, welche Assoziationen entwickelt werden sollen und dann Programme zu schaffen, die diese Assoziationen mit der Marke verbinden.
- *Markentreue* ist das Kernstück des Wertes einer Marke. Es sollte zum Konzept werden, die Gruppe treuer Kunden und die Intensität der Treue zu vergrößern. Eine Marke mit einem kleinen Kreis äußerst treuer Stammkunden kann einen beträchtlichen Markenwert haben.

Interbrand ist ein Unternehmen, das den Wert von Marken berechnet und dabei die oben geschilderten Faktoren berücksichtigt, aber das Modell noch weiter verfeinert hat. In seiner Untersuchung vom Juni 1999 über Marken, die auch außerhalb ihres Heimatlandes eine starke Marktpräsenz aufwiesen, erreichte der Wert der größten Weltmarken erstaunliche Summen. Die Ergebnisse für die 15 führenden Marken und sechs andere mit einem hohen Markenwert im Verhältnis zum Börsenwert des Unternehmens sind in Schaubild 1.4 dargestellt.

Für 60 Marken lagen die Schätzungen des jeweiligen Wertes über einer Milliarde Dollar; die führenden Marken waren Coca-Cola mit 83,8 und Microsoft mit 56,7 Milliarden Dollar. In vielen Fällen stellte der Wert der Marke einen beträchtlichen Prozentsatz des gesamten Aktienwertes eines Unternehmens dar (selbst dann, wenn die Marke nicht für alle Produkte des Unternehmens verwendet wurde). Von den führenden 15 Unternehmen hatte nur General Electric einen Wert der Marke unter 19 Prozent vom Börsenwert der Firma. Dagegen erreichten neun der 60 führenden Unternehmen für eine Marke Werte, die mehr als 50 Prozent des gesamten Unternehmenswerts betrugen; BMW, Nike, Apple und Ikea erreichten sogar Prozentsätze von 75 und mehr.

Bei den 60 führenden Weltmarken ließen sich einige interessante Gemeinsamkeiten feststellen. Die Top 10 (und fast zwei Drittel der Gesamtheit) waren alle US-Marken, ein Ergebnis, das die Bedeutung des US-Marktes und die frühen Globalisierungsbemühungen amerikanischer Firmen unterstreicht. Fast ein Viertel der Unternehmen (davon vier unter den Top 10) gehörten zur Computer- oder Telekommunikationsbranche; das stützt die Annahme, dass im High-Tech-Bereich Marken äußerst wichtig sind, trotz der häufigen Behauptung, dass »rationale« Konsumenten bei einer Kaufentscheidung hauptsächlich auf die technischen Daten eines Produkts achten und weniger auf die Marke.

Die Interbrand-Untersuchung unterstreicht auf eindrucksvolle Art, dass es sich lohnt, starke Marken zu schaffen, und dass manche Marken einen beträchtlichen Wert haben. Das ist ein wichtiges Ergebnis im Hinblick auf Sinn und Möglichkeiten, Markenvermögen zu schaffen.

Rang	Marke	Wert in Mrd. $	Börsenwert	Wert der Marke in Prozent der Kapitalisierung
1	Coca-Cola	83,8	142,2	59
2	Microsoft	56,7	271,9	21
3	IBM	43,8	158,4	28
4	GE	33,5	328,0	10
5	Ford	32,2	57,4	58
6	Disney	32,3	52,6	58
7	Intel	30,0	144,1	21
8	McDonald's	26,2	40,9	64
9	AT&T	24,2	102,5	24
10	Marlboro	21,0	112,4	19
11	Nokia	20,7	46,9	44
12	Mercedes	17,8	48,3	37
13	Nescafé	17,6	77,5	23
14	Hewlett-Packard	17,1	54,9	31
15	Gillette	15,9	42,9	37
16	Kodak	14,8	24,8	60
22	BMW	11,3	16,7	77
28	Nike	8,2	10,6	77
36	Apple	4,3	5,6	77
43	Ikea	3,5	4,7	75
54	Ralph Lauren	1,6	2,5	66

Schaubild 1.4: Der Wert verschiedener Weltmarken gemessen von Interbrand
Quelle: Raymond Perrier: »Interbrand's World's Most Valuable Brands«, Bericht auf der Basis einer im Juni 1999 durchgeführten Studie, gesponsert von Interbrand und Citigroup.

Die Bedeutung des Aufbaus einer Marke für die Aktienrendite

Die Interbrand-Studie zeigt zwar, dass Marken Werte schaffen können, sie verdeutlicht jedoch nicht, dass gezielte Anstrengungen zum Aufbau einer Marke die Gewinnsituation oder Aktienrendite verbesserten. Beispielsweise könnte der Wert der Marke Coca-Cola auf der jahrhundertealten Tradition und der Kundentreue basieren und nicht auf irgendwelchen kürzlich durchgeführten Maßnahmen zur Markenpflege. Welche Beweise gibt es, dass die Bemühungen um den Aufbau einer Marke einen direkten Einfluss auf die Gewinnsituation und die Aktienrendite haben?

Jeder kennt irgendwelche Anekdoten, wie Marken wie Coke, Nike, Gap [eine Oberbekleidungskette in den USA], Sony und Dell die Stärke ihrer Marke aufgebaut und für sich genutzt haben. In dem Buch *Managing Brand Equity* wurden vier Fallstudien präsentiert, die zeigten, wie man den Wert einer Marke sowohl aufbauen als auch zerstören kann. Das Versäumnis von WordStar (einst das führende Unternehmen für Textverarbeitungssoftware), Kunden ausreichend zu unterstützen und der Verlust der Qualitätsaussage bei Schlitz (einmal in guter zweiter Position bei den amerikanischen Biermarken), wurden beide als eine Milliarde Dollar teure Markenkatastrophen beziffert; die Namensänderung von Datsun in Nissan hatte nur marginal weniger katastrophale Auswirkungen auf den Markenwert. Die Schaffung und Pflege der Marke Weight Watchers während der achtziger Jahre des 20. Jahrhunderts war jedoch eine Milliarden-Dollar-Erfolgsstory.

Zwei Untersuchungen, beide von Robert Jacobson (University of Washington) und David Aaker, beschäftigten sich eingehender damit, Zusammenhänge zwischen dem Markenwert und der Aktienrendite zu finden. Die erste Studie basiert auf der EquiTrend-Datenbank von Total Research, und die zweite auf der Techtel-Datenbank für High-Tech-Marken.[1]

Die EquiTrend-Studie

Seit 1989 liefert EquiTrend eine jährliche Übersicht über die Bedeutung von 133 US-amerikanischen Marken in 39 verschiedenen Kategorien; die Untersuchung basiert auf einer telefonischen Befragung von 2000 Personen. Seit 1992 wird die Studie häufiger durchgeführt und die Anzahl der Marken wurde ausgeweitet. Der wesentliche Maßstab für den Markenwert ist die Qualitätsaussage, denn Total Research hatte herausgefunden, dass diese Größe eng mit der Vorliebe für eine Marke, dem Vertrauen in und dem Stolz auf eine Marke sowie der Bereitschaft, die Marke weiterzuempfehlen, verbunden ist. Grundsätzlich ist diese Größe der durchschnittliche Qualitätswert, der sich aufgrund der Aussagen derjenigen ergibt, die überhaupt eine Meinung zu der Marke haben.

Inwieweit das EquiTrend-Maß des Markenwertes einen Einfluss auf die Aktienrendite hat, wurde anhand der Daten von 33 Marken untersucht, alle von börsennotierten Unternehmen, bei denen die Dachmarke einen erheblichen Einfluss auf die Abverkäufe und den Gewinn hat. Die betrachteten Marken waren American Airlines (AMR), American Express, AT&T, Avon, Bic, Chrysler, Citicorp, Coke, Compaq, Exxon, Ford, GTE, Goodyear, Hershey, Hilton, IBM, Kellogg, Kodak, MCI, Marriott, Mattel, McDonald's, Merrill Lynch, Pepsi, Polaroid, Reebok, Rubbermaid, Sears, Texaco, United Airlines, VF, Volvo und Wendy's. Zusätzlich zu dem Markenwert wurden zwei weitere Variablen in das Modell miteinbezogen: die Werbeausgaben sowie der Ertrag des investierten Kapitals.

Übereinstimmend mit zahlreichen Ergebnissen aus der empirischen Finanzforschung wurde ein deutlicher Zusammenhang zwischen dem Ertrag des investierten Kapitals und der Aktienrendite festgestellt. Bemerkenswerterweise war die Korrelation zwischen dem Markenwert und der Aktienrendite fast genauso groß. Schaubild 1.5 ist eine grafische Darstellung der Ähnlichkeit von Markenwert und dem Ertrag des investierten Kapitals. Diejenigen Unternehmen, deren Markenwert die stärksten Gewinne verzeichnen konnte, erzielten eine durchschnittliche Aktienrendite von 30 Prozent; andererseits erreichten die Firmen mit den stärksten Verlusten an Markenwert eine Aktienrendite von minus 10 Prozent. Die Auswirkungen des Markenwertes unterschieden sich deutlich von denen des Ertrags des investierten Kapitals – die Korrelation zwischen diesen beiden Werten war nur gering. Im Gegensatz zu den Auswirkungen des Markenwertes war kein Effekt der Werbung auf die Aktienrendite zu beobachten, außer dem, der sich auch in dem Markenwert selbst widerspiegelte.

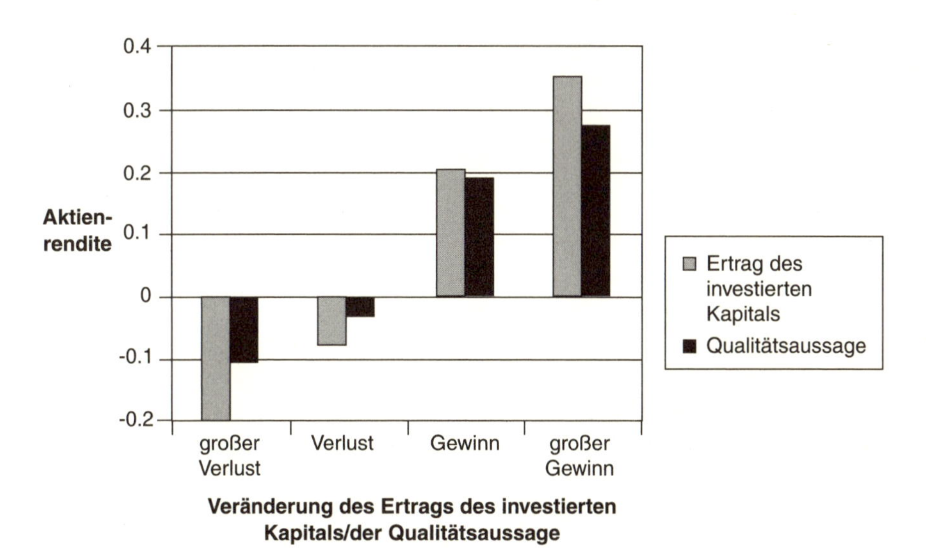

Schaubild 1.5: Die EquiTrend-Studie

Die Beziehung zwischen Markenwert und Aktienrendite entsteht teilweise vermutlich dadurch, dass ein hoher Markenwert auch höhere Preise unterstützt, die zu höheren Gewinnen beitragen. Eine Untersuchung der umfassenden Equi-

Trend-Datenbank zeigte, dass eine Verbindung zwischen dem Markenwert und höheren Preisen besteht. Marken im oberen Preissegment wie beispielsweise Kodak, Mercedes, Levi Strauss und Hallmark (Grußkarten) haben eine deutlich bessere Qualitätsaussage als Wettbewerber wie Fuji Film, Buik Automobiles, Lee's Jeans oder American Greeting Cards. Dieses Verhältnis basiert zweifelsohne auf einer Kausalverbindung, die in beiden Richtungen funktioniert – eine starke Marke kann zu einem höheren Preis angeboten werden, und ein höherer Preis ist ein wichtiger Hinweis auf bessere Qualität. Wenn eine besondere Qualitätsaussage geschaffen wurde (oder geschaffen werden kann), dann verdient man durch eine Preiserhöhung nicht nur mehr, sondern sie hat auch positive Auswirkungen auf die Wahrnehmung der Marke.

Die Techtel-Studie von High-Tech-Marken

Wie wichtig ist der Markenwert in High-Tech-Märkten? Leitende Angestellte dieser Industrie oder der Wirtschaft argumentieren häufig, dass bei technischen Produkten, da sie andere Eigenschaften als häufig gekaufte Konsumgüter und Dienstleistungen haben, der Aufbau und die Pflege von Marken weniger wichtig sind – stattdessen seien in diesem Bereich die Innovation, die Produktionsmöglichkeiten und die Distribution der Schlüssel zum Erfolg. Das heißt, dass High-Tech-Unternehmen es vermeiden sollten, Investitionen in diese Bereiche zu kürzen, um so genannte weichere Aktivitäten, wie beispielsweise den Aufbau der Marke, zu fördern. Da also Investitionen zur Erhöhung der Bekanntheit der Marke, der Assoziation zwischen Marke und Unternehmen, Stärkung der Markenpersönlichkeit oder von Markensymbolen fast als Verschwendung betrachtet werden, kann sich die Markenkommunikation nur auf Produktaspekte beschränken.

Die Argumentation dreht sich um den Glauben, dass die Käufer und der ganze Einkaufsprozess im High-Tech-Bereich rationaler als in anderen Märkten seien. Man nimmt an, dass das ganze Szenario eher rationale Gedanken und weniger die Emotionen stimuliert; außerdem geht man davon aus, dass das persönliche oder professionelle Risiko, das beim Kauf solch komplexer Produkte involviert ist, die Käufer dazu bewegt, relevante Informationen zu verarbeiten oder sogar bewusst zu suchen. (Eine solche Haltung steht im krassen Gegensatz zu der Situation bei vielen Konsumgütern, wo das Produkt derart trivial ist, dass die Konsumenten keinen oder kaum einen Grund sehen, Informationen darüber zur Kenntnis zu nehmen.) Da die Produkte in der Regel auch nur einen kurzen Lebenszyklus haben – der mitunter in wenigen Monaten gemessen wird – und da jede neue Version begleitet von zahlreichen Nachrichten und Informationen auf den Markt gebracht wird, sieht man die Hauptaufgabe darin, für die schnellstmögliche Verbreitung von neuen Informationen zu sorgen.

Trotzdem muss man den Erfolg einer wachsenden Anzahl von Marken aus dem High-Tech-Bereich wenigstens teilweise der Markenpflege zuschreiben. Die Intel-Inside-Kampagne erlaubte Intel, höhere Preise zu verlangen; dies führte zu positiven Assoziationen und einem Wachstum der Marke Intel. Dutzende von High-Tech-Unternehmen, darunter so große Firmen wie Oracle und Cisco, haben versucht, diese Erfolgsgeschichte zu wiederholen. Der Markenfachmann Lou Gerstner stellte als Geschäftsführer immense Summen für die Marke IBM bereit, und die nachfolgende deutliche Erholung des Unternehmens wird wenigstens zum Teil dieser Entscheidung zugeschrieben. Gateway und Dell schufen Marken, die sich von anderen unterschieden, und sogar Microsoft hat nun zum ersten Mal ein bedeutendes Markenprogramm initiiert. Diese Beispiele sind jedoch keine wirklichen Beweise dafür, dass sich der Aufbau von Marken im High-Tech-Bereich lohnt.

Die Techtel-Studie wurde durchgeführt, um empirisch die Beziehung zwischen dem Aufbau von High-Tech-Marken und der dazugehörigen Aktienrendite zu untersuchen. Seit 1988 führt Techtel vierteljährliche Untersuchungen des Marktes für Personal- und Netzwerkcomputer durch. Die Teilnehmer an der Studie wurden gefragt, ob sie eine positive, negative oder gar keine Meinung zu einem Unternehmen haben. Aufgrund dieser Daten wird der Markenwert anhand der Differenz zwischen dem Prozentsatz der Befragten mit einer positiven Meinung und demjenigen der Befragten mit einer negativen Meinung gemessen. Neun Marken von börsennotierten Unternehmen (Apple, Borland, Compaq, Dell, Hewlett-Packard, IBM, Microsoft, Novell und Oracle) werden in der Datenbank berücksichtigt.

Die Ergebnisse sind denen von Schaubild 1.5 sehr ähnlich. Wieder lässt sich feststellen, dass der Ertrag des investierten Kapitals einen wesentlichen Einfluss auf die Aktienrendite hat. Ebenso kann man sehen, dass der Markenwert einen fast genauso starken Einfluss hat wie der Ertrag des investierten Kapitals; der erste Wert beträgt im Durchschnitt etwa 70 Prozent des zweiten Wertes. Es ist beeindruckend aufzuzeigen, dass sich der Markenwert auch im High-Tech-Umfeld bezahlt macht, wo viele Marken für weniger wichtig halten. Die Schlussfolgerung ist klar: Der Markenwert beeinflusst generell die Aktienrendite.

Veränderungen des Markenwertes

Ungeklärt ist jedoch nach wie vor die Frage: Was verursacht eine Veränderung des Markenwertes? Ist es einfach nur die Ankündigung von neuen Produkten oder Innovationen oder wird der Markenwert im High-Tech-Bereich doch von mehr beeinflusst als den reinen Produkteigenschaften? Um dieser Frage nachzugehen, haben wir alle größeren Veränderungen des Markenwertes untersucht, indem wir mit Branchenexperten, leitenden Beschäftigen der Unternehmen und der Fachpresse sprachen. Wir fanden Beweise dafür, dass der Markenwert von den folgenden Faktoren abhängt:

- Bedeutende neue Produkte. Obwohl Tausende neuer Produkte keine Auswirkungen auf den jeweiligen Markenwert hatten, sind die positiven Effekte von Artikeln wie dem ThinkPad auf IBM, der Einführung des Newton auf Apple und Windows 3.1 auf Microsoft deutlich.

- Probleme mit Produkten. Die Einführung des Newton wirkte sich positiv auf Apple aus, aber die anschließende Enttäuschung hatte einen negativen Effekt auf den Markenwert. Die falsche Reaktion von Intel auf einen Fehler in seinem Pentium Chip wirkte sich auf den Markenwert aus.
- Veränderungen in der Firmenleitung. Der Eintritt von Lou Gerstner bei IBM und der Wiedereintritt von Steve Jobs bei Apple wurden beide mit einer Verbesserung des Markenwertes in Verbindung gebracht. Diese Geschäftsführer, die wie Galionsfiguren wirken, veränderten die Unternehmensstrategie, was ganz eindeutig ihre Marken beeinflusste.

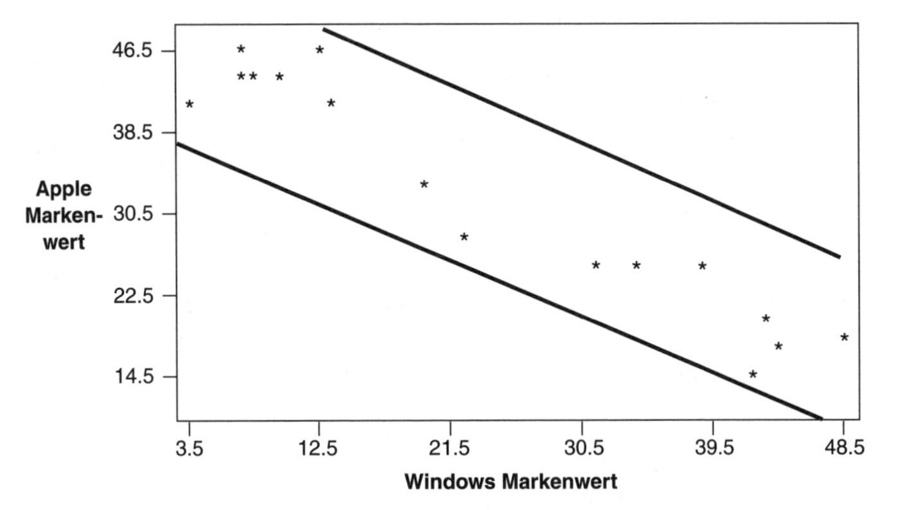

Schaubild 1.6: Markenwerte: Der Anstieg von Windows 95 im Vergleich zum Rückgang von Apple Computer; vierteljährliche Entwicklung 1994-1997

- Maßnahmen der Wettbewerber. Ein deutlicher Rückgang des Markenwertes bei Hewlett-Packard ließ sich teilweise auf die aggressive Werbung eines Wettbewerbers, Canon, zurückführen. Die Wirkung von Windows 95 auf Apples Markenwert war dramatisch (wie Schaubild 1.6 zeigt); umgekehrt wuchs der Marktwert von Windows 95 stetig an, als es dem Produkt zunehmend gelang, den Vorteil Apples als Besitzer einer benutzerfreundlichen Anwenderoberfläche zu neutralisieren. In Bezug auf Strategie und Taktik war Microsoft Sieger auf der ganzen Linie.
- Klagen vor Gericht. Nachdem Microsoft sich lange Zeit über einen stabilen Markenwert freuen konnte, sank dieser Wert deutlich, nachdem eine Wettbewerbsklage gegen Microsoft erhoben worden war.

Ein Problem bei empirischen Untersuchungen besteht darin, dass sich im Allgemeinen der Markenwert im Zeitverlauf kaum verändert. Da die Stichproben relativ klein sind, besteht eine hohe Fehlerwahrscheinlichkeit und es bedarf größerer Erschütterungen, um einen messbaren Ausschlag zu sehen. Es ist interessant, dass man in dieser Studie von High-Tech-Marken die Ursachen für stärkere Veränderungen des Markenwertes identifizieren kann. Die Ergebnisse deuten darauf hin, dass man auch in diesem Umfeld den Markennamen schützen und pflegen muss; es genügt nicht, die Werbung zu steuern. Werbekampagnen haben im Laufe der Zeit sicher eine Wirkung, aber sie veränderten in der betrachteten Studie den Markenwert nur dann signifikant, wenn sie in Verbindung mit den drei erwähnten bahnbrechenden Produkten (ThinkPad, Newton, Windows 3.1) standen.

Wie schafft man eine Siegermarke?

Es lohnt sich also, Marken aufzubauen, und mit dem Modell der Siegermarken werden starke Marken für die nächste Dekade produziert. Wie kreiert man eine Siegermarke? Schaubild 1.7 zeigt vier notwendige Voraussetzungen.

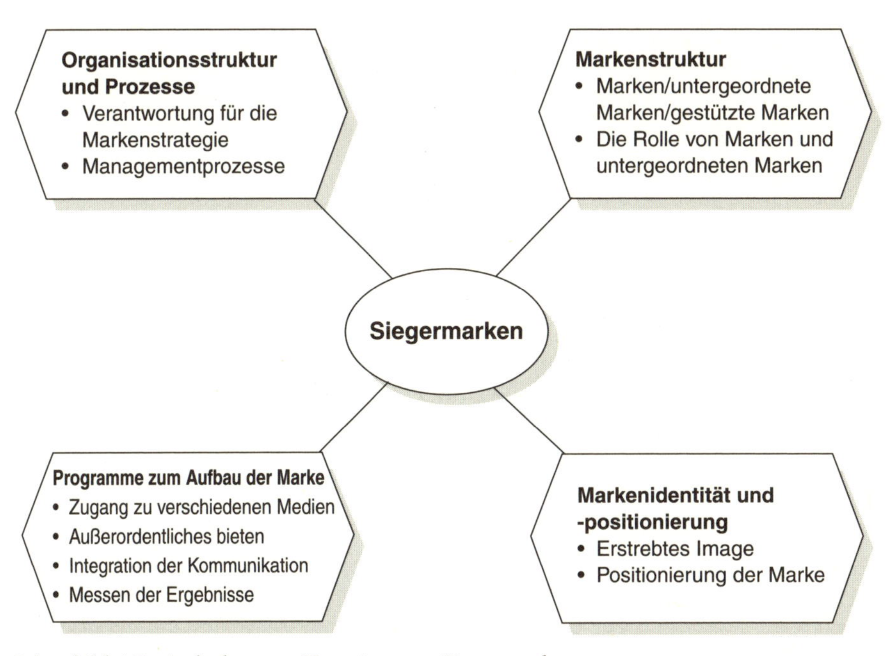

Schaubild 1.7: Aufgaben zur Kreation von Siegermarken

An erster Stelle steht die Organisation zum Aufbau und zur Pflege einer Marke. Danach wird eine umfassende Markenstruktur entwickelt, die die strategischen Rahmenbedingungen schafft. Der dritte Schritt ist das Konzept einer Markenstrategie für die wichtigsten Marken; dazu gehört eine motivierende Markenidentität genauso wie eine Positionierung, die die Marke von anderen abgrenzt und bei den Kunden auf Resonanz stößt. Viertens bedarf es der Entwicklung effizienter und wirkungsvoller Aufbauprogramme für die Marke und einer Anleitung zur Beobachtung der mit diesen Maßnahmen erzielten Ergebnisse.

Die organisatorische Herausforderung

Wie oben bemerkt, besteht die erste Aufgabe darin, eine Organisationsstruktur und Möglichkeiten für die Entwicklung starker Marken zu schaffen. Jemand (oder eine bestimmte Gruppe) muss die Führung und Verantwortung übernehmen, damit Marken nicht den spontanen Entscheidungen von Leuten überlassen werden, die kein langfristig begründetes Interesse an ihnen haben. Wenn eine Marke verschiedene Produkte, Märkte und/oder Länder umspannt, für die es jeweils eigene Manager gibt, dann muss der Organisationsprozess den gleichen Input und Output von allen und an alle gewährleisten sowie eine für alle einheitliche Sprache schaffen. Über das Kommunikationssystem sollten Erkenntnisse, Erfahrungen und Initiativen zum Aufbau der Marke ausgetauscht werden. Kurz gesagt, die Organisation muss eine markenpflegende Struktur und Kultur etablieren.

Die Markenstruktur als Herausforderung

Es gehört zur Entwicklung der Markenstruktur, die Marke und untergeordnete Marken, die unterstützt werden sollen, ihre jeweiligen Rollen und vor allem ihre Beziehung zueinander zu identifizieren. Eine effektive, wohldurchdachte Struktur führt zu einem klaren Angebot für die Kunden, echten Synergien bei den Marken und ihren Kommunikationsprogrammen und zu der Fähigkeit, das Kapital zu nutzen, das die Marken darstellen. Es ist nicht nur eine Verschwendung, sondern auch destruktiv, eine Vielzahl von Marken beliebig für vage Angebote zu verwenden, die überhaupt nicht kommunikativ unterstützt werden. High-Tech- und Dienstleistungsunternehmen neigen besonders zur Erzeugung einer Markenvielfalt, ohne sich je der Führung oder Disziplin einer Markenpolitik oder eines Markenplans zu unterwerfen.

Ein wesentlicher Aspekt einer effektiven Markenstruktur ist die Entscheidung, wann man eine existierende Marke erweitern soll, wann eine neue Marke notwendig wird und wann man eine gestützte Marke oder besser eine untergeordnete Marke verwenden sollte. Solche Entscheidungen setzen Verständnis für die Rolle und die Pflege von gestützten und untergeordneten Marken voraus – können sie eingesetzt werden, um eine Marke in neue Warenklassen und Märkte zu manövrieren? Gestützte und untergeordnete Marken sind besonders relevant für vertikale Erweiterungen, wenn eine Marke versucht, ein Hoch- oder Niedrigpreissegment zu erobern.

Die Rolle jeder einzelnen Marke innerhalb des Portfolios ist ein wesentliches Element der Markenstruktur. Man sollte Marken nicht als Monolithen betrachten, die in einsamer Größe unabhängig voneinander dastehen. Stattdessen sollte die relative Bedeutung jeder einzelnen Marke innerhalb des Portfolios festgelegt werden. Beispielsweise sind strategische Marken solche, die für die Zukunft des Unternehmens besonders wichtig sind und für die daher auch ausreichende Mittel bereitgestellt werden müssen, damit sie erfolgreich sein können.

Markenidentität und -positionierung als Herausforderung

Jede Marke, die aktiv betreut wird, braucht eine Markenidentität – eine Vorstellung davon, wie diese Marke von der Zielgruppe wahrgenommen werden sollte. Die Markenidentität ist der Kern des Modells der Siegermarken, denn sie ist die treibende Kraft, die das Programm zum Markenaufbau vorantreibt und inspiriert. Wenn die Markenidentität verwirrend oder zweideutig ist, dann bestehen kaum Chancen, dass man einen effektiven Aufbau der Marke betreiben kann.

Die Positionierung der Marke beeinflusst die Prioritäten und die genaue Definition der Markenidentität, indem sie die Kommunikationsziele bestimmt: Wie kann man die Marke am besten differenzieren und was spricht die Zielgruppe am meisten an?

Die Herausforderung des Markenaufbaus

Kommunikation und sonstige Maßnahmen zum Aufbau der Marke sind notwendig, um die Markenidentität zu definieren. Die Programme zum Aufbau und zur Pflege der Marke setzen die Markenidentität nicht nur um, sie tragen auch dazu bei, sie klar zu bestimmen. Werbung oder Sponsoring können einer Markenidentität, die sonst möglicherweise steril oder undeutlich wirken könnte, zu mehr Klarheit und größerer Präzision verhelfen. Wenn man konkrete Beispiele für eine mögliche Umsetzung vor sich auf dem Tisch liegen hat, dann können Strategien viel lebendiger und eindeutiger wirken und das Vertrauen, sie auch durchführen zu können, wächst.

Für die meisten starken Marken ist eine wirklich optimale Umsetzung und Ausführung aller Maßnahmen wichtig, damit sie aus der Menge hervorgehoben werden, die Marke neuen Schwung erhält und sich im Lauf der Zeit eine kumulative Wirkung ergibt. Man kann den Unterschied zwischen gut und optimal nicht genug betonen, denn das Problem besteht natürlich darin, dass es viele gute Maßnahmen, aber nur sehr wenige wirklich überzeugende gibt. Die Herausforderung besteht darin, dass die Marke auffallen muss, dass man sich an sie erinnern soll, dass möglicherweise ihre Wahrnehmung verändert werden soll, dass man bestimmte Einstellungen unterstützt und insgesamt eine engere Beziehung zum Kunden fördern will. Eine lediglich gute Ausführung bewegt selten etwas, es sei denn, sie wird mit einem immensen Budget unterstützt.

Für eine optimale Ausführung braucht man die richtigen Kommunikationsmittel. Dazu gehört in der Regel mehr als Werbung – mitunter spielt die Werbung nur eine untergeordnete oder gar keine Rolle. Ein wichtiger Punkt ist der Zugang zu alternativen Medien. Die starken Marken der Zukunft werden interaktive Medien zu nutzen wissen, außerdem Werbung, die direkte Reaktionen provoziert, Promotionskampagnen und andere Mittel, die eine Beziehung zwischen Marken und Kunden aufbauen. Außerdem ist es wichtig zu lernen, wie man das daraus resultierende Kommunikationsprogramm managen muss, damit es mit der Strategie harmoniert und Synergien entstehen.

Wer erfolgreich etwas bewegen will, muss die Ergebnisse seines Handelns auch messen. Ohne eine Erfolgsmessung werden Budgets willkürlich erstellt und ausgegeben, Programme lassen sich nicht bewerten. Der Schlüssel zur richtigen Erfolgsmessung liegt in Indikatoren, die alle Dimensionen des Markenwertes berücksichtigen: die Bekanntheit der Marke, die Qualitätsaussage, die Kundentreue sowie diverse damit zusammenhängende Faktoren, zu denen sowohl die Markenpersönlichkeit als auch der Bezug zum Unternehmen selbst und einiges mehr zählen. Wer sich nur auf kurzfristige Umsatzzahlen stützt, läuft Gefahr, die Marke eher zu schwächen als zu stärken.

Der Aufbau dieses Buches

Das Konzept der Markenidentität und die Untersuchungen, die dieses Konzept unterstützen, wurden ausführlich in dem Buch *Building Strong Brands* diskutiert. Die Arbeit mit dem Markenidentitätsmodell und seine Umsetzung haben jedoch gezeigt, dass es sich lohnen würde, einzelne Aspekte des Modells und seiner Anwendung detaillierter darzulegen. Daher wird in Kapitel 2 eine kurze Übersicht über die Markenidentität und -positionierung gegeben; anhand von acht Beispielen werden Anregungen für alle geliefert, die diese Konzepte umsetzen möchten. Im dritten Kapitel stellen wir eine Vielzahl von Möglichkeiten vor, wie man die Markenidentität und -positionierung weiterentwickeln und ausweiten kann, um eine effektivere Kommunikation und andere wirkungsvolle Maßnahmen zur Unterstützung der Marke durchzuführen.

Fragen zur Markenstruktur werden in den Kapiteln 4 und 5 behandelt. Das vierte Kapitel befasst sich mit dem Beziehungsspektrum zwischen Marken und erläutert, wie man gestützte und untergeordnete Marken einsetzen kann. Kapitel 5 beinhaltet eine Definition der Markenstruktur, außerdem wird ein Prüfsystem für die Verbesserung der Markenstruktur erläutert.

Maßnahmen zum Aufbau der Marke, die über reine Werbung hinausgehen, sind das Thema der Kapitel 6 bis 9. Im sechsten Kapitel werden in einer Fallstudie die neuen Ansätze zur Markenpflege der Firmen Adidas und Nike vorgestellt. Das siebte Kapitel beschäftigt sich mit Sponsoring zur Unterstützung von Marken, und der Aufbau einer Marke mit Hilfe des Internets wird in Kapitel 8 behandelt. In Kapitel 9 zeigen wir anhand einiger Fallbeispiele, wie man mit Mitteln von der Stange Marken aufbauen kann und erstellen einige allgemeine Richtlinien.

Schließlich wird im zehnten Kapitel anhand einer Untersuchung über die Organisation von 35 Weltunternehmen gezeigt, wie man im Einzelfall starke Marken aufbaut. Außerdem enthält es ein Modell von vier verschiedenen Organisationsstrukturen, wie sie in erfolgreichen Weltfirmen eingesetzt werden.

Vorschläge

1. Schauen Sie sich die verschiedenen Ebenen im Schaubild 1.3 an. Positionieren Sie auf jeder dieser Ebenen Ihr Unternehmen anhand einer Skala von 1 bis 7 zwischen dem klassischen Modell der Markenpflege und dem Modell der Siegermarken. Vergleichen Sie Ihre tatsächliche Position mit der Position, die sie angesichts des Wettbewerbsumfelds und der Marktbedingungen einnehmen sollten.
2. Untersuchen Sie in Ihrer Branche die Einflussfaktoren auf die Markenpflege, beispielsweise den Wettbewerbsdruck, den Einfluss der Absatzkanäle, das weltweite Geschehen und Marktfaktoren. Wie wird sich Ihre Markenstrategie ändern müssen, damit Sie in einem sich verändernden Umfeld erfolgreich bleiben?
3. Kommentieren Sie die Untersuchungen, die zeigen, wie der Markenwert die finanzielle Lage und das Betriebsergebnis eines Unternehmens mitbestimmen kann.

Die Identität einer Marke

2

Die Identität einer Marke ist der Eckpfeiler der Markenstrategie

Eine Marke ist das Gesicht einer Unternehmensstrategie.
Scott Galloway, Prophet Brand Strategy

Sie müssen selbst ein Herz haben,
wenn Sie das Herz Ihrer Kunden gewinnen wollen.
Charlotte Beers, J. Walter Thompson

Die Geschichte von Virgin Atlantic Airways

1970 gründete Richard Branson mit ein paar Freunden Virgin Records als kleines Versandhandelsunternehmen in London, Großbritannien; ein bescheidenes Einzelhandelsgeschäft in der Oxford Street, einer der Haupteinkaufsstraßen der Stadt, folgte 1971. Die Partner hatten sich auf den Namen Virgin geeinigt, weil sie alle jung und in Geschäftssachen jungfräulich unbedarft waren. Binnen 13 Jahren entwickelte sich das Unternehmen jedoch zu einer Kette von Schallplattenläden und dem größten unabhängigen Plattenlabel in Großbritannien, das so unterschiedliche und bedeutende Künstler wie Phil Collins, die Sex Pistols, Mike Oldfield, Boy George und die Rolling Stones unter Vertrag hatte. In den neunziger Jahren des 20. Jahrhunderts wuchs das Geschäft weiter; über hundert Virgin »Megastores« auf der ganzen Welt gehören dazu. Viele davon, beispielsweise der Laden am Times Square in New York, sagen mit ihren Ladenschildern, ihrer Größe und der Innenausstattung viel über die Marke aus.

Im Februar 1984 kam ein junger Rechtsanwalt zu Richard Branson mit dem Vorschlag, eine neue Fluggesellschaft zu gründen. Der Aufsichtsrat von Virgin tat diesen Vorschlag als absurd ab, aber Branson glaubte, dass seine Erfahrung in der Unterhaltungsbranche einer Fluggesellschaft helfen könnte, den Kunden einen bedeutenden zusätzlichen Nutzen zu bieten. Da er selbst Fliegen langweilig und lästig fand, hatte er die Idee, Flüge unterhaltsam zu gestalten und entschied sich für eine äußerst attraktive Zielvorgabe: »Allen Klassen von Passagieren den bestmöglichen Service zu möglichst günstigen Kosten bieten.« Branson setzte sich durch, und schon nach drei Monaten startete das erste Virgin-Atlantic-Flugzeug vom Londoner Flughafen Gatwick.

Trotz aller Unkenrufe (und heftiger Störmanöver von British Airways) florierte Virgin. Bis 1997 hatte das Unternehmen 30 Millionen Passagiere befördert, einen Jahresumsatz von über 3,5 Milliarden Dollar erwirtschaftet und sich auf den meisten Strecken (in Bezug auf das Passagieraufkommen) zur zweitwichtigsten Fluggesellschaft entwickelt. Obgleich Virgin Atlantic nur etwa so groß ist wie Alaska Airlines, kann die Gesellschaft hinsichtlich Bekanntheit und Ruf mit den großen internationalen Fluggesellschaften mithalten. Eine Studie aus dem Jahr 1994 belegte, dass mehr als 90 Prozent aller britischen Konsumenten von Virgin Atlantic zumindest schon gehört hatten. Gruppendiskussionen zeigen regelmäßig, dass Virgin eine Marke ist, der man vertraut, die man mit innovativen Produkten und anspruchsvollem Service verbindet.

Die Markenidentität von Virgin

Der Erfolg von Virgin lässt sich auf eine Reihe von Faktoren zurückführen, einschließlich Richard Bransons erstaunlichem Instinkt bei der Auswahl neuer Geschäftsfelder, seiner strategischen Vision, der Qualität und dem Unternehmergeist der Führungsspitze sowie der Partner, die die verschiedenen Virgingeschäfte leiten, und einfach Glück. Aber die Marke Virgin ist der Kitt, der dieses ständig wachsende Imperium zusammenhält. Vier eindeutig definierte Werte und Assoziationen beschreiben den Kern der Virgin-Markenidentität: qualitativ hochwertiger Service, Innovation, Spaß und ein gutes Preis-Leistungs-Verhältnis. Virgin Atlantic Airways ist ein Paradebeispiel für diese Werte.

Hohe Servicequalität

Im Fluggeschäft gibt es ständig Momente, in denen der Kunde direkt mit dem Service in Kontakt kommt. In dieser Hinsicht war Virgin Atlantic bisher außerordentlich erfolgreich, wie die vielen Qualitätsauszeichnungen beweisen, die die Fluggesellschaft immer wieder einheimst. Beispielsweise wurde Virgin 1997 im siebten Jahr in Folge zur besten Gesellschaft für Transatlantikflüge gewählt und bekam zum neunten Mal in Folge den Preis für die beste Business Class. Andere Auszeichnungen gab es für die beste Unterhaltung während des Fluges, die beste Auswahl von Weinen für die Business Class und das beste Schalterpersonal. Im Vergleich zu anderen Fluggesellschaften, die besonderen Wert auf Service legen, beispielsweise British Airways, Ansett Airlines und Singapore Airlines, schneidet Virgin sehr gut ab.

Innovation

Die Innovationsphilosophie bei Virgin ist einfach: Wir wollen die Ersten sein und die Kunden verblüffen. Virgin war 1986 der Pionier bei der Einführung von Schlafsitzen (British Airways folgte diesem Beispiel erst neun Jahre später), war die erste Gesellschaft, die Massagen während des Fluges anbot, Sicherheitssitze für Kinder, individuelle Bildschirme für Videofilme in der Business Class und neue Klassen, die über den üblichen Economy- und Business-Klassen anderer Fluggesellschaften angesiedelt sind. Kurz gesagt: Virgin war so innovativ wie keine andere Gesellschaft sonst. Drei Prozent der Einnahmen werden für Innovationen im Bereich Servicequalität ausgegeben – fast zweimal so viel wie amerikanische Fluggesellschaften dafür im Durchschnitt ausgeben.

Spaß und Unterhaltung

In den Airport Lounges von Virgin gibt es Putting Greens, wo man seinen Golfabschlag verbessern kann, Masseure, Kosmetikerinnen sowie die Möglichkeit zu duschen, eine Unterwassermassage zu bekommen oder zu schlafen. Auf manchen Strecken bietet die Fluggesellschaft den Passagieren der ersten Klasse an, bei Ankunft am Zielpunkt dort einen maßgeschneiderten Anzug für sie bereitzuhalten. Die Kunden haben sogar die Möglichkeit, am Flughafen an einem Drive-in-Schalter wie etwa bei McDonald's einzuchecken. Ziel ist es, dem Kunden eine unvergessliche, vergnügliche und unterhaltende Erfahrung zu bieten. Die Verbesserungen sind keine 08/15-Änderungen einer gewöhnlichen Dienstleistung, wie beispielsweise das Angebot eines vegetarischen Menüs oder einer Tasse Starbucks Kaffee [Starbucks gilt in den USA als besonders hochwertiger Kaffee – das Unternehmen hat einen regelrechten Kaffeekult begründet].

Gutes Preis-Leistungs-Verhältnis

Die Virgin Atlantic Upper Class bietet zu einem Business-Class-Preis einen Service, wie man ihn bei vielen anderen Fluggesellschaften nur in der Ersten Klasse bekommt. Entsprechend bietet die Mid Class die Qualität von Business Class für Leute, die den vollen Economy-Class-Preis bezahlt haben, und die meisten Economy-Class-Flugscheine von Virgin gibt es zu reduzierten Preisen. Während die niedrigen Preise für die Konsumenten sicherlich einen Vorteil darstellen, werden sie von Virgin nicht betont. Niedrige Preise als solche sind nicht die Botschaft, die Virgin vermitteln möchte.

Während die vier Kerndimensionen der Identität die wichtigsten Bestimmungsfaktoren der Marke Virgin sind, gehören zur Markenidentität auch noch drei weitere Dimensionen: das bewusst gepflegte Image des Underdog, die Markenpersönlichkeit und die Markensymbole.

Das Unternehmen als Underdog

Das Unternehmensmodell von Virgin ist sehr geradlinig. Typischerweise dringt die Firma in Märkte und Branchen ein, wo es bereits etablierte Platzhirsche gibt (zum Beispiel British Airways, Coca-Cola, Levi Strauss, British Rail und Smirnoff), die aber als eher träge, bürokratisch und wenig flexibel im Hinblick auf Kundenwünsche gelten. Im Gegensatz dazu wird Virgin als das scheinbar schwächere Unternehmen dargestellt, das sich um Kunden kümmert, Neuheiten einführt und eine attraktive Alternative zu dem bietet, was die Konsumenten bisher kauften. Als British Airways zu verhindern versuchte, dass Virgin neue Routen bekam, stellte Virgin den Wettbewerber als Raufbold dar, der sich einem ernst zu nehmenden Neuankömmling in den Weg stellte, der bessere Qualität und Dienstleistungen anbieten wollte. Personifiziert von Richard Branson persönlich, ist Virgin eine Art moderner Robin Hood, ein Freund der kleinen Leute.

Die Virgin-Persönlichkeit

Die Marke hat eine starke, vielleicht etwas kantige Persönlichkeit, die im Großen und Ganzen die auffallenden Innovationen im Servicebereich sowie die Wertvorstellungen und Taten des Firmengründers Richard Branson reflektiert. Als Person würde Virgin beschrieben als

- jemand, der Regeln missachtet,
- eine Person mit gelegentlich haarsträubendem, um nicht zu sagen schockierendem Humor,
- der Underdog, der bereit ist, das Establishment zu attackieren,
- eine kompetente Person, die immer hervorragende Arbeit leistet und sich selbst hohe Qualitätsziele setzt.

Interessanterweise umfasst diese Persönlichkeit verschiedene voneinander unabhängige Eigenschaften: sie liebt Spaß, ist innovativ und kompetent. Viele Marken würden sich gerne genauso darstellen, haben aber den Eindruck, zwischen solch extremen Persönlichkeitsmerkmalen wählen zu müssen. Der Schlüssel zum Erfolg ist nicht nur die Persönlichkeit von Branson, sondern auch die Tatsache, dass Virgin mit seinen Leistungen jeder Facette dieser Persönlichkeit entspricht.

Die Virgin-Symbole

Das Virgin-Symbol überhaupt ist natürlich Richard Branson selbst (siehe sein Foto in Schaubild 2.1). Er stellt sehr viel von dem dar, wofür Virgin steht. Es gibt natürlich auch noch andere Symbole, unter anderem das Virgin Blimp, Virgin Island (die Jungferninseln, zu denen Virgin-Vielflieger mit einer genügend hohen Punktzahl kostenlos kommen können) und das Virgin-Logo. Dadurch, dass es wie handgeschrieben aussieht und immer schräg präsentiert wird, steht dieses Logo im Kontrast zu Marken, deren Namen einen eher konventionellen Schrift-

Schaubild 2.1: Richard Branson

satz verwenden und geradlinig oder symmetrisch erscheinen. Die Handschrift (die einen an Intel Inside erinnert) vermittelt das Gefühl, dass Branson selbst dies geschrieben haben könnte, und der kecke Winkel unterstreicht, dass Virgin nicht einfach nur eines von vielen Großunternehmen ist.

Die Ausweitung der Marke Virgin

Virgin ist ein bemerkenswertes Beispiel dafür, wie eine Marke weit über das hinaus ausgedehnt werden kann, was man zunächst als vernünftig ansehen würde. Die Marke Virgin umfasst inzwischen nicht nur CD-Läden, Fluggesellschaften, Colagetränke und Kondome, sondern auch Dutzende anderer Warengruppen. Zur Virgin-Gruppe gehören rund 100 Unternehmen in 22 Ländern, darunter eine preisgünstige Fluggesellschaft (Virgin Express), Finanzdienstleistungen (Virgin Direct), eine Einzelhandelskette sowie ein Direktvertrieb für Kosmetika (Virgin Vie), verschiedene Mediengesellschaften (Virgin Radio, Virgin TV), eine Eisenbahngesellschaft (Virgin Rail), Erfrischungs- und sonstige Getränke (Virgin Cola, Virgin Energy, Virgin Wodka), Freizeitkleidung (Virgin Clothing, Virgin Jeans), ein neues Schallplattenlabel (V2 Records) und sogar ein Geschäft für Brautmoden und das Ausrichten von Hochzeiten (Virgin Bride).

Schon die Entscheidung, die Marke Virgin, die man damals mit Rockmusik und Jugend assoziierte, auch für eine Fluggesellschaft zu verwenden, hätte im Fall eines Fehlschlags einen geradezu klassischen Marketingflop dargestellt. Da die Fluggesellschaft jedoch erfolgreich war und es fertig brachte, zu günstigen

Preisen gute Qualität, Flair und Innovation zu bieten, entwickelten sich Assoziationen zur Dachmarke, die sich nicht auf eine einzige Produktkategorie beschränkten. Die Elemente der Markenidentität von Virgin – Qualität, Innovation, Vergnügen/Unterhaltung, gutes Preis-Leistungs-Verhältnis, das Image des Underdog, eine starke Markenpersönlichkeit und Richard Branson – passen zu einer breiten Palette von Produkten und Dienstleistungen. Virgin ist zu einer Marke geworden, die für einen ganzen Lebensstil steht, und ihre enge Beziehung zum Kunden beruht nicht ausschließlich auf den praktischen Vorteilen, die sie ihnen bietet.

Ein Grund, warum die Marke sich so gut ausweiten ließ, ist die Tatsache, dass zwei der untergeordneten Marken, Virgin Atlantic Airways und die Virgin Megastores, als Bezugsrahmen für die ganze Gruppe dienen. Da beide so genannte »Silver bullets« sind (d.h. untergeordnete Marken, die das Image der Dachmarke stark beeinflussen), kommt der größte Teil der Ressourcen und der Aufmerksamkeit der Virgin-Geschäftsleitung ihnen zugute.

Die Ausweitung einer Marke ist mit Schwierigkeiten und Risiken verbunden, kann aber auch beträchtliche Vorteile bringen, wie Sony, Honda, General Electric (GE) und andere Marken, die ein breites Portfolio von Produkten umfassen, bewiesen haben. Erstens kann eine Vielzahl von Angeboten eine Marke mehr ins Blickfeld rücken und den Bekanntheitsgrad erhöhen. Zweitens kann eine solche Ausweitung wichtige Assoziationen verstärken beziehungsweise neue Assoziationen schaffen (beispielsweise Qualität, Innovation, Spaß und ein gutes Preis-Leistungs-Verhältnis im Fall von Virgin). Drittens muss, wenn bereits eine starke Hauptmarke existiert, nicht immer ein neuer Name etabliert werden, wenn neue Produkte oder Dienstleistungen hinzukommen – beispielsweise kann der Markenname Virgin unter Zusatz einer weiteren Angabe zu Virgin Cola oder Virgin Rail werden.

Eine Marke kommunizieren – die Rolle der Werbung

Der Erfolg der Marke Virgin lässt sich teilweise darauf zurückführen, dass sie sehr stark im Blickpunkt der Öffentlichkeit steht, was viel mit der Werbung zu tun hat, die Richard Branson selbst macht. Da ihm klar war, dass Virgin Atlantic in Bezug auf das Werbebudget nicht mit British Airways konkurrieren kann, nutzte Branson bewusst Werbetricks, um die Marke bekannt zu machen und Assoziationen zu kreieren. Als 1984 der erste Atlantikflug mit Freunden, Prominenz und Reportern an Bord startete, erschien Branson mit einem ledernen Flughelm aus dem Ersten Weltkrieg auf dem Kopf im Cockpit. Der Videofilm, der an Bord vorgeführt wurde, zeigte Branson mit zwei berühmten Cricketspielern als Piloten, die die Passagiere aus dem Cockpit begrüßten.[2]

Bransons Bemühungen in Sachen Öffentlichkeitsarbeit haben sich durchaus nicht nur auf Virgin Atlantic beschränkt. Zur Eröffnung von Virgin Bride, einem Unternehmen das Hochzeiten ausrichtet, erschien Branson in einem Brautkleid. Bei der Eröffnung von Virgins erstem Megastore in den USA, 1996 am Times

Square in New York, wurde Branson (ein Ballonfahrer, der mehrere Weltrekorde hält) auf einem riesigen Silberball aus einer Höhe von 30 Metern herabgelassen. Solche und andere Stunts bedeuten für die Marke Virgin einen Haufen kostenloser Werbung. Obwohl einige dieser Maßnahmen atemberaubend waren, gingen sie niemals zu weit; Virgin ist aufregend, überraschend, mitunter auch schockierend, aber niemals beleidigend oder abstoßend. Beispielsweise würde Virgin niemals so weit gehen wie Benetton mit seiner Werbekampagne, in der der Gebrauch von Kondomen, Hunger und rassistische Probleme thematisiert wurden.

Branson beherrscht seine Rolle vollkommen. Durch die Demonstration britischen Humors und der im Publikum verbreiteten Sympathie für Menschen, die sich gegen ein System stellen, hat er die Herzen der Konsumenten erobert. Weil er niemals von den Schlüsselwerten der Marke, das heißt Qualität, Innovation, Spaß und ein gutes Preis-Leistungs-Verhältnis, abweicht, hat er ihr Vertrauen und ihre Treue gewonnen. Es gibt zahllose Beispiele für das große Vertrauen, das Menschen Richard Branson und Virgin entgegenbringen. Als der Radiosender BBC 1200 Leute fragte, wer ihrer Meinung nach am besten geeignet sei, die Zehn Gebote neu zu schreiben, wurde Branson an vierter Stelle genannt, nach Mutter Teresa, dem Papst und dem Erzbischof von Canterbury, dem geistlichen Oberhaupt der anglikanischen Kirche. Als eine britische Tageszeitung eine Umfrage veranstaltete, wer am besten qualifiziert sei, um der nächste Bürgermeister von London zu werden, gewann Branson mit überwältigendem Vorsprung.

Die Herausforderung für eine Marke, die auf einem derartigen Erfolg und außergewöhnlichen Innovationen wie Virgin aufbaut, ist enorm – die nächste gewagte Ausdehnung könnte zu einem katastrophalen Beispiel dafür werden, dass man zu weit gehen kann. Mit seiner Eisenbahngesellschaft könnte Virgin entgleisen. Fast 30 Millionen Bahnreisen jährlich bedeuten, dass die Bahn im Blickpunkt der Öffentlichkeit steht, und es liegt hier nicht alleine bei Virgin, ob ein guter Service angeboten wird, denn das Unternehmen hängt von anderen Eisenbahngesellschaften und Betreiberfirmen ab. Während des ersten Geschäftsjahres hatte Virgin Rail offensichtliche und signifikante Probleme mit dem Service und der Pünktlichkeit. Rückblickend kann man wohl sagen, dass man ein derartig riskantes Abenteuer wahrscheinlich besser unter einem anderen Markennamen begonnen hätte, um der Marke Virgin ein gewisses Maß an Schutz zu gewähren.

Das kritische Problem für Virgin wird in der Frage bestehen, wie man die Marke pflegt, während deren Kunden (und Branson selbst) älter werden und sich die Marke auf immer ferner liegende Gebiete vorwagt und ausdehnt. Wird es Virgin gelingen, seine Kernidentität warengruppenübergreifend zu bewahren und im Laufe der Zeit seine energiegeladene Persönlichkeit zu behalten? Eine eindeutige Markenidentität wird dringend erforderlich sein, um sich dieser Herausforderung zu stellen.

Modell zur Planung einer Markenidentität

Eine starke Marke sollte eine umfangreiche und eindeutige Markenidentität besitzen – eine Reihe von Assoziationen, die der Markenstratege zu schaffen oder zu erhalten sucht. Im Gegensatz zum Markenimage (den gegenwärtig mit einer Marke verbundenen Assoziationen), ist die Markenidentität etwas, was man anstrebt, und kann bedeuten, dass man das Image ändern oder ausweiten muss. Grundsätzlich stellt die Markenidentität das dar, wofür nach dem Willen des Unternehmens die Marke stehen soll.

Diejenigen, die etwas mit der Marke zu tun haben (das heißt, das Markenteam und seine Partner), sollten in der Lage sein, die Markenidentität verständlich zu machen und sich um sie kümmern. Ist eine dieser beiden Bedingungen nicht erfüllt, wird sich eine Marke wahrscheinlich nie optimal entwickeln und von Marktkräften bedroht sein, die ein undifferenziertes Warenangebot und Wettbewerb über den Preis forcieren. Es gibt schon zu viele Marken, die ziellos herumdümpeln und kein eigenes Profil haben. Sie scheinen immer nur ihren günstigen Preis zu betonen, das letzte Sonderangebot, im Dutzend billiger zu sein oder immer neue Absatzkanäle zu erschließen – Symptome mangelnder Integrität.

Wie im ersten Kapitel dargelegt, ist die Markenidentität eine der vier Säulen (zusammen mit der Markenstruktur, den Programmen zum Aufbau und zur Pflege der Marke sowie der Organisationsstruktur und den notwendigen Prozessen), auf denen eine starke Marke ruht. Das Konzept der Markenidentität wurde im Detail in dem Buch *Building Strong Brands* entwickelt. Wir wollen hier noch einmal zu dem Konzept zurückkehren und es ausweiten, sodass es auch das Wesen der Marke mit einbezieht, also die kompakte Zusammenfassung dessen, wofür die Marke eigentlich steht. Außerdem geben wir aufgrund der Erfahrung, die wir bei der Anwendung des Konzepts auf viele Unternehmen und Marken gemacht haben, acht praktische Hinweise zur Entwicklung und zum Gebrauch der Markenidentität.

Die Planung der Markenidentität, die in Schaubild 2.2 zusammengefasst ist, liefert Mittel zum Verständnis, zur Entwicklung und zur Nutzung des Modells der Markenidentität. Zusätzlich zu der Markenidentität an sich umfasst es zwei andere Komponenten, die strategische Markenanalyse und das Implementierungssystem für die Markenidentität, die im Folgenden diskutiert werden.

Die strategische Markenanalyse

Wenn sie eine Wirkung haben soll, muss die Markenidentität bei den Kunden einen Widerhall finden, die Marke von den Wettbewerbern differenzieren und aufzeigen, was das Unternehmen im Laufe der Zeit für die Marke tun kann und will. Die strategische Markenanalyse hilft dem Produktmanager, die Kunden, die Wettbewerber und die Marke selbst (einschließlich der Organisation, die hinter der Marke steht) zu verstehen.

Die *Kundenanalyse* muss darüber hinausgehen, was die Kunden sagen, und zu einem Verständnis dafür führen, welche Motive ihrem Verhalten zugrunde liegen. Kreative qualitative Marktforschung kann oft zu den gewünschten Ergebnissen führen. Eine andere Herausforderung besteht darin, ein Segmentierungsschema zu entwickeln, das die Strategie vorwärts bringt. Um das zu tun, muss der Produktmanager feststellen, welche Variablen einer Segmentierung einen wirklichen Einfluss haben, und die Größe und Dynamik eines jeden Segmentes verstehen.

Die *Wettbewerbsanalyse* untersucht gegenwärtige und potenzielle Wettbewerber um sicherzustellen, dass die Strategie die Marke von ihnen abgrenzen kann und dass die Kommunikationsmethoden sie deutlich aus dem allgemeinen Wirrwarr hervorheben. Die Untersuchung der Stärke und Strategien der Wettbewerber zusätzlich zu ihrer Position kann auch wesentliche Einsichten für den Aufbau der Marke liefern.

Die *Selbstanalyse* gibt Aufschluss darüber, ob die Marke die nötigen Ressourcen, die Fähigkeiten und den Willen hat, erfolgreich zu sein. Diese Analyse muss sich nicht nur mit der Vergangenheit der Marke und deren gegenwärtigem Image beschäftigen, sondern auch mit ihren Stärken, Schwächen und Strategien sowie mit den Wertvorstellungen des Unternehmens, das diese Marke schuf. Letztendlich muss eine erfolgreiche Markenstrategie die Seele der Marke einfangen, und diese Seele ruht im Unternehmen.

System zur Implementierung der Markenidentität

Man implementiert eine Markenidentität, indem man Programme zum Aufbau der Marke entwickelt und ihren Erfolg misst. Wie Schaubild 2.2 zeigt, gibt es vier Komponenten der Implementierung: die ausführliche Darlegung der Markenidentität, die Positionierung der Marke, Programme zum Aufbau der Marke und die Erfolgskontrolle.

Für die ausführliche Darlegung der Markenidentität gibt es eine Reihe von Handwerkszeug, das entwickelt wurde, um die Markenidentität umfangreicher zu machen, ihr eine Struktur und Klarheit zu verleihen. Ohne eine klare Definition können Elemente der Markenidentität (beispielsweise Führungsqualitäten, Freundschaft, Vertrauen und Beziehungen) zu unscharf sein, um bei Entscheidungen darüber hilfreich zu sein, welche Aktionen die Marke unterstützen können und welche nicht. Das dritte Kapitel wird sich mit der ausführlichen Darlegung der Markenidentität beschäftigen und ein paar Techniken vorstellen, beispielsweise strategische Gebote, Vorbilder und die Entwicklung und Anwendung von visuellen Metaphern. Die beiden Kapitel 2 und 3 wollen den Markenverantwortlichen helfen, ein Modell für die Markenidentität zu entwickeln und zu nutzen.

Nachdem eine klar definierte Identität geschaffen wurde, muss sich die Implementierung um die Markenposition kümmern – den Teil der Markenidentität und der Wertvorstellung, den man der Zielgruppe gegenüber aktiv kommunizieren muss. Die Markenposition, die einen Vorteil den Wettbewerbern gegenüber veranschaulichen sollte, ist daher das Ziel der aktuellen Kommunikation. Einige Elemente der Markenidentität sind möglicherweise nicht Teil der Markenposition, weil sie zwar wichtig sind, die Marke jedoch nicht von anderen abgrenzen. Möglicherweise ist die Marke auch noch nicht in der Lage, ein Versprechen zu erfüllen; vielleicht ist das Publikum auch noch nicht bereit, eine Botschaft zu akzeptieren. Wenn die Publizierung von weiteren angestrebten Elementen der Markenidentität möglich wird und glaubwürdig erscheint, kann auch die Markenpositionierung anspruchsvoller werden.

Wenn sowohl die Markenidentität als auch die Markenposition klar und etabliert sind, kann man Programme zum Aufbau der Marke entwickeln. Häufig herrscht die falsche Vorstellung vor, zum Aufbau einer Marke gehöre nichts weiter als Werbung. Tatsache ist jedoch, dass die Werbung bei diesem Prozess mitunter nur eine untergeordnete Rolle spielt. Marken kann man mit Hilfe unterschiedlicher Medien aufbauen, man kann dafür Promotionskampagnen nutzen, Werbung, die Verpackung, Direktmarketing, Läden, die als Flaggschiff dienen, das Internet und Sponsoring. Die Kommunikation schließt alle Kontaktmöglichkeiten zwischen der Marke und dem Publikum ein, einschließlich dem Produktdesign, neuen Produkten und der Distributionsstrategie.

Eine Aufgabe, die man nicht komplett an eine Werbeagentur delegieren kann, ist die Entscheidung, welche von vielen Medienoptionen für den Aufbau einer Marke am nützlichsten sein wird. Eine andere dieser Aufgaben ist die Schaffung und anschließende Ausführung einer idealen Kommunikationsstrategie, die eine Marke von anderen abhebt und wirklich einmal etwas anderes darstellt. Im vierten Teil dieses Buches werden wir uns mit diesen Herausforderungen beschäftigen.

Der letzte Schritt der Implementierung ist die Überprüfung des Erfolgs der Programme zum Aufbau der Marke. Im Buch *Building Strong Brands* werden zehn Dimensionen des Markenwertes vorgestellt, um Anhaltspunkte darüber zu geben. Zu diesen zehn Attributen zählen zwei Messwerte für die Markentreue (der Preis, den Leute zu zahlen bereit sind, und die Kundenzufriedenheit) zwei für die Qualitätsaussage/Führungsposition im Markt (Qualitätsaussage und Führungsposition/Beliebtheit), drei für mögliche Assoziationen (Wertigkeit, Markenpersönlichkeit und Assoziationen zum Unternehmen), einer für die Bekanntheit der Marke und zwei für das Verhalten im Markt (Marktanteil, Auftritt in verschiedenen Preissegmenten/Distributionskanälen). Diese Messgrößen bilden ein vollständiges System zur Erfolgsmessung, das man auf alle Marken und Produkte anwenden kann und stellen einen Ausgangspunkt für alle dar, die ein Instrument brauchen, das für eine bestimmte Marke oder ein bestimmtes Umfeld maßgeschneidert ist.

Im Rahmen des Planungsmodels für die Markenidentität werden die strategische Analyse, die Entwicklung der Markenidentität und deren Implementierung als aufeinander folgende Schritte behandelt. In der Praxis gibt es jedoch Überschneidungen, und es fällt schwer, die Strategie von der Durchführung zu trennen. Die Ausführung bestimmt zu einem großen Teil die Strategie und zeigt deren Möglichkeiten und Grenzen auf, daher wird man sich häufig an die Durchführung machen müssen, um feststellen zu können, ob die Strategie wirklich optimal ist.

Die Markenidentität – ein Überblick

Zur Markenidentität gehören eine Reihe von Assoziationen mit der Marke, die der Markenstratege schaffen und pflegen möchte. Diese Assoziationen bedeuten ein Versprechen der für die Marke Verantwortlichen den Kunden gegenüber. Da die Markenidentität die treibende Kraft hinter allen Anstrengungen zum Aufbau der Marke ist, sollte sie entsprechend umfangreich sein; sie ist nicht bloß ein Werbeslogan oder eine Positionierungsaussage.

Wenn die Markenidentität klar definiert ist, sollte sie dazu beitragen, eine Beziehung zwischen der Marke und dem Kunden zu schaffen, entweder, indem sie eine Wertvorstellung vermittelt, die dem Kunden funktionale beziehungsweise emotionale Vorteile oder die Möglichkeit zum Selbstausdruck verspricht, oder indem sie gestützten Marken Glaubwürdigkeit verleiht (wie beispielsweise Betty Crocker's Hamburger Helper). Die Aufgabe einer Stützmarke (Betty Crocker) besteht eher darin, die Glaubwürdigkeit einer gestützten Marke (Hamburger Helper) zu fördern, als direkt eine Wertvorstellung zu vermitteln.

Das Schaubild 2.2 bietet eine Übersicht über die Markenidentität und damit zusammenhängende Elemente. Man kann die Elemente der Markenidentität in zwölf Kategorien einteilen, die nach vier Gesichtspunkten gegliedert sind: die *Marke als Produkt* (Umfang des Produkts, Produkteigenschaften, Qualität/Wertigkeit, Erfahrung bei dessen Verwendung, Nutzer/Verwendertyp, Ursprungsland), die *Marke als Unternehmen* (Eigenschaften des Unternehmens, lokal im Gegensatz zu global), die *Marke als Person* (Markenpersönlichkeit, Beziehung zwischen Marke und Kunden) und die *Marke als Symbol* (visuelle Bildsprache und Metaphern, Geschichte und Tradition). Obgleich alle zwölf Kategorien für jede Marke relevant sind, verbinden sich mit praktisch keiner Marke Assoziationen in allen zwölf Kategorien.

Die Markenidentitätsstruktur beinhaltet auch eine *Kernidentität*, eine *erweiterte Identität* und eine *Markenessenz*. Typischerweise braucht man für eine Markenidentität sechs bis zwölf Dimensionen, um das, was die Marke darstellen möchte, angemessen zu beschreiben. Da so viele Dimensionen schwer zu vermitteln sind, empfiehlt sich eine Konzentration, die man durch die Identifikation der Kernidentität (die wichtigsten Elemente der Markenidentität) erreicht. Alle Dimensionen der Kernidentität sollten die Strategien und Wertvorstellungen des Unternehmens widerspiegeln, und wenigstens eine Assoziation sollte die Marke von anderen abgrenzen und bei den Kunden auf Resonanz stoßen. Aller Wahrscheinlichkeit nach bleibt die Kernidentität konstant, auch wenn die Marke auf neue Märkte und Produkte ausgeweitet wird – wenn für die Kunden die Marke durch die Kernidentität definiert wird, ist der Erfolg sicher.

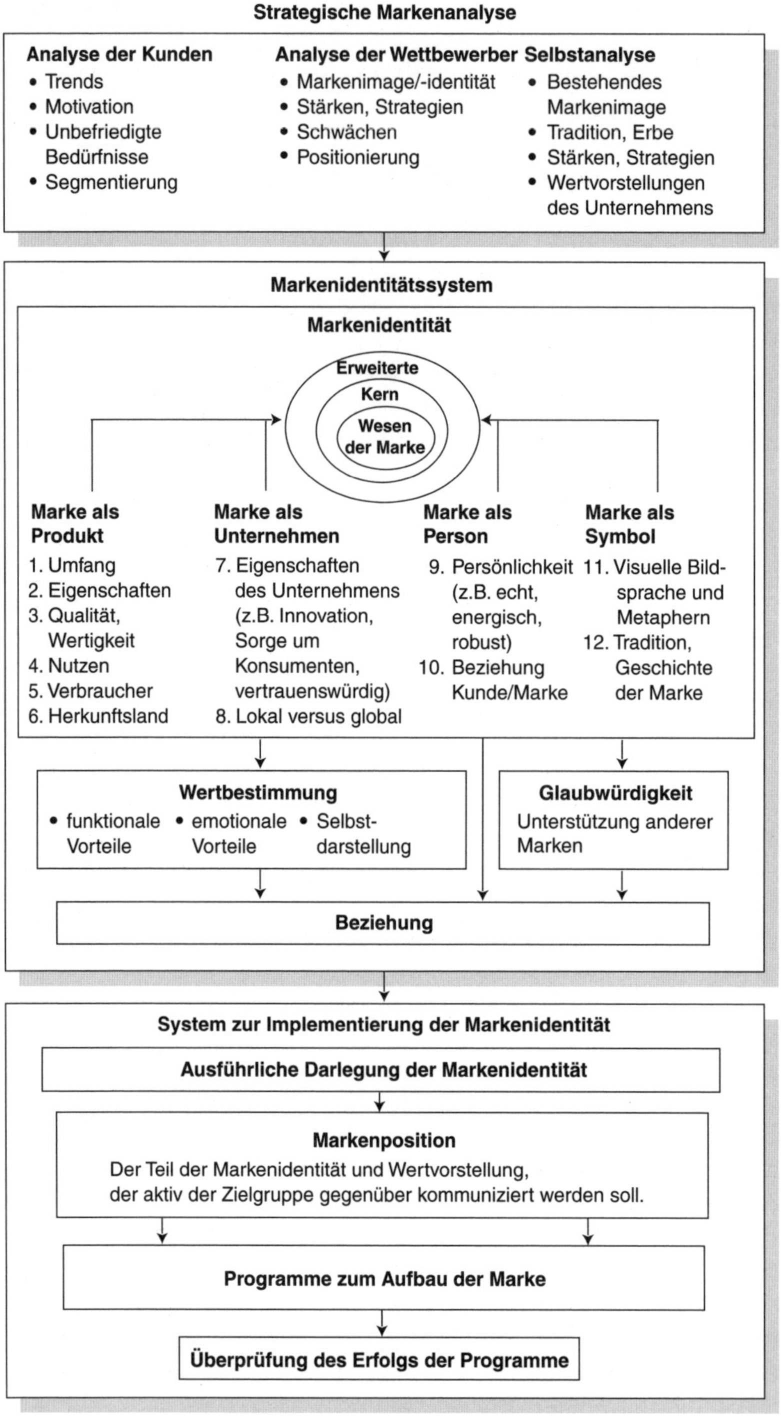

Strategische Markenanalyse

Analyse der Kunden
- Trends
- Motivation
- Unbefriedigte Bedürfnisse
- Segmentierung

Analyse der Wettbewerber
- Markenimage/-identität
- Stärken, Strategien
- Schwächen
- Positionierung

Selbstanalyse
- Bestehendes Markenimage
- Tradition, Erbe
- Stärken, Strategien
- Wertvorstellungen des Unternehmens

Markenidentitätssystem

Markenidentität

Erweiterte
Kern
Wesen der Marke

Marke als Produkt
1. Umfang
2. Eigenschaften
3. Qualität, Wertigkeit
4. Nutzen
5. Verbraucher
6. Herkunftsland

Marke als Unternehmen
7. Eigenschaften des Unternehmens (z.B. Innovation, Sorge um Konsumenten, vertrauenswürdig)
8. Lokal versus global

Marke als Person
9. Persönlichkeit (z.B. echt, energisch, robust)
10. Beziehung Kunde/Marke

Marke als Symbol
11. Visuelle Bildsprache und Metaphern
12. Tradition, Geschichte der Marke

Wertbestimmung
- funktionale Vorteile
- emotionale Vorteile
- Selbstdarstellung

Glaubwürdigkeit
Unterstützung anderer Marken

Beziehung

System zur Implementierung der Markenidentität

Ausführliche Darlegung der Markenidentität

Markenposition
Der Teil der Markenidentität und Wertvorstellung, der aktiv der Zielgruppe gegenüber kommuniziert werden soll.

Programme zum Aufbau der Marke

Überprüfung des Erfolgs der Programme

Schaubild 2.2: Ein Modell zur Planung der Markenidentität

Die Kernidentität erlaubt sowohl dem Kunden als auch dem Unternehmen eine Konzentration auf das Wesentliche; das ist im Falle von Mobil Oil beispielsweise Marktführerschaft, Partnerschaft und Vertrauen, für die Automarke Saturn beinhaltet es die Elemente Weltklassewagen und respektvoller Umgang mit Kunden, die wie Freunde behandelt werden. Eine derartige Kernidentität lässt sich innerhalb und außerhalb des Unternehmens leichter kommunizieren als die komplette Markenidentität.

Die erweiterte Identität umfasst all jene Identitätsmerkmale, die nicht zur Kernidentität gehören, und ordnet sie bestimmten Kategorien zu. Häufig ist die Kernidentität eine knappe Beschreibung der Marke, und gerade diese Prägnanz kann zu Ungenauigkeiten oder Zweideutigkeiten führen; infolgedessen profitieren Entscheidungen bezüglich der Implementierung von Maßnahmen von der Struktur und der umfassenden Darlegung, die die erweiterte Identität bietet. Außerdem enthält eine erweiterte Identität häufig nützliche Elemente (beispielsweise die Markenpersönlichkeit und eine Definition dessen, was die Marke nicht ist), die sich normalerweise nicht gut in der Kernidentität unterbringen lassen.

Das Schaubild 2.3 zeigt die Markenidentität von Virgin. Im Kern enthält sie vier Konzepte – Qualität, Innovation, Spaß/Unterhaltung und Wertigkeit. Im erweiterten Modell kommen die Position des Underdog, die Markenpersönlichkeit und Symbole hinzu.

Das Wesen der Marke

Normalerweise enthält die Kernidentität zwei bis vier Dimensionen, die kurz und bündig die Vision von der Marke zusammenfassen. Häufig ist jedoch eine noch stärkere Konzentration auf die Markenessenz nützlich: Ein einziger Gedanke fängt die Seele der Marke ein. In manchen Fällen ist es nicht möglich oder es lohnt sich nicht, ein inneres Wesen der Marke zu entwickeln, aber in anderen Fällen kann eine solche Essenz zu einem erfolgreichen Werkzeug werden.

Eine gute Aussage über die Markenessenz besteht nicht nur aus den Attributen der Kernidentität – das würde nur wenig nützen. Sie zeigt vielmehr die Marke aus einer etwas anderen Perspektive, beinhaltet aber weitgehend das, wofür die Marke steht. Man kann die Markenessenz als den Kitt betrachten, der die einzelnen Elemente der Kernidentität zusammenhält, oder als die Radnabe, mit der alle diese Elemente verbunden sind.

Die Markenessenz sollte mehrere Eigenschaften haben: Sie sollte Resonanz beim Kunden finden und die Vorstellung vom Wert der Marke beeinflussen. Sie sollte eindeutig zu der Marke gehören und eine langfristig gültige Abgrenzung den Wettbewerbern gegenüber bieten. Und sie sollte beeindruckend genug sein, um die Beschäftigten und Partner des Unternehmens zu inspirieren und zu motivieren. (Selbst eine bescheidene Aussage wie »Es funktioniert einfach besser« oder »Wählen Sie einen anderen Weg« kann für diejenigen eine Inspiration darstellen, die die Aussage ernst nehmen und sie als Herausforderung verstehen.)

Das Wesen der Marke
- **Ikonoklasmus**

Kernidentität
- Servicequalität
  - Beste Qualität in der jeweiligen Kategorie, die mit Humor und Flair angeboten wird.
- Innovation
  - Immer die Ersten bei echten Innovationen, Attributen und Dienstleistungen, die einen Zusatznutzen darstellen.
- Spaß und Unterhaltung
  - Ein Unternehmen, das Spaß macht und für Unterhaltung sorgt.
- Gutes Preis-Leistungs-Verhältnis
  - Alle Angebote bieten ein gutes Preis-Leistungs-Verhältnis, es gibt nicht nur hochpreisige Optionen.

Erweiterte Identität
- Der Underdog
  Kämpft gegen etablierte, schwerfällige Unternehmen mit neuen, kreativen Angeboten.
- Persönlichkeit
  - Hält sich nicht an die Regeln,
  - Sinn für Humor, mitunter schockierend,
  - Der Underdog, der bereit ist, Etablierte zu attackieren,
  - Kompetent, leistet immer gute Arbeit, hoher Qualitätsstandard.
- Virgin-Symbole
  - Branson und sein Lebensstil, wie ihn die Öffentlichkeit sieht,
  - Virgin Blimp,
  - Das geschriebene Wort Virgin als Logo.

Wertvorstellungen
- Funktionale Vorteile
  - Gute Qualität wird zu vernünftigem Preis angeboten, außerdem gibt es innovative Extras, die mit Flair und Humor präsentiert werden.
- Emotionale Vorteile
  - Stolz, mit einem Underdog verbunden zu sein, der Stellung bezieht,
  - Spaß und Vergnügen.
- Mittel zum Selbstausdruck
  - Bereitschaft, sich gegen das Establishment zu stellen, etwas ausgefallen zu sein und Unerhörtes zu tun.

Beziehungen
- Die Kunden sind Kumpel, mit denen zusammen man Spaß hat.

Schaubild 2.3: Die Identität der Marke Virgin

Starke Aussagen über das Wesen einer Marke können unterschiedlich interpretiert werden und gewinnen dadurch an Wirkung. Das Wesen der Marke Nike könnte man als »überragend« bezeichnen: Zur Nike-Identität gehören unterschiedliche Komponenten wie Technologie, Spitzensportler, dynamische Persönlichkeiten, Tradition als Turnschuh und untergeordnete Marken wie Air Jordan, außerdem Kunden, die versuchen, Außergewöhnliches zu leisten. Für American Express drückt »Do more« den Schwung eines Unternehmens aus, das für Kunden weiter geht als andere, dessen Produkte mehr bieten als die der Wettbewerber und dessen Kunden sich nicht mit einem konventionellen Lebensstil zufrieden geben, sondern etwas anderes für sich erreichen wollen.

Der Ausdruck für die Markenessenz ist kein Slogan

Es besteht ein Unterschied zwischen dem Wesen einer Marke und einem Slogan. Wenn man versucht, die Markenessenz auszudrücken, dann sollte man mögliche Formulierungen besser nicht dahingehend beurteilen, ob sie sich gut als Slogan eignen. Das Wesen der Marke repräsentiert deren Identität, und eine seiner Hauptfunktionen besteht darin, der Kommunikation innerhalb des Unternehmens zu dienen und die Menschen dort zu motivieren. Ganz im Gegensatz dazu kennzeichnet ein Slogan die Position der Marke (oder die Ziele der Kommunikation) und hat die Aufgabe, mit Personen außerhalb des Unternehmens zu kommunizieren. Die Markenessenz sollte zeitlos sein oder mindestens längerfristig relevant bleiben, während ein Slogan oft nur kurzfristig verwendet wird. Außerdem ist das Wesen einer Marke üblicherweise märkte- und produktübergreifend relevant, wohingegen ein Slogan normalerweise nur beschränkt anwendbar ist. Obgleich es effizient erscheinen mag, wenn man die Aussage über die Markenessenz auch gleichzeitig als Slogan verwenden kann, lenkt die Forderung, eine Aussage müsse beide Funktionen erfüllen, zumindest von der eigentlichen Aufgabe ab (und kann sogar negative Auswirkungen haben).

Die IBM-Markenessenz »Magic you can trust« [»Magie, der Sie vertrauen können«] drückt einerseits aus, was das Unternehmen mit seinen Produkten und Dienstleistungen erreichen will, andererseits steht sie für das Vertrauen, das die IBM-Tradition und -Erfahrung, die Größe und Kompetenz der Firma wecken. Da IBM auf vielen verschiedenen Märkten mitmischt, werden dagegen mehrere Slogans verwendet: »Solutions for a small planet« [»Lösungen für einen kleinen Planeten«] ist für Kunden wichtig, die nach Lösungen suchen und eine Inspiration für solche mit einer globalen Vision, während »E-Business« IBM als erste Wahl für jene positioniert, die Hilfe beim elektronischen Handel suchen. Der Ausdruck für das Wesen der Marke Sony (»Digital dream kids«) vermittelt die Kernidentität der Marke sehr gut, wird aber nicht als Slogan verwendet, während »My Sony« keine Identitätsaussage enthält, aber als Slogan für einen Teil des Sony-Geschäfts optimal geeignet ist. Hellmann's (Best Food) Mayonnaise drückt die Markenessenz in dem Satz »Simple goodness with a dash of indulgence« [»Einfach etwas Gutes zum Verwöhnen«] aus, was wesentlich umfassender ist als der Slogan »Bring out the best«.

Zu den vielen Slogans, die zum Ausdruck des Markenwesens ungeeignet wären, zählen auch die folgenden:

- »Do you Yahoo?«
- »Moving at the speed of business« (UPS)
- »Did somebody say McDonald's?«
- »Like a rock« (Chevy Trucks)
- »On the road of life there are passengers and drivers: Drivers wanted« (Volkswagen)

Was die Marke ist und was die Marke tut

Zahlreiche Entscheidungen sind für die Festlegung der Markenessenz notwendig: Sollte sie sich auf Assoziationen stützen, die einfach zum Produkt gehören (Volvo – das praktische, sichere Auto) oder auf ein erstrebtes Image konzentrieren (Volvo – das Auto mit Stil)? Sollte man tief stapeln (Compaq – funktioniert einfach besser) oder einem Traum Ausdruck geben (Compaq – macht Ihr Leben reicher). Ganz wichtig ist jedoch die Entscheidung, ob sich die Markenessenz auf das konzentrieren sollte, was die Marke *ist* oder was sie für die Kunden *tut*. Ist sie ein eher rationaler Appell, der die funktionalen Vorteile hervorhebt (Mercedes bietet Qualität und Zuverlässigkeit) oder spricht sie Gefühle an, die sich mit der Marke verbinden lassen (Mercedes steht für Erfolg)?
Die Markenessenz, die sich auf bedeutende funktionale Vorteile stützt, wird versuchen, die relevanten Produkteigenschaften zu verinnerlichen. Derartige Assoziationen können einen bedeutenden, nachhaltigen Vorteil bieten, sie können jedoch auch einengend wirken, weil sie üblicherweise die Marke in eine bestimmte Schublade pressen. Daher besteht eine häufig verfolgte Markenstrategie darin, von einer produktorientierten Markenessenz zu einer eher allgemeinen überzugehen. Das Wesen einer Marke, das auf emotionalen Vorteilen basiert und Leuten auch zum Selbstausdruck dient, bietet eine bessere Basis für eine Beziehung. Es wird in der Regel auch weniger von Produktveränderungen beeinflusst und lässt sich leichter in einem neuen Kontext verwenden.

Was ist die Marke? – Funktionale Vorteile

- VW: »Deutsche Wertarbeit«
- BMW: »Das ultimative Fahrzeug«
- Abbey National Bank: »Eine besondere Art der Sicherheit«
- Xerox: »Die digitale Dokumentenfirma«
- 3M: »Innovation«

- Banana Republic: »Luxus für die Freizeit«
- Compaq: »Bessere Antworten«
- Lexus: »Kompromisslos«

Was tut die Marke? – Emotionale Vorteile und die Möglichkeit, sich darin auszudrücken

- American Express: »Tu' mehr«
- Pepsi: »Die Pepsi Generation«
- Hewlett Packard: »Mehr Möglichkeiten«
- Apple: »Die Stärke, Ihr Bestes zu geben« (oder: »Denken Sie anders«)
- Sony: »Digitale Traumkinder«
- Schlumberger: »Optimal aus Leidenschaft«
- Nike: »Überragend«
- Microsoft: »Wir helfen Menschen, ihr Potenzial zu nutzen« (oder: »Wohin möchten Sie denn heute?«)

Wertvorstellungen und das Verhältnis zwischen Kunden und Marke

Das Konzept der Markenidentität schließt Wertvorstellungen mit ein, die durch die Markenidentität hervorgerufen werden. Zusätzlich zu funktionalen Vorteilen können diese Wertvorstellungen auch emotionale Vorteile und die Möglichkeit, sich selbst durch die Marke auszudrücken, betonen.

Von einem *emotionalen Vorteil* spricht man, wenn die Marke den Käufer oder Verwender des Produktes beim Kauf oder bei der Anwendung emotional involviert. Die stärksten Identitäten bieten in der Regel solche emotionalen Vorteile; beispielsweise fühlt man sich sicher, wenn man einen Volvo fährt, und wichtig, wenn man bei Nordstrom Schuhe oder Accessoires einkauft; es wird einem warm ums Herz, wenn man eine Hallmark-Karte besorgt oder liest, und man empfindet Stärke und Selbstbewusstsein beim Tragen einer Levi's. Aus der Verwendung einer Marke erwachsen emotionale Vorteile. Ohne die Erinnerungen, die Sun-Maid-Rosinen in einem wecken, wäre die Marke fast ein Massenprodukt. Aber die vertraute rote Packung stellt für viele Verwender eine Verbindung zu den glücklichen Tagen her, als sie ihrer Mutter in der Küche halfen (oder vermittelt das Bild einer idealisierten Kindheit für einige Menschen, die sich wünschen, so etwas erlebt zu haben). Das Ergebnis kann eine andere Art der Verwendung sein – mit Gefühl – und damit eine stärkere Marke.

Die Möglichkeit, sich selbst damit auszudrücken, bietet eine Marke, wenn sie dem Käufer oder Verwender erlaubt, damit ein bestimmtes Selbstbild zu proklamieren. Natürlich haben wir alle verschiedene Rollen im Leben – eine Person kann Ehefrau, Mutter, Schriftstellerin, Tennisspielerin, Musikfreundin und

Wanderin sein. Wahrscheinlich gehört zu jeder dieser Rollen ein Konzept von dem eigenen Ich, das die Person möglicherweise ausdrücken möchte; der Kauf und die Verwendung bestimmter Marken ist eine Art, wie man diesem Bedürfnis nachkommen kann. Vielleicht möchte sich eine Person gerne als abenteuerlustig und mutig darstellen, indem sie Rossignol-Ski fährt, schick, indem sie Kleidung bei Hennes & Mauritz kauft, elegant beim Kauf von Mode von Ralph Lauren, erfolgreich und in leitender Position, indem sie einen Audi fährt, genügsam und anspruchslos, indem sie bei Aldi einkauft, kompetent, indem sie Microsoft Office nutzt, oder besorgt, indem sie am Morgen Quaker Oats an die Kinder verfüttert.

Letztlich beinhaltet das System der Markenidentität auch ein Beziehungsgeflecht. Jede Marke sollte unter anderem das Ziel haben, zu ihren Kunden eine Beziehung aufzubauen, die einem persönlichen Verhältnis ähnelt. Eine Marke könnte beispielsweise ein Freund sein (Saturn, die Automarke), ein Mentor (Microsoft), ein Berater (Morgan Stanley), jemand, der neue Möglichkeiten bietet (Charles Schwab, der Discount-Broker), eine Mutter (Betty Crocker), ein lebhafter Kumpel (Bud Light Bier) oder ein Sohn (Good News von Gillette). Die Beziehung zwischen der Marke Saturn und ihren Kunden lässt sich schlecht als funktionaler oder emotionaler Vorteil ausdrücken, obwohl auch diese vorhanden sind.

Wie man ein Markenidentitätssystem entwickelt – und dabei die üblichen Fehler vermeidet

Aufgrund unserer direkten Erfahrung mit der Entwicklung von Marken und der Hilfestellung, die wir anderen bei diesem Prozess gegeben haben, entwickelten wir acht Richtlinien, die in Schaubild 2.4 zusammengefasst sind und anschließend im Detail erläutert werden. Konzentrieren Sie sich beim Lesen auf diejenigen Vorschläge, die für das Umfeld Ihrer Marke besonders relevant sind.

1. Vermeiden Sie eine eingeschränkte Markenperspektive

Ein Fehler, der immer wieder bei der Markenpflege gemacht wird, besteht darin, eine zu enge Sicht von der Marke zu haben. Manche Leute fallen auf die »Slogan-Falle« herein, die Vorstellung, dass man eine Markenidentität in drei Worten zusammenfassen können sollte. Aber die Markenidentität sollte nicht einmal ausschließlich (oder überwiegend) durch eine Aussage über die Markenessenz ausgedrückt werden, denn eine Marke ist zu komplex, als dass man sie in einem Satz beschreiben könnte. Beispielsweise steht 3M nicht nur für Innovation; es steht für eine Reihe von Assoziationen, einschließlich Qualität, Klebemittel und verwandte Produkte, Video- und Audiokassetten und die Persönlichkeit von jemandem aus dem Mittleren Westen.

Schaubild 2.4: Die Kreation eines wirkungsvollen Markenidentitätssystems

Ein noch häufigeres Problem ist die Fixierung auf Produkteigenschaften, die dann auftritt, wenn man eine Marke nur als eine Reihe von Eigenschaften sieht, die funktionale Vorteile bieten. Unternehmen, die High-Tech-Produkte oder Industriegüter anbieten, sind besonders anfällig für den Irrglauben, dass Kunden nur faktische Informationen über Marken zur Kenntnis nehmen und ihre Wahl ausschließlich von den Produktmerkmalen bestimmt wird, die ihnen am wichtigsten sind. Tatsächlich ist es häufig zutreffender und nützlicher, eine Marke als alles das aufzufassen, was übrig bleibt, wenn man die Bedeutung solcher Attribute abzieht.

Schaubild 2.5 verdeutlicht die Unterschiede zwischen einem Produkt und einer Marke. Möglicherweise gibt es unter einem Markennamen nicht nur ein Produkt, sondern eine ganze Palette (Crest steht für verschiedene Mundpflegeartikel); für das Produkt zählen seine Eigenschaften (Vogue bietet Informationen über die Mode), seine Qualität/Wertigkeit (Kraft steht für Qualitätsware), sein Nutzen oder Gebrauch (mit Subaru-Autos kann man gut im Schnee fahren) und seine funktionalen Vorteile (bei Wal-Mart kann man preisgünstig einkaufen).

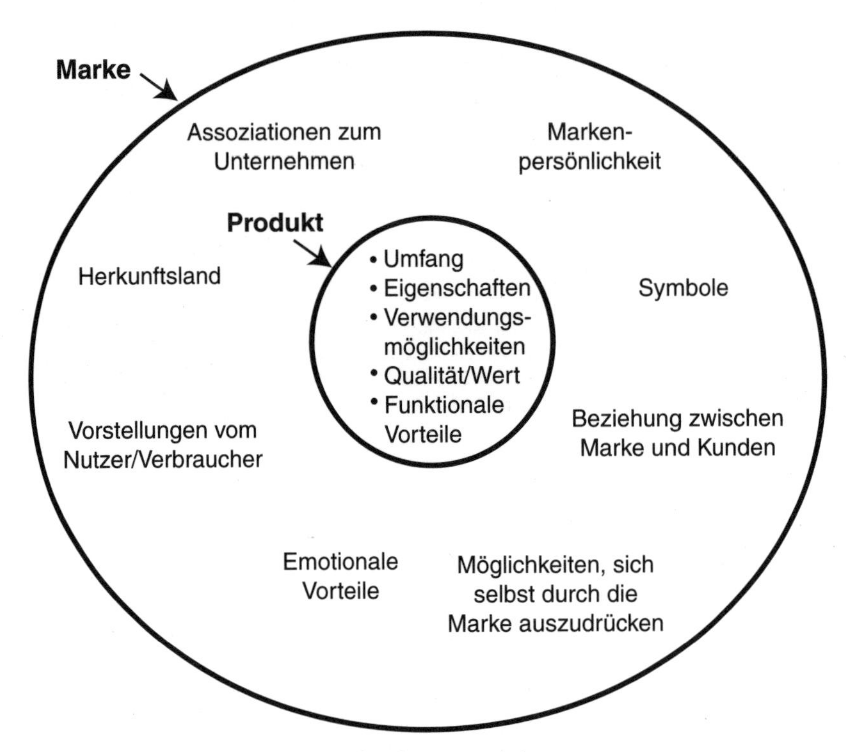

Schaubild 2.5: Eine Marke ist mehr als ein Produkt

Eine Marke beinhaltet diese Produktmerkmale, aber darüber hinaus noch viel mehr:

- Vorstellungen vom Nutzer/Verbraucher (Leute, die Armani-Anzüge tragen);
- Herkunftsland (Audi liefert deutsche Wertarbeit);
- Assoziationen zum Unternehmen (3M ist eine innovative Firma);
- Markenpersönlichkeit (Bath and Body Works ist eine Einzelhandelskette voll Energie und Vitalität);
- Symbole (die Kutsche symbolisiert die Wells Fargo Bank);
- Beziehung zwischen Marke und Kunden (Gateway ist ein Freund).

Zusätzlich zu funktionalen Vorteilen kann eine Marke auch noch Folgendes bieten:

- Möglichkeiten, sich selbst durch die Marke auszudrücken (wer ein Hobard-Küchengerät verwendet, drückt damit aus, dass er sich selbst zu den Besten zählt);
- emotionale Vorteile (Saturn-Fahrer sind stolz darauf, ein Auto zu fahren, das in Amerika hergestellt wurde).

Alle diese Elemente einer Marke können potenziell nützlich sein, aber drei von ihnen verdienen eine nähere Erläuterung: die Assoziationen zum Unternehmen, die Markenpersönlichkeit und die Symbole.

Die *Assoziationen zur Firma* sind vor allem für Dienstleistungs-, und High-Tech-Unternehmen von Bedeutung sowie für die Hersteller von Gebrauchsgütern, also immer dann, wenn der Kunde eine deutliche Bindung an die Organisation hinter der Marke hat. Unternehmen, die den Ruf erworben haben, innovativ, führend oder stark zu sein, soziale Verantwortung zu übernehmen oder sich um ihre Kunden zu kümmern, können sich recht gut gegen Wettbewerber durchsetzen, die kurzfristig einen Produkt- oder Wertvorteil bieten. Derartige Assoziationen zum Unternehmen sind stark, weil sie immateriell sind und man daher nur schwer mit ihnen konkurrieren kann. Es ist in der Regel einfach, einen Wettbewerber zu übertrumpfen, der sich nur auf Produkteigenschaften stützt, aber wesentlich schwieriger, gegen die mit einem Unternehmen wie beispielsweise Hewlett-Packard oder General Electric verbundenen Assoziationen anzukämpfen, die auf Programmen, Wertsystemen, Traditionen und den Menschen in der Organisation beruhen.

Assoziationen mit einem Unternehmen müssen die Unternehmensstrategie widerspiegeln. Eine Weltmarke hatte die folgenden Identitätsmerkmale: globale Marktführerschaft, innerhalb der Branche einen Ruf für ausgezeichnete Qualität und Dienstleistungen, ein weltweit starkes Engagement, was Service betrifft, sowie die niedrigsten Preise am Markt. Die Unternehmensstrategie war jedoch nicht geeignet, die Niedrigpreisposition zu unterstützen; es ist schwer, weltweit führend zu sein, ausgezeichnete Qualität zu bieten und sich überall für den Service stark zu machen, und dabei gleichzeitig niedrige Preise anzubieten. Bei Strategie und Branding geht es darum, eine Wahl zu treffen und Kompromisse zu schließen.

Die *Markenpersönlichkeit* kann dazu beitragen, eine notwendige Differenzierung herzustellen, sogar in Märkten, in denen alle Produkte mehr oder weniger gleich sind, wodurch ein echter Vorteil entsteht. Erstens kann die Persönlichkeit eine Marke interessant und bemerkenswert machen. Denken Sie einmal darüber nach – das Schlimmste, was man von einem Menschen sagen kann, ist, er habe keine Persönlichkeit. Im Vergleich dazu ist es sogar besser, als Trottel betrachtet zu werden. Eine Marke ohne Persönlichkeit hat Schwierigkeiten, bekannt zu werden und eine Beziehung zu Kunden aufzubauen. Zweitens stimuliert eine Markenpersönlichkeit Vorstellungen von Energie und Jugendlichkeit, was vielen Marken zugute kommen kann. Drittens kann eine Markenpersönlichkeit auf Beziehungen zwischen Marke und Kunden hindeuten, sodass die Marke beispielsweise als Freund, Begleiter auf eine Party oder Ratgeber gesehen wird. Wenn eine Metapher für die Persönlichkeit etabliert ist, wird die Entwicklung einer Beziehung eindeutiger und motivierender.

Ein bei der Entwicklung einer Markenstrategie durchzuführender Litmustest beantwortet die Frage, ob die Markenpersönlichkeit berücksichtigt wurde und in der Aussage über die Identität auftaucht. Wenn die Antwort auf diese Frage Nein lautet, wurde die Marke möglicherweise zu eng definiert.

Ein Symbol kann Teil der Markenstrategie werden, statt einfach nur zur taktischen Kommunikation zu gehören. Ein starkes Symbol kann einer Identität Zusammenhalt und Struktur geben und sie dadurch leichter erkennbar machen und im Gedächtnis verankern. Symbole können alles sein, was für eine Marke steht: ein Slogan (»Nobody doesn't like Sara Lee« [»Jeder liebt Sara Lee«]), ein Wesen (der Sarotti-Mohr), eine visuelle Metapher (der Felsen von Prudential), ein Logo (Nikes schwungvoller Bogen), eine Farbe (das Gelb von Kodak), eine Geste (Allstates »gute Hände«), eine musikalische Note (Hellmanns Mayonnaise), eine Verpackung (der blaue Zylinder für Bad Reichenhaller Salz) oder ein Programm (die Ronald-McDonald-Wohltätigkeitsprogramme). Auf jeden Fall spielen Symbole eine wesentliche Rolle bei der Kreation und Unterstützung des Markenwertes und sollten Teil der erweiterten Identität sein, gelegentlich vielleicht sogar der Kernidentität. Betrachten Sie nur die strategische Rolle der Wells Fargo Postkutsche für den Grad der Bekanntheit der Marke und die Assoziationen mit Zuverlässigkeit und Innovation.

Eine erweiterte Identität holt eine Marke aus dem Verborgenen, vermeidet eine Fixierung auf Produkteigenschaften und die Werbesloganfalle. Die Entwicklung einer umfassenden, erweiterten Markenidentität bringt mehrere Vorteile mit sich:

- Erstens spiegelt eine umfassende Markenidentität die Marke genauer wider. Man kann eine Marke genauso wenig wie eine Person in ein oder zwei Worten beschreiben. Kurze Slogans oder eine Identität, die auf Attribute beschränkt bleibt, können einfach nicht exakt sein.
- Zweitens soll die Markenidentität denjenigen, die Entscheidungen treffen müssen, klar verdeutlichen, wofür eine Marke steht. Je genauer die Definition, umso weniger Zweifel werden darüber herrschen, was getan werden sollte und was nicht. Wenn die Aussage über die Markenidentität übertrieben knapp gehalten wird und wesentliche Details auslässt, dann besteht eher die Gefahr, dass sich Kommunikationselemente einschleichen werden, die nicht mit der Marke in Einklang stehen.
- Drittens sollte die Markenidentität, da sie ein erstrebtes Image darstellt, die ganze Organisation involvieren, indem sie die Unternehmenswerte und -kultur beinhaltet. Der Anspruch auf eine führende Stellung und die Sorge um die Kunden zählen möglicherweise nicht zum Wesen der Marke, können aber trotzdem einen äußerst wichtigen Einfluss auf die Markenstrategie haben.
- Viertens bietet die erweiterte Identität Raum für Ideen, die einer Marke helfen, über die Produkteigenschaften hinauszugehen. Wenn eine knappe und präzise Markenpositionierung entwickelt wird, bleiben Markenpersönlichkeit und Symbole meistens auf der Strecke, aber beide können sowohl für die Strategie als auch für die Taktik äußerst wertvoll sein.

2. Stellen Sie, wenn irgendwie möglich, eine Verbindung zu einem überzeugenden funktionalen Vorteil her

Die Gefahr, dass man sich zu sehr auf Produkteigenschaften konzentriert, ist häufig gegeben, und es ist nützlich (um nicht zu sagen notwendig), die Marke so auszuweiten, dass sie Persönlichkeit, Assoziationen zum Unternehmen, Symbole und emotionale Vorteile sowie die Möglichkeit, sie zum Ausdruck des eigenen Ichs zu nutzen, mit einschließt. Das heißt jedoch nicht, dass Produktattribute – besonders neue und solche, die zur Differenzierung der Marke beitragen – und funktionale Vorteile nach dem Motto ignoriert werden sollten, dass eine »echte« Marke sich nicht auf Produkteigenschaften stützt. Jede Marke sollte versuchen, sich konkrete Vorteile zu Eigen zu machen, die für den Kunden relevant sind, so wie BMW die Fahrleistung vereinnahmt hat, Volvo die Sicherheit und die Einzelhandelskette Gap modische Freizeitkleidung. Eine Marke kann dadurch stärker werden, dass sie hinsichtlich einer wichtigen Produkteigenschaft eine führende Position einnimmt.

Man kann aufgrund funktionaler Vorteile gegenüber den Wettbewerbern einen Vorsprung herausarbeiten oder verstärken, indem man geschickt Assoziationen aufbaut, die den Vorteil noch betonen. Ziel sollte es sein, eine Markenpersönlichkeit, emotionale Vorteile sowie die Möglichkeit zu schaffen, dass Käufer die Marke zur Betonung des eigenen Ichs nutzen; all dies sollte einerseits auf einer bestimmten Produkteigenschaft basieren und andererseits den durch diese Eigenschaft entstehenden funktionalen Vorteil verstärken.

Viele mit einer Markenpersönlichkeit verbundenen Symbole sind ausgezeichnet geeignet, Produktattribute zu schaffen und zu verstärken und zu Assoziationen mit funktionalen Vorteilen zu führen. Zu den zahlreichen Symbolen, die konkrete Produktvorteile unterstützen, zählen

- das Michelin-Männchen (robuste Reifen mit viel Energie),
- das Energizer-Häschen von Duracell (Batterien, die lange halten),
- der Teigjunge von Pillsbury (frische, leichte Nahrungsmittel).

Es ist einfacher, ein Symbol zur Kommunikation von Attributen zu verwenden als reine Fakten. Sehen Sie sich nur einmal die Aussagekraft des einsamen Maytag-Handwerkers an, der auf einfache, aber wirkungsvolle Weise Zuverlässigkeit vermittelt. Ohne diesen Handwerker als Symbol würde es Maytag schwer fallen, Zuverlässigkeit als Attribut zu vereinnahmen.

Eine starke optische Metapher kann einen komplexen funktionalen Vorteil auf lebendige und einprägsame Weise verdeutlichen. Andersen Consulting entwickelte die Philosophie, den Kunden einen neuen Ansatz zu bieten, indem sie ein Unternehmen aus holistischer Sicht betrachteten, während viele Wettbewerber von Andersen Consulting Spezialisten sind, die sich nur um ganz spezifische Probleme kümmern (die häufig nur Symptome eines größeren Problems sind) und daher auch nur marginale Verbesserungen erzielen. Die Werbeagentur von Andersen Consulting, Young & Rubicam, schuf eine Reihe von optischen

Metaphern, die diesen Punkt hervorragend illustrierten und die Basis für eine globale Werbekampagne darstellten, die 1995 startete. Eine Anzeige zeigte eine Schildkröte, an der Spoiler befestigt waren, ein auffallendes Beispiel für kurzsichtiges Denken. Eine andere Anzeige, die hier als Schaubild 2.6 übernommen wurde, zeigt einen Schwarm Fische, der durch geschickte Zusammensetzung den Eindruck eines großen Haifisches erweckt. Diese optischen Metaphern hatten nicht nur eine starke Aussagekraft, sie waren auch unabhängig von Sprachen oder dem kulturellen Umfeld; ihre Botschaft kam überall an.

Schaubild 2.6: Eine visuelle Botschaft von Andersen Consulting

Ein Studiotest von Stuart Agres von Young & Rubicam demonstrierte, wie wertvoll es ist, emotionale mit funktionalen Vorteilen zu kombinieren.[3] Die Studie, die sich auf Haarwaschmittel konzentrierte, kam zu dem Ergebnis, dass emotionale Vorteile (»Sie werden toll aussehen und sich entsprechend fühlen«) für sich alleine genommen weniger wirkungsvoll waren als funktionale (»Ihr Haar wird voll und stark werden«), dass aber eine Kombination der beiden jedem einzelnen Aspekt deutlich überlegen war. Eine Nachfolgestudie zeigte, dass die 47 Fernsehwerbespots, die sowohl auf emotionale als auch auf funktionale Vorteile hinwiesen, deutlich wirkungsvoller waren (ein standardisierter Test für kommerzielle Studiountersuchungen wurde verwendet) als 121 Spots, die nur einen der beiden Aspekte betonten. Wir lernen daraus, dass man Identitäten, die auf funktionalen Vorteilen basieren, besser ergänzen und nicht ersetzen sollte.

3. Vermeiden Sie Elemente, die nichts bringen

Zusätzlich zu den zwölf Dimensionen einer Marke, die unter die Überschriften Marke als Produkt, Unternehmen, Persönlichkeit und Symbol subsumiert werden können (siehe Schaubild 2.2), enthält das Modell der Markenidentität noch drei Arten von Vorteilen sowie die Beziehung zwischen dem Kunden und der Marke, wodurch sich insgesamt sechzehn potenzielle identitätsbezogene Dimensionen ergeben. Je nach Kontext können alle von ihnen hilfreich sein, aber keine von ihnen ist derart nützlich, dass sie wirklich in jedem Zusammenhang verwendet werden muss. Allzu oft fühlen sich Leute verpflichtet, alle Elemente zu nutzen. Das Ergebnis kann dann eine Markenidentität sein, die unnatürlich wirkt, weil sie Elemente enthält, die trivial, irrelevant oder mitunter sogar lächerlich sind.

Nicht alle Dimensionen müssen in einem Modell der Markenidentität auftreten. Die Markenidentität ist kein Formular von irgendeiner Behörde, wo man wirklich in jede Zeile etwas eintragen muss, sie ist auch kein Fragebogen, in dem jede Frage beantwortet werden muss, damit man die volle Punktzahl erreicht. Stattdessen sollte man jede Dimension anhand der folgenden Kriterien beurteilen, ob sie hilfreich sein kann oder nicht.

- Enthält sie ein Element, das für die Marke und deren Fähigkeit, dem Kunden etwas zu bieten, wirklich wichtig ist oder das die Beziehung zum Kunden fördert?
- Hilft sie, die Marke von den Wettbewerbern zu differenzieren?
- Findet sie bei den Kunden einen Widerhall?
- Mobilisiert sie die Beschäftigten im Unternehmen?
- Ist sie glaubwürdig?

Eine Dimension kann schon dann nützlich sein, wenn sie eines dieser Kriterien gut erfüllt, sie muss nicht alle fünf erfüllen. Dimensionen, die jedoch im Hinblick auf keines dieser Entscheidungsmerkmale besonders hervorstechen, sollten nicht berücksichtigt werden. Die wichtigste Frage ist immer, ob die Dimension hilfreich ist und als Teil der Markenidentität passend erscheint.

Es kommt immer auf den Kontext an, welche Dimensionen brauchbar sind. Im Dienstleistungsbereich, bei High-Tech- und langlebigen Konsumgütern sind Assoziationen zum Unternehmen gewöhnlich nützlich, aber bei verpackten Konsumgütern ist diese Dimension normalerweise unwichtig. Die Möglichkeit, das eigene Ich durch die Marke auszudrücken, ist eher für Marken wichtig, bei denen die fünf Dimensionen der Persönlichkeit betont werden (Aufrichtigkeit, Reiz, Kompetenz, Kultiviertheit, Stärke); die Persönlichkeit ist immer dann wichtig, wenn es nur eine geringe Produktdifferenzierung gibt. Symbole sind dann am wichtigsten, wenn sie ausdrucksstark sind und eine optische Metapher darstellen. Ein schwaches Symbol hilft einer Marke nicht unbedingt weiter. (Es gibt starke Marken, die überhaupt nicht durch Symbole definiert werden, um die man sich kümmern muss.)

4. Verstehen Sie die Konsumenten

Drei verschiedene Arten von Untersuchungen helfen bei der Entwicklung einer Markenidentität – eine Kundenanalyse, eine Wettbewerbsanalyse und eine Selbstanalyse. Ein Unternehmen, das sich davor drücken möchten, tut das auf eigene Gefahr.

Ein häufiger Fehler besteht darin, die Beziehung zwischen einer Marke und den Kunden nicht richtig zu verstehen. Obgleich quantitative Untersuchungen über die Bedeutung einzelner Attribute durchaus nützlich sind, liefern sie nur selten die nötige Einsicht, die zur Entwicklung einer starken Markenidentität führt, sondern führen stattdessen in die Falle der Fixierung auf Produkteigenschaften. Gruppendiskussionen können grobe Fehler vermeiden helfen, aber sie sind häufig zu oberflächlich, um wirklich die grundlegende Beziehung zwischen Marke und Kunden deutlich zu machen. Glücklicherweise gibt es Ansätze, die neue, relevante Einblicke gewähren. Ein paar Vorschläge folgen:[4]

- Tiefeninterviews, die sich eng am Kauf- und Verwendungsverhalten orientieren, sind eine Möglichkeit. Die Marktforscher von Procter & Gamble verbrachten beispielsweise mitunter einen ganzen Tag bei den Interviewpartnern zu Hause, um genaue Erkenntnisse über ihr Konsumverhalten bei P&G-Produkten zu erhalten. Sie baten ihre Gesprächspartner, ein Mikrofon zu tragen und sich ganz normal zu unterhalten, während sie ihren Aktivitäten nachgingen. Levi's begleitet Kunden mit einem Kassettenrekorder beim Einkaufsbummel in Geschäften. Die Kommentare zu Produkten, die geprüft und gekauft werden, sind sehr aufschlussreich, zum Teil, weil sie spontan sind und aktive Erfahrung ausdrücken.
- Eine weitere Möglichkeit ist die Problemanalyse. Welche Probleme sind mit bestimmten Anwendungen verbunden? Sind einige dieser Probleme bedeutend genug und treten sie oft genug auf, um als Basis für eine Markenstrategie zu dienen? Eine Studie, die auf einer repräsentativen Kundenstichprobe basiert, kann quantifizieren, wie wichtig eine bestimmte Lösung für Kunden sein könnte und wie groß das betroffene Marktsegment ist. Problemforschung in Bezug auf Hundefutter führte beispielsweise zur Entwicklung von Produkten, die für bestimmte Altersgruppen und Hundegrößen maßgeschneidert sind.
- Archetypforschung verwendet eine radikale Technik, die von dem Medizinanthropologen Dr. Rapaille entwickelt wurde. Die Versuchspersonen werden aufgefordert, sich in einer Umgebung mit schwachem Licht und sanfter Musik hinzulegen und dann über Fragen nachzudenken, die sie interessieren. Der Hintergrundgedanke ist, dass auf diese Weise ihre kognitiven Barrieren gesenkt werden und mehr emotionale Verbindungen auftauchen werden. Der Ansatz wurde für die Marke Folgers verwendet, und die Teilnehmer wurden gebeten, sich an ihre Kindheit zu erinnern und die Rolle, die Kaffee in ihrem Leben spielte. Die Erkenntnis, dass das Kaffeearoma mit einem Gefühl des Zuhauseseins verbunden war, erlaubte Folgers eine erfolgreiche Positionie-

rung rund um den Slogan: »The best part of Wakin' Up ... is Folgers in your cup!« [»Das Schönste beim Aufwachen ist Folgers in Ihrer Tasse!«]

- Weitere Einblicke gewähren die Emotionen, die bei der Verwendung eines Produktes entstehen. Weitere Untersuchungen auf diesem Gebiet haben ergeben, dass bei Kunden 20 verschiedene emotionale Zustände auftreten: Wut, Unzufriedenheit, Sorge, Traurigkeit, Angst, Scham, Schuldgefühl, Neid, Einsamkeit, romantische Zuneigung, Liebe, friedliche Stimmung, Erleichterung, Zufriedenheit, Eifer, Optimismus, Freude, Erregung, Überraschung und Stolz.[5] Man kann Skalen für diese Emotionen verwenden, um das Kundenverhalten zu erforschen oder der Emotionsforschung eine gewisse quantitative Unterstützung zu bieten.
- Durch die iterative Methode. Mit dieser Methode erhält man von den Kunden ein Profil der relevanten emotionalen Vorteile und der Möglichkeiten, die die Marke zum Ausdruck der eigenen Persönlichkeit bietet, wenn man sie kauft beziehungsweise verwendet. Der Prozess beginnt mit der Frage nach den Gründen für den Kauf oder für die Vorliebe für eine Marke; die Antwort konzentriert sich meistens auf eine Eigenschaft des Produkts. Als Nächstes stellt man dann die Frage, warum diese Eigenschaft wichtig ist. Eine Reihe von Warum-Fragen fokussiert grundlegende emotionale Vorteile oder individuelle Ausdrucksmöglichkeiten für den Kunden. Beispielsweise könnte man die Passagiere einer Fluggesellschaft fragen, warum sie »breite Sitze« bevorzugen. Wenn die Antwort »Bequemlichkeit« lautet, wird der Kunde gefragt, warum das so wünschenswert ist. Eine mögliche Antwort wäre: »um besser arbeiten zu können«, und eine weitere Warum-Frage könnte zu dem emotionalen Vorteil führen: »um mich besser zu fühlen.« Ähnlich könnten Fragen nach der Betreuung durch das Bodenpersonal zu einer Reihe von Antworten führen, die von »um Zeit zu sparen«, »um Spannung abzubauen«, »um das Gefühl zu bekommen, dass ich alles unter Kontrolle habe« bis zu »um mich sicher zu fühlen« reichen.
- Schauen Sie sich die echten Stammkunden an, um etwas über Ihre Marke zu lernen. Es lohnt sich sicher, deren Beziehung zu Ihrer Marke zu verstehen, denn eine solche Beziehung sollte auch zu anderen aufgebaut werden. Das Ziel besteht darin, die Beziehung zu stärken und mehr Stammkunden zu gewinnen.

5. Verstehen Sie Ihre Wettbewerber

Ein anderer häufig gemachter Fehler ist die Vernachlässigung des Wettbewerbs. Es erscheint uns natürlich, uns darauf zu konzentrieren, was wir als Marke und Unternehmen gut können und was die Kunden von uns wollen. Das Problem besteht darin, dass es normalerweise starke Wettbewerber und eine Reihe von potenziellen Konkurrenten gibt. Ein Schlüssel zur Differenzierung der eigenen Marke liegt im Verstehen der Vorgehensweise der Wettbewerber, was normalerweise mit einer Analyse ihrer gegenwärtigen und vergangenen Positionierungsstrategien beginnt.

- Eine sinnvolle Methode besteht darin, für alle Mitbewerber die repräsentative Werbung zu sammeln (ruhig auch einige alte Werbemaßnahmen, falls sich die Strategie geändert hat) und ihr jeweiliges Kommunikationsbudget zu schätzen. Sortieren Sie die Werbung nach unterschiedlichen Kategorien. Beispielsweise lassen sich bei Versicherungsgesellschaften in der Regel die drei folgenden Gruppen erkennen:
  - Stärke (Prudential, Fortus, Traveler's, Northwestern Mutual),
  - Sorge um die Kunden/für die Kunden da sein (Allianz, State Farm, Cigna Gruppe),
  - Blick auf die Zukunft/Hilfe bei der Zukunftsplanung (R+V Versicherung, Mass Mutual, Equitable),
- Es mag auch Außenseiter geben, so wie beispielsweise Transamerica (das Symbol der Pyramide) und MetLife (die Figuren aus den Peanuts-Comics). Wenn man die Position der Wettbewerber kennt und eine Ahnung von ihrem jeweiligen Budget hat, dann hat man damit auch eine Richtlinie und kann die eigenen Vorhaben daran messen. Ist es realistisch zu glauben, dass eine Botschaft, die derjenigen einer stark beworbenen Marke gleicht, einen aus der Masse hervorheben wird?
- Eine andere Methode ist die Durchsicht der Geschäftsberichte der Wettbewerber für die letzten vier oder fünf Jahre. Man kann daraus häufig eine Aussage über die Markenidentität ableiten, insbesondere für eine Firmenmarke (wie Sony). Außerdem werden die zukünftigen Absichten und Strategien der Organisation hinter der Marke häufig im Geschäftsbericht diskutiert.

Es kann auch nützlich sein, das Markenimage der Wettbewerber zu erforschen. Was denken die Kunden von diesen Marken? Mögen sie diese oder nicht? Welche Persönlichkeiten haben diese Marken? Welche Unternehmensassoziationen sind damit verbunden? Wie sieht es mit den Symbolen aus? Quantitative Imageforschung kann Richtwerte liefern, aber die Einblicke, die einem die kreative, qualitative Marktforschung liefert, wenn sie mit Metaphern arbeitet (zum Beispiel: Wenn diese Marke ein Tier wäre, was wäre sie dann?), sind fast immer sehr hilfreich.

Es ist ganz wichtig, dass man den Radarschirm möglichst weit aufspannt, um wirklich alle Wettbewerber zu erfassen – all jene, die einem die eigenen Kunden jetzt und in der Zukunft wegschnappen können. Beispielsweise könnte ein Computerhersteller, der sich auf den Heimmarkt konzentriert, versucht sein, Dell, Compaq, Gateway, IBM, Apple und Packard Bell als Hauptwettbewerber zu betrachten. Aber auch die Firmen Sony, Kodak, Microsoft, TCI und Nintendo werfen ihre Schatten auf diesen Markt, denn sie stehen alle in den Startlöchern, um die digitalen Schnittstellen und Internetzugänge kontrollieren zu können, die der Schlüssel zum neuen digitalen Heim-PC-Markt sind. Jede Markenidentität oder Vision der Zukunft muss diese Wettbewerber berücksichtigen.

6. Lassen Sie verschiedene Markenidentitäten zu

Es ist außerordentlich wünschenswert, eine einzige Markenidentität zu haben, die produkt- und märkteübergreifend ist. Coca-Cola benutzte lange eine Kernidentität für alle Segmente und Länder. British Airways erwartete, dass sein Slogan »World's Favorite Airline« und die ihn stützende Identität auf der ganzen Welt funktionieren würde. Die Haarwaschmittelmarke Pantene verwendet die gleiche Identität, die gleiche Positionierung und den gleichen Slogan (»für gesund aussehendes Haar und natürlichen Glanz«), die von dem Bild einer großartigen Haarpracht unterstützt werden, auf der ganzen Welt. Wenn eine einzige Markenidentität überall verwendet werden kann, dann wird die Kommunikation – sowohl die interne als auch die externe – nicht nur einfacher und billiger, sondern sie ist wahrscheinlich auch wirkungsvoller und besser mit der Unternehmenskultur und -strategie verbunden.

Eine gemeinsame Identität sollte das Ziel und die grundsätzliche Strategie sein. Widerstehen Sie alle jenen, die behaupten, ihr Umfeld, sei das nun ein Land oder eine Warengruppe, sei anders und erfordere eine eigene Identität und nicht nur eine andere Darstellung (beispielsweise eine andere Interpretation einer Lebensart, oder eine andere Art, einen emotionalen Vorteil deutlich zu machen). Es sollte nur so wenig wie möglich Abweichungen von der grundsätzlichen Markenidentität geben, und ihre Notwendigkeit muss theoretisch und mit Daten überzeugend untermauert werden.

Natürlich hat man vorrangig das Ziel, für jedes Umfeld starke Marken zu schaffen. Wenn sich zeigt, dass verschiedene Identitäten notwendig sind, um die stärksten Marken zu schaffen, dann sollte man dies zulassen. Beispielsweise braucht Hewlett-Packard verschiedene Identitäten, um die Gesamtmarke HP jeweils so anzupassen, dass sie für Ingenieure stimmt, die Workstations kaufen, für Geschäftsleute, die Minicomputer und Laserdrucker brauchen, sowie für Konsumenten, die ein Notebook wollen. In einem solchen Fall kann eine einzige Identität ungeeignet sein.

Mitunter kann jedoch eine einzige Identität auch über sehr verschiedene Bereiche ausgedehnt werden. Ein Ansatz dafür wäre, die gleiche Identität zu verwenden, aber in den verschiedenen Märkten unterschiedliche Elemente zu betonen. Beispielsweise könnte in einem Markt die Markenpersönlichkeit im Vordergrund stehen, während in einem anderen die Assoziationen zum Unternehmen stärker betont werden. Eine andere Möglichkeit besteht darin, die gleiche Identität zu verwenden, sie aber in unterschiedlichen Märkten verschieden zu interpretieren. So könnte die Kernidentität einer Bank, die auf Kundenbeziehungen Wert legt, mit einer eher persönlichen Note für den Konsumentenmarkt und in einem mehr professionellen Ton für Geschäftskunden präsentiert werden, während man den Sinn und die Kultur im Hintergrund nicht ändert.

Wenn verschiedene Identitäten gebraucht werden, dann sollte man sich für alle gemeinsame Assoziationen als Ziel vorgeben, von denen einige zur Kernidentität gehören sollten. Für jeden einzelnen Markt könnte man die Identität dann ausweiten, aber so, dass sie nach wie vor die wichtigen gemeinsamen Elemente enthält. Diejenigen Assoziationen, die jeweils spezifisch sind, sollten nach Möglichkeit konsistent sein.

Eine Markenidentität kann in einem neuen Umfeld funktionieren, wenn sie ausgedehnt wird. Eine bedeutende Ölgesellschaft musste in Südamerika ihre Identität dahingehend erweitern, dass die Exaktheit der Anzeige an der Pumpe betont wurde, da einige der einheimischen Wettbewerber die Kunden betrogen, indem eine höhere Anzahl Liter angezeigt als tatsächlich herausgepumpt wurde. Ein ganz bestimmtes Produkt, wie beispielsweise der Sony-Walkman, kann eine Erweiterung der Sony-Identität, zu der digitale Technik und Unterhaltung gehören, erfordern, sodass auch ein paar funktionale Vorteile mit eingeschlossen werden, die zu diesem Produkt und seinem Umfeld passen.

Es kann auch Fälle geben, in denen sich auch die Kernidentität je nach Markt ändern muss, wenn eine jeweils andere Interpretation und Erweiterungen nicht ausreichen. Beispielsweise ist Levi's in Europa und im Fernen Osten eine Prestigemarke, ein hervorragender Importartikel aus den USA, der zu immens hohen Preisen verkauft wird. Im Gegensatz dazu reflektiert die Identität in den USA selbst eher funktionale Vorteile und die Tradition der authentischen Jeans. Ähnlich muss auch Citibank zwischen dem Fernen Osten, wo die Bank ein hohes Prestige hat, und den Vereinigten Staaten unterscheiden, wo funktionale Vorteile wichtiger sind.

Wenn verschiedene Markenidentitäten gebraucht werden, kann man zwei verschiedene Vorgehensweisen wählen. Die Top-down-Methode besteht darin, zunächst eine Identität für die ganze Organisation zu schaffen und dann diese Identität verschiedenen Märkten anzupassen. Der Vorteil ist eine gemeinsame Identität, von der sich die individuellen Märkte vermutlich nicht allzu weit entfernen werden.

Die Bottom-up-Vorgehensweise besteht darin, produkt- oder markenbezogene organisatorische Einheiten zu schaffen, die die Freiheit haben, sich die Identität zu schaffen, die ihren Bedürfnissen am besten entspricht. Diese unterschiedlichen Identitäten können dann miteinander in Einklang gebracht werden, vielleicht von Teams, die die verschiedenen organisatorischen Einheiten repräsentieren. Das Unternehmen Harley-Davidson, das so vorging, stellte fest, dass eine Reihe unterschiedlicher Teams fast die gleiche Identität schufen; das Ergebnis war eine einzige Identität, die im ganzen Unternehmen akzeptiert war und unterstützt wurde. In einer Computerfirma schufen Teams für vier verschiedene Warengruppen ihre eigenen Identitäten. Bei einem Treffen, in dem diese Identitäten in Einklang gebracht werden sollten, entschieden jedoch drei von den Vieren, dass eine Gesamtmarkenidentität für sie alle gut funktionieren würde, und die vierte Gruppe brauchte nur eine geringfügige Erweiterung. Auch hier ergab sich eine positive Wirkung, weil das Ergebnis nicht von oben befohlen wurde, sondern sich aufgrund einer gemeinsamen Entscheidung ergab.

7. Lassen Sie sich bei der Implementierung von der Markenidentität führen

Wenn man einmal die Markenidentität als Basis für die Markenstrategie entwickelt hat, kommt als nächster Schritt die Implementierung. Aufgrund organisatorischer Probleme kann es jedoch hin und wieder vorkommen, dass ein Bruch zwischen der Identität und ihrer Umsetzung auftritt. Beispielsweise kann eine Werbeagentur eine Markenposition entwickeln, die nicht von der Markenidentität gesteuert wird, oder die Kommunikationsabteilung hat nur wenig Kontakt zu den Leuten, die mit der Durchführung der Unternehmensstrategie betraut sind.

Man kann derartige Probleme verringern, indem man sicherstellt, dass die ganze Organisation hinter dem Projekt steht. Die Beispiele in dem vorhergehenden Abschnitt verdeutlichten, wie man die notwendige Unterstützung schaffen kann, indem man die Leute und Organisationen, die mit der Implementierung betraut sind, in die Entwicklung der Markenidentität mit einbezieht. Eine andere Lösung könnte darin bestehen, sicherzustellen, dass die Markenidentität gut kommuniziert wird; eine genau definierte Identität kann dabei eine kritische Rolle spielen. Es ist furchtbar, wenn eine Marke bei den wichtigen Leuten in Agenturen oder Sponsoring-Unternehmen nicht richtig kommuniziert wurde und sie die Marke dann tatsächlich neu erfinden.

Eine andere nützliche Vorgehensweise ist, die Markenidentität während der Implementierung zu entwickeln und zu verfeinern. Gelegentlich wird behauptet, Strategie sei Durchführung, und die Implementierung zumindest grob zu skizzieren, während die Markenidentität entwickelt wird, sei eine gute Methode, um Kohäsion herzustellen. Dazu kann es gehören, die Markenidentität optisch zu verdeutlichen und eine oder mehrere Möglichkeiten der Ausführung zu identifizieren.

8. Legen Sie die Markenidentität im Detail dar

Häufig ist die Markenidentität nicht eindeutig, besonders wenn sie auf einige wenige Worte oder Sätze reduziert wird. Sie kann daher nicht wirkungsvoll kommunizieren, wofür die Marke steht, die Beschäftigten und Geschäftspartner nicht inspirieren und keine Anhaltspunkte für die Entscheidungsfindung bieten. In einem solchen Fall kann es hilfreich oder sogar notwendig sein, die Markenidentität genau zu definieren. Im nächsten Kapitel werden eine Reihe von Möglichkeiten vorgestellt, wie man die Markenidentität detailliert beschreibt.

Vorschläge

1. Entwickeln Sie alternative Aussagen über das Wesen der Marke Virgin Airlines.
2. Beurteilen Sie die Aussagen zum Wesen der Marke, die im Text vorkommen. Welche Kriterien sind angemessen? Welche scheinen Ihnen die besten zu sein? Identifizieren Sie einige Slogans, die die Markenessenz besonders gut ausdrücken. Warum haben Sie diese gewählt?
3. Hat Ihre Marke eine starke Position aufgrund von funktionalen Vorteilen? Wie nutzen Sie dies aus? Ist Ihre Marke über die Vorteile reiner Produkteigenschaften hinausgegangen? Wie?
4. Was wissen Sie von Ihren Kunden und wie beeinflusst dieses Wissen Ihre Markenstrategie?
5. Verwenden Sie Anzeigen, Bildelemente oder strategische Aussagen, um die Position Ihrer Wettbewerber zu verdeutlichen. Wie grenzt sich Ihre Marke diesen Wettbewerbern gegenüber ab?
6. Sollte Ihre Marke verschiedene Identitäten haben? Warum? Wie?
7. Passt die von Ihnen gewählte Implementierung zu Ihrer Strategie? Geben Sie ein gutes Beispiel für eine Durchführung, die bei Ihnen beziehungsweise einem Wettbewerber mit der Strategie übereinstimmt/nicht übereinstimmt.

3

Definition und Erläuterung der Markenidentität

Jeder Geschäftsführer, der die immateriellen Vermögenswerte
seiner Marke nicht deutlich formulieren kann und deren Verbindung
zu den Kunden nicht versteht, ist in Schwierigkeiten.
Charlotte Beers, J. Walter Thompson

Geschichten sind die wirksamste Waffe
in dem literarischen Arsenal von Führungspersönlichkeiten.
Howard Gardner, Harvard-Professor und Autor von Leading Minds

Wie lässt sich Führung definieren?

Die Kernidentitäten der Automarke Saturn und von Gateway Computers enthalten eine Beziehungsdimension – die Marke ist ein Freund ihrer Kunden. Aber welche Art Freund ist sie? Eine Partybekanntschaft? Ein Freund, der für einen da ist? Ein Reisegefährte? Ein Freund, mit dem man zu einem Fußballspiel geht? Ein Geschäftsfreund? Und wie unterscheidet sich diese Freundschaft von einem partnerschaftlichen Verhältnis (Chevron) oder einer Beziehung (Chase)? Welche Vorbilder, optischen Bilder, Metaphern und Symbole stehen für Freundschaft?

Eine Kernidentität wird häufig in wenigen Worten oder Sätzen zusammengefasst, beispielsweise Saturns Hinweis auf Weltklassewagen und die Behandlung der Kunden als Freunde, oder Mobils Betonung von Führung, partnerschaftlichem Verhältnis und Vertrauen. Ideen wie beispielsweise Qualität, Innovation, Spannung, Energie, guter Geschmack, Benutzerfreundlichkeit und Beziehungen (genauso wie Freundschaft, Führung, Partnerschaft und Vertrauen) sind Schlüsselelemente der Kernidentität prominenter Marken. Leider können diese Ausdrücke – deren Kürze es leicht macht, sie zu kommunizieren und zu erinnern – auch schwammig oder gar zweideutig sein und dann nicht die notwendige Orientierung und Inspiration liefern.

Eine erweiterte Identität kann für mehr Klarheit sorgen, wenn auch häufig nur indirekt. Wenn man beispielsweise eine Markenpersönlichkeit, die auf Freundschaft basiert, näher erläutert, dann entsteht das Bild eines Freundes. Da dieses Bild möglicherweise immer noch etwas unscharf ist, kann es nützlich sein, die Worte und Sätze auszuweiten, welche die Kernidentität beschreiben. Eine detailliertere Erläuterung kann auch dazu verwendet werden, einzelne Elemente der erweiterten Identität zu erklären (beispielsweise Dimensionen einer Markenpersönlichkeit wie Sinn für Humor oder Zuverlässigkeit).

Eine detaillierte Erläuterung der Markenidentität hat drei Ziele. Erstens sollte sie für mehr Klarheit sorgen, indem sie die Elemente der Markenidentität interpretiert und präzisiert, wodurch es leichter wird, Entscheidungen und Programme zur Stärkung der Marke zu definieren. Zweitens sollte sie den Entscheidungsfindern eine Hilfe bei der Beurteilung sein, ob die einzelnen Dimensionen einer Identität bei Kunden einen Widerhall finden und die Marke von anderen abheben. Drittens kann eine nähere Erläuterung Ideen und Konzepte liefern, die für die Entwicklung von zielgerichteten, effektiven Maßnahmen zum Aufbau der Marke nützlich sind.

Führungseigenschaften gehören zur Kernidentität vieler Marken, besonders von Firmenmarken, und das aus gutem Grund. Sie können Beschäftigte des Unternehmens und Geschäftspartner inspirieren, indem sie hochgesteckte Ziele für die Marke vorgeben; der Wunsch, ganz vorne zu sein, macht den Aufbau der Marke ebenso spannend wie lohnend. Für viele Kunden bedeutet eine führende Marke Beruhigung, während sie für andere Qualität und/oder Innovation ausdrückt, was sich in konkrete funktionale Vorteile umsetzen lässt. Der Kauf und Gebrauch oder Verbrauch einer wirklich führenden Marke gibt einem auch die Möglichkeit, das eigene Ich dadurch auszudrücken – man fühlt sich wichtig und ist zufrieden darüber, dass man eine so gute Urteilsfähigkeit hat.

Führungsqualitäten sind auch ein Bereich, unter dem man eine Reihe von Perspektiven und Aktivitäten zusammenfassen kann. Eine derart breite Bedeutung kann nützlich sein, sie kann aber auch so allumfassend werden, dass sie letztlich überhaupt keine Anhaltspunkte mehr liefert – zu viele Kommunikationsansätze passen dazu und zu wenige (oder möglicherweise gar keine) werden ausgeschlossen.

Betrachten Sie einmal verschiedene Interpretationen von Führung (Beispiele in Klammern):

- eine *kompetente* Führung mit überragenden Managementfähigkeiten (Citigroup),
- eine *autoritative* Führung, die durch Erlasse alles erledigt bekommt (Microsoft),
- eine *unterstützende* Führung, die einen aktiv ermutigt (Nordstrom) [eine Bekleidungskette für Schuhe, Accessoires und Oberbekleidung],

- ein *Lehrer* oder *Trainer*, der einem das Werkzeug und die Techniken liefert, um eine Aufgabe zu erledigen (Charles Schwab),
- eine Führung, die *Regeln über Bord wirft* und ungewöhnliche und mitunter unglaubliche Programme und Aktionen durchführt (Virgin),
- ein *innovativer* Technologieführer, der technische Grenzen durchbricht (3M)
- eine *erfolgreiche* Führung mit hohem Marktanteil (Coca-Cola),
- eine Führung in Sachen *Qualität*, die neue Standards für vorzügliche Leistung setzt (Lexus),
- eine *inspirierende* Führung, die Wertvorstellungen und eine Mission deutlich ausdrückt (Levi Strauss).

Der Umfang des Führungskonzepts wird durch eine Untersuchung von 23 Warengruppen verdeutlicht, die die Werbeagentur DMB&B unter der Leitung von Joe Plummer durchführen ließ. Im Rahmen dieser Studien wurden die Teilnehmer gefragt, welche Marke in einer Kategorie führend sei und wieso. Anschließend wurden die Strategien der genannten Marken analysiert.

Ein Ergebnis war, dass man führende Marken nicht als solche auffasst, weil sie einen hohen Marktanteil haben (obwohl das auf einige von ihnen durchaus zutrifft), sondern wegen des Vertrauens in sie und der Qualitätsaussage, die sie vermitteln. Ein anderes Ergebnis war die Erkenntnis, dass es vier verschiedene Arten von führenden Marken gibt:

Powermarken verfügen über einen wesentlichen Vorteil innerhalb ihrer Warengruppe und nehmen laufend Verbesserungen vor, um ihre Führungsposition zu behaupten – Beispiele hierfür sind Gillette (die beste Rasur), Crest (gesündere Zähne), Federal Express (schnelle, zuverlässige Lieferung) und Volvo (Sicherheit).

Entdeckermarken sprechen den Wunsch der Menschen an zu lernen, zu wachsen und das eigene Potenzial auszuschöpfen – zum Beispiel Microsoft (»Wohin wollen Sie heute gehen?«), Nike (»Tun Sie es einfach«) oder Body Shop (drückt ein Bewusstsein für soziale Themen aus).

Iconmarken symbolisieren irgendeinen Aspekt des nationalen Image und der Geschichte eines Landes, mit dem sich Kunden emotional identifizieren können – beispielsweise Disney (Magie der Kindheit), Coca-Cola (Freundschaft auf der ganzen Welt), Marlboro (die Freiheit des amerikanischen Westens) und McDonald's (Kinder, Wertvorstellungen, die eine Familie hat).

Identitätsmarken bauen mit Hilfe von bildlichen Vorstellungen eine Verbindung auf und helfen den Leuten auszudrücken, wer sie selbst sind – zum Beispiel Levi's (städtisch, schick), BMW (erfolgreich, Oberschicht, Kenner), Birkenstock (naturbezogene Werte und ein natürlicher Lebensstil).

Als die Teilnehmer der gleichen Studie nach zukünftigen führenden Marken gefragt wurden, identifizierten sie zwei unterschiedliche Typen:

In-your-face-Marken greifen die jetzigen führenden Marken an, indem sie deren Strategie übernehmen, aber alles besser oder preisgünstiger machen. Diese Marken sind teilweise deshalb anders, weil sie aggressiv und energiegeladen sind

– zum Beispiel MCI (aufgrund innovativer Programme kann man im Vergleich zu AT&T Geld sparen) und Pepsi (die Pepsi-Herausforderung, »Generation Next«).

Marken mit völlig anderem Paradigma ignorieren die jetzigen führenden Marken weitgehend, weil sie für das neue Strickmuster als irrelevant betrachtet werden – Beispiele sind Charles Schwab (Wertpapiertransaktionen ohne Makler), Southwest Airlines (Flüge zwischen Städten ohne Extras, die preisgünstig sind und mit Spaß verbunden werden) und Amazon (die Internet-Buchhandlung).

Es gibt viel mehr Aspekte eines Führungskonzeptes als die Hand voll, die wir hier behandelt haben. Die Herausforderung für jede Marke besteht darin, das Konzept auszuarbeiten und zu verdeutlichen, damit es wirklich richtungweisend wird. Selbst wenn verschiedene Geschäftseinheiten unterschiedliche Perspektiven des gleichen Konzepts betonen, ist es trotzdem nützlich, das Konzept klar darzulegen. In diesem Kapitel beschäftigen wir uns mit dieser Aufgabe.

Definition einer Markenpersönlichkeit – die L.L.-Bean-Story

L.L. Bean wurde 1912 von Leon Leonwood Bean gegründet, einem Mann, der sich viel im Freien aufhielt und in Freeport, Maine, lebte. Das erste Produkt des Unternehmens war ein Stiefel mit einem wasserdichten unteren Teil aus Gummi und einem leichten oberen Teil aus Leder, was im Vergleich zu den schweren Lederstiefeln dieser Zeit einen wesentlichen Vorteil darstellte. Als sich bei den ersten 100 Paaren, die über den Versandhandel verkauft wurden, ein Problem mit den Nähten ergab, schickte Bean den Kunden ihr Geld zurück und fing noch einmal von vorn an – eine Entscheidung, die zu der legendären L.L.-Bean-»Garantie hundertprozentiger Zufriedenheit« führte sowie traditioneller Qualität und Ehrlichkeit. Auf diese Stiefel folgte eine Reihe von Produkten für Leute, die auf die Jagd, zum Fischen oder Camping gingen. Bean selbst war in den sechziger Jahren des 20. Jahrhunderts aktiv an den Vorschlägen und Testen von neuen Produkten beteiligt.

Das L.L.-Bean-Geschäft, das inzwischen über eine Milliarde Dollar jährlich einbringt, basierte immer auf dem Katalogverkauf. Aber das kleine Einzelhandelsgeschäft in Main Street in Freeport, das 1917 eröffnet wurde, um Kunden bedienen zu können, die zufällig vorbeikamen, hat sich zu einem Flaggschiff entwickelt, das eine klare Aussage über die Marke macht. Es ist 24 Stunden am Tag geöffnet (um sich besser um die Frühaufsteher unter den Jägern und Fischern kümmern zu können) und hat sich mit über dreieinhalb Millionen Besuchern pro Jahr zu einer Touristenattraktion in Maine entwickelt. Obwohl sich L.L. Bean nach wie vor auf Camping, Jagen und Fischen konzentriert, wurde die Produktpalette des Unternehmens im Laufe der Jahre doch ausgeweitet und schließt nun Freizeitkleidung und Sportausrüstungen mit ein, sowie andere Produkte, die zum Leben im Freien passen. Zur Kernidentität der Marke gehören qualitativ hochwertige, funktionale Produkte, ein freundlicher Service sowie Kunden und Beschäftigte, die sich gerne im Freien aufhalten.

Entsprechend beabsichtigt L.L. Bean auch, sein optisches Erscheinungsbild von den altmodischen Anglern und Campern mit einfachster, altmodischer Ausrüstung weg und hin zu einer umfassenden Hommage an das Leben im Freien und die Leidenschaft für die unberührte Natur zu verlagern. Die in Schaubild 3.1 gezeigte Titelseite des Katalogs verdeutlicht dieses Ziel.

Schaubild 3.1: L.L. Bean – eine Hommage an die Natur

Das Profil der Markenpersönlichkeit, das zur Unterstützung der Markenpflegemaßnahmen für L.L. Bean entwickelt wurde, umfasst die folgenden Dimensionen: freundlich, ehrlich, hilfsbereit, für die ganze Familie, praktisch und sparsam, mit Sinn für Humor, ein Berater und ein gesunder Lebensstil. Da diese Ausdrücke zu abstrakt sind, um das wahre Wesen der Marke L.L. Bean langfristig widerzuspiegeln, wurden sie wie folgt ergänzt und entwickelt:

Freundlich: L.L. Bean ist zugänglich, weil sich das Unternehmen um seine Kunden kümmert. Es ist gemütlich und vertraut, ohne Dünkel.

Ehrlich: L.L. Bean ist freimütig und offen; es würde niemals Kunden in die Irre führen. Die Firma präsentiert sich und ihre Waren immer auf eine nüchterne, sachliche Weise.

Hilfsbereit: Der Kundendienst und die Kundenbetreuung bei L.L. Bean sind legendär. Es ist für das Geschäft ganz wichtig, die Kunden gut zu behandeln, und das ist so seit den Zeiten, als Leon Leonwood das Unternehmen gründete. Die Beschäftigten werden alles in ihrer Macht Stehende tun, um den Kunden zu helfen, sei es bei der Auswahl des passendsten L.L.-Bean-Artikels für eine bestimmte Aktivität oder bei der Beantwortung von Fragen über die freie Natur.

Für die ganze Familie: Während das eher männliche Image der Firma auf seine Tradition im Bereich Jagen und Fischen sowie auf den Firmengründer selbst zurückgeht, bietet L.L. Bean inzwischen Produkte und Dienstleistungen für die ganze Familie, die sich gerne im Freien aufhält.

Praktisch und sparsam: L.L. Bean konzentriert sich auf die Art von Artikel und Produkteigenschaften, die hauptsächlich funktional sind. Die Waren spiegeln einen gewissen »Yankee«-Einfallsreichtum wider, werden zu vernünftigen Preisen angeboten und funktionieren einfach und problemlos.

Sinn für Humor: L.L. Bean hat immer deutlich erkannt, welche Rolle das Unternehmen im Leben der Kunden spielt. Es nimmt sich selbst niemals zu ernst und behält den typischen amerikanischen Sinn für Humor.

Ein Berater: L.L. Bean verkörpert viele der Eigenschaften, die man mit jemandem verbindet, der Erfahrung hat und sich in der Natur auskennt.

Ein gesunder Lebensstil: L.L.-Bean-Beschäftigte und -Kunden glauben fest daran, dass Sport und Aufenthalte im Freien gesund sind. Sie finden, dass die Zeit, die sie draußen verbringen, wesentlich zu ihrer physischen und mentalen Fitness und damit zu ihrer gesamten Lebensqualität beiträgt.

Diese detaillierten Dimensionen der Persönlichkeit verdeutlichen, wofür die Marke steht und geben wertvolle Richtlinien für die Programme zum Aufbau der Marke. Beispielsweise könnten die Details zum Thema Freundlichkeit eine Anregung dafür sein, ansprechende, vertraute Waren klar und überschaubar im Katalog und in den Geschäften anzubieten. Unverblümte Ehrlichkeit führt ebenfalls zu einer Präsentation auf praktische, nüchterne Weise. Die praktische und sparsame Komponente spiegelt sich in Produkten und Eigenschaften wider, die den funktionalen Aspekt verstärken. Schließlich liefert die Marke als Berater eine Metapher, die auf Erfahrung hinweist, was schon immer ein wesentlicher Bestandteil der L.L.-Bean-Tradition war.

Die detailliert dargestellte Persönlichkeit gibt auch Hinweise darauf, wie das L.L.-Bean-Image eventuell ausgeweitet werden könnte. Die Marke wird als sehr männlich empfunden, aber das Persönlichkeitsprofil umfasst offensichtlich die ganze Familie. Außerdem sollte das funktionale Image der Firma nicht den Eindruck vermitteln, dass sich die Marke selbst zu ernst nimmt. Außerdem sollte die New-England-Tradition nicht zu Vorstellungen von einem älteren, altmodischen Bauerntölpel führen, sondern von einer zeitgenössischen Person, die sich leidenschaftlich gerne im Freien aufhält.

Anleitung zur Identitätsdefinition

Lassen Sie uns zusammenfassen: Die Markenidentität, besonders die Kernidentität und die Markenessenz, wird häufig mit einzelnen Worten oder in knappen Sätzen ausgedrückt. Eine genauere Definition trägt zur Klärung der Identität bei, wodurch sie als Richtlinie für Programme zum Aufbau der Marke nützlicher wird.

Auf den folgenden Seiten beschreiben wir verschiedene Übungen, die bei einer näheren Erläuterung der Markenidentität helfen können. Diese Aufgaben können die Zuständigen im Unternehmen allein oder mit Geschäftspartnern erledigen, die wissen, wofür die Marke steht und die mit der Implementierung dieser Vorstellung befasst sind.

Die vier Übungsarten sind in Schaubild 3.2 zusammengefasst. Bei der Prüfung der Programme zur Stützung der Identität untersucht man die Substanz hinter der erstrebten Markenidentität. Identitätsmodelle sind Aktionen und Programme, die die Marke kommunizieren. Die Entwicklung optischer Metaphern ist eine andere Methode, die Identität lebendiger zu gestalten. Prioritäten hinsichtlich der Markenidentität legen fest, auf welche Dimensionen man sich bei der Positionierung und den Maßnahmen zum Aufbau der Marke konzentrieren sollte.

Letztendlich entsteht daraus eine Art Kommunikationsmittel, das man als Präsentation der erweiterten Identität bezeichnen könnte. Es kann in Gestalt einer Broschüre, eines Videos, einer Collage und/oder eines Handbuchs erscheinen. Einige Methoden zur Schaffung solcher Instrumente werden am Ende dieses Kapitels diskutiert.

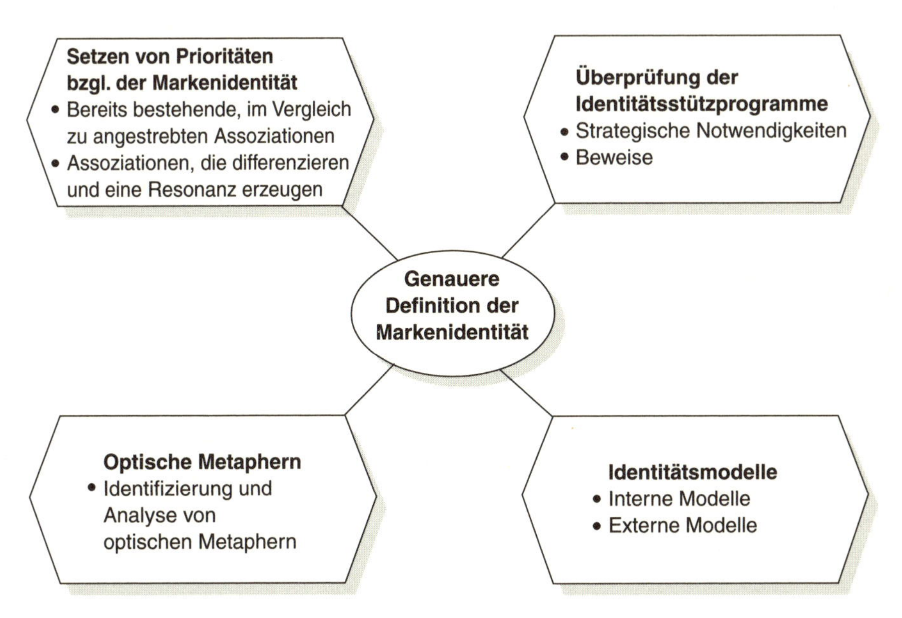

Schaubild 3.2: Genauere Definition der Markenidentität

Überprüfung des Programms zur Stützung der Identität

Die Markenidentität muss das Unternehmen korrekt widerspiegeln und auf echter Substanz basieren; sie sollte nicht einfach nur das Ergebnis von Branding oder Werbemaßnahmen sein. Es genügt nicht, nur eine klare, differenzierte Markenvision, die auf Resonanz bei den Kunden stößt, zu kommunizieren. Das Unternehmen muss bereit sein, die Identität durch erhebliche Investitionen in reale Programme zu stützen. Die Identifikation der Substanz und der Programme zur Stützung der Marke führt zu einer Erweiterung der Markenidentität, die lebendig und greifbar sein sollte.

Geplante und bereits existierende Programme und Investitionen können die Marke unterstützen. Zu den ersten gehören strategische Gebote, das heißt Zukunftsprogramme, die entwickelt werden müssen, um die Markenidentität langfristig zu pflegen. Zu der zweiten Gruppe gehören Beweise für das Ergebnis bereits existenter Programme, Initiativen und Aktivposten zur Stützung der Markenidentität.

Strategische Gebote – die Verbindung von Markenidentität mit der Unternehmensstrategie

Eine Aussage über die Markenidentität bedeutet ein Versprechen an die Kunden und eine Verpflichtung des Unternehmens. Die Investition in einen Aktivposten oder ein Programm, der oder das notwendig ist, um das den Kunden gemachte Versprechen zu halten, ist ein strategischer Imperativ.[6] Auf welche Aktiva und Möglichkeiten des Unternehmens lässt die Markenidentität schließen? Welche Investitionen sind notwendig, um die Versprechen zu erfüllen, die den Kunden gemacht wurden? Im Folgenden werden einige Beispiele genannt.

Die Marke einer regionalen Bank

Zur Kernidentität gehört:

- eine persönliche und professionelle Beziehung zu jedem Kunden.

Zu den strategischen Geboten gehören:

- eine Kundendatenbank. Jeder Beschäftigte, der mit einem Kunden in Kontakt kommt, hat einen Überblick über sämtliche Konten dieses Kunden, sodass eine Verbindung zwischen den unterschiedlichen Beziehungen zum Kunden hergestellt werden kann,
- Dienst am Kunden. Ein Programm soll entwickelt und umgesetzt werden, um die Fähigkeiten zur zwischenmenschlichen Beziehung der Leute, die mit Kunden in Kontakt kommen, zu verbessern. Ein System zur Messung des Erfolgs wird angeschlossen.

Eine neue hochpreisige Untermarke in der Warengruppe Audiogeräte

Zur Kernidentität gehören:

- höchste Qualität,
- Führung auf technischem Gebiet.

Zu den strategischen Geboten gehören:

- Produktion im eigenen Unternehmen statt Fremdbezug, um die Qualität besser überprüfen zu können,
- Ausweitung des Forschungs- und Entwicklungsprogramms im Bereich digitale Technik.

Eine preiswerte Untermarke zu einem Haushaltsreiniger

Zur Kernidentität gehört:

- eine preiswerte Marke, die mit der Qualität der Wettbewerber mithalten kann.

Zu den strategischen Geboten gehören:

- der kostengünstigste Hersteller zu werden,
- die Entwicklung einer organisatorischen Einheit, die sich auf niedrige Kosten konzentriert.

Strategische Imperative sind Aktionen und Aktivitäten, die notwendig sind, um der Markenidentität Gehalt zu geben. Sie gehören damit eindeutig zu den Maßnahmen zum Aufbau einer Marke. Schritte zur Wiederbelebung oder Repositionierung einer Marke sollten nach Möglichkeit mit den strategischen Initiativen synchronisiert werden. Auf jeden Fall muss der Aufbau einer Marke mehr als Wunschdenken, ein Kommunikationsprogramm oder eine neue Verpackung sein; man braucht dafür ein Investitionsprogramm, einen Zeitplan und ein eigenes Budget.

Ebenso wichtig ist die Tatsache, dass strategische Gebote eine Beurteilung der Realität darstellen; Investitionen werden offen gelegt und die Markenstrategie wird auf ihre Durchführbarkeit hin überprüft. Stehen genügend Mittel zur Verfügung? Ist das Unternehmen wirklich zur Unterstützung der Programme bereit? Ist die Firma überhaupt in der Lage, die erforderlichen Initiativen umzusetzen? Sollte die Antwort auf irgendeine dieser Fragen Nein sein, dann kann oder will das Unternehmen das von der Marke gemachte Versprechen nicht halten. Dadurch wird dieses Versprechen zu einem leeren Werbeslogan, der bestenfalls eine Verschwendung von Ressourcen darstellt, schlimmstenfalls aber die Marke zu einem Klotz am Bein statt zu einem Aktivposten macht.

Schauen wir uns die vorhergehenden Beispiele an: Wenn die Regionalbank nicht bereit ist, die Millionen zu investieren, die man zum Aufbau der Datenbank braucht, die für eine angemessene Interaktion mit den Kunden notwendig ist, dann muss man neu über das Konzept nachdenken, in dem der gute Kontakt zum Kunden besonders betont werden soll. Wenn das Unternehmen im Audiobereich nicht bereit ist, seine Produkte selbst zu entwerfen und herzustellen, dann ist möglicherweise eine Position im oberen Qualitäts- und Preissegment nicht erreichbar. Wenn der Hersteller von Haushaltsreinigern nicht bereit ist, eine eigene Einheit zu schaffen, die wirklich auf die Kosten achtet, dann wird sich der Eintritt ins Niedrigpreissegment als Fehlschlag erweisen.

Ed Resic, der Marketingchef bei The Limited, bemerkte einmal, man könne nicht mit einem 08/15-Produkt in einem Marktsegment führend werden. Es bedarf echter Inhalte und beträchtlicher Anstrengungen, was normalerweise bedeutet, dass die Investitionen von strategischen Geboten bestimmt werden müssen. Ein neuer Markenname, eine neue Position oder Persönlichkeit oder verstärkte Präsenz sind für sich allein genommen selten ausreichend. Wenn aber eine echte Substanz dahinter steht, dann kann eine starke Marke über Erfolg oder Misserfolg eines Produktes entscheiden.

Das Konzept des strategischen Imperativs weist darauf hin, dass die Markenidentität die Unternehmensstrategie bestimmen sollte. Das mag weit hergeholt erscheinen, ist aber mitunter eine akkurate Beschreibung der Vorgehensweise. Die beste Situation ist natürlich dann gegeben, wenn zu den strategischen Geboten Initiativen gehören, die bereits verfolgt werden; dann besteht eine echte Kompatibilität zwischen der Markenstrategie und der bereits existierenden Unternehmensstrategie. Wenn die Unternehmensstrategie jedoch nicht deutlich entwickelt ist, dann können ernsthafte Anstrengungen zur Entwicklung einer Markenidentität häufig bei der Präzisierung der Unternehmensstrategie helfen. Die strategischen Gebote spielen eine wichtige Rolle, weil sie einen häufig zu einer Wahl zwingen und zu einer Konzentration auf die wesentlichen Optionen und wichtigsten Probleme führen, denen sich ein Unternehmen gegenübersieht.

Wenn eine Organisation eine gut formulierte Unternehmensstrategie hat, die von einer starken Unternehmenskultur gestützt wird, dann sind Markenidentität und -strategie häufig relativ einfach zu entwickeln. Sind dagegen die Unternehmensstrategie und -kultur eher verschwommen, dann kann die Entwicklung einer Markenidentität qualvoll schwierig werden. In solchen Fällen kann eine Markenidentität nicht nur stimulierend sein, sondern auch zur Formulierung eines wesentlichen Teils der Unternehmensstrategie und -kultur beitragen.

Beweispunkte

Während strategische Imperative Maßnahmen sind, die beträchtliche Investitionen erfordern, gehören die Kriterien bereits zu den Dimensionen der Markenidentität. Kriterien sind bereits existierende Programme, Initiativen und Aktivposten, die der Kernidentität Gehalt geben und ihre Bedeutung kommunizieren. Während es in der Regel vergleichsweise wenige strategische Imperative gibt, die zudem noch teuer und riskant sind, gibt es häufig zahlreiche Kriterien, die auch bereits eingesetzt werden. Eine Markenidentitätsstrategie, die sich ausschließlich auf die Zukunft konzentriert, ist aus zwei Gründen gefährdet: Möglicherweise werden nicht die notwendigen Mittel für die strategischen Imperative bereitgestellt oder sie werden nicht angemessen ausgeführt; auch wenn man sie richtig ausführt, ändert sich vielleicht die Wahrnehmung der Kunden trotzdem nicht. Daher sind Kriterien eine notwendige Grundlage.

Beispielsweise könnte eine der Dimensionen der Kernidentität von Nordstrom die Sorge um die Kunden sein. Kriterien wären in dem Fall alle Aktivposten, Fähigkeiten, Programme oder Initiativen, die diese Dimension unterstützen, einschließlich der Folgenden:

- der bestehende Ruf, guten Dienst am Kunden zu leisten,
- die gegenwärtige Rücknahmepolitik für Waren, die bekannt ist und der man traut,
- ein Kompensationsprogramm, das Beschäftigte für guten Kundendienst belohnt,
- die Qualität der gegenwärtigen Personalpolitik,
- eine Unternehmenspolitik, die innovative Reaktionen auf Kundenwünsche fördert.

Zur Identität von L.L. Bean gehört, dass sich das Unternehmen besonders auf Menschen einstellt, die sich gerne im Freien aufhalten. In diesem Fall zählen zu den Kriterien die Tradition der Marke sowie die Aktivposten, Maßnahmen und Programme, die L.L. Bean in dieser Beziehung von anderen Marken abgrenzen:

- ein Flaggschiffgeschäft, das 24 Stunden am Tag offen ist, um den Einkauf für Kunden, die sich viel im Freien aufhalten, möglichst bequem zu machen,
- die Erfahrung und Professionalität der Beschäftigten mit Kundenkontakt, die es ihnen möglich macht, gute Ratschläge hinsichtlich der Aktivitäten im Freien zu geben.

Wenn ein großes Unternehmen wie beispielsweise General Electric, Hewlett-Packard oder Sony viele Geschäftszweige hat, die unter einer Marke subsumiert sind, dann kann es entscheiden, ob ein Element der Kernidentität (beispielsweise Führung) zu allen Bereichen passt, indem es mögliche Kriterien mit Leuten aus verschiedenen Produktbereichen und/oder geografischen Regionen diskutiert. Wenn alle Gruppen Kriterien dafür liefern können, dass »Führung« ein glaubwürdiges Identitätsmerkmal ist, dann kann das Unternehmen diese Eigenschaft zuversichtlich als Basis für eine Positionierung verwenden.

Identifizierung eines Leitbilds für die Identität

Der Versuch, eine Markenidentität mit Hilfe einer Liste von Schlagwörtern und kurzen Phrasen zu kommunizieren, kann sich letztendlich als zu wenig eindeutig und langweilig erweisen, weil es mit solchen Listen in der Regel nicht gelingt, die Emotionen einer Marke und ihre Visionen einzufangen. Die Identifizierung eines Leitbilds kann die notwendige Bedeutung und das Gefühl liefern, die zur Motivierung und Steuerung der Anstrengungen zum Aufbau einer Marke wesentlich sind. Wir werden zwei Typen untersuchen – interne Leitbilder (das heißt solche, die aus dem Unternehmen selbst kommen) und externe.

Interne Leitbilder

Dazu zählen Geschichten, Programme, Ereignisse oder Menschen, die die Markenidentität perfekt ausdrücken – die einen echten Treffer darstellen. Von fünf verschiedenen Kriterien, die alle die Identität untermauern, gibt es vielleicht ein Programm, das wirklich die Identität genau widerspiegelt. Beispielsweise könnte die Rücknahmepolitik der Ladenkette Nordstrom die beste Demonstration dafür sein, dass für das Unternehmen die Kunden im Mittelpunkt stehen. Ein Ereignis wie die von der Firma gesponserte Party in Spring Hill, Tennessee, für alle Besitzer eines Saturn, sagt viel über das Verhältnis dieser Firma zu ihren Kunden aus und verdeutlicht, dass sie wirklich anders ist als andere Automobilhersteller.

Geschichten können eine Identität kommunizieren und außerdem zukunftsgerichtete und emotionale Elemente beitragen. Dazu können Legenden zählen, die Teil der Firmengeschichte wurden – die Story von dem Ingenieur, der nach Alaska flog, um einen kaputten Sitz auszutauschen, zeigt beispielsweise Saturns Respekt für seine Kunden. Die Geschichte, wie das Konzept der 3M-Post-it-Haft-Notizen mit einem Ingenieur von 3M begann, der ein Lesezeichen brauchte, das ihm beim Singen im Chor nicht immer wieder auf den Boden flatterte, verdeutlicht den innovativen Trieb, der Teil der Kernidentität des Unternehmens ist. Und die Geschichte, wie Johnson & Johnson auf den Tylenol-Giftskandal reagierte, indem es alle Produkte aus den Läden nahm und die Packung neu entwickelte, zeigt deutlich, wie wichtig dem Unternehmen sein Ruf bezüglich Vertrauenswürdigkeit und Sicherheit ist.

Geschichten und andere interne Leitbilder können für die Kommunikation sehr wirkungsvoll sein. Psychologen weisen darauf hin, dass dreimal mehr Information in Form einer Geschichte als durch kurze abgehackte Sätze vermittelt werden kann. Erzählungen können umfangreich und klar sein, was man von kurzen Aussagen häufig nicht sagen kann; trotzdem verwenden Manager hauptsächlich Listen mit Schlagwörtern und knappen Sätzen. Die mit Geschichten verbundenen Gefühle sind wichtig, denn diejenigen, die die Identität einer Marke umsetzen sollen, müssen wissen, wofür die Marke steht *und* es muss ihnen wichtig sein. Erzählungen können nicht nur eine gute Darstellung der Marke sein, sie haben auch einen Einfluss auf die Unternehmenskultur. Richard Stone, der Leiter des StoryWork-Instituts bemerkte: »Um eine Organisation zu ändern, muss man ihre Geschichten umschreiben.«[7]

Mitunter, besonders dann wenn eine Veränderung des Markenimages notwendig ist, muss man neue Leitbilder finden. Teilweise zur Identifizierung solcher Leitbilder führte Mobil einen Wettbewerb durch, in dem die Beschäftigten gebeten wurden, diejenigen Programme und Aktivitäten zu nennen, die am besten die drei Elemente Führung, Partnerschaft und Vertrauen der Kernidentität repräsentierten. Der Gewinner wurde zu einem bedeutenden Autorennen eingeladen, bei dem Mobil einer der Sponsoren war. Mehr als 300 Leute beteiligten sich an dem Wettbewerb und das ganze Unternehmen beschäftigte sich mit der Frage der Markenidentität. Ein weiteres nützliches Ergebnis war die Entdeckung von einigen internen Leitbildern, die dazu beitragen konnten, die Markenidentität näher zu erläutern, ihr Gehalt und Gefühl zu geben.

Die Personifizierung der Marke

Menschen, beispielsweise ein Firmengründer oder ein starker, präsenter Geschäftsführer mit einer klaren Vision von der Marke, können ausgezeichnete Leitbilder sein. Chuck Williams und Howard Lester, die Pioniere der Ladenkette Williams-Sonoma (Kochutensilien, Haushaltswaren), haben klare, gut formulierte Ansichten darüber, wofür ihr Unternehmen stehen sollte – kulinarische Erfahrung, bedeutende Köche, ein Angebot, das in seiner Kategorie Spitze ist, ein Stil, der Geschmack und Flair ausdrückt und Innovationen beim Kochen, Bedienen und Unterhalten. Vor allem glaubt die Ladenkette Williams-Sonoma aber an Funktionalität ohne Schnickschnack. Eine Personifizierung der Markenidentität vermittelt Beschäftigten und Geschäftspartnern sowohl den Eindruck von Klarheit als auch von emotionalem Engagement: Würden Chuck oder Howard hinter einer Idee stehen oder sie so präsentieren? Mit solchen Fragen lassen sich normalerweise Probleme lösen.

Die Wirkung der Firmengründer gewinnt an Lebendigkeit, wenn ihr Foto zum Markensymbol wird, wie es bei Charles Schwab (Maklerdienste), Norton Software (inzwischen Symantec) und Smith Brothers (Hustentropfen) der Fall ist. Wenn Name und Bild sozusagen an der Tür hängen, dann ist der Gründer nicht nur im Geiste präsent, sondern scheint tatsächlich darüber zu wachen, was getan wird. Manche Gründer, wie beispielsweise Bill Gates von Microsoft oder Richard Branson von Virgin, sind nicht ins Markensymbol integriert, aber ihre Gesichter sind so vertraut (nicht nur den Beschäftigten, sondern auch allen anderen), dass die Auswirkungen ähnlich sind.

Bei den Haushaltswarengeschäften von Williams-Sonoma macht sich der Einfluss der Gründer nach wie vor bemerkbar; bei L.L. Bean ist dagegen der Gründer eher eine Legende als physisch präsent. Trotzdem basiert die L.L. Bean-Markenidentität nach wie vor auf den Werten und Konzepten des Gründers: praktische, innovative Bekleidung für draußen, hundert Prozent Zufriedenheit, Qualität und Ehrlichkeit garantiert. Die Verbindung der L.L.-Bean-Markenidentität mit dem Firmengründer macht sie deutlich und glaubwürdig.

Bath and Body Works, eine GmbH, hatte keinen Gründer wie Chuck Williams oder L.L. Bean, mit dem sich zwischen ihm und der Marke eine starke Verbindung aufbauen ließ, daher schuf das Unternehmen eine typische Verbraucherin: Kate ist 32, hat zwei Kinder, lebt auf dem Land und macht Handarbeit. (Zur Kernidentität von Bath and Body Works gehört »handmade and heartfelt«.) Sie besitzt einen Studienabschluss von der Miami University von Ohio, lebt gesund

und vertritt die Werte, die im Mittleren Westen gelten. Bei Bath und Body Works besteht der Litmus-Test immer in der Frage, ob Kate etwas gefallen würde. Bei einer anderen GmbH, Victoria Street, wird der Gründer durch eine Symbolfigur namens Vickie repräsentiert; die Frage »Würde Vickie das tun?« hat eine große Bedeutung. Solche Personifizierungen der Markenstrategie machen es leichter, die Strategie diszipliniert umzusetzen. Die Leute wissen nicht nur eher, was sie zu tun (oder nicht zu tun) haben, aufgrund des Charismas des Gründers oder der Symbolfigur glauben sie auch eher daran und es ist ihnen eher wichtig.

Es gibt viele Methoden, eine Marke zu personifizieren. Als das University of California Football Team einen Spieler hatte, der wirklich alles verkörperte, wofür das Team stehen wollte, verwendeten sie ihn als Leitbild für ihre zukünftigen Rekrutierungsprogramme. Eine Marke kann auch durch einen überall präsenten Unternehmenssprecher personifiziert werden, der zwischen sich und der Marke im Laufe der Jahre eine enge Verbindung entstehen lässt. Beispiele dafür sind der Maytag-Handwerker, Thomas Gottschalk für Haribo und Michael Jordan für Nike. Auch Beschäftigte können eine Marke repräsentieren, wie Saturn beweist, wenn das Unternehmen Fließbandarbeiter für seine Anzeigen verwendet, um zu zeigen, wie sehr sie engagiert sind, um ein Weltklasseauto zu fabrizieren und Kunden mit Respekt zu behandeln.

Eine Identifizierung mit internen Leitbildern beginnt bei deren Visibilität. Üblicherweise sind die Kandidaten wohlbekannt, besonders den altgedienten Kräften im Unternehmen. Die Schwierigkeit, ein Leitbild zu erkennen, könnte ein Zeichen dafür sein, dass es innerhalb des Unternehmens unzureichend unterstützt wird.

Externe Leitbilder

Obgleich interne Leitbilder außerordentlich wirksam sein können, weil sie bereits zum Kontext der Marke gehören, sind sie doch darauf beschränkt, was bisher innerhalb der Organisation getan wurde. Wenn man sich dagegen weiter umschaut und Dutzende oder sogar Hunderte verschiedener Organisationen in die Überlegungen mit einbezieht, können Leitbilder auftauchen, die noch effektiver sind und die Vorstellungskraft mehr anregen.

Andere starke, gut positionierte Marken aus verschiedenen Branchen können Leitbilder werden und als solche eine beeindruckende Metapher für Ihre eigene Marke darstellen. Man kann die Suche nach einer anderen Marke als Leitbild ruhig breit anlegen: Welche Marke bewundern Sie? Welche kommt dem am nächsten, wie Sie selbst wahrgenommen werden wollen?

Eine Bank, die gerne als Vertrauen erweckender Berater gesehen werden möchte, der ein breites Spektrum von Finanzdiensten auf freundliche und kompetente Weise anbietet, könnte sich vielleicht die Bau- und Heimwerkermärkte von Home Depot als Leitbild aussuchen. Home Depot bietet viele unterschiedliche Waren an, gilt als freundlich und zugänglich und bietet den Kunden qualifizierte Hilfe, ohne überheblich zu wirken. Eine andere Bank, die den Kunden gegenüber ihre Teamfähigkeit betonen möchte, mit der sie eine Reihe von Finanzdiensten anbieten will, könnte sich die Werbeagentur Young & Rubicam zum Vorbild nehmen, die Kommunikationsdienstleistungen anbietet und ihre Organisation auf multifunktionalen Teams aufbaut, die entsprechend dem Kundenbedarf zusammengestellt werden.

Als Tony Blair Premierminister von Großbritannien wurde, stellte er das Konzept eines »New Britain« als Marke vor, zu deren Identität Offenheit, Europa, Technologie, eine multikulturelle Gesellschaft und weibliche Stärke gehörten.[8] Blairs Mitarbeiter sahen sich auch nach Marken um, die am besten für New Britain stehen konnten. Die Identitäten der berücksichtigten Spitzenmarken (Häagen-Dazs, Twinings Kräutertee, Hooch, New Covent Garden Soup, Linda McCartney Meals, Shape Yogurt und Phileas Fogg – eine Marke für Knabberartikel, die Jules Vernes Helden aus »In achtzig Tagen um die Welt« ihren Namen verdankt) machten nicht nur die Marke New Britain deutlicher, sondern lieferten auch Hinweise für den Aufbau der Marke.

Eine Automarke, die gleichermaßen sportlich und nützlich wirken möchte und Freiluftfans zu ihren Kunden zählen will, könnte mit Erfolg L.L. Bean oder REI analysieren, um Ideen für den Aufbau der Marke zu bekommen. Ein Parfüm, das raffiniert wirken möchte, könnte sich in *Vogue* oder bei Tiffany's nach Leitbildern umsehen. Eine Palette von Tiefkühlkost, die sich als gesund präsentieren möchte, könnte sich Fitness-Klubs zum Vorbild nehmen.

Sobald ein externes Leitbild identifiziert wurde, besteht der nächste Schritt darin, so viel wie möglich darüber nachzudenken und daraus zu lernen: Warum ist dies ein gutes Leitbild? Wie gelingt es ihm, authentisch und glaubwürdig zu wirken? Welche Geschichten und internen Vorbilder sind damit verbunden? Welche Kriterien gehören dazu? Wie sieht es mit der Unternehmenskultur aus? Was kann man davon lernen oder übernehmen?

Eine andere Vorgehensweise besteht darin, dass man sich auf die Elemente der Kernidentität der eigenen Marke konzentriert (beispielsweise Führungsqualitäten oder Beziehungen) und dann eine Reihe von Marken identifiziert, die sich auf die gleichen Dimensionen konzentrieren. Diese Marken sollten aus verschiedenen Warengruppen ausgewählt werden, um ein möglichst breites Spektrum an Interpretationen eines Elements der Kernidentität zu ermöglichen und mögliche Wege aufzuzeigen, wie man das gewünschte Image erreichen kann.

Stellen Sie sich dann die Frage: Welche dieser Marken sind positive Leitbilder? Welche bieten die Interpretation des Elementes der Kernidentität, die ihre Marke anstrebt? Welche dieser Marken haben diese Identität erfolgreich kommuniziert? Beispielsweise ist Innovation ein Element der Kernidentität solcher Marken wie 3M, Kao, Sony, Hewlett-Packard und Williams-Sonoma; was könnte jede dieser Firmen von den Anstrengungen der anderen zur Verdeutlichung der eigenen Markenidentität lernen? Solche Fragen führen fast immer zu neuen Ideen und neuem Verständnis.

Genauso sollte man sich fragen, welche Marken keine guten Leitbilder darstellen, auch wenn sie das gleiche Element der Kernidentität betonen wie man selbst. Wieso sind sie ungeeignet? Welchen Marken ist es nicht gelungen, das richtige Image zu kommunizieren und wieso nicht? Die Entscheidung darüber, welche Perspektiven einer Dimension, wie beispielsweise Führung oder Innovation, nicht zu Ihrer Marke passen, wird Ihnen helfen, die geeigneten Perspektiven deutlicher zu machen.

Grenzen

Es ist nicht nur sinnvoll, externe Leitbilder zu identifizieren, die genau passen, sondern auch andere, die die Grenzen einer Markenidentität abstecken. Im Rahmen einer gegebenen Leitbildkategorie heißt das: Welche Ziele sind im Hinblick auf die Persönlichkeit der eigenen Marke »zu hoch gesteckt« und welche sind »zu eng gefasst«? Beispielsweise ergänzte der Hersteller einer Snack-Food-Marke deren Identität, indem er Marken aus völlig anderen Bereichen, beispielsweise Basketballspieler, Geschmacksrichtungen von Eiscreme und Schauspieler in Bezug auf diese Identität untersuchte.[9] Die folgende Tabelle zeigt das Ergebnis der Überlegungen.

	nicht genug	**genau passend**	**zu viel**
Erfrischungsgetränk	Coke	Pepsi	Mountain Dew
Süßigkeit	M&Ms	Erdnuss-M&M	Skittles
Basketballspieler	David Robinson	Michael Jordan	Dennis Rodman
Eiscreme	Vanille	Schokochip	Chunky Monkey
Schauspieler	Tom Hanks	Mel Gibson	Jim Carrey

Schaubild 3.3: Markenpersönlichkeit

Um ein anderes Beispiel zu geben: Die Manager eines Kaufhauses glaubten, ihr Laden müsse neu belebt werden, um mit Fachgeschäften konkurrieren zu können, die in seinen Markt eindrangen. Es war offenkundig, dass das Image des Kaufhauses mehr Energie und Vitalität ausstrahlen musste. Programme wurden eingeführt, um eine Veränderung zu bewirken; dazu gehörten die Einrichtung einer Abteilung für Sportartikel mit einer Reihe von praktischen Demonstrationen der Geräte, eine Abteilung für Audiogeräte, die ebenfalls vorgeführt wurden, und eine Modeabteilung, in der die Ware wirklich schick und gekonnt präsentiert wurde. Nachdem der Markenidentität so die Dimension Energie und Vitalität hinzugefügt worden war, blieb die Frage, welches Maß an Energie und Vitalität erzielt werden sollte. Die Manager überlegten sich verschiedene Kriterien und positionierten verschiedene Einzelhandelsmarken anhand dieser Kriterien (siehe die folgenden Tabellen).

Langweilig: Subway, Staples, Costco, ALDI, Kmart, CVS

Angenehm: Macy's, Toys-R-Us, Pizza Hut, Ethan Allen, ShellShop, Benetton

Prima: Saks, Wal-Mart, Foot Locker, McDonald's, Ikea, Hallmark

Toll: Nordstrom, Gap, Victoria's Secret, Hard Rock Café, Williams-Sonoma, Barnes & Noble

Super! Nike Town, Urban Outfitters, Starbucks, Crate & Barrel, Virgin Megastore, Harrod's

Schaubild 3.4: Erlebnis im Laden

Super! wäre ein kühnes, inspirierendes aber unrealistisches Ziel, vor allem langfristig betrachtet. Das Kaufhaus würde sich selbst ständig erneuern müssen, um dieses Etikett zu verdienen. Andererseits schien »prima« nicht ehrgeizig genug, »toll« dagegen genau zu passen. Die Entwicklung der Skala und die Positionierung von Leitbildern anhand dieser Skala half den Managern bei der Feinabstimmung der Ausführung ihres Markenidentitätsprogramms.

Red Envelope, eine Marke, die für die Online-Verteilung von Geschenken steht, zählte »Autorität« zu den Elementen der Kernidentität. Um genau festzulegen, was »Autorität« in diesem Zusammenhang meinte, verwendete Prophet Brand Strategy einen Maßstab, der von der persönlichen, zweiseitigen Kommunikation bis zur professionellen, einseitigen Kommunikation reichte. Anhand dieser Skala wurden sieben Leitbilder positioniert, für die jeweils Eigenschaften angegeben wurden. Letztendlich wurden die Konzepte »verständnisvoll«, »visionär«, »zugänglich« und »bestätigend« als repräsentativ für die angestrebte Position in Sachen »Autorität« ausgewählt. Interessanterweise tauchen diese Aspekte nicht gebündelt im Rahmen der Skala auf.

	Persönlich Zweiseitige Kommunikation				**Professionell Einseitige Kommunikation**		
Leitbild	Gleichgestellter	Mentor	Lehrer	Experte	Innovator	Institution	Religiöser Führer
Beispiel	Kate	Lynette Jennings	Bill Walsh	Martha Stewart	Steve Jobs	Alan Greenspan	der Papst
Eigenschaften	bestätigend, zugänglich	Bestrebungen, Weisheit	Wissen, Bewunderung	Fähigkeiten, Glaubwürdigkeit	visionär, innovativ	logisch, Macht	Respekt, spirituelle Kraft

Schaubild 3.5Autorität

Entwicklung einer visuellen Metapher

Kernidentitäten werden verbal ausgedrückt, das heißt, man versucht, in ein paar Worten oder Sätzen zu sagen, wofür die Marke stehen soll. Aber betrachten Sie einmal die folgenden Prämissen, die Gerald Zaltman aufgestellt hat, ein prominenter Harvard-Professor, der das Konsumentenverhalten untersucht. Die folgenden Angaben basieren auf seiner Studie über Psychologie und Linguistik.[10]

- Ein Großteil der Kommunikation (laut den meisten Schätzungen zwischen 70 und 90 Prozent) geschieht nonverbal. In ganz unterschiedlichen Zusammenhängen ist gezeigt worden, dass optische Bilder viel wirkungsvoller als verbale Kommunikation sowohl die Wahrnehmung als auch das Gedächtnis beeinflussen.
- Metaphern (die Erläuterung einer Sache mit Hilfe einer anderen, beispielsweise »graziös wie eine Katze«) sind ein wesentlicher Bestandteil der Wiedergabe von Gedanken. Linguisten haben nachgewiesen, dass Metaphern wirkungsvolle Kommunikationsmittel sind. Laut Zaltman »bedeutet diese Prämisse unter anderem, dass Methoden, die entwickelt wurden, um Metaphern systematisch zu analysieren, das Wissen, das wir Forschungsansätzen verdanken, die sich mehr auf das Wort an sich konzentrieren, erheblich ergänzen können.«

Diese Prämissen deuten an, dass viel wissenschaftliche Wahrheit in dem Sprichwort steckt: »Ein Bild ist tausend Worte wert«. Warum sollte man also nicht versuchen, verbale Kernidentitäten in optische Metaphern umzusetzen?

Nehmen wir einmal an, die Kernidentität eines Finanzdienstleisters sei Stärke. Potenzielle optische Metaphern könnten ein Stahlträger, ein Schwergewichtsboxer, eine ägyptische Pyramide oder eine Festung sein. Obgleich alle diese Bilder Stärke versinnbildlichen, spiegeln manche von ihnen das gewünschte Image sicher besser wider als andere. Häufig können optische Metaphern ein beträchtliches Spektrum enthüllen, das hinter einem zunächst einfach aussehenden Konzept liegt.

Optische Metaphern, die mit der Strategie übereinstimmen, können die Kernidentität überzeugend denjenigen gegenüber kommunizieren, die die Markenidentität umsetzen. Außerdem hat die Arbeit mit optischen Metaphern den zusätzlichen Vorteil, dass die Mitglieder des Teams darüber nachdenken müssen, wodurch ihre Marke repräsentiert wird und wodurch nicht.

Die Identifizierung relevanter Metaphern

Der erste Schritt besteht darin, optische Metaphern zu identifizieren, die entweder die Marke, die Markenidentität oder deren Gegenteil repräsentieren. Man kann beispielsweise Kunden nach visuellen Metaphern fragen, die ihrer Meinung nach ein Element (beispielsweise Freundschaft oder Führerschaft) der Kernidentität ausdrücken. Derartige Bilder, die Zeitschriften und anderen Quellen entnommen sein können, schließen oft eine breite Palette an Stimuli ein, unter anderem Tiere, Bücher, Menschen, Aktivitäten oder Landschaften. Man könnte den Teilnehmern an einer entsprechenden Studie auch eine Kamera in die Hand drücken und sie bitten, Fotos zu machen, deren Motive zu dem betrachteten Kernelement passen. Außerdem könnten diese Leute Bilder sammeln, die das krasse Gegenteil der Kernidentität der Marke ausdrücken – die am wenigsten zu der Zielsetzung passen.

Wenn Sie optische Metaphern sammeln wollen, ohne Ihre Kunden zu involvieren, dann könnten Sie Marken analysieren, deren Image der Identität ähnlich ist, mit der Sie sich gerade beschäftigen. Welche visuellen Hinweise sind mit jeder der betrachteten Marken verbunden? Welche Farben, Vorstellungen, Metaphern oder Gefühle? In den meisten Bereichen wird Gold mit etwas Hochwertigem assoziiert. Die Bekleidungskette Gap verwendet ein einfaches weißes Design und Layout, um auf einen zeitgenössischen Stil und Frische zu verweisen. Eddie Bauer verwendet eine Menge Erdfarben, außerdem Landschaften, Schnee und Bewegung, um auf ein Leben im Freien hinzuweisen.

Um eine große Anzahl optischer Metaphern auf eine brauchbare Größe zusammenzustutzen, sollte man Gruppen bilden. Für jede Gruppe kann man dann eine Rangfolge der repräsentativen Elemente bilden, um festzulegen, wie gut sie ein bestimmtes Element der Markenidentität verdeutlichen.

Die Analyse der Metaphern

Der nächste Schritt besteht darin, die Bilder zu analysieren, die zusammengetragen wurden. Wieso passen sie zu der Strategie oder auch nicht? Welche Eigenschaften sind wesentlich? Es ist letztendlich nicht das Ziel, eine Schlüsselmetapher zu identifizieren, sondern zu verstehen, was eine Metapher im Hinblick auf die Strategie und deren Kommunikation stimmig oder unstimmig macht.

Visuelle Positionierung

SHR, ein Scottsdale Designunternehmen, verwendet eine Methode zur visuellen Positionierung, um Metaphern zu entwickeln und zu interpretieren. Die Firma beginnt mit einem strategischen Element der Kernidentität (beispielsweise Stärke, Wärme, Führung oder Robustheit), sucht dann ein Dutzend oder mehr Bilder, die für das Konzept relevant sind, aber unterschiedliche Themen und Stimmungen verdeutlichen. Versuchspersonen werden gebeten, diese Bilder in eine Rangordnung zu bringen, angefangen bei der besten Darstellung des betrachteten Attributs bis zur schlechtesten, und dann zu erläutern, warum sie diese Reihenfolge gewählt haben. Diese Übung gibt einem nicht nur eine deutlichere Vorstellung von der strategischen Idee, sondern liefert auch eine Reihe optischer Stimuli, die sich für spätere kreative Arbeiten als richtunggebend erweisen können. Das ideale Ergebnis, das man jedoch selten erzielt, besteht in der Entdeckung einer optischen Metapher, die sich die Marke zu Eigen machen kann.

Prioritäten bezüglich der Markenidentität

Da sie ein vielschichtiges Porträt der Marke darstellt, kann eine Markenidentität komplex sein. Mit einer Marke können Assoziationen verbunden sein, die sich auf Produkteigenschaften beziehen, die Markenpersönlichkeit, das Unternehmen, das dahinter steht, Symbole oder die Vorstellung vom Verbraucher, der diese Marke nutzt. Wie kann man bei einem derartigen Porträt, das vom Konzept her eher chaotisch ist, Prioritäten setzen? Hier sind einige Anregungen.

Die Kernidentität ist äußerst wichtig als zentraler Punkt der Markenidentität, genauso wie die Markenessenz – das heißt ein Wort oder ein Satz, in dem viel darüber ausgesagt wird, wofür die Marke steht. Ein anderer Ansatz, der sich fast immer lohnt, besteht darin, das Image mit der Identität zu vergleichen und zu untersuchen, wie man aus jeder der beiden Dimensionen Vorteile für die andere ziehen kann.

Assoziationen nutzen statt sie zu ändern

Jedes Element der Identität sollte mit dem gegenwärtigen Markenimage und der Entwicklung der Marke verglichen werden, um die Kommunikationsaufgabe genau definieren zu können. Welche Assoziationen müssen geändert oder hinzugefügt werden, welche sollen erhalten bleiben und aus welchen kann man einen Nutzen ziehen? Eine wesentliche Entscheidung, die man bei der Festlegung von Prioritäten hinsichtlich der Markenidentität treffen muss, ist, ob man die eindeutig mit der Marke verbundenen Assoziationen (das gegenwärtige Image und die Tradition), ausnutzen oder besser eine neue Strategie für die Marke entwickeln sollte, indem man diese Assoziationen ändert.

Nehmen Sie zum Beispiel ein Unternehmen, das im Bereich Ölförderung und -produktion tätig ist, als Spitzenreiter in der Branche gilt und immer innovative Problemlösungen bietet. Eine Option hinsichtlich der Kommunikation besteht darin, die hervorragende Leistung und das geschulte Personal hervorzuheben; eine Markenessenz wie »Wir bieten Lösungen« oder »Innovation und Qualität« würde glaubwürdig klingen und diejenigen, die den Service erbringen müssen, an die traditionell hohe Qualität erinnern, die das Unternehmen bietet. Nehmen Sie aber einmal an, dass dieses Unternehmen in Zukunft mehr Synergien entwickeln und mit funktionsübergreifenden Teams arbeiten muss, in die sowohl verschiedene Geschäftseinheiten in der Firma als auch Kunden Leute entsenden. Sollte das Wesen der Marke diesen neuen strategischen Ansatz reflektieren, obwohl das Unternehmen die notwendigen Kompetenzen noch gar nicht hat? In dem Fall wäre eine erstrebte Markenessenz, wie beispielsweise »Das Team bringt Ihnen die Lösung« Teil des Programms zur Änderung der Unternehmenskultur. Gar nicht so einfach umzusetzen.

Mit vielen Traditionsmarken (wie beispielsweise Sears, John Deere, Oldsmobile, AT&T, Maytag, Merrill Lynch, L.L. Bean und Kodak) verbindet man Assoziationen wie vertrauenswürdig, Garant für hohe Qualität, zuverlässige

Technik, aber auch bürokratisch und ein bisschen altmodisch. Diese Assoziationen könnte man in die folgenden Gruppen einteilen:

Beibehalten: vertrauenswürdig, aufgeschlossen, zuverlässig, gute Qualität, Ethik.

Ausbauen und nutzen: zuverlässige Technik, erfahren, global.

Einschränken oder ganz löschen: altmodisch, langsam, zu teuer, bürokratisch.

Hinzufügen: zeitgenössisch, energiegeladen, innovativ.

Leider können nur wenige Markenidentitäten alle diese Ziele auf einmal erreichen. Welche Assoziationen sollten Priorität haben? Die Wahl ist durchaus nicht einfach.

Die Entscheidung, ob man bereits mit der Marke verbundene Assoziationen weiter ausnutzen oder neue Assoziationen entwickeln soll, hängt von der Antwort auf zwei Fragen ab. Erstens: Können die bestehenden Assoziationen die Aufgabe angesichts des gegenwärtig bestehenden Wettbewerbs voll übernehmen oder ist die Entwicklung neuer Assoziationen zwingend notwendig? Zweitens: Ist es möglich, überzeugend zu behaupten, dass die Marke die neuen Assoziationen verdient oder wird diese Behauptung unglaubwürdig und hohl klingen (und damit möglicherweise die Kernassoziationen gefährden)?

Auf bereits bestehende Assoziationen aufbauen bedeutet, Kunden an etwas zu erinnern und in etwas zu bestärken, was sie bereits wissen und glauben – eine vergleichsweise einfache Aufgabe. Für die Marke neuen Boden beackern ist eine wesentlich schwierigere und teurere Arbeit. Daher nutzt man lieber bereits bestehende Assoziationen weiter aus, vorausgesetzt, dass sie wirkungsvoll sind. Wenn sie grundsätzlich stark, aber ein bisschen abgenutzt und zu vertraut wirken, dann kann man ihre Botschaft und ihren Gehalt vielleicht doch so auffrischen, dass sie einen vitalen Wettbewerbsvorteil bieten. IBM nutzte beispielsweise die Untermarke E-Business, um eine Assoziation, die bereits mit der Marke verbunden war, nämlich die Führung auf technischem Gebiet, dynamischer, relevanter und aktueller zu machen.

In manchen Fällen können neue Assoziationen jedoch so bedeutend für die Zukunft einer Marke sein, dass man sie einfach verfolgen muss. Es könnte beispielsweise für Bank of America unabdinglich sein, menschlicher zu erscheinen, TCI sollte vielleicht für mehr technische Innovation stehen und die Werbeagentur J. Walter Thompson muss möglicherweise beweisen, dass sie auch breite Kommunikationslösungen anbieten kann. Wenn dem so ist, kann es sich lohnen, angestrebte Assoziationen zu betonen, selbst wenn die Organisation die damit geweckten Erwartungen noch nicht gleich erfüllen kann.

Wenn man sich auf neue Assoziationen konzentriert, muss man auf die Glaubwürdigkeit achten. Kann man überzeugend behaupten, dass die Marke die neuen Assoziationen verdient? Teilweise hängt die Antwort von dem Gehalt ab. Gibt es Programme und Aktivposten, die den Anspruch untermauern? Wenn dem nicht so ist, könnte es vernünftig, vielleicht sogar notwendig sein zu warten, bis es Programme oder vielleicht sogar Ergebnisse gibt, ehe man die Position der Marke verändert. In der Zwischenzeit sollte man ein internes Programm zur Kommunikation der Marke entwickeln, das auf den neuen Assoziationen basiert und dann diese Assoziationen in ein externes Informationsprogramm integrieren, nachdem der Gehalt geschaffen worden ist und die internen Programme zum Aufbau der Marke bereits Früchte getragen haben.

Wenn man das Konzept so erweitert, dass auch neue Assoziationen miteingeschlossen werden, kann die Marke ihre Kernimageposition riskieren. Lexus hatte Assoziationen bezüglich Qualität, leichten Fahrens und Bequemlichkeit in seiner Klasse vereinnahmt, die von dem Slogan »The Relentless Pursuit of Perfection« [»Das unaufhörliche Streben nach Perfektion«] unterstützt wurden; der Hersteller hatte jedoch den Eindruck, dass ein Mangel an Energie und Reiz die Marke zurückhielt. Die Marke ging also ein Risiko ein, als sie sich aus dem sicheren Hafen in gefährlichere Wasser bewegte, indem sie auf ein Fahrerlebnis hindeutete, das eher dem eines BMW glich, und das durch den revidierten Slogan »The Relentless Pursuit of Exhilaration« [»Das unaufhörliche Streben nach Hochgefühl«] unterstützt wurde. Man baute darauf, dass die Marke die Attribute Qualität und Bequemlichkeit auch bei der Ausweitung von Produkt und Image behalten konnte und dass sich diese Erweiterung auf glaubwürdige Weise durchführen ließ. Volvo ergriff ähnliche Maßnahmen und weitete die Markenidentität über den Sicherheitsaspekt hinaus auf mehr Eleganz aus, um das Auto für ein breiteres Publikum attraktiv zu machen. Der Trick besteht häufig in einer Ausweitung, ohne sich von dem traditionellen Kernimage zu entfernen oder damit unvereinbar zu werden.

Das interne Markenimage

Die Markenidentität muss auch die Kommunikation im Unternehmen selbst steuern. Die Beschäftigten und die Geschäftspartner müssen das gleiche Verständnis für die Marke haben. Wenn der Markenidentität Zustimmung und Klarheit fehlen, wird sie vermutlich nie umgesetzt. Regis McKenna, der Marketingguru aus dem Silicon Valley, berichtet von einer kritischen Zeit im Leben der Marke Apple, als das Unternehmen innerlich zwischen der Entscheidung hin- und hergerissen war, entweder wie Sony (lebendig und amüsant) zu sein oder wie IBM (ein ernst zu nehmender Partner für Unternehmen).[11] Bei einer derartigen Dichotomie fällt es schwer, eine Marke aufzubauen.

Wenn Sie herausfinden wollen, ob das interne Markenimage unterstützt werden muss, probieren Sie einmal das folgende Experiment, das von Lynn Upshaw empfohlen wird, einer Werbestrategin aus San Francisco. Stellen Sie den Beschäftigten und Partnern, mit denen Sie kommunizieren, folgende zwei Fragen:

- Wissen Sie, wofür die Marke steht?
- Ist Ihnen das wichtig?

Will man das von der Markenidentität gegebene Versprechen halten, dann muss die Antwort auf beide Fragen Ja lauten.

Bei der internen Kommunikation sollte man neuen Assoziationen eine höhere Priorität geben, denn sie müssen intern etabliert sein, ehe sie für die externe Kommunikation bedeutend werden können. Die Herausforderung besteht darin, mit Beschäftigten und Geschäftspartnern so zu kommunizieren, sie so zu motivieren und zu inspirieren, dass sie die neuen Assoziationen verstehen und sie ihnen wichtig sind. Die Markenidentität gleicht dem Polarstern und Abweichungen in der internen Wahrnehmung, die vom Strategiekurs ablenken könnten, sollten als Erstes eliminiert werden.

Assoziationen, die differenzieren und Resonanz finden

Man muss die Elemente der Identität auch nach ihrer Eignung, eine Marke von den Wettbewerbern zu differenzieren und bei Kunden eine Resonanz zu erzeugen, sortieren. Die Entscheidung, ob man auf den bereits bestehenden Assoziationen aufbauen oder die Assoziationen in eine neue Richtung entwickeln will, hängt davon ab, wie gut es den jeweiligen Dimensionen der Identität gelingt, bei Kunden Interesse und Loyalität zu wecken. Die Wirkung der Dimensionen ihrerseits hängt davon ab, wie stark jede einzelne zur Differenzierung und zur Resonanz beim Kunden beiträgt. Es ist vernünftig, jede der Identitätsdimensionen anhand dieser beiden Kriterien zu beurteilen.

Manche Elemente der Identität, die wichtige Stützen für die Markenstrategie darstellen, tragen weder zur Differenzierung bei, noch sind sie für die Entscheidungen der Kunden relevant. Sie sind sozusagen der Eintrittspreis für einen Markt, die Eigenschaften, die man von allen Marken auf diesem Markt erwartet. Beispielsweise ist ein annehmbares und konsistentes Maß an Qualität absolut notwendig, aber damit kann man die Marke nicht von anderen abgrenzen. Die Aufgabe besteht darin, Assoziationen zu schaffen, die differenzieren und eine Resonanz erzeugen.

Differenzierung

Auf der Basis von Young & Rubicams Datenbank Brand-Asset-Valuator (Markenwertmessung), für die über 13000 Marken aus 33 Ländern anhand von 35 Dimensionen beurteilt wurden, hat Stuart Agres, ein Veteran bei Young & Rubicam, überzeugend argumentiert, dass die Differenzierung der Schlüssel zu starken Marken ist.[12] Erfolgreiche Marken, wie beispielsweise Kinko's, Teca Schuhe und Swatch erreichen hohe Werte hinsichtlich der Differenzierung, aber vergleichsweise niedrige, was Relevanz (Notwendigkeit der Marke für das eigene Leben), Wertschätzung (Qualitätsaussage und Beliebtheit) und Wissen (wie viel eine befragte Person über die Marke weiß) betrifft. Marken, die an Glanz verlieren oder ganz versagen, scheinen zuerst ihre Fähigkeit zur Differenzierung zu verlieren. Manchen Marken geht es gar nicht gut, wenn ihre Abgrenzung zu anderen Marken undeutlich wird, selbst dann, wenn Wissen und Wertschätzung hoch bleiben. Daher kann man die Differenzierung als den Schlüssel zur Markendynamik betrachten.

Selbst zwei Wettbewerbsmarken, die gleiche Elemente der Markenidentität teilen, kann man dadurch voneinander abgrenzen, dass man diese Elemente unterschiedlich interpretiert und andere Assoziationen zum jeweiligen Unternehmen herstellt. Beispielsweise ist »Beziehung« ein starkes Element für die Kernidentität, das viele Finanzdienstleister für sich beanspruchen. Aber das Bild von einer Beziehung, das die eine Marke vermittelt, mag das eines unterstützenden Freundes sein, während sich die andere auf die Vorstellung kompetenter professioneller Unterstützung bezieht. So könnten sich aus dem gleichen Konzept zwei unterschiedliche Programme und Markenpersönlichkeiten entwickeln. Eine Marke sollte nicht nur Differenzierungsmerkmale entwickeln, sie sollte sich diese im Laufe der Zeit auch zu Eigen machen. Differenzierung nutzt nicht viel, wenn man sie nicht langfristig beibehalten kann. Daher sollte man jede Dimension hinsichtlich ihrer Fähigkeit zur Differenzierung beurteilen:

- Kann diese Assoziation ein Differenzierungsmerkmal sein?
- Kann sich die Marke diese Assoziation im Lauf der Zeit aneignen?

Resonanz beim Kunden

Eine Assoziation, die beim Kunden Resonanz findet, weil sie relevant und bedeutend ist, kann erheblich zum Aufbau der Marke beitragen. Letztendlich muss die Marke irgendeinen Wert verkörpern – funktionale Vorteile, emotionale Vorteile, die Möglichkeit, sich selbst durch die Marke auszudrücken. Daher sollte eine Dimension der Identität, die relevante, bedeutende Vorteile bietet, eine zentrale Rolle beim Aufbau der Marke spielen. Spectracide (das führende Unkrautvertilgungsmittel der Bau- und Heimwerkermarktkette Home Depot) und Gillette gehören zu den Marken, die beim Kunden hohe Resonanz finden, denn das, was sie dem Kunden als Wert anbieten, ist ausgesprochen relevant.

Das heißt, die zweite Eigenschaft einer Identitätsdimension von hoher Priorität ist die Fähigkeit, beim Kunden eine Resonanz zu erzeugen:

- Findet diese Assoziation einen Widerhall beim Kunden?
- Trägt sie dazu bei, dass funktionale oder emotionale Vorteile beziehungsweise die Möglichkeit, sich selbst durch die Marke auszudrücken, erkannt werden?

Differenzierung und Resonanz

Starke Marken haben oft mehrere Assoziationen, die sowohl eine gute Differenzierung bieten als auch einen starken Widerhall beim Kunden finden. Als Teil der Markenidentität von Virgin, um ein Beispiel zu nennen, differenzieren die Rolle des Underdog, der innovative Kundendienst, Spaß und Unterhaltung sowie das gute Preis-Leistungsverhältnis die Marke und finden Resonanz bei den

Kunden. Eine Assoziation, die nur eines der beiden Kriterien erfüllt, ist häufig nicht sehr stark. Obwohl Fords Assoziation »Quality is Job One« [»Qualität ist unsere wichtigste Aufgabe«] sicherlich für die Kunden wichtig ist, reicht sie möglicherweise nicht mehr aus, um die Marke zu differenzieren, da auch andere Automobilhersteller ihre Qualität verbessert haben. Andererseits kann eine ausgefallene Popgruppe oder Prestigemarke wie Rolls-Royce zwar zur Differenzierung beitragen, aber nicht relevant sein. Wenn man hinsichtlich der Markenidentität Prioritäten setzt, bedeutet das, Assoziationen zu identifizieren, die sowohl differenzieren als auch Resonanz beim Kunden finden.

Präsentation einer Identität

Ein wesentlicher Schritt zur Implementierung der Markenidentität ist deren Kommunikation den Beschäftigten des Unternehmens und Geschäftspartnern gegenüber. Wenn sie wirkungsvoll sein soll, muss die Kommunikation Kontakte schaffen, Verständnis erzeugen und motivieren. Eine derartige Kommunikation kann unterschiedliche Formen annehmen, einschließlich der Präsentation durch Sprecher für die Marke, Workshops, Videofilme, Bücher oder Handbücher.

Videofilme

Ein Videofilm ist eine wirkungsvolle Art, eine Markenidentität zu kommunizieren. Dem Marketingteam von The Limited, einem Unternehmen mit rund einem Dutzend Einzelhandelsmarken, darunter The Limited, Victoria's Secret, Express, Bath and Body Works und Structure wurde klar, dass die Beschäftigten im eigenen Unternehmen (und auch die Geschäftspartner) ein größeres Verständnis für die Markenidentität der einzelnen Geschäfte entwickeln mussten. Deshalb wurde für jede Marke ein Video entwickelt, in dem es keinen Dialog gab, sondern nur Musik und Collagen von visuellen Bildern, die ausdrückten, wofür die Marke eigentlich steht. Videofilme spielen eine große Rolle bei der Kommunikation von Marken für jene, die diese Marken vertreten müssen, insbesondere neue Verkäufer und Außendienstmitarbeiter.

Saturn entwickelte einen zweistündigen Videofilm zur Identität und Tradition der Marke, in dem der Geschäftsführer, Gewerkschaftsführer, der Präsident der Werbeagentur, Leute aus der Produktion und Ingenieure auftraten, die das Unternehmen beim Ausdruck seiner Markenphilosophie unterstützten (»Eine andere Art von Unternehmen, eine andere Art Auto«). Die Bemühungen von Saturn entbehren nicht der Ironie, denn die Marke ist so jung, dass sie noch so gut wie keine Tradition aufweisen kann, und sie ist möglicherweise die General-Motors-Marke, die sich am wenigsten darum sorgen muss, dass Mitglieder des Markenteams nichts über deren Tradition und Philosophie wissen. Das Video garantiert jedoch, dass Saturn auch niemals dieses Problem haben wird.

Broschüren

Als Volvo plante, seine Markenidentität über den Sicherheitsaspekt besonders für Familien hinaus auszuweiten, schuf es eine 20-seitige Broschüre mit dem Titel: »Kommunikation der Volvo Autos; eine der großartigsten Marken der Welt«. Zielsetzung dieser Broschüre sowie ihrer dreißigseitigen Ergänzung mit Definitionen und Richtlinien war es, genau darzulegen, wofür die Marke steht und wie man deren Identität den Menschen und Organisationen gegenüber kommunizieren sollte, die selbst in den Kommunikationsprozess involviert sind.

Die Volvobroschüre beginnt mit einer Beschreibung des heutigen Standpunkts der Marke, einschließlich ihres bedeutenden Rufs für Sicherheit, Qualität und Sorge für die Umwelt. In einem anderen Teil wird die Zielgruppe der »progressiven Wohlhabenden« als modern, gut ausgebildet, mit sozialem Bewusstsein ausgestattet, kosmopolitisch und aktiv beschrieben, Menschen mit einem starken Bedürfnis nach Individualität, denen aber traditionelles Prestige und Statussymbole gleichgültig sind. Ein verstecktes Anzeichen für den Wunsch des Unternehmens, seine Identität zu verändern, erkennt man daran, dass sich in der Broschüre keine Bilder von Familien finden. Der dritte Teil der Broschüre bezieht sich auf die Assoziationen, die sich aus der skandinavischen Herkunft von Volvo ergeben – Natur, menschliche Werte, Sicherheit und Gesundheit, elegante Einfachheit, kreatives Ingenieurwesen und der Wunsch nach eleganter/innovativer Funktionalität.

In der Broschüre werden die sieben Elemente der neuen Markenidentität von Volvo beschrieben:

Element der Markenidentität	ausgedrückt durch
Führend hinsichtlich Sicherheit	Respekt vor dem Leben/der Liebe, Fürsorge für andere, Seelenfrieden
Weltklassequalität	Glaubwürdigkeit, Integrität, Selbstachtung
Führend in Sachen Umweltschutz	Verantwortung, Fürsorge für andere, Selbstachtung
Attraktives und charakteristisches Design	Individualität, Kultiviertheit, Geschmack
Fahrspaß	Komfort, Kontrolle, Freiheit, Vergnügen
Vergnügen am Besitz	Seelenfrieden, Bequemlichkeit
Höchste Wertaussage	Wirtschaftlich gut vertretbar, Zufriedenheit

Schaubild 3.6: Neue Markenidentität von Volvo

Die Markenidentität wird folgendermaßen zusammengefasst:

- »Stil, Fahrspaß, ausgesprochenes Vergnügen, ein solches Auto zu besitzen, eine Lobpreisung menschlicher Werte und Respekt für die Umwelt.«

Meilenweit von Sicherheitsaspekten entfernt!

Die Broschüre betont den neuen Kommunikationsstil – nämlich »die Liebe zum Leben, Menschlichkeit, Wärme, Intelligenz und Ehrlichkeit« – der einen anderen Aspekt der Volvo-Strategie darstellt, sich mehr in Richtung Eleganz, Wärme und Fahrspaß hin zu bewegen. Die Broschüre leistet mehr als eine bloße verbale Botschaft: Von den rund drei Dutzend teilweise dramatischen Fotos zeigen zwei Drittel überhaupt kein Auto.

Erstellung eines Markenhandbuchs

Manche Organisationen gehen über eine Broschüre hinaus und legen ein detailliertes Handbuch vor, das genau vorschreibt, wie die Marke weltweit kommuniziert werden soll. Für eine Marke gibt es ein 350-seitiges Handbuch mit detaillierten Richtlinien, einschließlich der Bestimmung der Zielgruppe, der Markenidentität, der Kernidentität, des Markenwesens, der detaillierten Beschreibung der Identität und Angaben darüber, wie das Logo und andere Symbole präsentiert werden sollen – in Bezug auf die Farbe, die Schriftart und das Layout. Es wird außerdem erläutert, welche optischen Details verwenden werden sollen und welche nicht. Da der Aufbau einer globalen Marke beabsichtigt ist, werden drei verschiedene Kategorien von Richtlinien hinsichtlich der Autonomie der Produktmanager in den einzelnen Ländern klar unterschieden:

- Es gibt Richtlinien, die für alle verbindlich sind (beispielsweise die Darstellung des Logos – hier gibt es keine Autonomie),
- Richtlinien, über die man verhandeln kann (die Implementierung von Werbemaßnahmen vor Ort – ein gewisses Maß an Autonomie ist gegeben),
- Entscheidungen vor Ort (die Entwicklung von Promotionskampagnen innerhalb eines gewissen Rahmens – hier wird beträchtliche Autonomie gewährt).

Ein solches Handbuch liefert die ultimativen Richtlinien für die weltweite Markenpflege. Es muss jedoch ständig überarbeitet werden – der globale Produktmanager muss das Buch ständig anpassen, wenn sich die Märkte entwickeln und neue, bessere Methoden entdeckt werden. Außerdem sollte ein derartiges Handbuch, sofern für die Marke noch keine Strategie gefunden wurde, die wirklich funktioniert, weniger explizit sein. Nur wenn eine Marke eine erfolgreiche Identität und Positionierung sowie deren Umsetzung entwickelt hat, ist ein detailliertes Handbuch sinnvoll, denn nur dann liefert es ein institutionalisiertes Gedächtnis und die notwendige Disziplin, eine konsistente Kommunikation der Markenidentität im Lauf der Zeit aufrechtzuerhalten.

Geschichten

Geschichten sind sehr wirkungsvoll, um die Markenidentität und ihre Tradition lebendig zu kommunizieren. Viele bilden den Ausgangspunkt für Legenden und werden weiter erzählt, während andere für die Nachwelt verloren gehen, es sei denn, das Unternehmen verpackt sie angemessen. Price Waterhouse Coopers hat ein digitales Format fürs Geschichtenerzählen entwickelt, das auf ungefähr 70 kurzen Videoclips basiert, die aus Home Movies, Fotos und Videokassetten zusammen gestellt wurden. Ein Präsentator nutzt diese Datenbank, um einzelnen Gruppen von Beschäftigten Geschichten zu erzählen, die auf unterhaltsame Weise die Markenidentität widerspiegeln.

Lektüre für Zuhause

Berendsen ist ein dänisches Unternehmen, das Dutzende von kleinen Reinigungen gekauft hat und dabei ist, eine nationale Organisation aufzubauen, die nicht nur Reinigung anbietet, sondern auch Lagerung und Verteilung von Materialien zur Textilreinigung. Das Geschäftskonzept macht es notwendig, dass die Beschäftigen die neue Markenidentität, die Wertvorstellungen und die Beziehungen zu den Kunden verstehen. Um das zu erreichen, hat Berendsen einen vierwöchigen Studienkurs für seine Beschäftigten entwickelt, der zu Hause absolviert werden kann. Jede Woche sehen sich die Leute das zugesandte Material an und nehmen dann an einem Quiz teil, bei dem sie etwas gewinnen können. Das Programm macht es Berendsen möglich, alle Beteiligten an dem Konzept zu erreichen und sie in die neu entwickelte Marke zu involvieren.

Ein letzter Blick auf die Markenidentität

Eine Markenidentität muss schwungvoll, denkwürdig, präzise und motivierend sein, um wirkungsvoll kommunizieren zu können. Eine übertrieben knappe Beschreibung führt jedoch zu Ungenauigkeiten und der Gefahr, dass die Identität nicht in dem Maß als Steuerinstrument dient, wie sie sollte. Außerdem kann der direkte Sprung von der Identität zur Entwicklung von Kommunikation leicht zu Programmen führen, die nicht zur Strategie passen und keine echte Verbindung zur Identität haben. Wenn ein Unternehmen dagegen eine Markenidentität ausweitet und näher erläutert, kann es den notwendigen Gehalt und die nötige Struktur schaffen, um die Kommunikationsprogramme effektiv und konsequent zu steuern.

Vorschläge

1. Schauen Sie sich eine Marke mit klar definierter Identität an. Versuchen Sie, die Identität zu erweitern, indem Sie jeden der beschriebenen Ansätze nutzen. Welcher dieser Ansätze hat sich dabei als besonders hilfreich erwiesen?
2. Machen Sie das Gleiche für Ihre eigene Marke.
3. Konzentrieren Sie sich auf ein Element der Markenidentität, beispielsweise Vertrauen. Welche Leitbilder und visuellen Metaphern gibt es dafür? Bilden Sie Gruppen und interpretieren Sie diese Gruppen.
4. Entwickeln Sie eine Präsentation einer genaueren Definition einer Markenidentität.

Markenstrukturen: Klarheit, Synergien und Hebelwirkung erzielen

4

Beziehungen von Marken untereinander

Man erreicht keine Harmonie, wenn jeder die gleiche Note singt.
Doug Floyd

Je höher das Gebäude, um so tiefer müssen die Fundamente reichen.
Thomas von Kempen, Augustinermönch

Die Geschichte der GE-Elektroartikel

Viele bedeutende Qualitätsmarkenerzeugnisse sehen sich auf ihren Kernmärkten mit Überkapazitäten und einer wachsenden Macht der Einzelhändler konfrontiert, was zu schrumpfenden Margen und einem erhöhten Druck auf die Marktanteile führt. Märkte, die sich geradezu feindselig verhalten, stellen eine der schwierigsten Herausforderungen an die Markenstruktur dar – man muss entscheiden, wie man eine Marke vertikal erweitern kann; entweder, indem man in das wirklich oberste Marktsegment vordringt oder in den Billigmarkenbereich hinabsteigt. Ein Blick auf die Brandingstrategie von GE Appliances gibt Hinweise auf die damit verbundenen Probleme und zeigt, wie nützlich es ist, in einem solchen Umfeld untergeordnete Marken einzuführen.

Es ist recht typisch, dass sich, wenn der Markt für Qualitätsmarken reifer wird, ein neues Segment am oberen Qualitätsende entwickelt. In diesem Segment sind die Margen wesentlich höher, außerdem macht es eine an Ermüdungserscheinungen leidende Warengruppe wieder interessant und lebendiger. Spezialbrauereien, Designerkaffee, Designerwasser, Luxuswagen sowie Magazine für spezielle Interessengruppen stellen attraktive Nischenmärkte dar, die weniger preisabhängig sind als die großen Märkte. Qualitätsmarken müssen sich oft große Mühe geben, um sich von anderen abzugrenzen und innerhalb ihrer Warengruppe glaubhaft die Botschaft, etwas Besseres zu sein, zu kommunizieren.

Als sich General Electric im heiß umkämpften Markt für qualitativ hochwertige Elektroartikel in einer solchen Situation wiederfand, fasste das Unternehmen verschiedene Möglichkeiten ins Auge, um in das Segment höchster Qualität aufzusteigen und ein paar Dollar mehr aus den Margen herauszuholen. Es war nicht möglich, eine neue Marke zu schaffen (wie Toyota das mit Lexus tat), da sich in diesem Markt die dafür notwendigen Investitionen nicht rechtfertigen ließen. Eine andere Option, die GE-Marke nach oben zu strecken (beispielsweise mit einem »Model 800c«), konnte weder die notwendige Abgrenzung noch eine besondere Wirkung erzielen. Stattdessen beschloss General Electric, die bestehende Marke auszunutzen, indem es für Elektrowaren zwei neue untergeordnete Marken einführte: die GE-Profile-Serie (die über der Qualitätsmarke GE Appliance positioniert wurde) und die GE-Monogram-Designer-Serie, die für das Segment der Architekten und Designer bestimmt war.

Ein Unternehmen, das eine untergeordnete Marke verwendet, um in ein qualitativ höherwertiges Marktsegment vorzudringen, läuft Gefahr, dass der Hauptmarke die notwendige Glaubwürdigkeit und das nötige Prestige fehlen, um im Topsegment mithalten zu können. Tatsache ist, dass die GE-Monogram-Serie am Anfang hart zu kämpfen hatte, hauptsächlich, weil sie die Marke GE zu weit ausdehnte. Die GE-Profile-Serie wurde jedoch von Anfang an positiv aufgenommen.

Drei Faktoren erklären die außerordentlich gute Entwicklung der Marke GE Profile. Erstens stellte diese Serie einer Verbesserung der bereits bestehenden und bekannten Produktpalette dar und versuchte nicht einfach nur, Prestige vorzugaukeln. Indem diese neue Marke abseits von der existierenden Marke positioniert wurde, reduzierte General Electric das Glaubwürdigkeitsproblem. Zweitens war die Marke GE Profile optisch deutlich von der Qualitätsmarke GE Appliance verschieden, bot bessere Bauteile und Eigenschaften, außerdem Unterschiede bei Design und in der Aussage. Schwierigkeiten bei der Unterscheidung einzelner Produkte wie das bei Filmen, Düngemitteln oder Motoröl der Fall ist, hätten Probleme bei der Ausführung einer Untermarkenstrategie zur Folge gehabt. Drittens reduzierten die klar definierten Zielmärkte für die drei GE-Serien mögliche Verwirrung in den Märkten, die nicht angepeilt wurden. Beispielsweise führten die deutlich höheren Preise für die GE-Profile-Serie und die Distributionsstrategie dazu, dass diese Serie für die üblichen GE-Kunden weniger sichtbar war.

Zur gleichen Zeit, als General Electric versuchte, auch das obere Segment im Markt für Elektroartikel zu erobern, musste es auch in untere Segmente vordringen. Das Wachstum von aggressiven Billigläden wie Circuit City zwang General Electric, auch in diesen Markt vorzustoßen. Die Verwendung der Marke GE im Billigpreissegment, wenn auch nur als Untermarke oder gestützte Marke, hätte die Gefahr einer Kannibalisierung von GE mit sich gebracht (indem potenzielle Käufer der Qualitätsmarke GE Appliance möglicherweise zu der preisgünstigeren Alternative abgewandert wären) und eventuell das Image der Marke geschädigt. Angesichts dieser Risiken erschien eine neue Marke für das Billigpreissegment vernünftig. Da für diesen Markt eine kostengünstige Produktion entscheidend ist und die Margen gering sind, kann man für eine neue Billigmarke kein großes Budget zum Aufbau der Marke bereitstellen. Daher ist es wesentlich schwieriger, hier eine neue Marke zu etablieren als in einem Hochpreissegment.

General Electric umschiffte diese Klippen, indem es Marken verwendete, die das Unternehmen bereits besaß. Die Hotpoint-Palette war schon vorher aufgekauft worden, eine Premiummarke für Elektroartikel mit bedeutendem Markenwert. Eine Repositionierung von Hotpoint als Zweitmarke oder Billigmarke eröffnete den erforderlichen Zugang zum Markt, ohne die Marke GE zu gefährden. Durch diese Aktion wurde die Qualitätsaussage von Hotpoint reduziert, was eine zukünftige Rückkehr ins Qualitätssegment unwahrscheinlich macht. Trotzdem schuf der Einzug ins Billigpreissegment insgesamt eine stärkere Produktpalette im Elektroartikelmarkt für General Electric. Die Hotpoint-Geschichte unterstreicht die Vorteile, die die Verwendung einer etablierten Marke mit sich bringt, ob man sie nun selbst besitzt, sie gekauft oder »geleast« hat, um in das Billigpreissegment einzudringen.

Um eine preisgünstige Marke einzuführen, die noch unter Hotpoint platziert war, nutzte General Electric wiederum eine Marke, die das Unternehmen erworben hatte, und zog den Namen RCA aus der Schublade. Diese Aktion war jedoch weniger logisch, da RCA (obgleich es sich dabei um einen großen Namen im Unterhaltungssektor handelte) wenig Glaubwürdigkeit im Markt für Elektrowaren hatte. Es war eine äußerst fragwürdige Vorgehensweise, das Risiko erheblicher Schäden für die RCA-Marke in anderen Märkten in Kauf zu nehmen, indem man sie zur Billigmarke im Bereich Elektroartikel machte. Es war vielleicht ein Glück, dass die Stückzahlen immer niedrig blieben und dadurch auch der potenzielle Schaden gering blieb. Schließlich gab General Electric die RCA-Serie wieder auf.

Den Bereich Elektroartikel deckte General Electric damit auf vier verschiedenen Ebenen ab, indem es zu einer bestehenden Serie zwei Untermarken und eine deutlich verschiedene Marke schuf, wie das Schaubild 4.1 verdeutlicht.

Marke		Zielmarkt
GE Monogram	GE Monogram.	Designer, Architekten
GE Profile	GE Profile™	Oberes Marktsegment, hohe Einkommen
GE Appliances	GE GE Appliances	Hauptmarkt für Qualitätsbewusste
Hotpoint	HOTPOINT	Hauptmarkt, Billigpreissegment

Schaubild 4.1: Die vertikale Markenstruktur von GE Appliance

Die Entwicklung der Hotelkette Marriott

Die Marke Marriott begann als Franchiseunternehmen im Markt für qualitativ hochwertige Stadthotels und wurde dann horizontal ausgeweitet, um Raum für Marriott Hotels, Resorts & Suites und Marriott Residence Inns zu schaffen. Das Unternehmen Marriott sah sich den gleichen Herausforderungen einer vertikalen Ausdehnung gegenüber wie General Electric. Die daraus resultierende Markenstrategie ist fast ein Spiegelbild der Vorgehensweise von General Electric und bietet weitere Einblicke in das Problem einer vertikalen Erweiterung.

Obwohl Marriott eine qualitativ hochwertige Marke war, gehörte sie doch nicht zur Topkategorie in der Hotelbranche. Da zum Topsegment Prestige gehört und die Möglichkeit, sich selbst durch die Marke auszudrücken, wäre es für die Marke Marriott sehr schwierig gewesen, in diesen Bereich vorzudringen. Ein Beispiel für derartige Schwierigkeiten ist die Marke Crowne Plaza, die ursprünglich von Holiday Inn unterstützt wurde und der es nicht gelang, die Assoziation mit der eher niedriger angesiedelten Marke Holiday Inn abzuschütteln; nach jahrelangen vergeblichen Versuchen, dem Konzept zum Erfolg zu verhelfen, musste Holiday Inn schließlich seine Unterstützung aufgeben.

Außerdem bestand die Gefahr, dass man bei den bestehenden Marriott Hotels, insbesondere wenn es der Kette gelingen sollte, sich im Topsegment zu platzieren, vielleicht höhere Preise erwartet hätte, was potenzielle Kunden möglicherweise daran gehindert hätte, Marriott Hotels in die engere Wahl zu ziehen. Daher beschloss Marriott, das Topsegment durch den Kauf von Ritz-Carlton zu erobern und entschied sich ganz bewusst, diese Prestigemarke nicht mit Marriott in Verbindung zu bringen, obgleich das sicherlich der Marke Marriott geholfen und zu betrieblichen Synergien geführt hätte.

In den frühen achtziger Jahren des 20. Jahrhunderts stand Marriott vor der Herausforderung, seine Präsenz im Markt durch neue Marken auszuweiten und auch eher preisbewusste Reisende anzuziehen. Die Größe und das Wachstum des Niedrigpreissegments ließen den Markt für Qualitätshotels, in dem Marriott positioniert war, deutlich hinter sich. Da der Niedrigpreismarkt attraktiv war und eine größere Produktpalette zu betrieblichen Synergien führen würde, was die Reservierungen und das Treuepunktesystem betraf, wurde der Einzug in dieses Segment zu einer strategischen Notwendigkeit für das Unternehmen Marriott.

Am liebsten hätte Marriott dies durch die Kreation einer neuen Marke getan oder durch den Erwerb einer bereits etablierten, so wie das General Electric seinerzeit tat. Die verfügbaren etablierten Marken waren jedoch sozusagen im »Streubesitz«, unübersichtlich und ohne klare Definition. Die Einführung einer neuen Marke wäre immens schwierig und teuer geworden, weil es in dem Niedrigpreissegment bereits eine chaotische Fülle an Marken gab. Daher entschloss sich Marriott nach Überwindung erheblicher Bedenken, die Marke Marriott auszunutzen und damit zwei neue Billigmarken zu unterstützen, nämlich Courtyard und Fairfield Inn (die daraus resultierende Markenstruktur wird in Schaubild 4.2 verdeutlicht).

Nach umfangreichen Untersuchungen über die Ansprüche von Geschäftsreisenden wurde Courtyard von Marriott 1983 als Hotelkette für diese Zielgruppe eingeführt, ohne vollen Restaurantservice und üblicherweise in Vororten gelegen. Auf das Courtyard-Konzept folgte 1987 die Kette Fairfield Inn by Marriott, Familienhotels, die im Niedrigpreissegment konkurrieren, in Vororten liegen und leicht von der Autobahn aus erreichbar sind. Die Unterstützung dieser zwei Marken am unteren Ende des Marktes hat vermutlich der Marke Marriott etwas geschadet; da jedoch so viele verschiedene Faktoren einen Einfluss auf die Marke haben, fällt es schwer, die Auswirkungen dieser Stützmaßnahmen herauszufiltern. Andererseits ist die Hilfe der qualitativ hochwertigen Marke Marriott für Courtyard und Fairfield Inn beträchtlich. Stadtplaner, Hotelbetreiber und Gemeinden standen Vorschlägen für Courtyard und Fairfield Inn Hotels positiv gegenüber, denn es war ihnen klar, dass Marriott voll hinter diesem Konzept stand. Außerdem wurde durch diese Unterstützung die teure und schwierige Aufgabe, Reisende für die neuen Hotels zu gewinnen, erleichtert, denn der Name Marriott reduzierte das Risiko, das mit einer ansonsten unbekannten Marke verbunden ist.

Marriott Residence Inn

Marriott Hotels • Resorts • Suites

Courtyard von Marriott

Fairfield Inn von Marriott

Schaubild 4.2: Ausschnitt aus der Marriott-Markenstruktur

Drei Faktoren minderten den Schaden, der der Marke Marriott durch die Unterstützung von zwei Marken am unteren Ende des Hotelmarktes entstand. Erstens ist in beiden Fällen das Angebot deutlich von den Marriott-Flaggschiffhotels verschieden, das heißt, die Erwartungen sind schon aufgrund der Ansiedlung in unterschiedlichen Gegenden, der gebotenen Annehmlichkeiten, des Aussehens und der Atmosphäre ganz andere. Zweitens gibt es zwei verschiedene Marken – die Marriott-Hotels und das Unternehmen Marriott. Die Stützmaßnahmen zeigten deutlich, dass das Unternehmen (und nicht die Qualitätshotels) hinter Courtyard und Fairfield Inn stehen. Drittens passen die Elemente Beständigkeit und

Freundlichkeit der Kernidentität zu allen Märkten und stellen eine Verbindung zwischen den Marken dar.

Entwurf einer Markenstruktur – Stützmarken und untergeordnete Marken

Eine Markenstruktur baut ein Markenportfolio auf und organisiert es, indem es die Rolle der Marken definiert und die Art der Beziehungen zwischen den Marken (beispielsweise zwischen Citibank und MasterCard) und zwischen verschiedenen Warengruppenkonzepten (zum Beispiel zwischen Ford-Lastwagen und Ford-Autos) bestimmt. Eine gut konzipierte und verwaltete Markenstruktur kann für Klarheit, Synergien und eine Hebelwirkung sorgen und damit diffuse Ziele, Verwirrung hinsichtlich der Märkte und Verschwendung von Ressourcen bei der Markenpflege vermeiden. Im fünften Kapitel werden wir den Begriff »Markenstruktur« definieren und an Beispielen erläutern, diskutieren und anwenden.

Dieses Kapitel wird sich mit den Beziehungen zwischen einzelnen Marken beschäftigen – einem ganz wesentlichen Element der Markenstruktur – sowie mit der Rolle, die Stützmarken und Untermarken für die Definition dieser Beziehungen spielen. Welches Verhältnis besteht zwischen Courtyard und Marriott, zwischen GE und Profile-Marken sowie zwischen GE und NBC (ein Unternehmen, das General Electric gehört)? Wir möchten damit anfangen, erst einmal Stützmarken, Untermarken und die Bedeutung der Triebkraft zu erläutern.

Stützmarken

Eine Unterstützung durch eine etablierte Marke gibt einem Angebot Gehalt und Glaubwürdigkeit. Im oben geschilderten Beispiel ist Marriott eine Stützmarke für Courtyard by Marriott. Grundsätzlich besteht diese Stützmaßnahme aus einer Versicherung der Firma Marriott, dass Courtyard die von dieser Marke gemachten Versprechen erfüllen wird (die sich deutlich von denen der Marriott-Hotels unterscheiden). Stützmarken repräsentieren häufiger Firmen als Produkte, weil die Assoziationen zu Unternehmen, wie beispielsweise Innovation, Führung und Vertrauen im Rahmen von Stützmaßnahmen besonders relevant sind. Da Stützmarken von den Marken, die sie unterstützen, etwas isoliert sind, bleiben derartige Assoziationen außerdem meistens von der Leistung der gestützten Marke unbeeinflusst.

Untermarken

Untermarken sind Marken, die mit einer Hauptmarke verbunden sind (oder einer Dachmarke beziehungsweise einer ganzen Reihe von Marken) und die die mit der Hauptmarke verbundenen Assoziationen vermehren oder modifizieren.

Die Hauptmarke ist der wesentliche Bezugspunkt, sie wird aber durch Untermarken, die neue Assoziationen (beispielsweise der Sony Walkman), eine Markenpersönlichkeit (Mazda Miata) und sogar frische Energie (Nike Air Force) hinzufügen, erweitert. Untermarken haben häufig die Aufgabe, der Hauptmarke ein Vordringen in neue Marktsegmente zu ermöglichen – beispielsweise erlaubt Ocean Spray Craisins der Marke Ocean Spray (Säfte und Fruchtsoßen auf der Basis von Preiselbeeren) den Sprung von Säften in den Markt für Knabberartikel.

Beschreibende Untermarken schildern ganz einfach nur, was angeboten wird. Bei der Marke GE Appliance, ist »Appliance« [Elektroartikel] die Beschreibung; GE Appliance ist eine Marke, aber eine eher beschränkte. Ähnlich sieht es bei dem Fisher-Price All-In-One Kitchen Center aus, wo die Untermarke »All-In-One Kitchen Center« einfach nur beschreibt, was angeboten wird.

Die Rolle einer Marke als treibende Kraft

Diese Rolle drückt aus, inwieweit eine Marke die Kaufentscheidung und Erfahrung der Anwender beeinflusst. Wenn man einen Konsumenten fragt: »Welche Marke haben Sie gekauft (oder verwendet)?«, dann wird als Antwort häufig diejenige Marke genannt, die die Entscheidung hauptsächlich beeinflusst hat. Stützmarken, Untermarken und beschreibende Untermarken können alle potenzielle Triebfedern sein, wenn sie mitunter auch nur eine untergeordnete Rolle spielen. Um ein Beispiel zu geben: ThinkPad ist die Triebkraft hinter dem IBM ThinkPad Laptop – das heißt, die Marktforschung zeigt, dass Besitzer normalerweise sagen, dass sie einen ThinkPad haben oder benutzen, und nicht einen IBM. Entsprechend sagen Käufer von Hershey's Sweet Escapes normalerweise, dass sie einen Sweet Escapes-Riegel kauften oder aßen und nicht einen Hershey's (eine Marke, der damit nur eine zweitrangige Rolle als Triebfeder zukommt). Courtyard ist die Triebhaft bei dem Courtyard by Marriott-Angebot, denn die damit verbundenen Assoziationen üben den stärksten Einfluss auf die Wahl des Hotels aus (außerdem fügen sie zu der Erfahrung bei der Benutzung dieser Hotels noch einen Gehalt, emotionale Vorteile und die Möglichkeit zum Selbstausdruck hinzu).

Untermarken und Stützmarken sind ohne Zweifel die wichtigsten Beziehungsvariabeln, weil sie grundsätzlich die Art der Beziehung zwischen zwei Marken in einer Warenklasse oder einem Markt bestimmen. Eine Verwendung dieser Elemente kann äußerst nützlich sein, weil sie Werkzeuge liefern,

- um notwendige strategische Maßnahmen durchzuführen, die miteinander in Konflikt stehen,
- um beim Aufbau einer Marke Mittel zu sparen, indem man bereits bestehende Markenwerte ausnutzt,
- um zu verhindern, dass Marken verwässert oder zu weit ausgedehnt werden,
- um anzudeuten, dass ein Angebot neu und anders ist.

Ohne diese Werkzeuge hätte man bei der Einführung von etwas Neuem im Großen und Ganzen nur die Möglichkeit, entweder eine ganz neue Marke aufzubauen (eine teure und schwierige Angelegenheit) oder eine bereits existierende Marke auszuweiten (und damit Gefahr zu laufen, dass deren Image verwischt).

Der größte Teil dieses Kapitels wird sich mit dem Beziehungsspektrum zwischen Marken beschäftigen, ein Werkzeug, das zum Verständnis der Rolle von Marken in Warengruppen oder Märkten beiträgt und hilfreich bei der Rollenauswahl ist. Im nächsten Kapitel wird das Thema »Markenstruktur« dann erweitert und eine Überprüfung dieser Struktur vorgestellt.

Verbindungen zwischen Marken herstellen – das Spektrum der Beziehungen

Das Beziehungsspektrum von Marken, das in Schaubild 4.3 dargestellt ist, hilft bei der Positionierung bestimmter Optionen in verschiedenen Märkten und im Umfeld unterschiedlicher Produkte. Es verdeutlicht, dass alle diese Optionen ein Kontinuum definieren, das vier grundlegende und neun untergeordnete Strategien beinhaltet. Die vier grundlegenden Strategien sind

- eine Gruppe von Einzelmarken unter einem Dach,
- unterstützte Marken,
- Untermarken, die einer Hauptmarke zugeordnet sind,
- eine Markenfamilie.

Die Positionierung jeder einzelnen Strategie im Schaubild 4.3 spiegelt das Ausmaß wider, in dem für Marken (das heißt die Hauptmarke sowie die Untermarke beziehungsweise die unterstützte Marke und die Stützmarke) unterschiedliche Strategien verwendet werden und in dem sie letztendlich in den Köpfen der Konsumenten verankert sind. Die größtmögliche Trennung sieht man auf der rechten Seite des Spektrums bei der Gruppe der Einzelmarken unter einem Dach, wo jede Marke für sich steht (beispielsweise GE und Hotpoint). Wenn man sich nach links bewegt, dann gibt es eine Beziehung zwischen einer Stützmarke und einer gestützten Marke, aber beide sind noch sehr verschieden – beispielsweise ist Courtyard in vielerlei Hinsicht ganz anders als die Stützmarke Marriott. Noch weiter links wird die Beziehung zwischen Hauptmarke und Untermarken enger; die Untermarke (beispielsweise GE Profile) kann die Hauptmarke näher definieren und sie ausweiten, kann sich aber nicht sehr weit von der Identität der Hauptmarke entfernen. In einer Markenfamilie, wie sie ganz links dargestellt wird, stellt die Hauptmarke die Triebfeder dar und die Untermarken sind meistens nur zusätzliche Beschreibungen, die selbst wenig Verantwortung als treibende Kraft haben.

Wie das Schaubild verdeutlicht, besteht ein enger Zusammenhang zwischen dem Beziehungsspektrum und der Rolle einer Marke als Triebfeder. Ganz rechts, bei der Gruppe von Einzelmarken unter einem Dach, stellt jede Marke eine

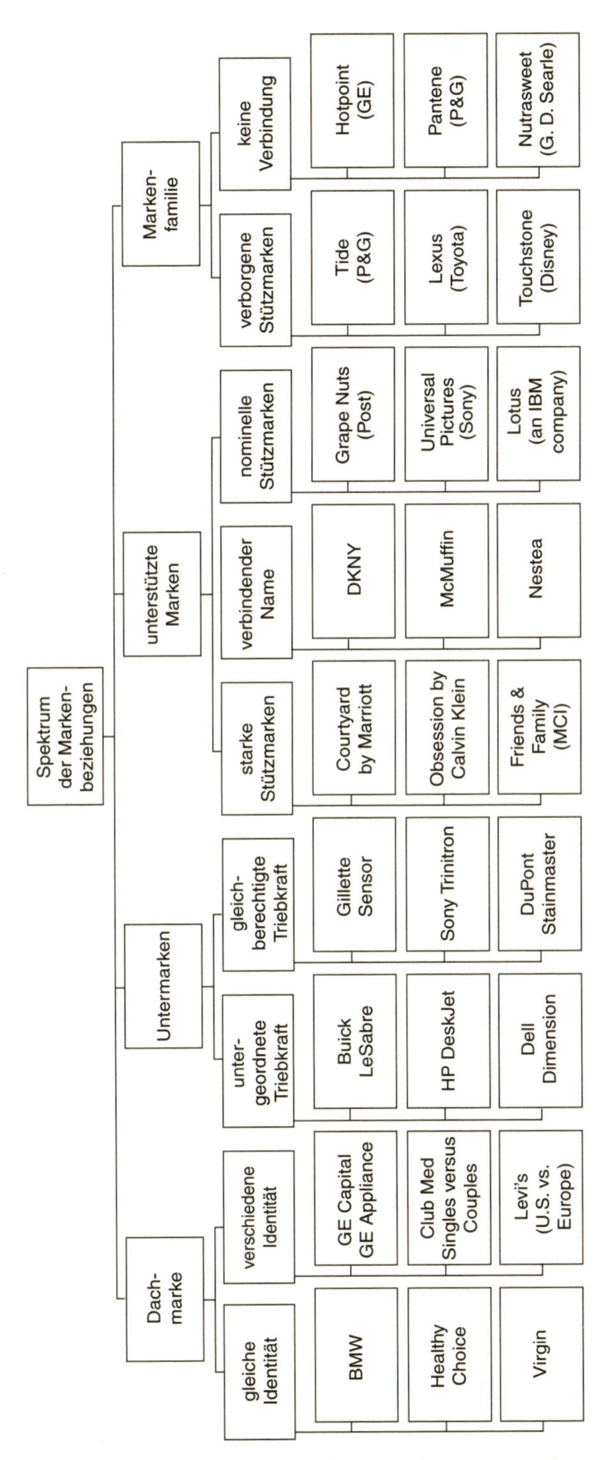

Schaubild 4.3: Das Spektrum der Beziehungen zwischen Marken

eigene Triebkraft dar. Im Falle einer gestützten Marke muss die Stützmarke üblicherweise wenig Antrieb beisteuern. Bei Untermarken teilt sich die Hauptmarke die Rolle der Triebfeder normalerweise mit diesen. Ganz links, bei der Markenfamilie, fungiert die Hauptmarke normalerweise als Triebkraft und jede eher beschreibende Untermarke ist dafür kaum oder gar nicht verantwortlich.

Untergeordnete Strategien

Das Schaubild 4.3 demonstriert, dass es innerhalb der vier Strategien für die Beziehung zwischen Marken noch neun Untergruppen gibt. Die Position jeder dieser Gruppen innerhalb des Spektrums wird davon bestimmt, eine wie starke Trennung zwischen den Marken sie widerspiegelt.

Um wirkungsvolle Markenstrategien zu entwickeln, muss man die vier Basisstrategien sowie die neun Untergruppen innerhalb des Markenspektrums verstehen. Alle diese Elemente werden im Folgenden analysiert und erläutert.

Eine Gruppe von Einzelmarken unter einem Dach

Der Gegensatz zwischen einer Gruppe von Einzelmarken unter einem Dach und einer Markenfamilie (in Schaubild 4.4 dargestellt) verdeutlicht auf lebendige Weise die zwei Extreme, die man bei Markenstrukturen antreffen kann. Während eine Markenfamilie auf einer einzigen Hauptmarke aufbaut, beispielsweise Caterpillar, Virgin, Sony, Nike, Kodak oder Nivea, um ein umfassendes Angebot zu bieten, das mit rein deskriptiven Untermarken auskommt, sind die Einzelmarken unter einem Dach alle selbstständig und unabhängig.

Bei einer Gruppe von Einzelmarken unter einem Dach versucht jede individuelle Marke, ihren Einfluss auf den Markt zu maximieren. Procter & Gamble hat über 80 bedeutende Einzelmarken unter einem Dach, die alle nur eine schwache Beziehung zu Procter & Gamble oder zueinander haben. Bei dieser Vorgehensweise verzichtet P&G auf Skalenerträge und Synergien, die sich bei der Ausnutzung einer Marke über verschiedene Geschäftsfelder hinweg ergeben. Außerdem riskieren diejenigen Marken, die nicht selbst die notwendigen Investitionen zu ihrem Unterhalt erwirtschaften können (besonders die dritte oder vierte Marke, die P&G in eine Warengruppe einführt), eine Stagnation oder gar sinkende Bedeutung, und P&G vergeudet die Chance, eine Marke flächendeckend auszunutzen, weil jede der einzelnen Marken nur eine verhältnismäßig geringe Reichweite hat.

Die von Procter & Gamble verfolgte Strategie der Einzelmarken unter einem Dach erlaubt es Firmen jedoch, Marken aufgrund ihrer funktionalen Vorteile klar zu positionieren und Marktnischen zu dominieren. Man muss bei der Positionierung einer Marke keine Kompromisse eingehen, um die Marke dann auch in einem anderen Markt oder Warenumfeld nutzen zu können. Stattdessen stellt die Marke mit einer ganz bestimmten Wertvorstellung einen direkten Rapport zu den Kunden in einem Segment her.

Die Markenstrategie, die Procter & Gamble im Markt für Haarpflegeprodukte verfolgt, demonstriert, wie das Konzept von Einzelmarken unter einem Dach funktioniert. Head & Shoulders dominiert die Gruppe der Produkte gegen Schuppen. Pert Plus, der Pionier in seiner Kategorie, hat sich den Markt für Haarwaschmittel und -pflege in einem ausgesucht. Pantene (»Für gesund aussehendes Haar und natürlichen Glanz«), eine Marke, die traditionell eher funktionale Vorteile betont, konzentriert sich auf das Segment, das die Vitalität des Haares erhöht. Man würde nicht die mit diesen drei Marken insgesamt erreichte Wirkung erzielen, wenn man sich – statt drei unterschiedliche Marken zu forcieren – auf eine Marke beschränkte oder Untermarken wie P&G Antischuppen, P&G Conditioning Shampoo und P&G für gesundes Haar wählte. Die Waschmittel von Procter & Gamble sind ähnlich gut positioniert, um Marktnischen zu bedienen: Tide (für die Schmutzwäsche), Cheer (für jede Temperatur), Bold (mit integriertem Weichspüler) und Dash (Konzentrat) vermitteln alle ganz klare Wertvorstellungen, was sich mit einer einzigen Waschmittelmarke von Procter & Gamble nicht erreichen ließe.

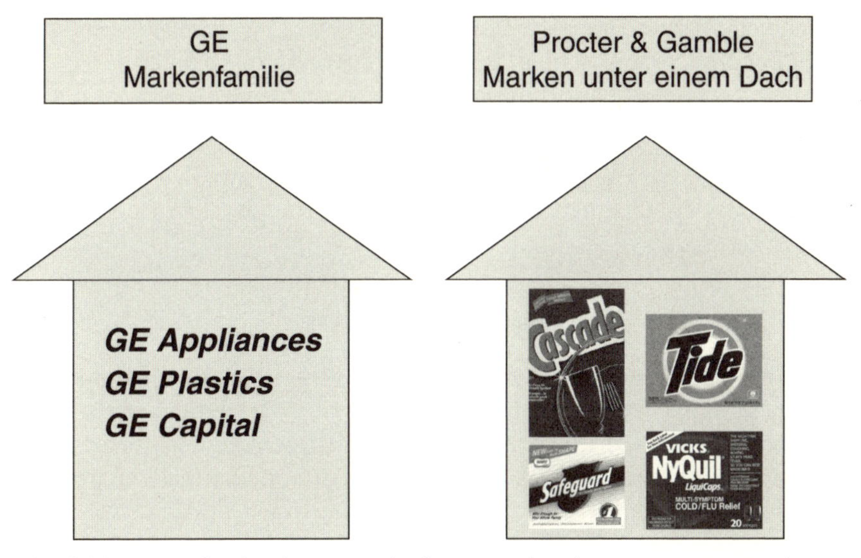

Schaubild 4.4: Markenfamilie im Vergleich zu Einzelmarken unter einem Dach

Die Kalkulation, sich auf Marktnischen mit dem Hinweis auf funktionale Vorteile zu konzentrieren, ist nicht der einzige Grund, sich für die Strategie von Einzelmarken unter einem Dach zu entscheiden. Auch die folgenden Gründe können eine Rolle spielen:

- Vermeiden einer Markenassoziation, die nicht zu einem Angebot passt. Die enge Verbindung von Budweiser mit dem Geschmack von Bier würde dem

Erfolg einer Budweiser-Cola im Wege stehen. Genauso würde Volkswagen das Image von Porsche oder Audi negativ beeinflussen, wenn eine Verbindung zwischen den Marken erkennbar wäre.

- Hinweis auf echte innovative Vorteile eines neuen Angebots – Toyotas Entscheidung, seine Luxuskarossen unter dem individuellen Namen Lexus zu vermarkten, unterscheidet sie von allen Vorgängermodellen unter dem Namen Toyota. Aus ähnlichen Gründen beschloss General Motors, die Marke Saturn zu schaffen, die überhaupt keine Verbindung zu einem der bereits existierenden GM-Namen hatte, sodass die Botschaft von Saturn (»ein anderes Unternehmen mit einem anderen Auto«) auch nicht verwässert werden konnte.
- Aufbau einer neuen Assoziation zu einer Warengruppe unter der Verwendung eines zugkräftigen Namens, der auf einen wesentlichen Produktvorteil hinweist, wie beispielsweise Gleem [gleam = Schimmer] Zahncreme oder Reach [Reichweite] Zahnbürsten.
- Vermeiden beziehungsweise Minimierung von Konflikten zwischen verschiedenen Absatzkanälen: L'Oréal reserviert die Marke Lancôme für Parfümerien und Parfümerieabteilungen, die sich nicht für eine Marke stark machen würden, die es auch in Drogerie- oder Supermärkten gibt. Wenn Marken ohne offensichtliche Verbindung zueinander über verschiedene, im Wettbewerb stehende Kanäle verkauft werden, gibt es in der Regel keine Konflikte.

Das Konzept der Untermarken, die nichts miteinander zu tun haben, ist die extremste Form der Gruppe von Einzelmarken unter einem Dach, weil hier die stärkste Trennung zwischen den Marken vorliegt. Beispielsweise wissen nur wenige Leute, dass Pantene und Head & Shoulders vom gleichen Unternehmen hergestellt werden.

Verborgene Stützmarken

Eine verborgene Stützmarke hat keine sichtbare Verbindung zu der von ihr unterstützten Marke, aber viele Konsumenten sind sich der Verbindung bewusst. Diese Untergruppe innerhalb der Strategie der Einzelmarken unter einem Dach gewährt einige der Vorteile, die eine bekannte Organisation im Hintergrund einer Marke bietet, minimiert aber den eventuellen Schaden, der durch Assoziationen entstehen könnte. Die Tatsache, dass es keine sichtbare Verbindung zwischen den Marken gibt, stellt eine Aussage an sich über jede Marke dar, selbst wenn der Zusammenhang entdeckt wird. Mit dieser Maßnahme wird verdeutlicht, dass dem Unternehmen bewusst ist, dass die Marke, die im Verborgenen gestützt wird, ein völlig anderes Produkt und Marktsegment repräsentiert.

Ein gutes Beispiel für eine verborgene Stützmarke ist Lettuce Entertain You, eine Restaurantkette mit Firmensitz in Chicago, die 39 Restaurantkonzepte entwickelt hat, seit das erste Lokal, R.J. Grunts, 1971 eröffnet wurde. Jedes Restaurant hat sein eigenes Image, seine eigene Persönlichkeit, seinen eigenen Stil und seinen eigenen Markennamen. Von Shaw's Crab House bis zu Tucci Benucch, von der Brasserie Joe's zu The Mity Nice Diner, ist jedes einzigartig und erfolgreich. Viele der Lokale sind »in«, was wirklich die höchste Auszeichnung für ein Restaurant ist.

Da die Haupt- oder Dachmarke, Lettuce Entertain You, anfangs überhaupt nicht auf irgendwelchen Schildern oder Plakaten weder außerhalb noch im Restaurant auftauchte, handelte es sich dabei nicht um eine Stützmarke im üblichen Sinne. Die Gäste mussten selbst die verborgene Stütze entdecken – was in diesem Fall die Wirkung erhöhte. Das Erkennen der verborgenen Stützmarke bedeutete amüsantes Wissen für Eingeweihte und vergrößerte das Geheimnis. Während der ersten 25 Jahre des Bestehens der Gruppe beruhte die Kommunikation hauptsächlich auf Hörensagen, unterstützt von äußerst aktiver Öffentlichkeitsarbeit. Da die Unterstützung von Lettuce Entertain You sehr subtil war und im Verborgenen geschah, hatten die Restaurants nie das Stigma, zu einer Kette zu gehören. Es gab keine Gesamtmarke für das Unternehmen, wie beispielsweise Marriott oder Westin, die den Kunden gegenüber die Verbindung zu den einzelnen Kettengliedern propagierte.

Heute wissen die meisten der Kunden und potenziellen Kunden jedoch, dass sie in ein Restaurant gehen, das zu Lettuce Entertain You gehört. Mitte der neunziger Jahre des 20. Jahrhunderts führte die Gruppe eine Befragung der Gäste in ihren Restaurants in Chicago durch und entdeckte, dass die Marke Lettuce Entertain You einen hohen Wert in Bezug auf ihre Bekanntheit, Kundentreue und Qualitätsaussage hatte. Infolgedessen trat die Lettuce Entertain You-Marke aus dem Schatten hervor, indem sie eine Anzeigen- und Radiowerbekampagne startete, um ein besonderes Programm für Stammgäste zu initiieren und in jedem Restaurant an auffälliger Stelle Visitenkarten platzierte, die die Konzepte der verschiedenen Restaurants präsentierten. Die einzelnen Lokale blieben weiterhin einzigartig, konnten sich nun aber über eine stärkere Stützmarke freuen.

Lexus ist ein anderes Beispiel dafür, wie nützlich eine verborgene Stützmarke sein kann. Leuten, denen bewusst ist, dass Toyota Lexus herstellt, finden das beruhigend, denn sie wissen, dass Toyotas Finanzkraft und Ruf die Marke Lexus unterstützen. Lexus gibt ihnen außerdem die Möglichkeit, sich selbst durch die Wahl der Marke auszudrücken, eine Chance, die durch eine deutliche Verbindung zur Marke Toyota eingeschränkt wäre. Das Fehlen einer offensichtlichen Verbindung besagt, dass die Marke Lexus von Toyota deutlich verschieden ist; es bedeutet auch, dass im Gedächtnis kein Hinweis auf die Verbindung gespeichert wird. Ohne diesen Hinweis hat eine solche Verbindung einen geringeren Einfluss auf die gestützte Marke.

Weitere Beispiele für verborgene Stützmarken sind DeWalt (Black & Decker), Mates/Storm (Virgin), Banana Republic/Old Navy (Gap), Saturn (General Motors), Dockers (Levi Strauss), Mountain Dew (Pepsi) und Touchstone (Disney). Jede dieser verborgenen Stützmarken hat einen geringfügigen Effekt auf das Image der anderen Marke, verstärkt für manche Kunden aber deren Glaubwürdigkeit und dient als Beruhigung. Ihre Bedeutung kann auch bei denjenigen eine große Rolle spielen, die selbst keine Konsumenten, aber auf irgendeine andere Weise relevant sind. Beispielsweise sind die Portiers in den Hotels von Chicago, die ständig gebeten werden, irgendwelche Restaurants zu empfehlen, aufgrund der verborgenen Stützmarke eher geneigt, ein Lettuce Entertain You-Lokal zu empfehlen. Die verborgene Unterstützung durch Disney hilft Touchstone, interessante Drehbücher anzuziehen, und Mountain Dew wird von Einzel- und sonstigen Händlern stärker beachtet, weil die Marke Pepsi im Hintergrund steht.

Gestützte Marken

Wenn man die Strategie verfolgt, eine Gruppe von Einzelmarken unter einem Dach zu haben, dann sind die Einzelmarken unabhängig. Gestützte Marken (wie beispielsweise Courtyard oder Fairfield Inn) sind ebenfalls unabhängig, aber sie werden auch unterstützt, üblicherweise von einer Unternehmensmarke (im erwähnten Fall Marriott). Obgleich eine solche Unterstützung dazu beitragen kann, das Image der gestützten Marke leicht zu verändern, besteht ihre Hauptaufgabe darin, die gestützte Marke glaubwürdig zu machen und den Käufer und Benutzer zu beruhigen.

Üblicherweise dient die Stützmarke nur in geringem Maße als Triebfeder. Beispielsweise stützt die Strumpfwarenmarke Hanes die Revitalize-Kollektion, eine Reihe von hauchdünnen Stümpfen, die Gesundheit für Beine propagieren soll. Die treibende Kraft geht eindeutig von der Marke Revitalize aus, denn die Kunden meinen, dass sie Revitalize kaufen und nutzen, und nicht Hanes. Als Stützmarke bietet Hanes aber die Sicherheit, dass Revitalize die hinsichtlich Qualität und Leistung gemachten Versprechen auch einhalten wird.

Die Stützmarke kann auch die Wahrnehmung der gestützten Marke beeinflussen. Die Kunden kaufen zwar Obsession, aber die Unterstützung durch Calvin Klein macht es ihnen erst möglich, etwas zu kaufen, das anderenfalls, wenn es alleine stünde, nur zu leicht geschmacklos wirken könnte. Die Unterstützung wirkt wie ein Augenzwinkern zum Konsumenten hin, das besagt, dass Namen Schall und Rauch sind, aber doch das Selbst widerspiegeln können.

Können Stützmarken etwas bewirken? Eine Untersuchung von Süßwarenmarken in Großbritannien liefert empirische Daten dafür, dass die Unterstützung durch eine Unternehmensmarke sich lohnt.[13] Für die Studie wurden Kunden gebeten, neun verschiedene Produkte zu beurteilen, von denen offiziell jedes gestützt wurde (von Cadbury, Mars, Nestlé, Terry's, Walls; außerdem wurde ein Kontrollparameter benutzt, der keine Unterstützung darstellte). Die Ergebnisse zeigten, dass die Unterstützung durch ein Unternehmen einem Produkt deutlich mehr Wert gab; das traf sogar auf Walls zu, eine Eiscrememarke, deren Assoziationen zu einer völlig anderen Warengruppe gehören. Cadbury, das die höchste Punktzahl erzielte, unterstützt eine ganze Reihe von führenden Produkten auf dem Süßwarenmarkt. An zweiter Stelle kam Mars (das Unternehmen unterstützt nur wenige seiner zahlreichen Marken auf dem Süßwarenmarkt), gefolgt von Nestlé (das eine breite Produktpalette stützt). Die Studie kam zu dem Schluss, Unterstützung sei nützlich und dass diejenigen Unternehmen die beste Stützung bieten können, die in der jeweiligen Warengruppe glaubwürdig wirken.

Wenn die Strategie der gestützten Marken funktionieren soll, muss man die Rolle der Unternehmensmarke verstehen. Betrachten Sie einmal die Marke Hobart, den Mercedes unter den in Restaurants und Bäckereien verwendeten professionellen Mixgeräten. Wenn ein Koch ein Hobart-Gerät kauft, hat er damit die Möglichkeit, seine eigene Haltung auszudrücken, nur die besten Marken für seine Küche zulassen zu wollen. In Reaktion auf ein neu entstehendes Niedrigpreissegment, das von ausländischen Lieferanten versorgt wurde, führte Hobart die Marke Medalist ein, bei der die Unterstützung durch Hobart im Kleingedruckten erscheint. Es gibt also nun auf dem Markt zwei Hobart-Marken – die Hobart-Produktmarke sowie die Hobart-Unternehmensmarke, die verwendet wird, um die Marke Medalist zu unterstützen.

Da die Produktmarke etwas anderes ist als die Unternehmensmarke, bleiben die Integrität der Warenmarke Hobart und die Möglichkeit, sich damit auszudrücken, gewahrt. Hobart als Unternehmensmarke ist jedoch inzwischen zu einem wichtigen Bestandteil der Markenarchitektur geworden und muss daher auch aktiv gepflegt werden. Insbesondere muss Hobart als Unternehmensmarke eine eigene Identität und unternehmensbezogene Assoziationen entwickeln und aufrechterhalten. Es ist möglich zu betonen, dass es sich bei der Stützmarke um eine Unternehmensmarke handelt, indem man Zusätze wie »von Hobart« oder »eine Hobart Firma« verwendet. Das muss man jedoch nicht immer tun, denn die Rolle als Stützmarke weist schon automatisch auf eine Unternehmensmarke hin.

Ein anderer Grund für die Stützung einer Marke liegt darin, dass man damit der Stützmarke zu ein paar nützlichen Assoziationen verhelfen kann. Beispielsweise kann ein erfolgreiches, energiegeladenes neues Produkt oder ein etablierter Marktführer eine Stützmarke erweitern. Als Nestlé Kit-Kat kaufte, eine in Großbritannien führende Süßwarenmarke, fungierte Nestlé als starke Stützmarke. Der Grund dafür war weniger in dem Wunsch zu sehen, Kit-Kat zu unterstützen, als vielmehr darin, dass Nestlés Image in Großbritannien durch eine Assoziation mit Qualität und einer führenden Position auf dem Schokoladenmarkt verstärkt werden sollte. In einem völlig anderen Industriezweig erweist sich die Unterstützung von Post-it-Haftnotizen durch 3M möglicherweise als genauso nützlich für 3M wie für Post-it-Notes.

Nominelle Stützmarken

Eine Variante der Strategie gestützter Marken ist die Verwendung einer nominellen Stützmarke (üblicherweise eine Hauptmarke, die in verschiedenen Warengruppen vertreten ist), die deutlich weniger prominent ist als die gestützte Marke. Auf die nominelle Stützmarke kann durch ein Logo hingewiesen werden, beispielsweise die Glühbirne von General Electric oder den Löffel von Betty Crocker (Backwaren), eine Aussage wie »a Sony Company« oder irgendeine andere Methode. Auf jeden Fall wird die nominelle Stützmarke nicht im Mittelpunkt stehen, die Betonung liegt auf der gestützten Marke. Beispielsweise druckt Nestlé auf jede Packung der Marke Maggi ein Garantiesiegel, das besagt: »Die weltweite Erfahrung von Nestlé garantiert Qualität und Sicherheit für Ihre Ernährung.« Die nominelle Stützmarke hat die Aufgabe, die Verbindung deutlich zu machen und insbesondere neuen Marken Glaubwürdigkeit zu verleihen und den Kunden Sicherheit zu bieten, während gleichzeitig die gestützte Marke ein Maximum an Freiraum hat, um ihre eigenen Assoziationen aufzubauen.

Eine nominelle Stützmarke kann besonders hilfreich für Marken sein, die neu oder noch nicht fest etabliert sind. Die nominelle Stützung wird wirkungsvoller sein, wenn die Stützmarke

- bereits wohl bekannt ist (wie Nestlé oder 3M),
- immer gleich präsentiert wird (wenn beispielsweise die visuelle Darstellung – der Löffel von Betty Crocker oder die Glühbirne von GE – in einer Anzeige, auf der Verpackung oder einem anderen Kommunikationsmittel immer an der gleichen Stelle auftaucht),
- eine optische Metapher das Wiedererkennen sichert (wie der Schirm von Traveler's),
- für eine ganze Produktfamilie verwendet wird, die ein hohes Ansehen hat (wie die Nabisco-Produktpalette) und somit dadurch glaubwürdig wird, indem sie die Fähigkeit demonstriert, produktübergreifend zu wirken.

Eine nominelle Unterstützung ist einer deutlichen Stützung vorzuziehen, wenn die gestützte Marke einen möglichst großen Abstand zu der Stützmarke wahren soll. Mit der Stützmarke können sich unerwünschte Assoziationen verbinden oder die gestützte Marke kann eine Innovation darstellen, die eine größere Unabhängigkeit braucht, um ihre Position glaubwürdig darzustellen.

Manchmal bedeutet eine nominelle Unterstützung auch den ersten Schritt auf dem Weg zu einer allmählichen Namensänderung: Aus einer nominellen Unterstützung wird erst eine offensichtliche Unterstützung, dann eine Co-Marke und schließlich eine Hauptmarke. Zu dem Prozess gehört, dass man den Markenwert der gestützten Marke auf die Stützmarke überträgt.

Ein häufig gemachter Fehler besteht darin, den Einfluss der nominellen Unterstützung zu übertreiben, wenn die Stützmarke nicht wohlbekannt ist, keinen guten Ruf hat oder wenn die gestützte Marke selbst hohes Ansehen genießt und etabliert ist und daher gar keiner Unterstützung bedarf. Die im Folgenden erwähnten Studien sind Belege für diese Behauptung.

Providian, ein bedeutendes Unternehmen für Finanzdienstleistungen, war einst ein Sammelsurium von Unternehmen, die durch eine nichts sagende Phrase (irgendetwas wie »eine Kapitalholding«) als eine Art von Unterstützung zusammengehalten wurden. Bei einer Studie, die auf einer Stichprobe von 1000 Kunden basierte, die mehrfach diesem Ausdruck ausgesetzt worden waren, erinnerten sich nur drei – nicht drei Prozent, sondern drei Leute – an diese Stützung. Diese ernüchternde Statistik führte zu der Entscheidung, das Ganze Providian zu nennen und eine neue Markenstruktur einzuführen.

Nestlé führte einmal eine Untersuchung in den Vereinigten Staaten durch, um die Auswirkungen einer nominellen Unterstützung von Taster's Choice (eine starke Marke in den USA) durch Nestlé (eine bedeutende Kaffeemarke in Europa, aber schwach in den USA) zu überprüfen. Aufgrund der starken Position der Marke Taster's Choice hatte die nominelle Unterstützung kaum eine Wirkung in Bezug auf das Image oder hinsichtlich der ursprünglichen Intentionen. Als Nestlé von einer Stützmarke zu einer Co-Marke aufgewertet wurde, waren die Auswirkungen jedoch negativ.

Ein verbindender Name

Eine andere Art der Unterstützung besteht in einem verbindenden Namen, wenn ein solcher Name mit allgemein verwendbaren Elementen eine Familie von Marken rund um eine implizit oder explizit vorhandenen Stützmarke schafft, wodurch einer Reihe von deutlich verschiedenen Marken die Möglichkeit gegeben wird, ihre eigene Persönlichkeit und Assoziationen zu entwickeln, aber nach wie vor eine subtile Verbindung zu einer Haupt- oder Dachmarke besteht.

McDonald's beispielsweise verkauft Egg McMuffin, Big Mac, McRib, McPizza, McKids, Chicken McNuggets, McApple, und so weiter. Das »Mc« in jedem Namen verweist auf eine implizite Unterstützung durch McDonald's, auch wenn keine traditionelle Stützung gegeben ist. Derartige verbindende Namen differenzieren stärker und machen Marken eigenständiger als eine Markenstrategie, die nur auf beschreibenden Attributen aufbaut (wie es McDonald's Ribs oder Mc Donald's Pizza täte).

Auf ähnliche Weise hat Hewlett-Packard seine Jet Druckerserien geschaffen – LaserJet, DeskJet, OfficeJet, InkJet und andere – die für unterschiedliche Preissegmente und Anwendungen kreiert wurden. LaserJet ist die stärkste Marke innerhalb der Gruppe (die anderen haben nur einen geringen Markenwert), aber die damit verbundenen Assoziationen zu Qualität, Zuverlässigkeit und Innovation werden auf die anderen Jet-Marken übertragen. Die LaserJets stützen den Rest der Familie. Die E-Commerce-Marke von Netscape, Netscape CommerceXpert hat die gleiche Wirkung auf die damit verbundenen Untermarken ECXpert, SellerXpert, BuyerXpert, MerchantXpert und PublishingXpert. Nestlés Nescafé, Nestea und Nesquik stellen eine kompakte, aber starke Verbindung zu Nestlé her. Die Tatsache, dass es für die Marken Ralph und Lauren nicht nur die Unterstützung durch Ralph Lauren sondern auch die Verbindung durch die Namen gibt, verstärkt die Stützungsmaßnahme.

Ein verbindender Name lässt einem die Vorteile eines eigenständigen Namens, ohne dass man einen solchen Namen erfinden, etablieren und mit einer Hauptmarke verbinden müsste. Marriott musste den Markennamen Courtyard etablieren (ein teurer und schwieriger Prozess) und ihn dann mit der Marke Marriott in Verbindung bringen, auch das keine leichte Aufgabe. Dagegen erledigt der Name DeskJet alleine 80 Prozent der Aufgabe, das Produkt mit der etablierten Marke LaserJet zu verbinden. Außerdem wird die Kommunikation dessen, wofür DeskJet steht, teilweise dadurch erledigt, dass man weiß, wofür LaserJet steht. Ein verbindender Name ist außerdem kompakter – vergleichen Sie nur DeskJet mit einem möglichen »Deskprinter von LaserJet«.

Starke Stützmarken

Rein optisch erkennt man eine starke Stützmarke an einer hervorgehobenen Präsentation an prominenter Stelle. Zu den Beispielen für starke Stützmarken zählen Campbell's für Simple Home, 3M für Highland, Ralph Lauren für Polo Jeans, Viewsonic für Optiquest, DuPont für Lycra und Paramount für Kings Dominion. Eine starke Stützmarke ist häufig eine bedeutendere Triebfeder als eine nominelle Stützmarke oder ein verbindender Name; daher sollte sie in der jeweiligen Warengruppe glaubwürdig wirken und passende Assoziationen liefern.

Untergeordnete Marken

Die Untermarke, ein anderes wirkungsvolles Werkzeug im Rahmen der Markenstruktur, kann insofern eine treibende Kraft darstellen, als dass sie zu Assoziationen führt, die für Kunden relevant sind. Beispielsweise kann eine untergeordnete Marke wie Doge Viper Assoziationen fördern, die die Hauptmarke differenzieren und sie für Kunden attraktiver machen. Eine Untermarke kann eine Hauptmarke auch erweitern und es ihr damit ermöglichen, auf Gebieten in Wettbewerb zu treten, für die sie sonst nicht geeignet wäre – Uncle Ben's Country Inn Recipes ermöglicht es Uncle Ben's, in ein exklusiveres Marktsegment vorzudringen. Letztendlich kann eine untergeordnete Marke auch signalisieren, dass ein Angebot eine Neuheit darstellt und bemerkenswert ist. Intel entwickelte die Untermarke Pentium teilweise, um auf eine neue Chipgeneration hinzuweisen, die eine eindeutige Weiterentwicklung darstellte.

Außerdem kann eine Untermarke das Image der Hauptmarke verändern, indem sie eine Assoziation ergänzt, der Hauptmarke mehr Energie und Persönlichkeit verleiht oder eine Verbindung zu dem Benutzer herstellt, wie die folgenden Beispiele zeigen:

- Black & Deckers Sweet Hearts Wafflebaker (ein Gerät, mit dem sich herzförmige Waffeln backen lassen) und Black & Deckers Handy Steamer (zum Dünsten von frischem Gemüse) tragen einerseits zur Differenzierung bei und bringen andererseits die Marke Black & Decker mit emotionalen Vorteilen in Verbindung.

- Smucker's Simply Fruit verstärkt die Assoziationen mit der Hauptmarke im Hinblick auf Frische, Gesundheit und Qualität.
- Microsoft Office verhilft der Marke des Microsoft Betriebssystems zu Assoziationen mit Anwendungen.
- Audi TT gibt der etablierten Hauptmarke mehr Energie und Persönlichkeit, die selbst für Qualität und Zuverlässigkeit steht, aber auch mit deutscher Schwerfälligkeit in Zusammenhang gebracht wird.
- Revlon Revolutionary Lipcolor und Revlon Fire and Ice (Duftnote) geben der Marke Revlon Energie und Vitalität.

Die Verbindung zwischen einer Untermarke und der dazugehörigen Hauptmarke ist enger als die Beziehung zwischen einer gestützten Marke und der Stützmarke. Wegen dieser Nähe verfügt eine Untermarke über ein beträchtliches Potenzial, die mit der Hauptmarke verbundenen Assoziationen zu beeinflussen, was sowohl ein Risiko als auch eine günstige Gelegenheit darstellen kann. Außerdem fungiert die Hauptmarke, anders als eine Stützmarke, normalerweise als bedeutende Triebkraft. Wenn also Revolutionary Lipcolor eher eine Untermarke von Revlon als eine gestützte Marke ist (Revolutionary Lipcolor von Revlon), dann wird diese Marke weniger Freiräume haben, um ein selbstständiges Markenimage zu entwickeln.

	Rolle der Untermarke		
	rein beschreibend	**wichtige Triebfeder**	**gleiche Triebkraft wie**
Ausgangslage	Hauptmarke ist dominante Triebkraft	Hauptmarke ist stärkste Triebkraft	Haupt- und Untermarken als gemeinsame Triebfedern
Beispiele	GE Düsenmotoren	Compaq Presario	Sony Walkman

Schaubild 4.5: Kategorien von Untermarken

Die Untermarke kann hauptsächlich beschreibende Funktion haben, eine Triebfeder darstellen oder eine Kombination aus beidem sein. Wenn man eine Strategie für Untermarken entwickelt, spielt die Überlegung eine Rolle, an welchem Punkt innerhalb des Spektrums (das in Schaubild 4.5 verdeutlicht ist) die Untermarke angesiedelt sein soll. Wenn die untergeordnete Marke rein deskriptiver Natur ist, kann man von einer Strategie der Markenfamilie sprechen, weil die Hauptmarke die dominante Triebkraft ist. Wenn die Untermarke selbst dagegen als bedeutende Triebfeder fungiert, dann kann man von einer echten Untermarke und der damit verbundenen Strategie sprechen. Wenn die Untermarke genauso bedeutend ist wie die Hauptmarke, dann haben beide eine Aufgabe als Antriebskräfte. Wenn die Untermarke die dominante Triebkraft darstellt, dann ist sie keine untergeordnete Marke mehr, sondern eine gestützte.

Ein rein deskriptiver Name, wie beispielsweise Spicy Honey oder Minivan, wird selten eine Triebfeder sein; mitunter ist aber ein solch deskriptiver Name unpassend und man verwendet etwas mit mehr Suggestionskraft (beispielsweise Express, Gold, Reward oder Advisor). Ein viel versprechender Namen ruft leichter eine emotionale Reaktion hervor, er kann daher auch eher eine treibende Kraft darstellen.

Die Untermarke als gleichberechtigte Triebfeder

Wenn sowohl die Hauptmarke als auch die Untermarke als starke Triebfedern fungieren, kann man sie als in dieser Hinsicht gleichberechtigt betrachten. Die Hauptmarke hat dann keine rein unterstützende Funktion – beispielsweise kaufen und verwenden Kunden sowohl Gillette als auch Sensor; keine der beiden Marken kann als eindeutig dominant bezeichnet werden. Wenn dies der Fall ist, dann hat die Hauptmarke meistens bereits eine echte Glaubwürdigkeit in einer Warengruppe erlangt. Gillette, mit seinen vielen Innovationen im Laufe der Jahre, ist eine Marke, der Kunden im Bereich Rasierklingen die Treue halten. Sensor ist jedoch eine besonders innovative Rasiermethode, daher verdient diese Marke ebenfalls Loyalität und erhält sie auch.

Die Kosmetikmarke Virgin Vie benutzt die Untermarke Vie als gleichberechtigte Triebfeder. Während die Marke Virgin selbst zwar die Attribute Präsenz, Auffälligkeit und eine bestimmte Einstellung beiträgt, wird sie doch mit einer Altersgruppe verbunden, die eine Generation älter ist als die Zielgruppe für Virgin Vie. Die Verwendung der selbständigen Untermarke Vie anstelle einer rein deskriptiven Untermarke (beispielsweise Virgin Cosmetics) verleiht der Marke mehr Glaubwürdigkeit auf dem Kosmetikmarkt und macht es ihr möglich, einen jüngeren Zielmarkt anzusprechen, nämlich Konsumenten um die 20 Jahre. Die junge britische Berühmtheit, die für die Virgin-Vie-Anzeigenwerbung eingesetzt wird, stellt eine weitere Abgrenzung zu der Marke Virgin und ihrem Gründer Richard Branson her.

Wenn zwei Marken, die beide als Triebkräfte fungieren, von der Qualität her nicht vergleichbar sind, könnte die Verbindung die Marke mit höherem Prestige schädigen. Als Marriott (eine Qualitätsmarke für Hotels) sich entschied, Courtyard zu unterstützen, wurde das Risiko für den Ruf und die Qualitätsaussage von Marriott dadurch gemindert, dass Marriott nur als Stützmarke auftrat. Wenn Marriott dagegen zu einer zweiten Triebkraft geworden wäre (was teilweise bedeutet hätte, dass sein Name genauso auffällig in Anzeigen erschienen wäre wie der Name Courtyard), dann hätte man den Eindruck gehabt, dass die Marke Marriott ins untere Segment ausgeweitet wurde, womit die Qualitätsaussage von Marriott in größerer Gefahr gewesen wäre.

Die Hauptmarke als hauptsächliche Triebkraft

Eine andere Variante von Untermarken liegt vor, wenn die Hauptmarke auch als Haupttriebkraft auftritt. Die Untermarke ist nicht nur beschreibend, aber sie spielt beim Kauf- und Benutzungserlebnis eine untergeordnete Rolle. Beispielsweise glauben Kunden, die Dell Dimension kaufen und einsetzen, dass sie einen Dell Computer haben, nicht einen Dell Dimension, obgleich die Untermarke Dimension auf ein bestimmtes Modell hinweist und durchaus einen Einfluss auf die Kaufentscheidung haben kann.

Wenn die Untermarke nur in geringem Maße als Triebfeder dient, dann heißt das auch, dass man nicht allzu viele Mittel für die Untermarke einsetzen sollte; die Betonung sollte eher auf der Hauptmarke liegen. Allzu oft herrscht die Illusion vor, die Untermarke habe einen eigenen Wert und diene als zweite Triebkraft, insbesondere, wenn es eine Untermarke schon seit Jahren gibt. Aber Untermarken wie Del Monte's Fresh Cut oder Mint Magic von Celestial Seasoning beziehungsweise Presario von Compaq haben gewöhnlich einen geringeren Markenwert als man annimmt. Wenn man also die Markenstruktur organisiert, dann ist es wichtig festzustellen, welche Untermarken einen wesentlichen eigenen Wert haben, damit man nicht versucht, Marken aufzubauen, die nicht genügend Potenzial haben.

Eine Markenfamilie

Wenn man die Strategie einer Markenfamilie verfolgt, dann ist eine Hauptmarke nicht länger nur die wesentliche Triebkraft, sondern wird zur dominanten Triebfeder, während die beschreibende Untermarke nun statt einer geringfügigen Rolle praktisch gar keine Rolle mehr spielt. Virgin verfolgt das Konzept der Markenfamilie, denn die Hauptmarke bietet ein Dach, unter dem viele verschiedene Geschäftszweige operieren. So gibt es beispielsweise die Virgin Airlines, Virgin Express, Virgin Radio, Virgin Rail, Virgin Cola, Virgin Jeans, Virgin Music und viele mehr. Weitere Markenfamilien sind zahlreiche Angebote von Nivea, Kraft, Honda, Sony, Adidas und Disney. Bei dieser Strategie nutzt man eine etablierte Marke derart aus, dass man für jedes neue Angebot nur ein Minimum an Investitionen tätigen muss.

Der Strategie sind jedoch Grenzen gesetzt. Wenn Marken wie Levi's, Nike und Mitsubishi über eine breite Produktpalette ausgedehnt werden, hat das Unternehmen Schwierigkeiten, bestimmte Zielgruppen direkt anzusprechen; das erfordert Kompromisse. Außerdem werden Abverkäufe und Gewinne in beträchtlichem Umfang tangiert, sollte die Hauptmarke ins Trudeln kommen. Genau wie ein großer Lastwagen oder ein großes Schiff lässt sich eine weit ausgedehnte Marke nur schwer umdrehen, wenn sich ihr Schwerpunkt verlagert (und die Marke ihr Image verliert). Andererseits fördern Markenfamilien Klarheit, Synergien und die Hebelwirkung, also genau das, was man mit dieser Strategie erreichen will.

Die Strategie der Markenfamilie, so wie Virgin sie betreibt, maximiert häufig die Transparenz, weil die Kunden genau wissen, was angeboten wird. Virgin garantiert ausgezeichneten Service, Innovation, Spaß und Unterhaltung, ein gutes Preis-Leistungs-Verhältnis und die Rolle des Underdog; außerdem ist die Marke traditionell amüsant und aufregend. Die einzelnen Beschreibungen weisen jeweils auf einen anderen Geschäftszweig hin: Virgin Rail beispielsweise ist die Eisenbahnlinie, die das Unternehmen betreibt. Vom Standpunkt des Brandings aus gesehen gibt es keine einfachere Lösung. Eine einzelne Marke, die unabhängig vom Produkt und im Laufe der Zeit gleich bleibt, lässt sich viel einfacher verstehen und erinnern als ein Dutzend unterschiedliche Marken, die alle mit eigenen Assoziationen verbunden sind. Auch die Beschäftigten des Unternehmens und Geschäftspartner ziehen Vorteile aus der größeren Transparenz und können sich auf eine einzige dominante Marke konzentrieren. Im Fall einer Markenfamilie gibt es wenig Fragen hinsichtlich der Prioritäten und der Notwendigkeit, die Marke zu schützen.

Außerdem kann man mit dieser Strategie normalerweise Synergien maximieren; das Auftreten in einer Warengruppe führt zu Assoziationen und schafft Präsenz, die auf einem anderen Markt nützlich sein kann. Die Innovationen, die Virgin in einem Geschäftszweig durchführt, wirken sich auch positiv auf andere Sektoren aus. Zudem erhöht das Auftreten der Marke in einem beliebigen Zusammenhang die Gesamtpräsenz, wodurch die Bekanntheit der Marke generell erhöht wird.

Zwei Anekdoten über General Electric zeigen, wie die beim Aufbau der Marke in einem Bereich erzeugten Synergien sich auf einen anderen Sektor auswirken können. Einerseits hielt man GE noch für die führende Marke (mit weitem Abstand) in der Kategorie der kleinen Haushaltsgeräte, nachdem das Unternehmen sich schon Jahre vorher aus diesem Geschäft zurückgezogen hatte, was teilweise auf die Werbung, teilweise aber auch auf die Präsenz im Sektor der großen Geräte zurückzuführen war. Außerdem behaupteten 80 Prozent der Befragten in einer Studie, sie hätten die GE-Kunststoffwerbung gesehen, und das zu einer Zeit, als keine derartige Werbung erschien, allerdings andere Produkte von General Electric beworben wurden. Ganz offensichtlich hat die kumulative Präsenz der Marke im Lauf der Zeit und in verschiedenen Geschäftsbereichen Auswirkungen, die weit über das Beabsichtigte hinausgehen.

Letztendlich gibt einem das Konzept der Markenfamilie auch die Chance, die Hauptmarke auszunutzen – sie muss auf mehreren Sektoren hart arbeiten. Der Markenwert von Virgin zum Beispiel ist mit vielen verschiedenen Bereichen verbunden.

Wenn ein neues Angebot einen Markennamen braucht, dann sollte die erste Überlegung darin bestehen, es unter das Dach einer bereits bestehenden Marke zu bringen. Dadurch werden Synergien geschaffen, entstehen Transparenz und Hebelwirkung. Für jede andere Strategie sollte man zwingende Gründe haben.

Die gleiche Marke mit unterschiedlichen Identitäten

Wenn man produktübergreifend, segmentübergreifend und länderübergreifend die gleiche Marke verwendet, dann macht man meistens implizit eine von zwei Annahmen – beide davon stehen jedoch einer optimalen Markenstruktur im

Weg. Die erste Annahme ist, es könne trotz des gleichen Markennamens unterschiedliche Markenidentitäten und -positionierungen je nach Umfeld geben. Die Verwendung von Dutzenden von Identitäten schafft jedoch nichts als Markenanarchie und ist ein Rezept für Ineffizienz und wirkungslose Bemühungen, eine Marke aufzubauen. Die zweite Annahme ist, es könne überall eine einzige Markenidentität und -position geben, obgleich das Bestehen auf einer einzigen Markenidentität das Risiko birgt, dass man sich zu Kompromissen auf einer eher mittelmäßigen Linie bequemen muss, die in vielen Bereichen sicherlich nicht wirksam sein wird. Es wird meistens eine begrenzte Anzahl von verschiedenen Identitäten geben müssen, die einige Elemente gemeinsam haben, aber trotzdem verschieden sind (beispielsweise muss GE Capital einfach gewisse Assoziationen erzeugen, die für GE Appliances unangemessen sind). Wie man mit diesem Problem umgeht, haben wir im dritten Kapitel erörtert.

Markenfamilie	Gruppe von Einzelmarken unter einem Dach
Trägt die Hauptmarke zu dem Angebot etwas bei, indem sie • Assoziationen hinzufügt, welche die Wertvorstellung ausweiten? • durch Assoziationen zum Unternehmen Glaubwürdigkeit vermittelt? • mehr Präsenz gibt? • die Kommunikation effizienter macht?	Gibt es zwingende Gründe für eine selbständige Marke, weil sie • eine bestimmte Assoziation schaffen und vereinnahmen muss? • ein neues, ganz verschiedenes Angebot darstellen soll? • eine Assoziation vermeiden will? • eine Bindung zum Kunden aufbauen/erhalten muss? • mit Konflikten in Bezug auf Absatzkanäle rechnen muss?
Wird die Hauptmarke durch eine Verbindung mit dem neuen Angebot gestärkt?	Kann das Unternehmen einen neuen Markennamen unterstützen?

Schaubild 4.6: Auswahl einer Position im Beziehungsspektrum der Marken

Die Auswahl der richtigen Position innerhalb des Beziehungsspektrums der Marken

Jedes Umfeld ist anders, und es ist schwer, allgemeine Aussagen darüber zu machen, wann man welche Unterkategorie des Spektrums nutzen soll und wie man verschiedene Marken und deren Beziehungen untereinander zu einer einheitlichen Markenstruktur verschmelzen kann. Wenn man sich mit den vier grundsätzlichen Fragen auseinandersetzt, die in Tabelle 4-6 zusammen gefasst sind, dann verfügt man über eine strukturierte Methode, wie man sich diesem Problemen stellen kann. Positive Antworten auf die zwei Fragen auf der linken Seite der Tabelle deuten darauf hin, dass man sich innerhalb des Beziehungsspektrums der Marke nach links und in Richtung auf eine Markenfamilie bewegen sollte, während positive Antworten auf die zwei Fragen auf der rechten Seite bedeuten, dass eine Bewegung nach rechts in Richtung auf verschiedene Einzelmarken unter einem Dach angebracht wäre.

Die Frage nach der Markenstruktur wird immer dann besonders dringend, wenn ein neues Angebot zu den bereits bestehenden Marken hinzukommt. Daher werden wir uns in der nun folgenden Auseinandersetzung mit den Bedingungen, die eine Bewegung innerhalb des Spektrums nach rechts oder links erforderlich machen, auf die Situation aus der Perspektive einer neuen Marke konzentrieren. Die gleichen Fragen tauchen allerdings auch auf, wenn man eine bestehende Markenstruktur dahingehend analysiert, welche Anpassungen notwendig sein könnten.

Trägt die Hauptmarke etwas zu dem Angebot bei?

Wenn man innerhalb einer Markenfamilie die Hauptmarke mit einem neuen Produktangebot verbindet, dann muss sie etwas Positives dazu beitragen. Das ist durch die Übertragung von Assoziationen möglich, die die Aussage über den Wert stärken und dem neuen Produkt Glaubwürdigkeit verleihen. Die starke Präsenz der Hauptmarke kann auf das neue Angebot abfärben, oder die Kommunikation wird dadurch effizienter, was zu Kostenersparnissen führt.

Assoziationen, die die Wertaussage verstärken

Die wesentliche Frage ist: Macht die Hauptmarke ein Produkt in den Augen der Konsumenten attraktiver? Lassen sich die mit der Hauptmarke verbundenen positiven Assoziationen in das Umfeld des neuen Produktes mitnehmen, passen diese Assoziationen und sind sie relevant? Wenn die Antworten auf diese Fragen Ja lauten, dann kann der Markenwert für das neue Umfeld ausgenutzt werden. Beispielsweise werden die Düfte von Calvin Klein durch die mit der Hauptmarke verbundenen Assoziationen zu einem maßgebenden, unkonventionellen Designer verstärkt, der provozierend sexy Garderobe entwirft, sowie zu einer lebhaften Vorstellung über die Trägerinnen dieser Garderobe. Wenn man feststellen will, ob man die mit einer Marke verbundenen Assoziationen auf ein neues Umfeld übertragen kann, muss man eine Markenerweiterungsanalyse durchführen, die im nächsten Kapitel diskutiert wird (und im Detail in dem Buch *Managing Brand Equity* besprochen wurde).

Assoziationen zum Unternehmen stärken die Glaubwürdigkeit

Eine Marke, insbesondere eine neue, hat zwei Aufgaben zu erfüllen. Zunächst muss sie eine relevante, verlockende Wertvorstellung vermitteln. Zweitens muss dieser Wert glaubwürdig präsentiert werden, was insbesondere bei einem völlig neuartigen Angebot, bei dem die Konsumenten ein gewisses Risiko eingehen, äußerst schwierig ist – zum Beispiel bei einem batteriebetriebenen Auto oder einem solarbeheizten Haus. Wenn man jedoch eine Verbindung zu einer Marke mit starken unternehmensbezogenen Assoziationen herstellt, dann wird das Problem der Glaubwürdigkeit verringert oder sogar ganz eliminiert. Zu den wichtigsten mit einem Unternehmen verbundenen Assoziationen zählen die folgenden (Beispiele in Klammern):

- Qualität (Hewlett-Packard Homecomputer),
- Innovation (Shiseido Hautpflegeprodukte),
- Sorge um das Wohlergehen der Kunden (Schönheitssalons von Nordstrom),
- Globales Auftreten (AT&T Nachrichtensender),
- Zuverlässigkeit und Vertrauen (Haushaltsgeräte von Sears).

Präsenz

Eine Marke, insbesondere eine neue, muss gut sichtbar sein, nicht nur, damit man ihren Kauf überhaupt in Betracht zieht, sondern auch, um eine Reihe von positiven Produkt- und Unternehmensattributen zu vermitteln. Eine bestehende Marke wie beispielsweise CitiGroup hat bereits eine beträchtliche Präsenz, aber das Problem besteht darin, wie man diese für ein neues Geschäftsfeld nutzen kann (beispielsweise Maklerdienste). Andererseits kann es angesichts der bunten Vielfalt in vielen Märkten sehr teuer und schwierig werden, eine neue Marke (zum Beispiel Mega Brokers) gut sichtbar zu platzieren, wenn sie *keine* Verbindung zu einer etablierten Marke mit hoher Präsenz aufweisen kann.

Wirkungsvolle Kommunikation

Mit allen Aspekten der Markenpflege sind erhebliche Fixkosten verbunden, die auf alle Warengruppen verteilt werden können, in denen die Marke vertreten ist. Werbung, Promotionskampagnen, Verpackungsdesign, Displays und Broschüren kosten viel Zeit und kreativen Aufwand. Wenn eine bereits existierende Marke erstmals in einem neuen Umfeld auftaucht, dann kann man jedoch vorhergehende Maßnahmen zum Aufbau der Marke anpassen oder sogar direkt übernehmen. Noch wichtiger ist die Synergie, die durch die Wirkung der Medien auf angrenzende Märkte erreicht wird. Anzeigen und Werbung für GE-Düsenmotoren und GE-Elektroartikel werden von den potenziellen Kunden beider Produktsparten gesehen, was General Electric einen Vorteil gegenüber den nur auf einem Markt vertretenen Wettbewerbern verschafft. So wie Maßnahmen, beispielsweise das Sponsoring von Ereignissen (wie Sportveranstaltungen und Konzerte), und die Verwendung von Öffentlichkeitsarbeit immer wichtiger im Vergleich zur Nutzung herkömmlicher Medien werden, wird auch eine solche übergreifende Wirkung immer bedeutender.

Wenn die folgenden Bedingungen erfüllt sind, werden Kostenersparnisse und Synergien besonders groß sein:

- Eine treibende Marke wird von einem hohen Kommunikationsbudget unterstützt. Das entsprechende Budget für eine Stützmarke würde nur zu geringeren Kostenersparnissen führen, da in einer solchen Situation andere Marken nach wie vor werblich unterstützt werden müssten.
- Medienwirksame Maßnahmen wirken segmentübergreifend. Das Sponsoring einer Olympiade ist möglicherweise nur dann sinnvoll, wenn man damit Auswirkungen auf viele verschiedene Geschäftsfelder erzielen kann.
- Es gibt ein angemessenes Budget zum Aufbau der Marke. Wenn die Summen nur gering sind, dann verhält es sich mit dem Synergiepotenzial entsprechend.

Wird die Hauptmarke gestärkt?

Die Auswirkungen einer Markenerweiterung (wie beispielsweise Virgin Cola) oder einer Unterstützung von Marken (ein Unternehmen der Sony Gruppe) auf die Hauptmarke werden häufig übersehen, können aber immens wichtig sein. Manche Unternehmen erlauben einzelnen Geschäftsbereichen die Verwendung einer Marke, obwohl diese Geschäftsbereiche nur an der Glaubwürdigkeit interessiert sind, die der Markenname vermittelt, ohne sich jedoch um den Wert der Hauptmarke zu kümmern. Solange der Markenname nützlich ist, wird er verwendet, ohne Rücksicht auf dadurch möglicherweise entstehende Imageschäden. Wenn es im Unternehmen keine Gruppe gibt, die eine wahllose und ungehemmte Ausweitung einer Marke oder deren Verwendung als Stützmarke verhindert, kann der Markenwert ernsthaft geschädigt werden.

Eine Markenausweitung oder -stützung sollte die wichtigsten mit der Hauptmarke verbundenen Assoziationen verstärken und erweitern. Ein Produkt von Healthy Choice sollte die Kernidentität von Healthy Choice widerspiegeln und betonen. Falls Healthy Choice zur Promotion eines Produktes verwendet wird – und das kann durchaus ein Qualitätsprodukt sein – das nicht zu gesunder Kost gerechnet werden kann, wird dadurch die Marke ausgehöhlt. Wann immer Sunkist-Produkte Gesundheit, Vitalität und Vitamin C propagieren, helfen sie der Marke Sunkist; wird die Marke dagegen für Süßigkeiten oder Erfrischungsgetränke ohne Fruchtanteil verwendet, dann bedeutet dies eine Gefahr für den Markenkern. Das Risiko besteht darin, dass die Konsumenten gedanklich nicht mehr zwischen einer Süßigkeit oder einem Erfrischungsgetränk mit (künstlichem) Orangengeschmack und anderen Sunkist-Produkten unterscheiden, die echte Orangen als Bestandteil betonen.

Mitunter fällt es schwer, Nein zu sagen, die Grenzen einer Marke zu erkennen und der Versuchung zu widerstehen, sie zu weit auszudehnen, aber es ist ungeheuer wichtig. Clorox steht für Bleichmittel; es ist riskant, den Namen Clorox für ein Putzmittel zu verwenden, das kein Bleichmittel ist. Auch der Name Levi, der für Freizeitkleidung steht, definiert Grenzen. Dagegen hat Bayers Entscheidung, den Namen Bayer auch für andere Produkte als Aspirin zu verwenden, die enge Verbindung zwischen dem Namen und Aspirin aufgehoben, was viel Geld kostete.

Gibt es einen zwingenden Grund für eine eigenständige Marke?

Die Entwicklung einer neuen, eigenständigen Marke ist schwierig und teuer. Viele verschiedene Marken komplizieren die Markenstruktur sowohl für das Unternehmen als auch für die Kunden. Die Verwendung einer etablierten Marke im Rahmen einer Markenfamilie wird dagegen geringere Investitionen erfordern und angebotsübergreifend zu mehr Synergien und Klarheit führen. Daher sollte eine eigenständige Marke nur dann entwickelt und unterstützt werden, wenn es für diese Vorgehensweise zwingende Gründe gibt.

Da diejenigen, die glauben (was sich oft als Wunschdenken herausstellt), dass die aktuellste Produktverbesserung auch einen neuen Namen verdient, sich immens für die Entwicklung neuer Marken stark machen, erfordert es eine gewisse unternehmerische Disziplin um sicherzustellen, dass eine neue Marke auch gerechtfertigt ist. Das heißt, ein weit oben in der Firmenhierarchie angesiedeltes Komitee mit Entscheidungsbefugnis einzusetzen, außerdem Regeln, die festlegen, wann eine neue Marke gerechtfertigt ist. Obgleich derartige Regeln vom jeweiligen Umfeld abhängen, sind neue Marken unbedingt notwendig für die Kreation und Übernahme von Assoziationen. Sie sollen ein völlig neues Konzept darstellen, bestimmte Assoziationen vermeiden, die Beziehung zu Kunden aufrechterhalten oder eine Lösung für das Problem konkurrierender Absatzkanäle darstellen. Es ist wichtig, auf der Forderung »unbedingt notwendig« zu beharren, um die richtige Vorstellung zu schaffen und Manager daran zu hindern, vage Begründungen abzugeben.

Die Kreation und Übernahme einer Assoziation

Die Chance, sich innerhalb einer Warengruppe eine ausschlaggebende Assoziation zu Eigen zu machen, ist ein wesentlicher Grund für eine neue Marke. Pantene (für gesund aussehendes Haar und natürlichen Glanz) wäre unter dem Markennamen Head & Shoulders oder Pert nicht erfolgreich, weil die einzigartigen Vorteile von Pantene nicht aus dem Schatten der bereits bestehenden Assoziationen heraustreten könnten. Wenn ein Angebot das Potenzial hat, einen funktionalen Vorteil für sich zu vereinnahmen (wie das bei vielen der Procter & Gamble-Marken der Fall ist), dann lässt sich eine neue Marke rechtfertigen. Die gleiche Argumentation erscheint im Fall von General Motors jedoch weniger sinnvoll, ein Unternehmen, das versucht, 33 Einzelmarken unter einem Dach zu vereinen. Die Segmentierung der wesentlichen Assoziationen ist deutlich weniger klar und komplexer als bei P&G. Ganz generell fehlen den General Motors Marken deutliche Aussagen über den Wert, die als Triebfedern dienen könnten.

Ein neues Produkt

Ein neuer Markenname vermittelt ein neues Produkt und weist auf eine Eigenschaft des Produkts hin, die einen echten Durchbruch darstellt. Da alle neuen

Produktmanager versucht sind, daran zu glauben, dass sie für etwas ganz Großartiges verantwortlich sind, ist eine weitere Perspektive notwendig. Eine Minievolution oder der mehr oder weniger vergebliche Versuch, ein Produkt wiederzubeleben, rechtfertigen keine neue Marke. Ein neuer Markenname sollte hinsichtlich Technik oder Funktion einen deutlichen Schritt nach vorn symbolisieren. Beispielsweise trugen der Viper, der Taurus und der Neon alle ihre neuen Namen zu Recht, weil ihr neuartiges Design und die anders geartete Persönlichkeit eine radikale Abkehr von dem übrigen Automobilangebot ausdrückten.

Assoziationen vermeiden

Stellt die Verbindung zu einer bestehenden Marke eine Belastung dar? Als die Marke Saturn eingeführt wurde, ergaben Tests, dass eine Verbindung mit General Motors negative Auswirkungen auf die Qualitätsaussage haben würde, und daher wurde beschlossen, jegliche Verbindung zwischen den beiden Marken zu vermeiden. Die Biere von Minibrauereien unterscheiden sich durch ihre Einzigartigkeit und handwerkliches Können von anderen; jede Unterstützung durch eine große Brauerei würde diese Aussage ruinieren. Ein Anzeichen für eine Verbindung zwischen Clorox, dem Hersteller von Bleichmitteln, und den Hidden Valley Ranch-Salatsoßen würde zu Visionen von Salatsoßen führen, die nach Bleiche schmecken. Daher verkündet das Etikett, HVR sei das Unternehmen, von dem die Hidden Valley Ranch-Salatsoßen kommen, und nicht einmal auf der Rückseite der Verpackung wird Clorox erwähnt.

Kann eine Verbindung zu einer bestehenden Marke sich schädlich auf eine neue Marke auswirken? Gap hat sich für ein gemeinsames Dach für seine drei wichtigsten Einzelmarken entschieden; dabei deckt Banana Republic das obere Marktsegment, Gap das mittlere Segment und Old Navy das preisgünstige Segment ab. Old Navy (eines der erfolgreichsten Einzelhandelskonzepte, wenn man die Absatzzahlen als Beurteilungsmaßstab nimmt) bietet Energie, Spaß, Kreativität und ein gutes Preis-Leistungs-Verhältnis mit geschmackvoller, schicker Bekleidung, die zu günstigen Preisen angeboten wird. Die Geschäftsleitung hatte den Eindruck, dass die anfänglichen Bemühungen, das Konzept als Gap Warehouse einzuführen, eine Gefahr für die Marke Gap darstellten. Man fürchtete eine Kannibalisierung und, noch schlimmer, eine Assoziation von Gap mit billiger Kleidung. Genauso hat Nestlé auch keine offensichtliche Verbindung zu der Tiernahrung des Unternehmens wie alpo oder Fancy Feast, weil sonst die Konsumenten an Tiernahrung erinnert werden könnten, wenn sie Nestlé-Lebensmittel sehen.

Der Aufbau einer Beziehung zwischen Marke und Konsumenten

Wenn ein Unternehmen eine fremde Marke aufkauft, erhebt sich die Frage, ob der gekaufte Markenname beibehalten werden soll. Bei der Entscheidung sollte man die Stärke der neu erworbenen Marke – ihre Präsenz, die damit verbundenen Assoziationen und die Kundentreue – ebenso berücksichtigen wie die Stärken des Unternehmens, das die Marke übernimmt. Die Bindung zwischen den Kunden und dem gekauften Markennamen ist häufig ein Schlüsselelement; wenn diese Bindung stark ist und sich schwer übertragen lässt, könnte die Beibehaltung der aufgekauften Marke die richtige Entscheidung sein. Die folgenden Umstände würden den Transfer eines Markenwertes erschweren:

- Die für die Änderung des Markennamens notwendigen Mittel stehen nicht zur Verfügung (oder ihre Bereitstellung lässt sich nicht rechtfertigen).
- Die mit der erworbenen Marke verbundenen Assoziationen sind stark und gingen bei einer Namensänderung verloren.
- Es gibt eine emotionale Bindung, die sich möglicherweise auf die mit der Marke verbundenen unternehmensbezogenen Assoziationen zurückführen lässt, die man nur schwer transferieren kann.
- Die übernehmende Marke passt überhaupt nicht zu Umfeld und Position der aufgekauften Marke.

Schlumberger, Dienstleistungsunternehmen für die Ölindustrie, hat mehrere starke Markennamen durch Aufkauf erworben und beibehalten, einschließlich Anadrill (ein Ölbohrunternehmen), Dowell (Konstruktion von Ölförderanlagen und Ölproduktion) sowie GeoQuest (Software und Datenverwaltungssysteme). In den meisten Fällen wurden diese Marken zu Untermarken von Schlumberger, die ebenfalls als Triebfedern fungieren. Jede dieser drei Marken hat ihre eigene Kultur, ihre eigenen Methoden, ihre eigene Produktpalette und ihre eigene Persönlichkeit, die zusammen die Grundlage für eine tragfähige Beziehung zu den Kunden bilden; es wäre eine Verschwendung von Aktiva, diese Markennamen durch eine große, aber ganz andere Marke wie Schlumberger zu ersetzen, obwohl diese ein hohes Ansehen genießt. Nestlé behält üblicherweise auch die Namen von aufgekauften Marken bei, allerdings kommt es gelegentlich zu einer Unterstützung durch Nestlé. Zu oft liegt einer Namensänderung ein Egotrip oder aber Bequemlichkeit zugrunde, statt eine nüchterne Analyse der Markenstruktur.

Es gibt natürlich Situationen, in denen eine Namensänderung eine kluge Entscheidung darstellt. Meistens sind die Gründe in einer starken Markenfamilie zu suchen. Hewlett-Packard hat im Laufe der Jahre hunderte von Unternehmen und Marken gekauft und dabei konsequent die Namen in HP abgeändert, auch dann, wenn der bisherige Markenname eine beachtliche Präsenz hatte und die damit verbundenen Assoziationen attraktiv waren. Es steht nicht fest, ob diese von Hewlett-Packard verfolgte Politik in allen Fällen zur richtigen Entscheidung führte, aber die starken Assoziationen zu HP und die Vorteile einer Markenfamilienstrategie waren auf jeden Fall vertretbare Gründe.

Konfliktvermeidung zwischen Absatzkanälen

Potenzielle Konflikte zwischen Absatzkanälen können der Verwendung einer etablierten Marke für ein neues Produkt im Wege stehen; meistens handelt es sich dabei um ein doppeltes Problem. Ein Absatzkanal kann eine Marke annehmen und fördern, weil sie ein gewisses Maß an Exklusivität mit sich bringt. Ist das nicht mehr gegeben, schwindet auch die Motivation, sich für die Marke einzusetzen. Zweitens mag sich in einem Absatzkanal ein vergleichsweise hoher Preis für ein Produkt durchsetzen lassen, weil hier ein gewisses Maß an Service geboten wird. Wenn nun die Marke auch über einen preisgünstigen Kanal verfügbar würde, dann könnte das negative Auswirkungen auf den Vertrieb über Kanäle mit hohen Margen haben.

Beispielsweise braucht man für Düfte und Oberbekleidung verschiedene Marken, um die hochpreisigen Boutiquen, die Kauf- und Warenhäuser sowie die Drogeriemärkte oder Billigläden zu beliefern. So verwendet L'Oréal Lancôme, L'Oréal und Maybelline Cosmetics für verschiedene Vertriebsschienen. Die VF Corporation unterstützt vier unterschiedliche Marken – Lee, Wrangler, Maverick und Old Axe – teilweise, um Probleme mit den Absatzkanälen zu vermeiden. Purina verkauft ProPlan über spezielle Tierhandlungen und Purina One über den Lebensmittelhandel.

Unterstützt das Geschäft einen neuen Markennamen?

Wenn ein Geschäft zu klein oder kurzlebig ist, um den notwendigen Aufbau einer Marke zu unterstützen, kann man keine neue Marke einführen, auch wenn andere Argumente dafür sprechen. Es ist teuer und schwierig, eine neue Marke zu etablieren und übersteigt häufig das Budget. Zu oft führt anfängliche Begeisterung über ein neues Produkt oder eine neue Marke zu unrealistischen Annahmen über die Möglichkeit, es oder sie auch angemessen zu unterstützen. Hier kommt es auf den Willen an. Es ist sinnlos, den Aufbau einer Marke zu planen, wenn man dann bei der Finanzierung des Konzepts und der Bereitstellung eines Budgets für die Markenpflege versagt.

Ein paar abschließende Bemerkungen

Das Beziehungsspektrum zwischen Marken mit seinen vier verschiedenen Ansätzen ist ein ausgezeichnetes Werkzeug; jedoch werden die meisten Unternehmen eine Mischung aus allen diesen Ansätzen verwenden. Eine reine Markenfamilie oder nur unterschiedliche Marken unter einem Dach findet man selten. GE sieht beispielsweise wie eine Markenfamilie aus, aber Hotpoint und NBC gehören nicht dazu; außerdem hat GE Capital eine ganze Reihe von Untermarken und gestützten Marken. Das Unternehmen hat die Aufgabe, eine Struktur zu schaffen, die für alle Marken und Untermarken geeignet ist.

Die Entscheidungen über die Markenstruktur und die Beziehungen zwischen den Marken werden zum großen Teil von der jeweiligen Unternehmensstrategie beeinflusst. Daher ist auch das Umfeld im Markt ein wesentlicher Bestimmungsfaktor für Entscheidungen hinsichtlich der Markenstruktur. Marriott entdeckte eine günstige Gelegenheit im Segment der preisgünstigen Hotels, was zu den Marken Fairfield Inn und Courtyard führte. Das Unternehmen sah außerdem Chancen bei Reisenden, die sich länger in einem Hotel aufhalten, was zu der Marke Residence Inn und anderen führte. Die Annahmen der Markenstrategen über einen Markt – die Trends, unbefriedigten Bedürfnisse, alternativen Ansätze zur Segmentierung sowie Industriestrukturen – sind wesentliche Faktoren, die beurteilt und geklärt werden müssen.

Vorschläge

1. Wählen Sie zwei verschiedene Unternehmen aus – eines, das sich für eine Markenfamilie, und ein anderes, das sich für viele Marken unter einem Dach entschieden hat. Betrachten Sie das Angebot dieser Firmen genau und identifizieren Sie die vorhandenen Untergruppen innerhalb des Beziehungsspektrums zwischen den Marken.

2. Analysieren Sie Ihre Stützmarken. Sollte es mehr davon geben? Oder eher weniger? Wie stark kann man sie in den jeweiligen Absatzkanälen als Triebfedern betrachten? Beurteilen Sie jede anhand einer Skala. Wie viel Prozent des Kauf- und Verwendungserlebnisses beeinflusst die Stützmarke?

3. Analysieren Sie Ihre Untermarken. Was tragen sie zur Markenstruktur bei? Sind sie verwirrend oder kompliziert? Könnte man sie vereinfachen? Beurteilen Sie die Untermarken auch anhand des Triebfeder-/beschreibende Untermarke-Spektrums (wie in Schaubild 4.5 dargestellt).

4. Für welchen Teil Ihrer Produkte sind unter einem Dach angesiedelte Einzelmarken angemessen? Warum ist das so? Welcher Teil Ihrer Produkte sollte als Markenfamilie präsentiert werden? Warum? Unter welchen Umständen wären weitere Untermarken oder Stützmarken hilfreich?

5. Schaffen Sie Richtlinien für Entscheidungen über die Markenstruktur, in denen die Bedingungen festgelegt werden, unter denen für ein neues oder bereits bestehendes Angebot eine existierende Hauptmarke, eine Untermarke, eine gestützte Marke oder eine ganz neue Marke verwendet werden soll.

5

Markenstruktur

Wir stellen Adler ein und bringen ihnen bei, in Formation zu fliegen.
D. Wayne Calloway, ehemaliger Geschäftsführer von PepsiCo

Die Art und Weise, wie ein Team als Ganzes spielt, bestimmt seinen Erfolg.
Man kann die größten Stars der ganzen Welt haben,
wenn sie nicht zusammenspielen, ist das Team keinen Pfifferling wert.
Babe Ruth

Die Polo Ralph Lauren-Story

Ein Problem, mit dem sich viele Marken konfrontiert sehen, besteht darin, wie man in neue Segmente vorstößt und neue Produkte einführt, ohne die Risiken einzugehen und Ausgaben auf sich nehmen zu müssen, die mit der Etablierung einer neuen Marke verbunden sind. Polo Ralph Lauren hat das Problem kreativ mit der Entwicklung eines Portfolios von Marken, die miteinander verbunden sind, gelöst. Damit sind sie zu einem der erfolgreichsten Modenamen der Welt geworden.

1968 gründete Ralph Lauren seine Firma, um qualitativ hochwertige Herrenbekleidung der Marke Polo Ralph Lauren zu verkaufen. Das gehobene Image eines Polospielers passt zur Kernidentität von Polo Ralph Lauren: Country-Look, der sich hauptsächlich durch guten Geschmack auszeichnet; klassisch-elegante, unauffällige Kleidung in außerordentlicher Qualität und guter Verarbeitung. Die Unterstützung durch Ralph Lauren half bei der Personifizierung und Differenzierung der Marke, aber sie führte auch zum Aufbau einer Marke, die sich an den Namen Ralph Lauren anlehnte und die sich in anderem Zusammenhang noch als nützlich erweisen sollte.

POLO RALPH LAUREN

1971 erschien die erste Damenbekleidung unter dem Markennamen Ralph Lauren, da der Name des Designers in der Welt der Damenmode bereits mit zugkräftigen Assoziationen verbunden war. Da die Polo-Marke bereits für die Herrenmode reserviert war, hätte sie im Bereich der Damenmode einen Nachteil darstellen können. Wenn Ralph Lauren die Marke für Herrenbekleidung gewesen wäre und nicht Stützmarke für Polo, hätte sich vielleicht die Möglichkeit nicht mehr geboten, den Designernamen für die Damenmode zu verwenden.

1974 drang Ralph Lauren mit der Einführung von Chaps in den Markt der niedrigpreisigen Herrenmode ein; diese neue Marke wurde ausschließlich in Kauf- und Warenhäusern angeboten. Unterstützt von Ralph Lauren, unterschied sich die offene, amerikanische Persönlichkeit von Chaps stark von der exklusiveren Marke Polo. Die Unterstützung zeigte sich teilweise darin, dass Chaps Produkte ebenfalls eher dem klassischen Stil entsprachen, den man von Ralph Lauren erwartete. Die neue Marke half nicht nur beim Einstieg in ein unteres Marktsegment, sondern auch bei der Erschließung von weniger exklusiven Absatzkanälen. Eine Erweiterung der Marke Polo hätte möglicherweise eine Schwächung der Marke zur Folge gehabt.

Während der achtziger Jahre des 20. Jahrhunderts wurde die Marke Ralph Lauren vertikal in den exklusiven Bereich der Damenmode ausgeweitet. Die Marke Ralph Lauren Collection versprach aktuelle Mode, aber mit dem für Ralph Lauren typischen Understatement, während eine Schwestermarke, Ralph Lauren Collection Classics Designs anbot, die etwas weniger exklusiv und »in« waren. Die zwei neuen Marken wurden ausschließlich über erstklassige Modehäuser und Ralph Laurens eigene Geschäfte verkauft und machten es Ralph Lauren möglich, mehrere Preissegmente ohne eine übertriebene vertikale Ausweitung abzudecken. Sie erhöhten auch die Glaubwürdigkeit von Lauren als Modedesigner und gaben damit der Marke Ralph Lauren weiteren Auftrieb. (Eine derartige Unterstützung kann eine wichtige Funktion einer hochpreisigen Untermarke sein.) Während der achtziger Jahre stieg Ralph Lauren auch in den Markt für Heimtextilien ein und verwendete dort die Marke Ralph Lauren – was eine beträchtliche Expansion der Marke und ein gewisses Risiko bedeutete.

RALPH LAUREN
COLLECTION

Während der neunziger Jahre des 20. Jahrhunderts versuchte Ralph Lauren es mit preisgünstigeren Angeboten und führte zwei verschiedene Marken, Ralph und Lauren, ein. Genau wie Chaps wird die Marke Lauren ausschließlich über Kauf- und Warenhäuser vertrieben und nicht in prestigeträchtigen Modehäusern; sie ist für Frauen gedacht, die grundsätzlich Kunden der Ralph Lauren Collection sein könnten, denen aber das nötige Kleingeld dafür fehlt. Die Zielgruppe sind junge, modebewusste, elegante Frauen, die sich nach der neuesten Mode, aber

LAUREN
RALPH LAUREN

nicht übertrieben kleiden möchten. Die Stilrichtung lässt sich am besten als Collection Classics mit einem gewissen Etwas beschreiben – körperbetonte Schnitte und gewagte Details. Ralph wird über Polo Ralph-Lauren-Geschäfte und bessere Kaufhäuser vertrieben. Im Herbst 1999 wurde Ralph in RL umbenannt. Mit den Marken Ralph/RL und Lauren kann Ralph Lauren auch in niedrigeren Preissegmenten mitmischen und neue Zielgruppen angehen, wobei stets der Markenwert von Ralph Lauren ausgenutzt wird.

Während der neunziger Jahre des 20. Jahrhunderts wurde eine hochpreisige Linie von exklusiven Herrenanzügen eingeführt, die in England geschneidert wurden und auf lilafarbigem Etikett den Ralph-Lauren-Schriftzug trugen. Dieser erste Versuch, Herrenbekleidung mit einem Ralph Lauren-Label zu verkaufen, war bemerkenswert. Ganz offensichtlich schien aufgrund der höheren Preise, der Eleganz und des britischen Touch die Verwendung des Designernamens angemessen – die Marke Polo, die mit etwas weniger förmlicher Garderobe verbunden war, wäre nicht so gut geeignet gewesen. Die lila Ralph-Lauren-Marke für Herrenbekleidung hatte eine wichtige Funktion, denn sie verstärkte die Bindung des Namens Ralph Lauren an die Haute Couture zu einem Zeitpunkt, als die Marke Gefahr lief, aufgrund ihrer weitreichenden Stützmaßnahmen diffus zu werden.

Eine der wesentlichen Abweichungen von Ralph Laurens bisherigem Konzept war in den neunziger Jahren des 20. Jahrhunderts die Ausdehnung der Marke Polo in ein eher jugendorientiertes, modernes Segment. Polo Jeans by Ralph Lauren bietet eine moderne Jeanslinie für Frauen und Männer. Polo Sport by Ralph Lauren ist eine Kollektion schicker und praktischer Sportbekleidung für Männer. Eine Co-Marke, Ralph Lauren Polo Sport für Frauen, verwendet die Untermarke Polo Sport, um die Marke Ralph Lauren ins Segment der jugendlich sportlichen Freizeitkleidung für Frauen auszuweiten. Die Polo-Sport- und Polo-Jeans-Serien weiten den potenziellen Kundenstamm von Ralph Lauren aus und erhöhen so effektiv den Polo-Markenwert. Mit dieser Markenstrategie ist Ralph Lauren in der Lage, auf Trends mit weniger Förmlichkeit und mehr Sportlichkeit zu reagieren und gleichzeitig der Marke Polo zu mehr jugendlicher Energie zu verhelfen. Die Verwendung der Marke Polo in der Damenmode bietet eine gute Unterscheidungsmöglichkeit zwischen dem Hochpreissegment (Ralph Lauren) und der mittelpreisigen Freizeitkleidung (Polo) und verringert außerdem das Risiko eines Imageverlusts im Bereich Damenmode.

Als Teil der modernen Damen- und Herrenkollektionen führte Ralph Lauren 1993 eine preisgünstige Jeansserie, Double RL, ein. Zur Markenidentität gehören die Authentizität eines Lebens in freier Natur kombiniert mit amerikanischem Eklektizismus. Aufgrund seiner schwachen Verbindung zu Ralph Lauren und einem Konzept, das möglicherweise zu spät auf den Markt kam, hatte Double RL bisher allerdings zu kämpfen und scheint auf Nischenmärkte beschränkt zu sein.

Um die Serien, die einem modernen Lebensstil entsprechen (Polo Sport und Polo Jeans), enger aneinander zu binden und sie gleichzeitig von den eher klassischen Marken abzuheben, schuf das Unternehmen ein besonderes Markensymbol, das den Polospieler zu Pferd ersetzt. Das Symbol ist eine amerikanische Fahne, bei der die Sterne durch die Initialen RL ersetzt wurden – womit sich die Marke eindeutig von den britischen Assoziationen entfernt. Dieses neue Symbol für die Logos der neuen Lifestylemarken verkörpert eine gemeinsame, lässige und moderne Markenidentität, die sich deutlich von den Polo und Ralph-Lauren-Serien unterscheidet. Die neuen Marken werden allerdings auch eindeutig untereinander differenziert. Polo Jeans ist eine supermoderne Marke. Die Polo Sport-Marke spricht ein gehobeneres Marktsegment an und bietet etwa die gleiche Qualität wie Polo by Ralph Lauren, Stil und Design sind allerdings eher zeitgenössisch. Im Frühjahr 1999 führte das Unternehmen die RLX-Polo-Sport-Serie von Damen- und Herrenbekleidung ein, zu der funktionale Sport- und Freizeitbekleidung gehört. Diese Kleidung wird über spezielle Sportgeschäfte vertrieben.

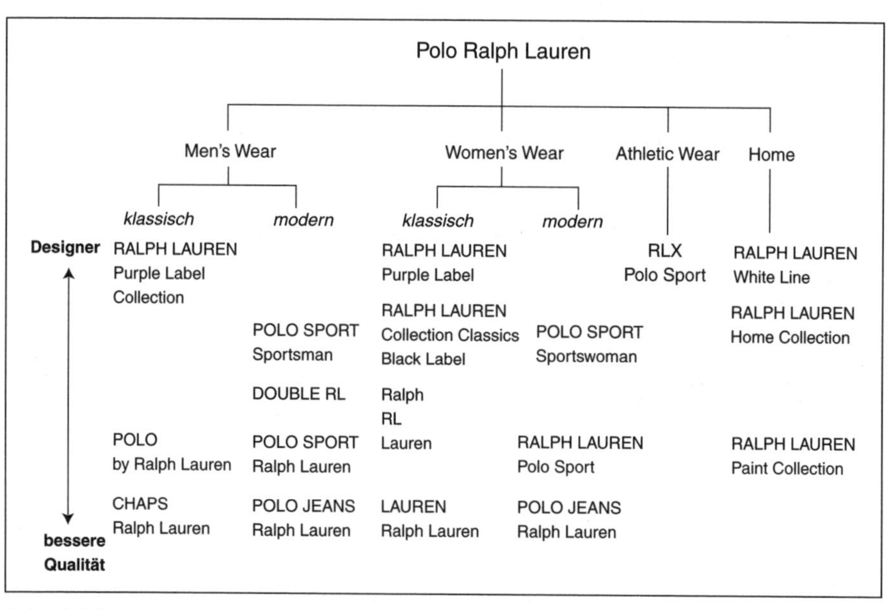

Schaubild 5.1: Die Markenstruktur von Polo Ralph Lauren

Schaubild 5.1 gibt eine Übersicht über die komplexe Markenstruktur. Ralph Lauren bedient mehrere Absatzkanäle, Marktsegmente und Warengruppen mit Hilfe von Marken, die voneinander verschieden sind aber doch dank verwandter Namen (beispielsweise Ralph und Lauren), Untermarken (Polo Sports und Ralph Lauren Collection) sowie gestützten Marken (Polo by Ralph Lauren) zusammenhängen. Diese Strategie hat es ermöglicht, dass neue Angebote von dem etablierten Markenwert von Ralph Lauren und Polo profitieren, gleichzeitig aber individuelle Marken mit einer eigenen Persönlichkeit darstellen. Die neuen Marken und Untermarken nutzen nicht nur die bestehenden Markenwerte, sondern geben ihnen ihrerseits Vitalität und neue Energie. Die Struktur ist logisch und diszipliniert; Polo stellt den Anker im Bereich der Herrenmode dar, während der Designername Ralph Lauren bei der Damenmode der Kernwert der Marke ist.

Komplexe Märkte, Markenwirrwarr und Markenstruktur

Die »Eine-Marke-ist-eine-Insel«-Falle basiert auf der impliziten Annahme, dass es bei einer Markenstrategie darum gehe, *eine* starke Marke wie Hewlett-Packard, IBM, 3M oder Persil zu schaffen. Natürlich ist die Etablierung von starken Marken ein wichtiges Ziel, das durch deutliche und komplexe Identitäten entwickelt wird, auf denen effiziente Programme für die Markenpflege basieren. Aber die meisten Unternehmen haben eine Vielzahl von Marken und müssen diese wie ein Team verwalten, damit sie zusammenarbeiten können, sich gegenseitig unterstützen und einander nicht in die Quere kommen. Wer Marken als einsame Größen betrachtet, riskiert Verwirrung und Wirkungslosigkeit. Das Konzept der Siegermarken postuliert die Optimierung der Ziele für das ganze Markenteam ebenso wie die Optimierung der Einzelziele jeder individuellen Marke.

Mit Hilfe der Markenstruktur kann das Markenteam als Einheit agieren, wenn es darum geht, Synergien, Klarheit und gegenseitige Unterstützung zu erzielen. Wenn Sie sich Marken einmal als Fußballspieler vorstellen, dann sind die Identitäts- und Kommunikationsprogramme die Übungen, durch die die einzelnen Spieler ihre Leistungen verbessern. Die Markenstruktur übernimmt dagegen die Funktion des Trainers, der dafür zuständig ist, dass alle in der richtigen Position und als ein Team spielen und nicht als ein Haufen von Einzelpersonen.

Die Markenstruktur ist umso wichtiger, je komplexer das Markenumfeld ist, mit seinen vielen verschiedenen Segmenten, Markenerweiterungen, einer Fülle an neuen Produkten, verschiedenen Wettbewerbern, komplizierten Distributionskanälen und der zunehmenden Verwendung von gestützten Marken und Untermarken. Marken wie Coke, Citibank, Nike, Procter & Gamble, Hewlett-Packard, Visa und Ford sind alle auf verschiedenen Märkten vertreten, bieten eine breite Palette von (teilweise grundverschiedenen) Produkten und bedienen unterschiedliche Absatzkanäle. Das daraus resultierende Kaleidoskop kann Kunden verwirren, ineffizient sein und zu einer Markenstrategie führen, die sowohl auf die eigenen Beschäftigten als auch die Geschäftspartner chaotisch und wenig inspirierend wirkt. Angesichts des Wettbewerbsdrucks ist eine exakt definierte Markenstruktur inzwischen ein Muss.

Was ist eine Markenstruktur?

Eine Markenstruktur ist die Organisation eines Portfolios von Marken, die die verschiedenen Rollen der Marken sowie das Beziehungsgeflecht zwischen den Marken (beispielsweise zwischen Ford und Taurus) und den Zusammenhang zwischen einzelnen Produkten und Märkten sowie deren Umfeld (Sony Theaters auf der einen Seite, Sony Television auf der anderen oder Nike Europe gegenüber Nike U.S.) definiert. Die Markenstruktur wird von fünf verschiedenen Dimensionen bestimmt (in Schaubild 5.2 dargestellt) – dem Markenportfolio, den Rollen der Marken innerhalb des Portfolios, der Rolle der Marken innerhalb von Warengruppen und Märkten, der Portfoliostruktur sowie der grafischen Darstellung des Portfolios. In diesem Kapitel werden alle diese verschiedenen Aspekte definiert und an Beispielen erläutert.

Das Markenportfolio

Zu dem Markenportfolio gehören alle Marken und Untermarken, die ein Unternehmen in verschiedenen Warengruppen beziehungsweise auf verschiedenen Märkten anbietet, einschließlich der Marken, die zusammen mit anderen Firmen angeboten werden. Mitunter kann es durchaus schwierig sein, alle diese Marken und Untermarken überhaupt zu identifizieren, besonders wenn sehr viele Marken existieren, von denen manche eher unbedeutend sind.

Ein wesentlicher Parameter der Markenstruktur ist die Zusammensetzung des Markenportfolios: Sollte man noch eine oder mehrere Marken hinzufügen? Mitunter wird ein Portfolio stärker, wenn man weitere Marken hinzufügt, aber derartige Ergänzungen sollten immer von einer Person oder Gruppe gebilligt werden, die das ganze Portfolio im Auge behalten. Irgendwelche dezentralen Gruppen, die wenig Gespür für das gesamte Portfolio haben (oder nur geringe Anreize, sich darum zu kümmern), können durch die Ergänzung zu vieler Marken Schaden anrichten. Außerdem sollte es einen Rahmen für die Entscheidung über zusätzliche Marken geben, der sich an den Markenkriterien orientiert, die im vorhergehenden Kapitel diskutiert wurden. Mitunter ist schon ein strukturiertes Flussdiagramm nützlich, in das die Kriterien eingezeichnet sind, die berücksichtigt werden müssen.

Oder sollte man Marken aus dem Portfolio entfernen? Für jede Marke müssen Mittel zur Markenpflege bereitstehen; wenn es zu viele Marken gibt, dann sind möglicherweise nicht genügend Mittel vorhanden, um sie alle zu unterstützen. Noch schlimmer ist es, wenn vorhandene Marken durch ihre bloße Existenz zu Verwirrung führen. Dann muss das Portfolio zurechtgestutzt werden, auch wenn das eine schmerzhafte Aufgabe ist.

Als beispielsweise die britische Supermarktkette Safeway sich ihre Eigenmarken anschaute, identifizierte sie mehr als 25 verschiedene. Da die meisten dieser Marken recht bedeutungslos waren (hauptsächlich, weil nur geringe Mittel zur

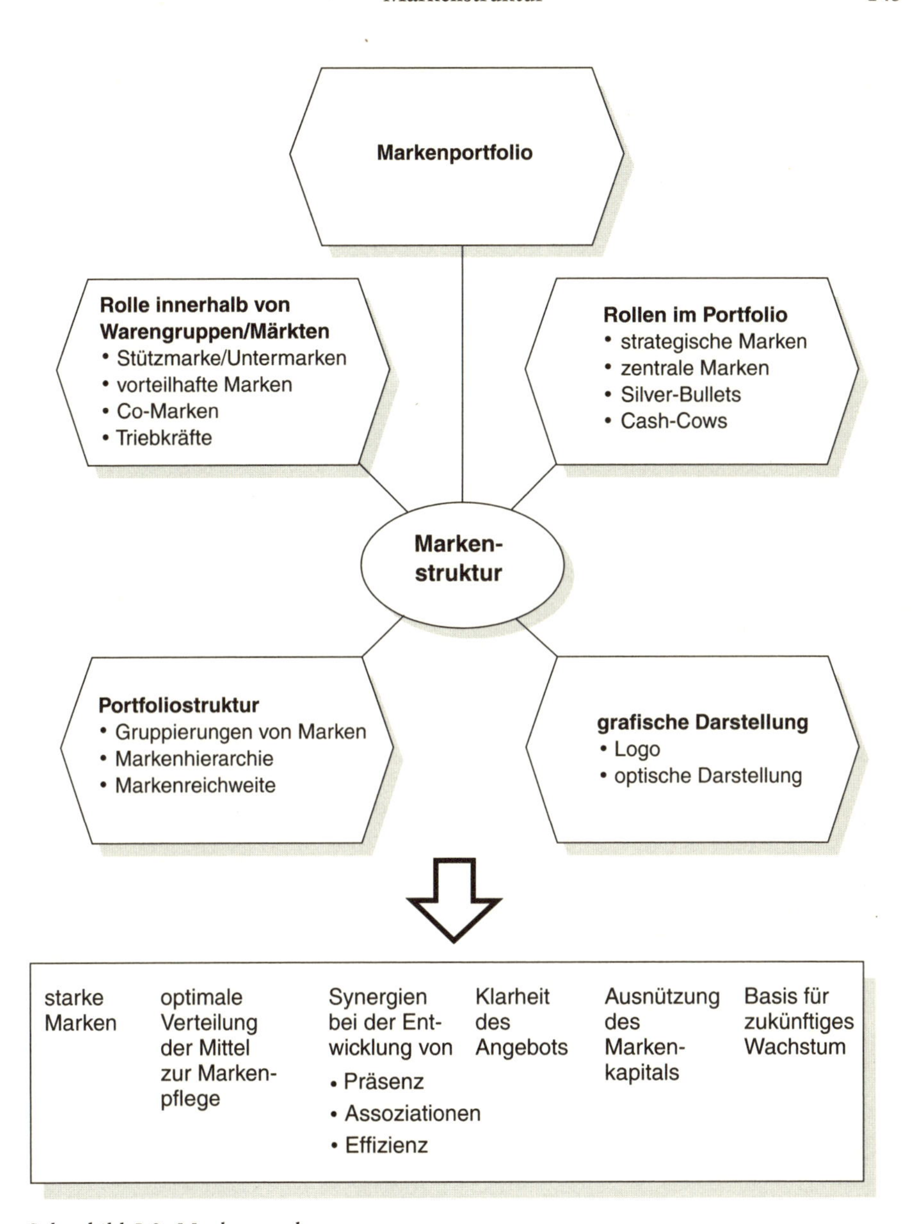

Schaubild 5.2: Markenstruktur

Markenpflege bereitstanden und es kaum Synergien gab), entschloss sich Safeway, bis auf vier alle abzuschaffen. Zu den Überlebenden zählten die Safeway Select-Premiummarke (üblicherweise in der gleichen Kategorie wie die besten Marken in der betreffenden Warengruppe platziert, oder sogar noch darüber) und die »S«-Niedrigpreismarke (die immer zu den billigsten in der jeweiligen Kategorie zählte). Die beiden anderen Marken, Lucerne für Milchprodukte und Mrs. Wright für verpackte Backwaren, wurden beibehalten, da man in ihnen einen bedeutenden Markenwert entdeckte, während es für das Weiterbestehen der aufgegebenen Marken keine guten Gründe gab. Diese Entscheidung basierte auf einer realistischen Beurteilung der bestehenden Markenwerte, der Aussage über den Wert, die sie den Kunden vermittelten, den wirtschaftlichen Aspekten, die mit der Beibehaltung vieler Marken verbunden sind und den erwarteten Synergien, die sich daraus ergeben können, dass man zwei wichtige Eigenmarken überall im Laden findet.

Rollen im Portfolio

Wenn man Marken wie Monolithen behandelt, die irgendwelchen Managern oder Geschäftseinheiten gehören, kann das zu einer Fehlverteilung von Ressourcen führen, und möglicherweise werden nie Synergien zwischen den Marken geschaffen oder ausgenutzt. Die Rollen im Portfolio geben einen Überblick über das Gesamtsystem; zu den Rollen gehören die einer strategischen Marke, einer zentralen Marke, einer Silver bullet und einer Cash cow. Diese Rollen schließen einander gegenseitig nicht aus. Eine Marke kann gleichzeitig eine zentrale Rolle übernehmen und eine Silver bullet sein, oder sie könnte sich von einer strategischen Marke zu einer Cash cow entwickeln.

Strategische Marken

Eine strategische Marke verheißt für die Zukunft in bedeutendem Umfang Absatz und Gewinn. Es kann sich dabei um eine Marke handeln, die jetzt schon dominant ist (mitunter wird dann auch der Begriff »Megamarke« verwendet) und von der man annimmt, dass sie ihre Position halten oder sogar noch ausbauen wird, es kann aber auch eine kleine Marke sein, von der man erwartet, dass sie sich zu einer bedeutenden Marke entwickeln wird. Für die American Automobile Association ist AAA Financial Services eine strategische Marke, denn die Zukunft der Organisation hängt davon ab, inwieweit sie mehr bieten kann als Service am Straßenrand. Nike All Conditions Gear (ACG) ist eine strategische Marke, da sie die Basis für eine Position von Nike im Bereich Abenteuer und Leben im Freien darstellt. Slates ist für Levi Strauss eine strategische Marke, da sie die Position des Unternehmens im Bereich Männerhosen für den Freizeit- und Berufsbereich begründet.

Zentrale Marken

Eine zentrale Marke bildet den Ausgangspunkt für einen bedeutenden Geschäftszweig oder die Zukunftsvision eines Unternehmens; ihr Einfluss auf einen Geschäftsbereich basiert möglicherweise auf der mit ihr verbundenen Kundentreue. Hilton Rewards ist eine zentrale Marke für Hilton Hotels, da sie für die Zukunft verspricht, ein wichtiges Segment im Hotelmarkt zu kontrollieren. Sollte das Bonusprogramm eines Wettbewerbers aus irgendeinem Grund eine größere Bedeutung erringen, dann wäre das für Hilton ein strategischer Nachteil. Schwab Mutual Fund One Source ist eine zentrale Marke für den Discountbroker Charles Schwab. One Source, das den Kunden von Schwab gebührenfreien Zugang zu über 900 Investmentfonds bietet, ist als Mittel zur Differenzierung in einer Branche, in der sich alle Wettbewerber gleichen und gewöhnlich nur über den Preis konkurrieren, immens wertvoll.

Silver-Bullets

Eine Silver-Bullet ist eine Marke oder Untermarke, die einen positiven Einfluss auf das Image einer anderen Marke ausübt. Sie kann für die Kreation, Veränderung oder Beibehaltung eines Markenimages beträchtliche Bedeutung haben. Zu erfolgreichen Silver-Bullets gehören die folgenden:

- Der IBM ThinkPad: Nachdem der Verkauf in Schwung gekommen war, förderte dieses innovative Produkt die Wahrnehmung der Marke IBM in der Öffentlichkeit ganz erheblich. Die Tatsache, dass der ThinkPad-Absatz nur einen geringfügigen Prozentsatz der gesamten Verkäufe von IBM darstellt, macht diese Wirkung umso bemerkenswerter.
- Ernest und Julio-Gallo-Varietal-Weine: Diese Marke steht für qualitativ hochwertige Weine, wird von einem eleganten Etikett und beträchtlicher Werbung unterstützt und hat nur das einzige Ziel, der riesigen Gallo-Krugweinmarke zu mehr Akzeptanz zu verhelfen.
- San Jose Sharks: Dieses Erstliga-Hockeyteam hat das Image der Stadt San Jose verändert, die vorher ewig im Schatten von San Francisco stand.
- HP LaserJets Resolution Enhancement: Diese zur Marke erhobene Eigenschaft verlieh der Behauptung Glaubwürdigkeit, Hewlett-Packard sei ein weiterer Durchbruch in der Drucktechnologie gelungen.
- Del Monte Orchard Select: Diese Serie von Früchten in Glasflaschen wurde entwickelt, um frischem Obst Konkurrenz zu machen, und sie unterstützt den Del-Monte-Anspruch, gute Qualität und guten Geschmack zu liefern.
- Der neue VW Käfer: Dieses Produkt ist das Symbol für das Wiederaufleben von VW in den USA.

Wenn eine Marke oder eine Untermarke so wie der ThinkPad als Silver-Bullet identifiziert wird, dann kann man die Kommunikationsstrategie und das Budget logischerweise nicht länger mehr der alleinigen Verantwortung des Produktmanagers überlassen, der für die Silver-Bullet verantwortlich ist. Das für die Hauptmarke zuständige Team (IBM Corporate Communications) sollte ebenfalls involviert sein, vielleicht derart, dass die Silver-Bullet (ThinkPad) für die Unternehmenskommunikation verwendet wird oder indem es deren Kommunikationsbudget erhöht.

Cash-Cows

Strategische Marken, zentrale Marken und Silver-Bullets verlangen Investitionen und aktive Betreuung, damit sie ihre strategische Mission erfüllen können. Dagegen verfügt eine Cash-Cow über einen beträchtlichen Kundenstamm und bedarf nicht derart hoher Investitionen wie die anderen Marken im Portfolio. Obgleich die Abverkäufe stagnieren können oder möglicherweise sogar leicht rückläufig sind, gibt es nach wie vor treue Stammkunden, die kaum auf ihre Marke verzichten werden. Eine Cash-Cow sorgt für die notwendigen Mittel, die in strategische Marken, zentrale Marken und Silver-Bullets investiert werden können, die die Basis für zukünftiges Wachstum und die Vitalität des ganzen Portfolios bilden.

Ein Beispiel für eine Cash-Cow ist Campbell's Red & White Label. Diese Suppen sind der Kern des Campbell's Markenwertes, aber wirklich lebendig ist die Marke auf anderem Gebiet. Eine andere Cash-Cow ist Nivea Creme, das Originalprodukt von Nivea, eine Marke, die auf zahlreiche Hauptpflege- und verwandte Produkte ausgedehnt wurde. Ein ausgewogenes Markenportfolio braucht Cash-Cows, um die Mittel zu erwirtschaften, mit denen viel versprechende aber noch unentwickelte strategische Marken, zentrale Marken und Silver-Bullets gefördert werden.

Rollen innerhalb von Warengruppen und Märkten

Im Allgemeinen beschreibt eine Gruppe von Marken das Angebot eines Unternehmens in einem bestimmten Markt oder in einer Warengruppe. Beispielsweise ist der Cadillac Seville mit dem Northstar-System ein bestimmtes Angebot, bei dem Cadillac die Hauptmarke und die hauptsächliche Triebfeder ist; Seville spielt die Rolle einer Untermarke und Northstar ist eine Komponente mit Markenzeichen. Bei Apple-Cinnamon Cheerios von General Mills ist Cheerios die Hauptmarke und die treibende Kraft, Apple-Cinnamon übernimmt die Rolle einer Untermarke und General Mills ist die Stützmarke. Es gibt vier verschiedene Rollen, die eine Marke innerhalb einer Warengruppe oder eines Marktes spielen kann; diese Rollen wirken zusammen, um ein Angebot zu definieren: eine Rolle als Stützmarke/Untermarke, Vorteil mit Markencharakter, Co-Marke oder Triebfeder.

Stützmarken und Untermarken

Eine Haupt- oder Dachmarke gibt den ersten Hinweis auf die Art eines Angebots, sie stellt einen Bezugspunkt dar. Wenn man ein Angebot definieren will, dann können eine Stützmarke und/oder eine oder mehrere Untermarken die Dachmarke verstärken. Bei einer Stützmarke (General Mills stützt beispielsweise Cheerios) handelt es sich um eine etablierte Marke, die das Angebot glaubwürdig macht und ihm Substanz verleiht, während Untermarken (wie zum Beispiel Porsche Carrera oder Apple-Cinnamon Cheerios) die mit der Hauptmarke verbundenen Assoziationen in einem bestimmten Umfeld modifizieren. Jede der involvierten Marken kann auch in einem anderen Umfeld verwendet werden, aber bei einem bestimmten Angebot spielen sie alle zusammen, um ihm eine bestimmte (und hoffentlich klare) Bedeutung zu geben.

Das Verstehen und die Verwendung von Stützmarken und Untermarken sind unabdingbar, will man innerhalb des Markenportfolios Klarheit, Synergien und eine gewisse Hebelwirkung erzielen. Das Beziehungsspektrum zwischen den Marken, das im vierten Kapitel vorgestellt wurde, zeigt auf, wie diese wirkungsvollen Elemente angemessen und effektiv zu nutzen sind.

Vorteil mit Markencharakter

Ein Vorteil mit Markencharakter ist eine bestimmte, mit einem Markenzeichen versehene Eigenschaft, eine Komponente, ein Inhaltsstoff oder eine Dienstleistung, wodurch ein Angebot verstärkt wird. Ein paar Beispiele mögen zur Veranschaulichung dienen:

Eigenschaften mit Markenwert

- Ziploc-Brotbeutel – ColorLoc-Reißverschluss
- Oral-B-Zahnbürsten – Indicator-Borsten und abgerundeter Bürstenkopf
- Whirlpool-Elektrogeräte – Whirlpool Clean Top, AccuSimmer Element
- Reebok – 3D UltraLite Sohlendesign
- Lipton Tea – der Flo-Thru-Beutel
- Prince-Tennisschläger – Sweet Spot, Morph beam, Longbody
- Revlon Revolutionary – ColorStay-Lippenstiftfarben

Komponenten oder Inhaltsstoffe mit Markenwert

- Compaq – Intel Inside
- North Face Parkas – Gore-Tex
- GE Profile Performance-Kühlschrank – Water by Culligan
- Cheer – Advanced Color-Guard Power
- Reebok – Hexalite (eine leichte, wie eine Bienenwabe geformte Polsterung)
- Kenwood – Dolby-Lärmreduzierung
- HP LaserJet – Kodak-Farbverstärkung
- Diet Coke – Nutrasweet-Süßstoff

Dienstleistungen mit Markenwert

- American Express – Round Trip (eine ganze Reihe von Dienstleistungen für die Reiseabteilung in Unternehmen)
- Ford/Mercury/Lincoln – Quality Care
- UPS – Proprietary Mail
- United Airlines – Arrivals by United, United Red Carpet Club, United Mileage Plus, Ground Link, Business One

Ein echter Vorteil mit Markencharakter ist sehr nützlich, wenn er dem Produkt oder dem Service tatsächlich etwas hinzufügt. Weil dieses kleine Extra in der Regel für das von der Marke gegebene Versprechen wichtig ist (oder zumindest relevant dafür scheint), verstärkt es die mit der Marke verbundenen funktionalen Vorteile. Er kann auch als eine Art Stützmarke fungieren, indem er einem Angebot Glaubwürdigkeit verleiht; beispielsweise deutet Gore-Tex an, dass sich das betreffende Kleidungsstück tatsächlich bei nassem Wetter bewähren wird.

Immer wieder lässt sich feststellen, dass Vorteile mit Markencharakter einer Marke Auftrieb geben, besonders dann, wenn sie neu oder noch nicht fest etabliert ist. Eine Studie kam zu dem Ergebnis, dass Konsumenten bereit waren, für ein Kleidungsstück, in das eine Komponente mit Markenzeichen eingearbeitet war, mehr zu bezahlen, obgleich sie gar nicht wussten, worum es sich bei dieser Komponente handelte.[14] Intel Inside, ein geradezu klassisches Programm einer Komponente mit Markencharakter, ist durchweg ein akzeptiertes Argument für höhere Preise.

Andere Untersuchungen haben gezeigt, dass Komponenten mit Markencharakter einen zusätzlichen Wert darstellen, es sei denn, man verwendet sie für Marken, die ohnehin schon ein starkes Image haben. Eine Marktforschungsstudie zeigte beispielsweise, dass es Nabiscos Image verbesserte wenn das Unternehmen Schokoladenstückchen einer bekannten Marke für seine Produkte verwendete, dass eine derartige Maßnahme aber bei Pepperidge Farm, einer im Topsegment angesiedelten Marke, keine Wirkung zeigte (vermutlich, weil die Konsumenten annahmen, Pepperidge Farm verwende ohnehin nur die besten Zutaten).

Marken können ihren Wert und ihre Glaubwürdigkeit erhöhen, wenn sie Vorteile mit Markencharakter, wie beispielsweise Gore-Tex, die einem anderen Unternehmen gehören, in Lizenz übernehmen. Vorteile, die einem ganz gehören, sind jedoch potenziell wesentlich stärker, weil man mit ihnen eine Differenzierung erreichen kann, die einen Wettbewerbsvorteil darstellt – selbst dann, wenn die Eigenschaft, Komponente oder Dienstleistung letztendlich von anderen imitiert wird. Beispielsweise war Hewlett-Packards Resolution Enhancement nur für eine Druckergeneration eine echte Möglichkeit zur Differenzierung. Dieses kurze Eigenleben genügte jedoch, um den Ruf der HP LaserJets für Innovation und gute Qualität wesentlich länger zu untermauern.

Ein Vorteil mit Markencharakter wirkt mitunter wie eine Silver bullet und unterstützt die Vermittlung des Markenkonzepts. Beispielsweise verdeutlichen die Indicator-Borsten der Oral-B-Zahnbürsten die innovative Natur der Marke. Außerdem muss man einen derartigen Vorteil nicht unbedingt mit einem eigenen Kommunikationsprogramm unterstützen, um den Bekanntheitsgrad zu erhöhen und seine Bedeutung zu betonen. Mitunter ist seine bloße Existenz schon hilfreich, vor allem, wenn ein beschreibender Name verwendet wird – wie im Fall von Indicator-Borsten oder Resolution Enhancement.

Co-Marken

Co-Marken entstehen, wenn man Marken von verschiedenen Unternehmen (oder klar getrennten Geschäftsbereichen der gleichen Firma) zusammenpackt, um ein Angebot vorzustellen, bei dem beide Marken eine Antriebsfunktion haben. Eine der Co-Marken kann ein Inhaltsstoff oder eine Komponente mit Markencharakter sein (wie beispielsweise die Nestlé-Schokolade in den Pillsbury Brownies) oder eine Stützmarke (zum Beispiel Kellogg's für Healthy Choice Cerealien). Es kann sich dabei auch um eine Mischmarke handeln, der verschiedene Hauptmarken zugrunde liegen, wie die Citibank American-Airlines-Visa-Kreditkarte.

Co-Marken können beträchtliche Vorteile aber auch erhebliche Risiken mit sich bringen. Positiv ist, dass man für ein Angebot zwei (oder mehr) Quellen für den Markenwert anzapfen und damit eine bessere Wertigkeit und mehr Differenzierung erzielen kann. Denken Sie nur an die Eddie-Bauer-Ausgabe des Ford Explorer, die seit über 15 Jahren ein Beispiel für den bemerkenswerten Erfolg von Co-Marken im Automobilbereich ist. Da Eddie Bauer für qualitativ hochwertige Outdoor-Bekleidung steht, die von aktiven, stilbewussten Menschen getragen wird, hat man nicht nur den Eindruck, dass die Lederinnenausstattung in einem Ford Explorer dieser Serie stilvoll, qualitativ hochwertig und bequem sein wird (genau wie die Bekleidung von Eddie Bauer), sondern das Angebot vermittelt auch das Image eines bestimmten Lebensstils.

Die Wirkung von Co-Marken kann stärker als erwartet sein, wenn die mit jeder einzelnen Marke verbundenen Assoziationen stark sind und sich gegenseitig ergänzen. Eine von Kodak durchgeführte Marktforschungsuntersuchung für ein fiktives Unterhaltungsgerät zeigte, dass 20 Prozent der Befragten das Gerät kaufen würden, wenn es von Kodak käme, ebenfalls 20 Prozent würden es unter dem Sony-Namen kaufen; aber ganze 80 Prozent der Probanden wären bereit das Gerät zu kaufen, wenn es beide Namen trüge.[15] Das bedeutet, dass eine Kombination der Namen einen Vorteil darstellte, den keine der beiden Einzelmarken für sich alleine genommen glaubwürdig vermitteln könnte. Eine Untersuchung von GE Profile-Geräten und Culligan Soft Water kam zu einem ähnlichen Ergebnis für einen Water by Culligan GE-Profile-Kühlschrank.[16] Derartige durch Co-Marken erzeugte Synergien bieten möglicherweise auch mehr Spielraum für die Ausweitung der Marke – wenn man zwei Gummibänder aneinander bindet, dann lassen sie sich weiter dehnen als eines allein.

Eine Co-Marke sollte sich nicht nur auf das Angebot positiv auswirken, auf das sie sich bezieht, sondern auch auf die Assoziationen, die mit den beiden beteiligten Marken verbunden sind. Beispielsweise erhöht die Art, wie die Eddie Bauer-Version des Ford Explorer in der Werbung und in Promotionskampagnen dargestellt wird, die Präsenz des Produktes und verstärkt sowohl die mit dem Ford Explorer verbundenen Assoziationen als auch die mit Eddie Bauer. Die Auto-Co-Marke stellt eine qualitativ hochwertige, elegante, Top-Silver-Bullet für beide Marken dar. Auf keinen Fall sollte eine Co-Marke die mit einer der

Ausgangsmarken verbundenen Assoziationen beschädigen; diese Gefahr besteht besonders dann, wenn die Qualitätsaussage und das Prestige einer Topmarke deutlich höher ist als die oder das mit der zweiten Marke verbundene.

Ein Schlüssel zu erfolgreichen Co-Marken besteht darin, eine Partnermarke zu finden, die das aus der Zusammenarbeit resultierende Angebot durch komplementäre Assoziationen verstärkt. Eine solche Ergänzung wird sich eher finden lassen, wenn ein Unternehmen aktiv Nachforschungen anstellt und sich den richtigen Partner sorgfältig aussucht statt sich nur Optionen anzusehen, die sich von selbst präsentieren. Welche mit der eigenen Marke verbundenen Assoziationen sind schwach? Welche anderen Marken führen zu diesen Assoziationen? Wie können ein Produkt und die damit verbundene Markenpflege das Angebot einer Co-Marke beeinflussen? Lassen sich die Anstrengungen hinsichtlich der Pflege der beiden Partnermarken für die Allianz effektiv ausnutzen? Welche Vorteile können die beiden Marken aus einer Zusammenarbeit ziehen und wie passt eine Co-Marke in das bestehende Unternehmensmodell?

Genau wie alle anderen Arten von Allianzen auch, bringt eine Co-Marke Risiken mit sich. Wird sich das Programm im Lauf der Zeit für beide Firmen wirklich lohnen (sowohl hinsichtlich der Einnahmen als auch in Bezug auf die Markenpflege)? Wenn einer der Partner den Eindruck hat, dass ihm dieses Programm nicht genug bringt oder dass es nicht mehr zur Strategie passt, könnte er sich möglicherweise zurückziehen, oder, was meistens schlimmer wäre, zwar an dem Programm festhalten, aber nichts mehr dafür tun. Außerdem muss man bei der Beteiligung zweier Unternehmen an der Entwicklung und Implementierung eines Programms beachten, dass es komplexer wird, was zu einem weniger guten Aufbau der Marke und einer Beziehungskrise führen kann. Dieses Risiko lässt sich natürlich weitgehend durch Lizenzverträge eliminieren (so wie beispielsweise Kellogg's eine Lizenz für die Marke Healthy Choice erworben hat oder Barbie für NBA), wenn also nur ein Unternehmen die Verantwortung übernimmt.

Marken als Triebfedern

Wie Sie sich erinnern, haben wir dieses Konzept im vierten Kapitel vorgestellt. Die Triebkraft einer Marke gibt das Ausmaß an, in dem diese Marke eine Kaufentscheidung beeinflusst und die Erfahrung bei der Verwendung des Produktes bestimmt. Eine Marke, die eine Triebfeder darstellt, kann sich auf ein gewisses Maß an Kundentreue verlassen; manche Kunden wären mit dem Produkt nicht so zufrieden, wenn der Markenname fehlen würde. Zur Entwicklung einer Markenstruktur gehört es, eine Reihe von Marken auszuwählen, die man als Triebfedern nutzen möchte; hinsichtlich der Markenpflege sollten diese Marken Priorität haben. Außerdem muss man sich klar machen, in welchem Ausmaß einzelne Marken innerhalb ihrer Märkte oder Warengruppen Verantwortung als Triebkräfte übernehmen sollen. Überlegen Sie sich zum Beispiel einmal die relative Verantwortung, die jede der am Porsche Carrera Cabriolet beteiligten Marken als Triebfeder übernimmt.

Ein Unternehmen mag hunderte von Marken haben, aber in der Regel werden nur wenige von diesen als Triebfedern dienen. Diese Marken müssen aktiv gepflegt werden, sowohl individuell als auch als Gruppe. Da jeder Fehler in Bezug auf eine treibende Marke (eine Marke, von der eine beträchtliche Triebkraft ausgeht) ein ernsthaftes Problem darstellt, sollte ein Unternehmen, das gerade seine Markenstruktur definiert, sorgfältig über die Zusammensetzung dieser Gruppe von Marken nachdenken. Welche Marken steuern gemeinsam die Kundenbeziehung? Sollte man davon welche vom Markt nehmen oder ihre Bedeutung verringern? Sollte man neue Marken hinzufügen oder einzelnen Marken mehr Verantwortung geben? Sollte man Marken ausdehnen oder gibt es welche, die bereits zu sehr erweitert wurden und die man wieder einschränken müsste?

Eine treibende Marke ist meistens eine Haupt- oder Untermarke, aber auch Stützmarken, Vorteile mit Markencharakter und zweit- oder drittrangige Untermarken können in gewissem Maße als Triebkräfte fungieren. Wenn ein Angebot auf verschiedenen Marken basiert, dann kann deren Beitrag als Triebfeder jeweils zwischen null und hundert Prozent liegen. Aufgrund dessen ist die Markenstruktur flexibel genug, um die Triebkraft genau abzustimmen. Mitunter hilft es, 100 Triebpunkte auf die beteiligten Marken zu verteilen, um so jeder ihre relative Rolle als Triebfeder zuzuordnen.

Besonders Untermarken können eine ganze Reihe von Rollen haben. Manche Untermarken, beispielsweise Domino Sugar, Ziploc Sandwich Bags, Cadbury Chocolate Biscuits und Tylenol Extended Relief sind rein beschreibend und werden nicht als Triebkräfte genutzt. Andere, zum Beispiel United Express, Holiday Inn Express und Wells Fargo Advantage dienen teilweise als Triebfedern. Wieder andere Untermarken wie Ford Taurus, Calloway Big Bertha Gold Clubs, Iomega Zip Drives und Hershey's Sweet Escapes sind starke Triebkräfte. Im vierten Kapitel haben wir das ganze Spektrum der Untermarken eingeführt, um bei der Entscheidung zu helfen, wie viel Verantwortung als Triebfeder eine Untermarke übernehmen sollte.

Die Zuordnung der Triebkraftfunktion ist für eine Marke deshalb wichtig, weil diese über den Aufbau des Markenwertes mit entscheidet und direkte Auswirkungen auf den Nutzen dieses Aufbaus hat. Treibende Marken bedürfen einer aktiven Markenpflege; wenn eine Marke nur in geringem Maße als Triebfeder dient, dann sollte man keine Mittel für deren Aufbau verwenden und sie auch nicht aktiv pflegen.

Die Struktur des Markenportfolios

Innerhalb des Portfolios stehen die Marken in einer Beziehung zueinander. Welche Logik liegt dieser Struktur zugrunde? Sieht der Kunde dadurch klarer, oder wird er durch die Komplexität verwirrt? Fördert diese Logik Synergien und hilft sie bei der Ausnutzung von Vorteilen? Entsteht dadurch ein Gefühl von Ordnung und zielgerichtetem Handeln? Oder deutet sie eher auf spontane Entscheidungen hin, die zu häufigen Strategieänderungen und einem Markenchaos führen? Man kann die Struktur eines Portfolios auf drei unterschiedliche Arten präsentieren und diskutieren: indem man sich die Gruppierungen von Marken, die Markenhierarchie oder die Markenreichweite ansieht.

Markengruppen

Eine Gruppierung oder Konfiguration von Marken ist eine logische Zusammenfassung von Marken, die eine wichtige gemeinsame Eigenschaft haben. In dem Ralph-Lauren-Beispiel (Schaubild 5.1) wurden die Marken nach vier verschiedenen Kriterien zusammen gefasst:

- Zielgruppe (Frauen oder Männer),
- Warengruppe (Bekleidung oder Heimtextilien),
- Qualität (Designer oder erstklassig),
- Design (klassisch oder modern).

Derartige Gruppierungen geben dem Markenportfolio eine innere Logik und steuern seine Entwicklung im Zeitverlauf. Die ersten drei für Ralph Lauren verwendeten Kategorien – Zielgruppe, Warengruppe und Qualität – spielen für viele Portfolios eine Rolle, da diese Dimensionen die Struktur vieler Märkte definieren. Die Hotelbranche beispielsweise wird nach Zielgruppen (beispielsweise Courtyard für Geschäftsreisende und Fairfield für Leute, die zum Vergnügen reisen), Warengruppen (Marriott Residence Inns für einen längern Aufenthalt beziehungsweise Marriott für kurze Übernachtungen) und Qualitätsebenen (Marriott in der Luxuskategorie verglichen mit Fairfield Inn by Marriott in der preisgünstigen Klasse) eingeteilt. Konsumenten finden Marken in einem Portfolio, die anhand solch grundlegender Segmentationskriterien in Gruppen zusammengefasst sind, relativ leicht verständlich.

Zwei weitere nützliche Variablen zur Kategorisierung sind die Vertriebskanäle und die Anwendungen. L'Oréal verwendet die Marken Lancôme und Biotherm für Parfümerien und Parfümerieabteilungen in Kaufhäusern, die Marken L'Oréal und Maybelline für Drogeriemärkte und Discounter sowie eine dritte Gruppe, einschließlich Redken, für Schönheitssalons. Nike teilt seine Marken je nach Gebrauch ein, das heißt in Bezug auf verschiedene Sportarten und Aktivitäten (Basketball, Wandern und so weiter).

Markenhierarchie

Mitunter kann man die der Markenstruktur zugrunde liegende Logik anhand einer Markenhierarchie oder eines Markenstammbaums darstellen, wie die Schaubilder 5.3 und 5.4 verdeutlichen. Das Hierarchieschaubild sieht wie ein Organigramm aus, mit horizontalen und vertikalen Dimensionen. Die horizontalen Dimensionen spiegeln im Hinblick auf die Untermarken oder gestützten

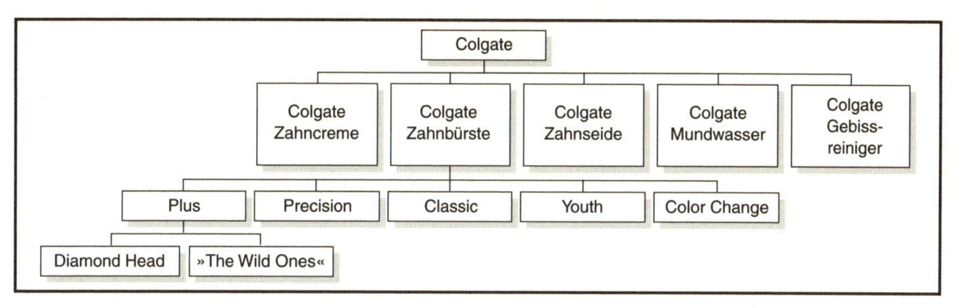

Schaubild 5.3: Markenhierarchie der Colgate-Zahnpflegeprodukte

Marken, die unter einem Markendach angesiedelt sind, die Ausdehnung der Marke wider. Die vertikale Dimension zeigt die Anzahl von Marken und Untermarken auf, die man braucht, um in eine bestimmte Warengruppe einzudringen. Die Markenhierarchie für Colgate-Zahnpflege (Schaubild 5.3) zeigt, dass der Name Colgate für Zahncreme, Zahnbürsten, Zahnseide und andere Produkte für die Mundhygiene verwendet wird. Sie zeigt außerdem, dass Colgate Plus zwei deutlich verschiedene Untermarken hat, die durch die Form der Zahnbürste bestimmt werden.

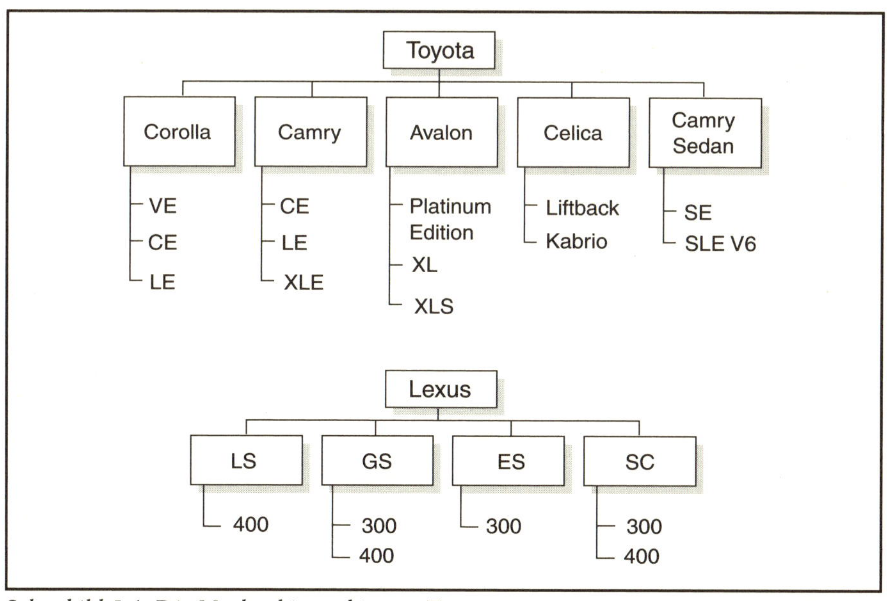

Schaubild 5.4: Die Markenhierarchie von Toyota

Ein Unternehmen mit vielen verschiedenen Marken braucht für jede einzelne eine Markenhierarchie – mit zahlreichen Verzweigungen. Colgate beispielsweise hat drei Zahncrememarken (Colgate, Ultra Brite und Viadent) sowie Dutzende von anderen wichtigen Marken, beispielsweise Mennon, Softsoap, Palmolive, Irish Spring und Skin Bracer. Im Schaubild 5.4 sind Toyota und Lexus als zwei verschiedene Markenbäume dargestellt. Manche dieser Bäume können so umfangreich sein, dass man sie gar nicht auf einer Seite unterbringen kann, sondern sie zur Darstellung in Hauptbäume aufteilen muss. Es ist beispielsweise schwierig, alle Colgate-Mundpflegeprodukte als eine Hierarchie darzustellen, daher ist es nützlich, die Zahnbürsten für sich alleine zu betrachten.

Eine Darstellung der Markenhierarchie schafft eine neue Perspektive und hilft bei der Beurteilung der Markenstruktur. Gibt es vielleicht angesichts des Umfelds im Markt und der vorhandenen Stützmarken zu viele oder zu wenige Marken? Könnte man Marken konsolidieren? Wo könnte eine neue Marke von Bedeutung sein? Zweitens muss man sich fragen, ob das Markensystem klar und logisch aufgebaut ist oder eher zufällig und chaotisch. Wenn nicht genügend Logik und Transparenz herrschen, welche Veränderungen wären dann angemessen, kostengünstig und nützlich?

Eine erfolgreiche Markenstruktur verdeutlicht das Angebot sowohl für die Kunden als auch für die im Unternehmen Beschäftigten.[17] Durch eine logische hierarchische Struktur für die Untermarken entsteht Klarheit. Ist jede Untermarke ein Indikator für das gleiche Attribut, wirkt die Struktur logisch. Wenn dagegen eine Untermarke für eine bestimmte Technologie steht, eine andere für eine Zielgruppe und eine dritte für eine Warengruppe, dann fehlt der Struktur eine grundlegende Logik.

Es gibt eine ganze Reihe von Methoden zur logischen und klaren Definition von Marken in einem Portfolio. Beispielsweise bieten sich für Untermarken folgende Kategorien an:

- Produktfamilie: Die Marke L'Oréal Plenitude für die Hautpflege und L'Oréal Preference zum Haarefärben,
- Technologie: Hewlett-Packard-LaserJet-, InkJet- und ScanJet-Drucker,
- Qualität/Wert: Visas Classic-, Gold-, Platin- und Signature-Kreditkarten,
- Vorteile: Prince Thunder- (für zusätzliche Kraft) und Prince Precision- (für Genauigkeit) Tennisschläger,
- Zielgruppen: Lee Pipes (modern und cool für Kinder), Dungarees (ein eher traditioneller Stil für Teenager und 20-Jährige), Lee rivited (klassische Jeans für alle) und Casuals (für erwachsene Frauen).

Markenreichweite

Ein wesentlicher Aspekt einer Markenstruktur ist die Reichweite der Marken im Portfolio, insbesondere diejenige der Stützmarken und treibenden Marken. Wie weit sollten sie markt- und produktübergreifend horizontal ausgedehnt werden? Inwieweit sollte man sie vertikal ins obere Preissegment beziehungsweise in Niedrigpreisregionen ausweiten? Wie kann man Stützmarke und Untermarken optimal ausnutzen, aber trotzdem die Assoziationen bewahren, die mit einer Marke verbunden sind, die unterstützt werden muss?

Für jede Marke innerhalb des Portfolios, die warengruppenübergreifend ist oder sein könnte, kann man die Reichweite bestimmen. Man muss sich mit der

Die Ausweitung einer Stützmarke

Es gibt zwei Gründe für Stützaktionen: erstens, um der unterstützten Marke Glaubwürdigkeit zu verleihen und Assoziationen mit ihr zu verbinden; und zweitens, um die Stützmarke häufiger in Kontakt mit den Konsumenten zu bringen. Beide Gründe motivierten Kraft 1997, seine Stützmarkenstrategie zu ändern.

Bis gegen Ende der neunziger Jahre des 20. Jahrhunderts war Kraft die Hauptmarke für Käse, Grillsaucen, Salatmarinaden und Mayonnaise (Miracle Whip) sowie Stützmarke für Philadelphia, Cracker Barrel und Velveta Käse. Außerdem gab es in dem Kraft-Portfolio noch über ein Dutzend Einzelmarken (beispielsweise Minute Rice und Post), die zur Zerstückelung der für die Markenpflege vorhandenen Mittel beitrugen. Man beschloss, Kraft als Stützmarke für diese individuellen Marken zu verwenden, um den zugkräftigen Markennamen auszunutzen. Im Rahmen der Strategie wurde das Image der Einzelmarken mehr in Richtung auf das Kraft-Image verändert, von alltäglichen, leicht vorzubereitenden und wohlschmeckenden Mahlzeiten für die amerikanische Familie und die Kraft-Markenpersönlichkeit mit ihren Eigenschaften bekömmlich, familienorientiert und zuverlässig. Eine groß angelegte 50-Millionen-Dollar-Kampagne zur Betonung des Namens Kraft unterstützte das Bemühen, diese Marken gut unter dem Kraft-Dach unterzubringen.

Folglich wurde Kraft eine starke Stützmarke für Stovetop Stuffing, Minute Rice sowie Shake & Bake. Außerdem wurde Kraft die nominelle Stützmarke für Oscar Mayer, Tombstone, Post, Maxwell House, Breyer's, Cool Whip und Jell-O. Interessanterweise sind alle diese Marken (insbesondere die drei, denen die meiste Unterstützung zuteil wurde) genau wie Kraft alltägliche, absolut amerikanische Produkte und gar nicht so weit von Kraft entfernt. Ein paar Marken, beispielsweise DiGiorno-Pizza und Bull's-Eye-Grillsaucen wurden als eigenständige Marken belassen, teilweise, weil sie im oberen Marktsegment angesiedelt waren, aber auch, weil man glaubte, ihre Begleitmarken, Tombstone-Pizza und Kraft-Grillsaucen, stünden der Kraft-Kernidentität näher. Das Ergebnis war ein stärkerer Zusammenhalt in der Kraft-Markenfamilie, sodass man mit markenübergreifenden Programmen und Promotionskampagnen bessere Synergien erzielen konnte.

grundsätzlichen Frage beschäftigen, wie weit eine Marke bereits ausgedehnt ist und wie weit sie ausgedehnt werden sollte. Bei der Untersuchung dieser Problematik sollten Unternehmen zwischen der Marke in ihrer Rolle als Stützmarke (die weiter ausgedehnt werden kann) und als Hauptmarke (die wahrscheinlich eine geringere Reichweite hat) unterscheiden und sich bewusst werden, dass Untermarken und Co-Marken bei der Ausnutzung von Marken eine Rolle spielen können.

Man kann die Markenreichweite unterschiedlich darstellen. Auf der Basis des Kraft-Beispiels, das im Kasten präsentiert wurde, verdeutlicht Schaubild 5.5

die Reichweite von Kraft in seiner Rolle als Hauptmarke, starke Stützmarke und nominelle Stützmarke. Die Markenidentität, die in der zweiten Spalte von links dargestellt ist, verdeutlicht die Logik, auf der die Markenreichweite (das heißt die Produkte, für die der Markenname verwendet wird) basiert. In der rechten Spalte werden Probleme und Chancen der Marke aufgeführt.

Schaubild 5.5 ist die Reaktion auf den Wunsch, eine kompakte Darstellung der Reichweite jeder Marke als Stützmarke oder treibende Marke zu haben. Wenn sie diese Information haben, dann können sich Unternehmen mit der Frage beschäftigen, ob eine Marke derzeit zu weit ausgedehnt ist oder nur ungenügend ausgenutzt wird. Marken mit einer zu weiten Ausdehnung passen möglicherweise nicht in ein bestimmtes Umfeld oder führen zu unerwünschten Assoziationen. Eine Marke wird dann nicht voll ausgenutzt, wenn sie in einem Umfeld hilfreich sein könnte, wo sie derzeit nicht eingesetzt wird.

Marke	Markenidentität	Waren/-gruppen	Probleme
Kraft als treibende Hauptmarke	alltägliche, leicht vorzubereitende, qualitativ hochwertige Mahlzeiten für die amerikanische Familie. Persönlichkeit: gesund, zuverlässig	Käse, Mayonnaise, Grillsaucen, Salatmarinaden ebenso im Topsegment	Schwäche bei nicht-cremigen Marinaden
Kraft als starke Stützmarke	(wie oben)	Stovetop Stuffing, Shake & Bake, Minute Rice	Wie nutzt man die Marke Kraft als Stützmarke am besten?
Kraft als nominelle Stützmarke	(wie oben)	Oscar Mayer, Post, Maxwell House, Jell-O, Cool Whip, Tombstone, Breyer's	Hilft die Unterstützung durch Kraft oder schadet sie?

Schaubild 5.5: Die Reichweite der Marke Kraft

Grafische Darstellung

Eine grafische Darstellung eines Portfolios ist eine bildliche Präsentation von Marken und ihrem Umfeld. Häufig ist ein Logo, das eine Marke in ihren verschiedenen Funktionen und in verschiedenen Bereichen repräsentiert, die auffälligste und wichtigste grafische Darstellung einer Marke. Die primären Dimensionen eines Logos, Farbe, Layout und Schriftbild, können variiert werden, um eine Aussage über die Marke, ihr Umfeld und ihr Verhältnis zu anderen Marken zu treffen. Grafische Darstellungen des Portfolios können auch Verpackungen sein, Symbole, das Produktdesign, das Layout einer Anzeigenwerbung, Slogans, oder auch die Art und Weise, wie eine Marke optisch präsentiert wird. Alle diese Mittel können Signale für die Beziehungen innerhalb des Markenportfolios sein.

Eine Aufgabe der grafischen Darstellung des Portfolios besteht darin, die Triebkraft einzelner Marken zu verdeutlichen. Die relative Größe des Schriftbildes und Positionierung von zwei Marken in einem Logo oder einer Anzeige versinnbildlichen ihre relative Bedeutung und Funktion als Triebfeder. Beispielsweise weist die Größe und Platzierung von Ralph Lauren ganz klar darauf hin, dass sie eine starke Unterstützung für die Marke Ralph, aber eine deutlich schwächere für Polo Sport darstellt. Wenn man sich die unterschiedlichen Logos ansieht, fällt auf, dass Marriott als Stützmarke von Courtyard deutlich größer und auffälliger dargestellt wird als im Fall der eher billigen Kette Fairfield Inn. Die Tatsache, dass der Markenname ThinkPad deutlich kleiner gedruckt ist als IBM, verdeutlicht den Kunden, dass IBM bei diesem Produkt die Haupttriebfeder ist.

Eine andere Aufgabe der grafischen Darstellung eines Portfolios besteht darin, Unterschiede zwischen zwei Marken oder Zielgruppen klar zu machen. Im Fall von John-Deere-Rasenmähern sind Farbe und das Design des Produktes wichtig für die Unterscheidung zwischen einem Billigprodukt (Sabre from John Deere) und der klassischen, qualitativ hochwertigen John-Deere-Palette. Da bei der Sabreserie das Gelb des vertrauten John-Deere-Farbschemas nicht verwendet wurde, erhielten die Kunden ein deutliches optisches Signal, dass sie nicht ein hochwertiges John-Deere-Produkt kauften. Das Produkt selbst sah auch eindeutig anders aus und glich dem traditionellen John-Deere-Angebot nur wenig. Um seine Produkte für den Heimmarkt optisch von allen anderen zu trennen, verwendet Hewlett-Packard unterschiedliche Farben (lila und gelb), eine eigenständige Verpackung (auf der Verpackung sieht man Menschen, anders als auf der rein weißen Verpackung für Geschäftskunden) sowie einen anderen Slogan (»Exploring the possibilities« [»alle Möglichkeiten erkunden«]).

Eine weitere Aufgabe der grafischen Darstellung eines Portfolios besteht darin, die zugrunde liegende Struktur deutlich zu machen; die Verwendung einer einheitlichen Farbe oder eines gemeinsamen Logos (oder Teil eines Logos) kann auf eine Gruppierung von Marken hinweisen. Die Verwendung der gelben Farbe für Maggi und eines bestimmten Verpackungsdesigns weisen auf die starke Bedeutung der Hauptmarke für die Untermarken hin und zeigen an, dass alle diese Marken eine Gruppe mit gemeinsamen Assoziationen bilden.

Eine sehr lehrreiche Übung – die Teil der Überprüfung der Markenstruktur ist, die am Ende dieses Kapitels vorgestellt wird – besteht darin, alle grafischen Darstellungen einer Marke in jedem möglichen Umfeld zu sammeln und dann diese optischen Darstellungen an eine Wand zu heften. Sehen sie sich ähnlich und vermitteln sie das gleiche Gefühl? Gibt es optische Synergien (das heißt, unterstützen die Graphiken in einem Zusammenhang die bildliche Darstellung in einem anderen)? Oder wird die Marke auf eher zusammenhanglose, konfuse Weise präsentiert? Dieser optische Test ist eine ausgezeichnete Ergänzung zu der logischen Überprüfung der Präsentation der Markenstruktur. Es lohnt sich auch, die grafische Darstellung der eigenen Marke mit derjenigen der Wettbewerber zu vergleichen.

Die grafische Darstellung der Marke Maxfli

Das neue Design von Maxfli für seine Golfbälle verdeutlicht einige der Aspekte der grafischen Darstellung von Marken. Die Maxfli-Verpackung von 1995 hätte besser zu Videokassetten als zu Golfbällen gepasst (Schaubild 5.6). Außerdem fanden die Kunden das Schriftbild langweilig. Mit Hilfe von Designern entwickelte Maxfli eine neue Verpackung, um sein qualitativ hochwertiges Angebot von führenden Wettbewerbern wie Titleist, Top-Flite und Wilson zu differenzieren und außerdem auch eine Unterscheidung zwischen den eigenen verschiedenen Produkten (von Standardgolfbällen bis solchen der Spitzenqualität) zu ermöglichen. Für Maxfli, die Nummer vier im Markt, bestand die Herausforderung darin, einen Stil zu finden, der die Marke von anderen abhob, die Markenidentität ausdrückte und eine eindeutige Struktur innerhalb der Produktpalette signalisierte.

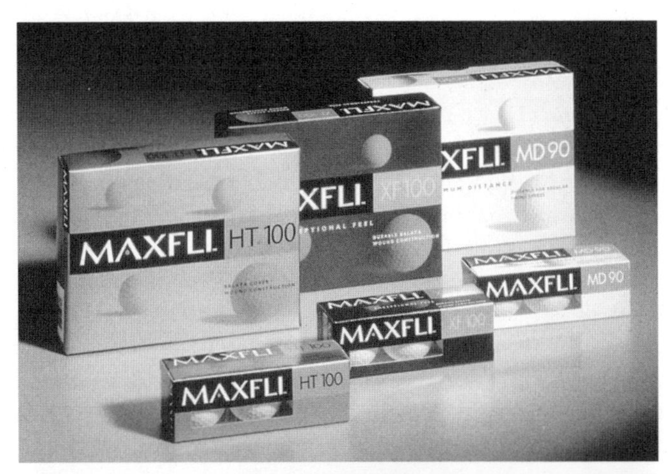

Schaubild 5.6: Maxfli vor und nach der Designänderung

Das Foto der Verpackungen in Schaubild 5.6 zeigt die veränderte grafische Darstellung. Ein leicht verschwommenes, monochromes Foto eines Golfballs wurde hinzugefügt, um eine optische Verbindung zur Warengruppe herzustellen. Sowohl Namen als auch Farben unterscheiden die drei Qualitätskategorien. Das Topprodukt der Serie behielt die goldene Farbe und den Namen HT. Das durchschnittliche Produkt wurde in X-Serie umbenannt und erschien nun in drei verschiedenen Varianten – XD (Entfernung), XF (Gespür) und XS (Spin) – sowie einer einfachen schwarzen Verpackung, die sowohl auf gute Qualität als auch auf männliche Eigenschaften hindeutet. Die preiswerte Serie wurde als MD bezeichnet und in eine weiße Packung gesteckt, was für die meisten Golfer eine gewisse Wertaussage beinhaltet.[18]

Ziele der Markenstruktur

Am Anfang dieses Kapitels fasste Schaubild 5.2 die fünf Dimensionen und sechs Zielsetzungen einer Markenstruktur zusammen. Die Zielsetzungen für das ganze System unterscheiden sich in qualitativer Hinsicht von den Zielen einer individuellen Markenidentität. Nach wie vor besteht das wichtigste Ziel darin, eine wirkungsvolle und effektive Marke zu schaffen, aber wer Siegermarken kreieren will, muss auch andere Ziele im Auge behalten. Eine Markenstruktur sollte folgende sechs Ziele erreichen:

- **Etablierung wirkungsvoller und effektiver Marken**
  Das Angebot einer starken Marke, die bei Kunden Resonanz findet, sich von anderen Marken abgrenzt und Konsumenten anspricht, ist die Hauptzielsetzung. Neue Marken oder Untermarken helfen häufig beim Erreichen dieses Ziels, indem sie zu neuen Assoziationen führen oder andere deutlicher machen, auch wenn sie Kosten verursachen und die bestehende Markenstruktur durch sie komplexer wird. Es gliche einem Eigentor, wenn man die Etablierung wirkungsvoller Marken nicht zum Ziel der Markenstruktur machte.
- **Sinnvolle Verteilung von Mitteln zur Markenpflege**
  Wenn man jede Marke nur in dem Maß unterstützt, wie sie auch zum Gewinn beiträgt, dann werden Marken mit hohem Potenzial, mit denen gegenwärtig aber noch ein geringer Umsatz erzielt wird, mit zu geringen Mitteln bedacht und auch zentrale Marken oder Silver bullets erhalten nicht genügend Ressourcen, um ihrer Rolle im Portfolio gerecht zu werden. Die Identifizierung derjenigen Marken, die eine tragende Rolle im Portfolio spielen können, ist ein wichtiger erster Schritt in Richtung auf die optimale Verteilung von Ressourcen.
- **Synergien**
  Eine wohl durchdachte Markenstruktur sollte mehrere Chancen für Synergien bieten. Insbesondere sollte die Verwendung von Marken in verschiedenen Zusammenhängen ihre Präsenz erhöhen, neue Assoziationen schaffen und bestehende verstärken sowie zu Kostenersparnissen führen (teilweise durch bes-

sere Skalenerträge bei den Kommunikationsprogrammen). Die Markenstruktur sollte auf jeden Fall negative Synergien vermeiden, die auftreten können, wenn man gegensätzliche Markenidentitäten in unterschiedlichen Rollen und in verschiedenem Kontext hat.

- **Angebot**
  Eine Markenstruktur sollte nicht nur Kunden, sondern auch den Beschäftigten des eigenen Unternehmens und Geschäftspartnern (Einzelhändlern, Werbeagenturen, Firmen, die Displaymaterial entwickeln, PR Unternehmen und so weiter) gegenüber das Angebot verdeutlichen. Starke Marken vermitteln Angestellten und Partnern eine klare Markenidentität.
- **Optimale Ausnutzung des Markenwertes**
  Marken, die nicht voll ausgenutzt werden, sind verschwendete Aktivposten. Marken auszunutzen heißt, sie härter arbeiten lassen – sie müssen mehr Bedeutung in ihrem Kernmarkt gewinnen und sich auf neue Märkte oder Warengruppen ausweiten lassen. Eine Aufgabe der Markenstruktur besteht darin, ein System zu schaffen, um Möglichkeiten zur Markenausweitung wahrnehmen zu können. Die Ausdehnung von Marken birgt natürlich Risiken, mit denen man sich auseinandersetzen muss. Besonders kritisch ist die vertikale Ausdehnung einer Marke, da üblicherweise eine Marke von derjenigen Variante definiert wird, die man im untersten, billigen Marktsegment findet.
- **Basis für zukünftiges Wachstum**
  Eine Markenstruktur muss immer zukunftsorientiert sein und ein strategisches Vordringen in neue Warengruppe und Märkte unterstützen. Das könnte beispielsweise die Etablierung einer Hauptmarke bedeuten, die über beträchtliches Ausdehnungspotenzial verfügt, auch wenn sich eine derartige Marke aufgrund der gegenwärtigen Abverkäufe nur schwer rechtfertigen lässt.

Einige wichtige Fragen sind mit den fünf Dimensionen der Markenstruktur verbunden. Mit einigen dieser Fragen (beispielsweise dem Thema Stützmarken und Untermarken) haben wir uns im vierten Kapitel beschäftigt, während andere (beispielsweise das Thema Silver bullet und die strategischen Rollen von Marken innerhalb des Portfolios) in dem Buch *Building Strong Brands* behandelt wurden. Auf den restlichen Seiten dieses Kapitels wird ein anderes wichtiges Thema, das mit der Markenstruktur zu tun hat, diskutiert, nämlich die Markenreichweite; anschließend wird eine Möglichkeit zur Überprüfung der Markenstruktur vorgestellt, eine Methode, mit der man Strukturprobleme und -chancen erkennen kann.

Vergrößerung der Reichweite einer Marke

Eine strategisch wichtige Frage betrifft die Reichweite jeder Marke. Eine Ausweitung beinhaltet zwei Ziele : Man kann das Markenkapital ausnutzen und Synergien schaffen, indem man in verschiedenen Umfeldern Kontaktmöglichkeiten und Assoziationen schafft. Eine schlecht entworfene Ausweitung kann jedoch Assoziationen und damit ganze Marken schwächen sowie die Transparenz des Angebots reduzieren.

Gibt es Möglichkeiten zur horizontalen Ausdehnung einer Marke?

Wie weit kann man die treibende Kraft einer Marke ausdehnen? Die Antwort auf diese Frage ist einfach. Eine Marke sollte nur auf Segmente ausgedehnt werden, in die sie passt, in denen sie von Nutzen sein kann und wo ihr eigener Wert durch neue Assoziationen erhöht wird. Mit Hilfe der Marktforschung kann man diese drei Aspekte untersuchen.

Die Marke muss passen

Die Kunden müssen eine Marke in einem neuen Umfeld bereitwillig akzeptieren. Eine Marke kann in vielerlei Hinsicht in ein Segment hineinpassen, beispielsweise aufgrund von Assoziationen, die mit dem Produkt verbunden sind (Ocean Spray Cranberry Juice Cocktail), von Bestandteilen, Komponenten oder Zutaten (Arm & Hammer Carpet Deodorizer), Eigenschaften (Sunkist-Vitamin-C-tablets), Anwendungen (Colgate-Zahnbürsten), dem Image, das die Konsumenten haben (die Eddie-Bauer-Version des Ford Explorer), Erfahrung (Honda-Rasenmäher) oder dem Image des Designers (Pierre-Cardin-Brieftaschen).

Welche Verbindung auch immer besteht, der Kunde sollte spüren, dass die Verbindung passt, und nicht den Eindruck einer dissonanten Assoziation gewinnen (beispielsweise würde eine Filmentwicklung von McDonald's eher Vorstellungen von fettigen Pommes frites erwecken als ein Bild von schnellem, praktischen und gleichbleibend gutem Service entstehen lassen). Obgleich man solche Probleme mitunter dadurch überwinden kann, dass man die Perspektive ändert (beispielsweise dadurch, dass man ein Bild von einem McDonald's-Fotolabor schafft, das sich deutlich von dem Aussehen der Restaurants unterscheidet), sollte man die Möglichkeit solch schädlicher Assoziationen bei Entscheidungen über eine mögliche Ausweitung der Marke immer im Auge behalten.

Die Regeln, an denen sich derartige Entscheidungen orientieren sollten, sind jedoch nicht starr. Eine Ausweitung in kleinen Schritten kann eine zunächst übertrieben scheinende Ausdehnung nicht nur möglich, sondern sogar wünschenswert machen. Eine erfolgreiche Erweiterung kann zu einer Änderung der Wahrnehmung der Marke führen, wodurch wiederum eine Marke für ein weiteres Segment passend wird. Virgin war ursprünglich ein Unternehmen, das sich mit Musik befasste, dehnte dann die Marke aber derart aus, dass unter diesem Namen eine Fluggesellschaft gestartet werden konnte, was zunächst gar nicht passend erschien. Nachdem die Fluggesellschaft jedoch erfolgreich war, änderte sich das Bild völlig. Die Marke entwickelte sich nun sehr stark zu einer Persönlichkeit – ein Underdog, lebendig und respektlos, aber ganz auf hohe Qualität ausgerichtet – eine solche Marke passt in viele verschiedene Bereiche.

Wenn eine Marke zu eng mit einer Warengruppe verbunden ist, dann ist das Potenzial für ihre Ausdehnung beschränkt. Obgleich mit dem Namen Campbell's Suppen viele positive Assoziationen verbunden sind, war die Marke nie besonders erfolgreich, wenn sie sich von den Suppen entfernte. Genauso können Marken wie A-1 Steak Sauce, Kleenex und Clorox Bleichmittel sich nicht allzu weit von ihrer ursprünglichen Warengruppe entfernen, weil sie sehr eng mit einem ganz bestimmten Produkt und seinen Attributen verbunden sind. Es liegt in solchen Fällen eine gewisse Ironie in der Tatsache, dass sich eine Marke umso schwerer ausweiten lässt, je stärker sie ist. Andererseits lassen sich Marken, deren Glaubwürdigkeit auf immateriellen Assoziationen basiert – beispielsweise Gewichtskontrolle (Weight Watchers), gesunde Ernährung (Healthy Choice) und Mode (Ralph Lauren) – leichter in neue Bereiche ausdehnen, da die immateriellen Werte in sehr unterschiedlicher Umgebung von Bedeutung sind.

Häufig besteht das Geheimnis, einen bestehenden Markenwert ausnutzen zu können, also darin, eine Marke so zu verändern, dass sie sich nicht mehr auf Produkteigenschaften konzentriert, sondern auf einer tiefer gehenden Beziehung zu den Kunden aufbaut. Maggi war ein Unternehmen, das Suppen produzierte und Würzmittel: äußerst produktorientiert. Als es sich zu einem Partner und Freund entwickelte, der dazu beitrug, dass Kochen Spaß machte, weitete sich dadurch sein Image aus und es fanden sich mehr Möglichkeiten zur Ausdehnung der Marke.

Konsumenten, die eine funktionale Beziehung zu einer Marke haben, stehen Markenausdehnungen deutlich negativer gegenüber als solche, die eine emotionale Bindung haben. Kunden von Visa, die ihre Kreditkarte einfach nur als ein effizientes Zahlungsmittel sehen (eine funktionale Beziehung) reagieren negativer auf eine Ausweitung der Marke in Bereiche, die nichts mit dem Bezahlen zu tun haben, als jene Kunden, für die Visa eine Weltmarke ist, die auf der Informationstechnologie fußt.

Attraktivität

Bei der Einführung jeder neuen Marke sollte die Attraktivität des Angebots im Vordergrund stehen. Wenn also eine Marke wie Campbell's, Williams-Sonoma (Geschäfte für Haushaltswaren) oder Saturn in einer neuen Warengruppe oder einem neuen Markt verwendet wird (beispielsweise Campbell's frische Pilze, Williams-Sonoma-Gewürze oder ein sportliches Nutzfahrzeug von Saturn), dann sollte schon der Markenname den Kunden zu verstehen geben, warum das Angebot besser als das anderer Marken ist. Wenn das gelingt, dann sind mit der Marke relevante, glaubwürdige Assoziationen verbunden, die von den Kunden geschätzt werden.

Eine Marke sollte nicht von dem Angebot ablenken oder ihm gar schaden, indem sie zu unangenehmen Assoziationen führt. Daher blieb die Verbindung zwischen General Motors und der neuen Marke Saturn möglichst unerwähnt, weil sie von dem neuen Angebot ablenken konnte, zumindest bei der Einführung von Saturn. Würde der Name Campbell's als Hauptmarke oder auch nur als Stützmarke für eine Reihe von italienischen Gerichten verwendet, dann könnte dies zu der Annahme führen, dass die Produkte wie Suppe aussehen und schmecken.

Erhöhung des Markenwertes

Durch das Auftreten einer Marke in einem anderen Umfeld sollte auch ihr eigener Markenwert erhöht werden – nicht nur durch die verstärkte Präsenz, sondern auch durch die neu geschaffenen Assoziationen. Der gewaltige Plan von Virgin Cola, (unterstützt von kreativer Werbung) Coca-Cola anzugreifen, verstärkt beispielsweise das Image des lebenssprühenden Underdogs, der für das Wesen der Marke Virgin steht.

Vertikale Ausdehnung

Oft bestehen beträchtliche Anreize dafür, eine Marke nach unten in das stetig wachsende Billigpreissegment auszudehnen, oder auch nach oben zu strecken, um von der Lebendigkeit und den Margen im Hochpreissegment profitieren zu können. Wie sich bei den Marriott- und GE-Elektroartikel-Beispielen, die im vierten Kapitel vorgestellt wurden, zeigte, ist eine vertikale Ausdehnung besonders problematisch, weil sie die Qualitätsaussage betrifft und weil man die Verwendung von Untermarken und gestützten Marken ins Auge fassen muss. Die sicherste Vorgehensweise besteht meistens darin, für gleichbleibende Qualität der Marke zu sorgen.

Vielen Marken mangelt es für einen Aufstieg ins Toppreissegment sowohl an Glaubwürdigkeit als auch an Prestige. Black & Decker, der Hersteller von erstklassigen Werkzeugen für Heimwerker, hatte mit seiner Serie für Bauarbeiter keinen Erfolg, weil diese Leute auf Werkzeuge für Bastler herabschauten; die Serie musste unter dem neuen Namen De-Walt neu auf den Markt gebracht werden. Wenn eine Ausdehnung in ein oberes Marktsegment funktioniert (wie im Fall von GE-Profile-Geräten), dann handelt es sich dabei meistens um einen bescheidenen Schritt vorwärts. Die Marken werden besser positioniert als es ihnen eigentlich zukommt, ohne dass behauptet wird, sie gehörten zu den besten. Ihre Ausweitung nach oben basiert eher auf funktionalen Vorteilen oder Verbesserungen und nicht auf Prestige. Außerdem unterscheidet sich das neue Angebot in der Regel optisch deutlich von dem bereits etablierten. Untermarken und gestützte Marken schaffen eine Abgrenzung zur Hauptmarke.

Dagegen ist es viel leichter, in den Niedrigpreismarkt einzusteigen – jeder Radfahrer wird Ihnen bestätigen, dass man leichter bergab als bergauf fährt. Aber der Einstieg in ein unteres Marktsegment stellt in der Regel ein erhebliches Risiko für den Ruf einer Marke und die Beziehung zu den Kunden dar, denn der bestehende Kundenstamm wird von dem billigeren Angebot angezogen werden. Es könnte auch sein, dass es dem Billigpreisangebot an Glaubwürdigkeit fehlt, wenn es von einer qualitativ relativ hochwertigen Marke kommt, teilweise auch deshalb, weil die Wettbewerber in der Regel mit weiteren Preissenkungen reagieren. Beispielsweise zog Kodak Funtime, ein preiswerter Film, hauptsächlich Kodak-Stammkunden an, statt der preisbewussten Konsumenten, die die eigentliche Zielgruppe waren. Ausdehnungen in ein unteres Marktsegment, wie beispielsweise Courtyard von Marriott, funktionieren in der Regel dann, wenn es sich um ein deutlich verschiedenes Angebot handelt, das eine klar definierte Zielgruppe anspricht, und wenn die Hauptmarke in dem Billigmarkt nur als Stützmarke fungiert.

Überprüfung der Markenstruktur

Die Überprüfung einer Markenstruktur ist eine systematische Methode zur Untersuchung der bestehenden Markenstruktur und zur Identifizierung von Problemen, die man genauer unter die Lupe nehmen und lösen muss. Im Schaubild 5.7 sind rund zwei Dutzend Fragen zusammengestellt, die eine sinnvolle Struktur und Anleitung für die Überprüfung bieten. Jede Frage ist potenziell von Bedeutung und kann zu einer wichtigen Analyse und wesentlichen Veränderungen führen, aber der Fragenkatalog ist keinesfalls vollständig. Wenn man sich durch die Liste durcharbeitet, können zusätzliche Fragen auftauchen, die sich als hilfreich und relevant erweisen.

Die Überprüfung der Markenstruktur

Geschäftsanalyse

- Welche Abverkäufe werden gegenwärtig mit den zur Marke gehörenden Produkten erzielt, welche Gewinne, wie sieht es mit den Wachstumsraten aus, was erwartet man für die Zukunft?
- Welche strategischen Initiativen sollen ergriffen werden?
- Welche Geschäftszweige sind heute und in Zukunft von finanzieller und/oder strategischer Bedeutung?
- Welche Marktsegmente sind heute und in Zukunft von finanzieller und/oder strategischer Bedeutung?

Markenstruktur

Das Markenportfolio

- Identifizierung der Marken und Untermarken im Portfolio

Die Rolle der Marken innerhalb des Portfolios

- Welches sind die strategischen Marken (das heißt, diejenigen, die in Zukunft beträchtliche Gewinne versprechen)?
- Gibt es irgendwelche zentralen Marken (oder sollte es sie geben), die für wichtige Geschäftsfelder von Nutzen sind?

- Welche Marken oder Untermarken spielen die Rolle von Silver bullets (oder sollten sie spielen)? Werden weitere Silver bullets gebraucht?
- Werden die strategischen und zentralen Marken sowie die Silver bullets unterstützt und aktiv gepflegt?
- Welche Marken sollten die Rolle von Cash-Cows übernehmen? Brauchen sie wirklich die Mittel, die jetzt für sie zur Verfügung stehen?

Rollen im Umfeld verschiedener Märkte und Warengruppen

- Identifizierung der Marken und Untermarken, die bedeutende Triebfedern darstellen. Wie groß ist ihr Markenwert? Wie stark ist die Kundenbindung jeder einzelnen? Welche Marken brauchen eine aktive Pflege und Aufbauhilfe?
- Identifizierung der Untermarken und Einordnung in das Spektrum von rein beschreibenden Marken bis zu treibenden Marken. Kann man auf der Basis dieser Einteilung sagen, dass sie alle die notwendigen Mittel und die nötige Markenpflege bekommen?
- Liefern die derzeit unterstützten Marken den Stützmarken einen zusätzlichen Wert? Oder vermindern sie den Wert? Haben die Stützmarken eine zu ihrer Rolle passende Identität? Sollte in dem einen oder anderen Umfeld ihre Rolle als Stütze gemindert oder ganz aufgegeben werden?
- Gibt es andere Bereiche, in denen eine Stützmarke neu eingeführt oder verstärkt eingesetzt werden sollte?
- Identifizierung von Co-Marken. Sind sie richtig konzipiert? Sollte man neue in Betracht ziehen? Welche Partner wären geeignet, um eine Marke auszudehnen?
- Identifizierung der Komponenten, Eigenschaften oder Dienstleistungen mit Markencharakter. Sollte man ihnen eine stärkere oder schwächere Rolle zuweisen?
- Gibt es unter den derzeitig vorhandenen Komponenten, Eigenschaften und Dienstleistungen welche, denen man Markencharakter verleihen könnte?

Die Struktur des Markenportfolios

- Darstellung der Struktur des Markenportfolios durch eine oder mehrere der folgenden Methoden:
  - Gruppierung von Marken auf der Basis von logischen Kategorien, beispielsweise Zielgruppen, Warengruppen, Anwendungen, Absatzkanäle,
  - Diagramme sämtlicher Markenhierarchien,
  - Spezifizierung der tatsächlichen und potenziellen Reichweite aller wichtigen treibenden Marken und Stützmarken über alle Warengruppen und Märkte hinweg.

- Beurteilung der Struktur des Markenportfolios (und wesentlicher Einzelbereiche davon) dahingehend, ob sie für Klarheit sorgt, Absicht und Zielsetzung ausdrückt oder eher kompliziert wirkt und auf spontane Entscheidungen sowie strategische Richtungslosigkeit deutet.
- Sollte man bestehende Marken ganz eliminieren oder ihnen in einem gegebenen Umfeld einen geringeren oder größeren Einfluss zubilligen? Sollte man neue treibende Marken oder Untermarken schaffen?
- Sind manche Marken zu weit ausgedehnt? Ist ihr Image in Gefahr?
- Werden die treibenden Marken und Untermarken richtig ausgenutzt? Welche Möglichkeiten zur horizontalen Ausdehnung gibt es? Gibt es ein Potenzial zur vertikalen Ausweitung (mit oder ohne Untermarke)?

Die grafische Darstellung des Portfolios

- Stellen Sie Material darüber zusammen, wie die Marke gegenwärtig optisch dargestellt wird, einschließlich Logos und Kommunikationsmaterial. Ist die Darstellung klar, konsistent und logisch oder ist sie verwirrend und unzusammenhängend? Spiegelt sich die relative Bedeutung einzelner Marken optisch wider? Strahlen die Darstellungen rein optisch Energie aus?
- Unterstützt die optische Präsentation der Marke die Struktur des Portfolios? Unterstützt sie die Rolle der Marke in verschiedenen Bereichen? Unterstützt sie die Markenidentitäten?

Die Pflege der Markenstruktur

- Wie kann man eine Marke oder Untermarke dem Portfolio hinzufügen? Welche Kriterien spielen hierbei eine Rolle?
- Wird die Markenstruktur periodisch durchleuchtet?
- Wer ist für die optische Präsentation einer Marke verantwortlich? Auf welche Weise wird die visuelle Präsentation der Marke gemanagt?

Geschäftsanalyse

Im ersten Stadium der Untersuchung, das der Analyse der fünf Dimensionen der vorliegenden Markenstruktur vorausgeht, werden die Geschäftsfelder im Hinblick auf ihre Bedeutung für das Unternehmen identifiziert und beurteilt. Zwei Ergebnisse dieser Analyse sind besonders wichtig für die Überprüfung der Markenstruktur: eine Beurteilung der gegenwärtigen und geplanten Geschäftsbereiche sowie das Darlegen der Segmentierungsstrategie.

Eine Entscheidung darüber, welche Geschäftsbereiche für das Unternehmen finanziell am bedeutsamsten sein werden, ist für viele mit der Markenstruktur verbundenen Fragen besonders wichtig. Ein wesentlicher Aspekt der Markenstruktur ist die Identifizierung von strategischen, zentralen und treibenden Marken, daher muss man das Potenzial jedes einzelnen Geschäftsbereichs verstehen. Welche Visionen hat man für das Geschäft? Welche wesentlichen strategischen Initiativen müssen ergriffen werden? Wie wird der Markt aus der Sicht der Wettbewerber definiert? Wie sieht die gegenwärtige Marktstruktur aus und wie wird sie sich vermutlich entwickeln? Wie attraktiv sind die diversen Teilmärkte?

Ebenfalls wichtig ist ein Verständnis für die Segmentierung und Segmentierungsstrategie, denn die Struktur des Markenportfolios muss sich mit der Segmentationsstruktur decken. (Beispielsweise spielte die Segmentierung für die Ralph-Lauren-Portfoliostruktur eine große Rolle). Wenn man eine Portfoliostruktur schaffen will, muss man daher auch die Variablen der Segmentierung identifizieren, außerdem die wichtigsten Segmente, die in diesen Segmenten noch unerfüllten Bedürfnisse und die Art und Weise, wie die Marke zu ihnen eine Verbindung aufbauen kann.

Markenstruktur

Das Markenportfolio

Nachdem die Geschäftsbereichsanalyse durchgeführt wurde, sollte die Überprüfung der Markenstruktur alle bestehenden Marken und Untermarken auflisten, das heißt, die wesentlichen Bausteine der Markenstruktur. Gibt es darunter Kandidaten, die aus dem aktiven Portfolio entfernt werden sollten?

Rollen innerhalb des Markenportfolios

Identifizieren Sie die Marken innerhalb des Portfolios, die eine Rolle als strategische Marke, zentrale Marke, Silver bullet oder Cash cow spielen. Bekommen die strategischen und zentralen Marken sowie die Silver bullets die Mittel, die sie brauchen oder lässt man sie verhungern? Sind diese Marken erfolgreich, und spiegeln die für sie zur Verfügung stehenden Ressourcen ihre Bedeutung wider? Werden die Cash cows in angemessenem Umfang gepflegt oder bekommen sie aufgrund ihrer gegenwärtigen Abverkäufe und der damit erzielten Gewinne zu viele Mittel zugeteilt? Sollte man irgendwelchen Marken eine Rolle innerhalb des Portfolios zuweisen? Sind insbesondere weitere Silver bullets notwendig, um Marken mit Imageproblemen zu helfen?

Rollen innerhalb der Märkte und Warengruppen

Die Überprüfung der Markenstruktur muss auch Stützmarken und Untermarken berücksichtigen, Vorteile mit Markencharakter, Co-Marken und treibende Marken. Welche Marken stellen Triebfedern dar? Bekommen sie ausreichende Unterstützung? Bringen die Stützmarken einen Nutzen oder sind sie bloß im Weg? Gibt es Marken, die als Stützmarken brauchbar wären? Leisten Untermarken einen genügend großen Beitrag, um die Ressourcen zu rechtfertigen, die sie benötigen? Werden die bestehenden Vorteile mit Markencharakter genügend ausgenutzt? Braucht man mehr davon? Wäre eine Partnerschaft mit anderen Unternehmen zur Schaffung von Co-Marken hilfreich?

Die Struktur des Markenportfolios

Der Teil der Überprüfung, der sich mit der Struktur des Markenportfolios beschäftigt, eruiert zunächst, ob es eine logische Struktur des Portfolios gibt, die man anhand einer Gruppierung von Marken, einer hierarchischen Darstellung und/oder einer Spezifizierung der Reichweite jeder Marke darstellen kann. Drückt das Portfolio Klarheit, Absicht und Zielgerichtetsein aus? Sollte das Portfolio zurecht gestutzt werden? Wurden einzelne Marken zu weit ausgedehnt? Werden andere nicht genügend ausgenutzt? Sollte man manche Marken weiter ausdehnen?

Grafische Darstellung des Portfolios

Die Analyse der grafischen Darstellung des Portfolios geschieht am besten anhand einer Zusammenstellung – vielleicht auf einer breiten Wand – aller optischen Repräsentationen einer Marke in jedem möglichen Umfeld. Schafft diese optische Präsentation der Marke Klarheit oder Verwirrung? Unterstützt sie die Struktur des Portfolios? Unterstützt sie die Rolle der Marke im jeweiligen Umfeld? Unterstützt sie die Markenidentitäten? Wenn Probleme auftreten, heißt das vielleicht, dass man Designer braucht, um ein zusammenhängendes Bild zu kreieren. Schwierigkeiten können auch darauf hinweisen, dass die Pflege der grafischen Seite zu wünschen übrig lässt; dann sollte man das Managementsystem unter die Lupe nehmen.

Pflege der Markenstruktur

Prozesse und Organisationsstrukturen zur Kreation, Beurteilung und Verbesserung der Markenstruktur sollten vorhanden sein und funktionieren. Eine Überprüfung der Markenstruktur sollte regelmäßig durchgeführt werden, um Probleme rechtzeitig aufzuzeigen; außerdem sollten alle Teilbereiche des Markenportfolios überprüft werden, wenn man die Einführung eines neuen Produktes plant oder eine Akquisition tätigt. Eine Übernahme oder ein Kauf, der dem Portfolio eine Reihe von neuen Marken hinzufügt, führt fast immer zu ernsthaften Strukturproblemen.

Wenn bei der Überprüfung der Markenstruktur Probleme aufgedeckt werden, dann sollte dies zu einer Analyse und einem Aktionsprogramm führen. Wenn beispielsweise die Markenstruktur zu Verwirrung führt, dann sollten die Elemente der Struktur (zum Beispiel die Anzahl der Marken oder die Untermarken) identifiziert und Programme zur Problemlösung entwickelt werden.

Zum Management der Markenstruktur gehören auch Mechanismen, um die Markenstruktur denjenigen im Unternehmen gegenüber zu kommunizieren, deren Entscheidungen einen Einfluss auf die Struktur haben. Insbesondere die optische Präsentation muss kommuniziert werden. Es genügt jedoch nicht, jemanden zu haben, der mit Argusaugen über das Logo wacht. Man muss sich auch darüber Gedanken machen, wie Marken verwendet werden: Welche Ausdehnungen der Marke werden in Betracht gezogen? Welche neuen Märkte stehen zur Debatte? Welche Marken verwendet man für neue Angebote? Eine optische Präsentation gehört zu einer Markenstruktur, aber diese beinhaltet noch viel mehr.

Vorschläge

1. Überprüfen Sie die Markenstruktur.
2. Entwickeln Sie Programme, um auf die aufgetretenen Probleme zu reagieren.

Zum Aufbau einer Marke braucht man mehr als Werbung

6

Adidas und Nike – Lektionen über den Aufbau von Marken

Man gewinnt keine Silbermedaille, man verliert die goldene.
Es gibt keine Ziellinie.
Nike-Werbung

Jeder Spieler, auf jeder Ebene, in jedem Spiel.
Verdiene sie.
Adidas-Werbung

Verschiedene Strategien

Die Entwicklung von Adidas und Nike gibt Aufschluss über den Aufbau und die Pflege von Marken. Die Adidas-Geschichte spielt überwiegend in Europa, wo durch Innovationen in den fünfziger, sechziger und siebziger Jahren des 20. Jahrhunderts eine dominierende Marke geschaffen wurde. Während der achtziger Jahre verlor Adidas auf seinen wichtigsten europäischen Märkten an Boden, teilweise wegen der starken Konkurrenz von Nike, aber in den neunziger Jahren erholte sich die Marke wieder, weil sie sich erfolgreich bemühte, bisherige Verhaltensmuster zu durchbrechen. Die Nike-Story spielt sich überwiegend in den Vereinigten Staaten ab und schildert den erfolgreichen Aufbau einer Marke während der siebziger und achtziger Jahre des 20. Jahrhunderts sowie die Entwicklung während der neunziger Jahre, als sich die Marke gegen den Wettbewerber Reebok behauptete und bemerkenswerte Wachstumsraten erzielte. Die Strategien und das Aufbauprogramm für die beiden Marken ergeben eine faszinierende Geschichte.

Wir wollen keine umfassenden Biografien der beiden Marken schreiben, sondern vielmehr Höhepunkte beim Aufbau der Marken herausgreifen und sie im historischen Zusammenhang betrachten. Indem wir nicht nur untersuchen, was unternommen wurde, sondern auch warum und Gründe für den Erfolg erläutern, hoffen wir, Einblicke in eine Entwicklung zu geben, die auch für andere Marken nützlich sein können.

Dies ist das erste von vier Kapiteln, in dem wir untersuchen, welche Aufgabe die Entwicklung von Aufbauprogrammen für eine Marke darstellt. Im siebten Kapitel erläutern wir, wie Sponsoring beim Aufbau einer Marke eingesetzt werden kann. Das achte Kapitel beschäftigt sich mit dem Aufbau von Marken im Internet. Vielen Unternehmen bereiten Sponsoring und das Internet Schwierigkeiten, weil sie sich zwar mit Werbung und Öffentlichkeitsarbeit auskennen, aber noch nicht richtig verstehen, wie das Internet und Sponsoring funktionieren und wie man sie zum Aufbau von Marken nutzen kann. Die Diskussion der Markenpflege in diesem ganz speziellen Zusammenhang wird außerdem Probleme und Prinzipien aufzeigen, die auch in einem anderen Umfeld von Bedeutung sind. Schließlich verdeutlichen die Fallstudien im neunten Kapitel weitere erfolgreiche Ansätze und beschäftigen sich mit der obersten Stufe der Markenpflege – dem Aufbau von engen Bindungen und der Entwicklung einer treuen Stammkundschaft.

Viele der wichtigsten Beobachtungen, Erkenntnisse und Richtlinien, die in diesem Teil des Buches erläutert werden, sind am Ende jedes Kapitels noch einmal zusammengefasst. Wir wollen betonen, dass man den Aufbau von Marken nicht mit Werbung gleichsetzen darf und daher auch die Markenpflege nicht an eine Werbeagentur delegieren sollte. Mit der Markenidentität und Markenposition als Richtlinie besteht die Aufgabe vielmehr darin, verschiedene Medien zur Kommunikation und zum Aufbau von Assoziationen in ein Konzept zu integrieren. Man muss verschiedene alternative Medien nutzen und sie so einsetzen, dass eine koordinierte, synergistische Wirkung erzielt wird – angesichts der konzeptuellen und organisatorischen Realitäten im wahren Leben keine leichte Aufgabe.

Adidas – die Wachstumsphase

Adidas wurde 1948 von Adi Dassler gegründet, einem deutschen Schuhmacher und leidenschaftlichen Amateurathleten. Dassler war schon seit 1926 unternehmerisch tätig, als seine Familie eine Fabrik eröffnete, um spezielle leichtgewichtige Lauf- und Fußballschuhe zu produzieren. Nach einem Familienkrach teilte sich das Unternehmen Dassler 1948 in zwei Firmen. Eine davon, mit dem Namen Puma, gehörte Adi Dasslers Bruder, aus der anderen wurde Adidas.

Adi Dassler war für Adidas, was Phil Knight später für Nike wurde. Er war nicht nur selbst ein Athlet und sportbegeistert, er war auch ein Erfinder und ein Unternehmer, dem handwerkliche Fähigkeiten und Qualität wichtig waren und der sich der Innovation verschrieben hatte. Er hörte Spitzensportlern zu, traf sich mit ihnen auf Sportplätzen und saß mit Wettkämpfern zusammen auf einer Bank, um die Bedürfnisse der Sportler zu begreifen. »Funktionalität zuerst« wurde zum Leitmotiv des Unternehmens, und der Slogan lautete »Das Beste für Sportler«. Im Lauf der Zeit erwarb Adidas den Ruf eines Unternehmens, das Schuhe für echte Sportler herstellt.

Von Anfang an war Innovation die Stärke von Adidas. Adi Dassler war das Genie, das hinter vielen bahnbrechenden Erfindungen stand, in seinem Namen wurden mehr als 700 Patente registriert. Der erste Schuh, der eistauglich war; der erste Schuh mit vielen Stollen; ein spezieller, leichter Fußballschuh aus geformtem Gummi mit Stollen – alle diese Ideen kamen von Adidas. Die einschraubbaren Stollen der Adidas-Fußballschuhe waren ein derart revolutionäres Konzept, dass man ihnen einen Hauptanteil für den Sieg der deutschen Fußballnationalmannschaft bei der Weltmeisterschaft 1954 zuschrieb.

In vielerlei Hinsicht wurde Adidas als Familienbetrieb geführt: Die Frau von Adi Dassler assistierte bei der Geschäftsführung und alle fünf Kinder arbeiteten in der Firma. Horst Dassler, der älteste Sohn, zeichnete sich durch sein Talent für Marketing und Öffentlichkeitsarbeit aus. Er war der Pionier, der zum ersten Mal eine sichtbare Verbindung zwischen einer Marke und Sport schuf – Sportlern, Mannschaften, Ereignissen und Verbänden. Durch ihn wurde Adidas zum ersten Unternehmen, das Topathleten kostenlos Sportschuhe zur Verfügung stellte und das erste, das langfristige Verträge abschloss, um ganze Mannschaften mit Schuhen zu versorgen (und dadurch dafür sorgte, dass Adidas-Schuhe von vielen Weltklassesportlern bei den weltweit wichtigsten Sportereignissen getragen wurden). Aber die erfolgreichste Marketingmaßnahme war die aktive Werbung für und bei sportlichen Ereignissen, insbesondere der Olympiade.

Die Verbindung von Adidas mit der Olympiade hat Tradition. Dassler-Schuhe wurden zum ersten Mal bei der Olympide 1928 benutzt und wurde 1932 zum ersten Mal von einem Gewinner einer Goldmedaille getragen. 1936 gewann der amerikanische Läufer und Springer Jesse Owens sensationelle vier Goldmedaillen bei der Olympiade in Berlin, was den Zuschauer Adolf Hitler sehr verärgerte; Fotos von Jesse Owens in Dassler-Schuhen gingen um die ganze Welt. Die Olympiade ist ein ideales Ereignis für Sponsoring durch Adidas, weil sie Prestige hat, die besten Sportler dort zusammenkommen, und weil sie die Möglichkeit bietet, die Leistungsfähigkeit der Schuhe in einer ganzen Reihe von Sportarten zu demonstrieren. Anders als die Produkte von anderen Sponsoren (beispielsweise Visa oder Coke), werden die Adidas-Schuhe während der Wettkämpfe genutzt, um die Leistung der Athleten zu steigern. Die anhaltende, langjährige, erfolgreiche Verbindung von Adias mit Olympiateilnehmern ermöglichte es Adidas, eine enge Bindung an die Olympiade zu entwickeln. Marken, die nur gelegentlich als olympische Sponsoren auftreten, haben es viel schwerer, eine solche Bindung zu schaffen.

Eine der innovativen Ideen von Horst Dassler bestand darin, neue Produkte anlässlich von besonderen Sportereignissen einzuführen. Das erste derartige Angebot war die Marke Melbourne, ein innovativer Schuh mit mehreren Stollen, der anlässlich der Olympiade in Melbourne im Jahr 1956 vorgestellt wurde. Eine großartige Methode, um Adidas mit der Olympiade in Zusammenhang zu bringen und eine leistungsfähige Untermarke zu schaffen. In diesem Jahr wurden in Adidas-Schuhen 72 Medaillen gewonnen und 33 Rekorde gebrochen.

Unterstützt von den Dassler-Innovationen nutzte Adidas zum Aufbau der Marke eine ganze Reihe von Faktoren, die auf drei Ebenen zum Tragen kamen. Erstens wurde ein ernst zu nehmender Sportler nicht nur durch Incentives dazu bewegt, die Marke zu benutzen, sondern auch aufgrund von Innovation und Qualität, die Höchstleistungen unterstützten. Zweitens fiel die Marke, die von Spitzensportlern bei wichtigen Wettbewerben getragen wurde, dadurch einer breiteren Schicht von potenziellen Kunden – schwächeren Athleten und Amateuren – auf und schuf bei ihnen eine Nachfrage. Auf dieser Ebene spielten Mund-zu-Mund-Propaganda und Produkte, die den jeweiligen Anforderungen entsprachen, eine wesentliche Rolle. Drittens sickerte die Vorliebe der Sportler auf den beiden erst genannten Ebenen zu den Gelegenheitssportlern durch.

Die aktive Werbung mit von Adidas gesponserten Profisportlern, Sportvereinen und sportlichen Großereignissen, wie beispielsweise den Olympischen Spielen, sprach alle drei Ebenen an, konzentrierte sich aber schwerpunktmäßig auf die Profis, also die oberste Schicht. Der kostenlose Werbemittelkontakt dank der Fernsehübertragung von wichtigen Wettkämpfen verstärkte die Präsenz von Adidas in den Augen der Gelegenheitssportler, also der dritten Ebene.

Dieses pyramidenartige Modell der Beeinflussung funktionierte auch deshalb so gut, weil Adidas während der sechziger und siebziger Jahre des 20. Jahrhunderts in vielen Bereichen die dominante Marke war. Der Größenunterschied zwischen den Unternehmen ermöglichte Adidas eine wesentlich forschere und effektivere Strategie als seinen kleineren Wettbewerbern; außerdem war Adidas führend bei der Unterstützung derjenigen Athleten, die am meisten im Rampenlicht standen.

1980 erzielte Adidas Abverkäufe im Wert von einer Milliarde Dollar und erreichte Marktanteile von bis zu 70 Prozent in einigen seiner wichtigsten Warengruppen. Das Unternehmen bot rund 150 verschiedene Schuharten an und produzierte in 24 Fabriken in 17 Ländern 200 000 Paar pro Tag. Seine diversifizierte Produktpalette (einschließlich Bekleidung, Sportgeräte und sportliches Zubehör) wurde in 150 Ländern verkauft.

Anfang der achtziger Jahre des 20. Jahrhunderts begann das Konzept zum Aufbau der Marke Adidas jedoch an Schwung zu verlieren. In Amerika, dem weltweit größten Markt für Sportartikel, hatte Nike ein erfolgreiches Geschäft teilweise dadurch aufgebaut, dass es das geradezu explosive Wachstum im Bereich der Freizeitläufer und -jogger ausnutzte, der untersten Ebene der Pyramide. Es ist schwer zu verstehen, wieso der Trend zum Joggen Adidas offensichtlich entging; eine Untersuchung Ende der siebziger Jahre zeigte, dass über die Hälfte der Amerikaner es wenigstens schon einmal versucht hatte. Zwischen 1970 und

1977 stieg die Anzahl der Teilnehmer an dem New York City Marathon von 156 auf 5000.[19]

Während Adidas nach wie vor eine starke Stellung bei echten Sportlern hatte, nahm es weder die Joggingbegeisterung noch Nike ernst. Der ewige Fluch des Erfolges: Warum sollte man in neue, unsichere Geschäftsbereiche investieren? Jogging war weder ein Mannschaftsspiel noch gab es Wettbewerbe und damit unterschied es sich wesentlich von den Märkten, an die Adidas gewöhnt war. Außerdem funktionierte das von Adidas verwendete Modell zum Markenaufbau bei Joggern überhaupt nicht. Es gab kaum irgendwelche Teams, Klubs oder Vereine (auch keine nationalen oder weltweiten Verbände) für die Jogger, zu denen Adidas eine Verbindung hätte aufbauen können.

Ein wenig Arroganz spielte sicher auch eine Rolle. Das Schuhdesign, das für die Jogger angemessen war, schien den Designern bei Adidas fremd, die den Eindruck hatten, dass alles, was für den Läufer als Fußkissen diente, irgendwie einen professionellen Kompromiss darstellte. Als das Unternehmen endlich einen Laufschuh auf den Markt brachte, bekam dieser den Spitznamen »the Crippler«, weil dessen Träger sehr schnell zu lahmen anfingen. Die Haltung von Adidas erinnert ein wenig an die Reaktion von deutschen Automobilherstellern auf den Erfolg von Lexus: Gute Autos für ernst zu nehmende Fahrer vermitteln kein weiches Fahrgefühl und haben keine Becherhalter.

Die Nike-Story

1964 gründete Phil Knight Blue Ribbon Sports in der Absicht, preiswerte Onizuka-Sportschuhe aus Japan in die Vereinigten Staaten zu importieren. Der Kompagnon von Knight bei diesem Unternehmen war Bill Bowerman – ein Leichtathletiktrainer an der Universität von Oregon, jemand, der sich intensiv mit dem Laufen und Schuhen beschäftigte und selbst ein innovativer Schuhdesigner war. Ihr Ziel war es, Schuhe für Läufer, die an Wettkämpfen teilnahmen, zu verbessern und gleichzeitig ein Geschäft aufzubauen. Eine Grafik wurde für die Marke entwickelt, die man am besten als Kombination aus dem Adidas- und Puma-Logo beschreiben kann. Der Markenname des Schuhs änderte sich in diesen Anfangsjahren jedoch mehrfach, von Onizuka zu Onizuka Tiger, zu Tiger und dann zu Asics. Es gab zahlreiche Qualitätsprobleme, Lieferschwierigkeiten und geschäftliche Streitereien.

1972 begann Blue Ribbon Sports mit der Produktion seiner eigenen Serie von Produkten in Korea und etablierte sowohl den Namen Nike als auch das auffällige Markenzeichen (das übrigens für nur 35 Dollar kreiert wurde). Während der siebziger Jahre des 20. Jahrhunderts verdoppelten und verdreifachten sich die Einnahmen von Nike fast jedes Jahr, von 14 Millionen Dollar 1976 auf 71 Millionen Dollar im Jahr 1978, weiter auf 270 Millionen Dollar im Jahr 1980 und über 900 Millionen im Jahr 1983. 1979 verkaufte Nike fast die Hälfte aller Laufschuhe, die in den USA abgesetzt wurden. Ein Jahr später überrundete das

Unternehmen sogar Adidas, den langjährigen Marktführer für Sportschuhe in den Vereinigten Staaten. Der Motor, der diesen beträchtlichen Verkaufserfolg antrieb, war die Begeisterung für Laufen, Joggen und gesundes Leben, die Mitte der siebziger Jahre begann und die ganzen USA packte (und wenig später dann auch den Rest der Welt). Aufgrund der traditionellen Beschäftigung mit Lauf- und Leichtathletikschuhen befand sich Nike in einer ausgezeichneten Position, um diesen Trend auszunutzen. Außerdem hatte Phil Knight, ein ehemaliger Leichtathlet und aktiver Läufer, ein Gespür für das wachsende Interesse und die Bedürfnisse der Hobbysportler.

Phil Knight wollte, dass aus Nike, genau wie Adidas, eine ernst zu nehmende Marke für Sportschuhe würde – von Joggern für Jogger. Die Nike-Philosophie besagte, dass eine bessere Technologie auch zu einer besseren Leistung führen würde, und das Unternehmen erwarb sich den Respekt der Läufer, als es eine Reihe von innovativen Produkten und Produkteigenschaften einführte. Zu den Erfindungen während der siebziger Jahre gehörten die Waffle-Sohle (benannt nach einem Waffeleisen, das zur Herstellung des Prototyps verwendet wurde) und die Astrograbbers (speziell für den Gebrauch auf Astroturf entwickelt), deren Wirkung auf die Leistung der Sportler sogleich sichtbar wurde.

Entsprechend dem Adidas Modell konzentrierten sich die frühen Anstrengungen von Nike zum Aufbau der Marke darauf, Sportler zur Unterstützung der Marke zu ermutigen. In den Anfangsjahren bemühte sich Nike besonders um viel versprechende junge Sportler und die Olympischen Spiele, denn die Mittel des Unternehmens reichten nicht aus, um Spitzensportler anzuziehen; mit wachsenden Einnahmen nahm jedoch auch der Umfang der sportlichen Unterstützungsprogramme zu. Ziel war es, das Nike-Logo bei den Gewinnern bekannt zu machen und es ins Fernsehen zu bringen – nicht nur um glaubwürdig zu werden und den Schuh kostenlos präsentieren zu können, sondern auch, um emotionale Vorteile zu demonstrieren und die Möglichkeit, die eigene Persönlichkeit durch den Schuh auszudrücken. Von Anfang an gehörte es zum Geheimnis von Nike, sich die mit Sport verbundenen Emotionen zu Nutze zu machen.

Der Typ Sportler, den Nike suchte, war grundverschieden von dem Adidas-Sportler; unangepasst, zum Widerspruch herausfordernd, aggressiv, unabhängig, jemand mit einer eigenen Einstellung – kurz gesagt, jemand mit eigener Persönlichkeit. Der erste mit Nike verbundene Athlet war Steve Prefontaine, ein exzellenter Langstreckenläufer mit einem enormen Siegerwillen, der diese ikonoklastische Persönlichkeit verkörperte. Leider starb er 1975 bei einem Autounfall und wurde durch eine Statue in der Firmenzentrale von Nike verewigt. Der große Tennisspieler Ilie Nastase, der nicht von ungefähr den Spitznamen »Nasty« [fies] erhielt, passte auch in dieses Bild; Nike warb ihn 1972 Adidas ab und nahm ihn unter Vertrag (die Verbindung hielt jedoch nicht lange). John McEnroe, ebenfalls ein hervorragender Tennisspieler, der für seine Wutausbrüche auf dem Platz berüchtigt war, unterschrieb 1978 einen Vertrag mit Nike. Die Nike-McEnroe-Werbung zeigte das Bild eines Schuhs mit dem Text: »Nike, McEnroe's favorite four-letter word.« [»Nike, McEnroes Lieblingswort mit vier

Buchstaben« – in der englischen Sprache haben ein paar häufig vorkommende Schimpfwörter auch nur vier Buchstaben.] Dieses Wortspiel drückte das Wesen der Marke Nike sehr gut aus.

Die Nike-Persönlichkeit kam auch in der frühen Anzeigenwerbung des Unternehmens gut zum Ausdruck. Zu den ersten Anzeigen in Zeitschriften wie *Runner's World* zählte 1977 die Fotografie einer Frau, die mitten in einem Verkehrsstau über eine Brücke rennt, mit der Überschrift: »Mensch gegen Maschine.« Auf einer anderen Anzeige sah man einen einsamen Läufer auf einer engen Straße mit zwei Fahrbahnen, die von hohen Bäumen flankiert wurde; die Überschrift lautete: »Es gibt keine Ziellinie«. Das Bild führte den Leser aus seinem hektischen städtischen Umfeld heraus an einen Ort, wo die Luft noch sauber war und die Herausforderung der Mensch selbst war. Für einen begeisterten Läufer stellte diese Erfahrung einen Höhepunkt dar. Diese Werbung kam bei den Lesern gut an und wurde zu einem viel gedruckten Poster, das in Tausenden von Schlafzimmern, Schlafsälen und Wohnzimmern hing. Die Werbung und die Poster ließen Nike cool erscheinen, besonders im Kontrast zu der eher funktionalen, autoritären Marke Adidas.

Da Nike Mitte der siebziger Jahre des 20. Jahrhunderts verhältnismäßig klein war und Verträge mit professionellen Sportlern sehr teuer kamen, konnte das Werbe- und Sponsorprogramm des Unternehmens nur bescheiden sein. Da die Firma mit geringen Mitteln eine möglichst große Wirkung erzielen wollte, wurde ein externes Beraterteam gegründet. Collegetrainer, die dazu gehörten, erhielten kostenlos Schuhe für ihre Teams, Unterstützung für Sommercamps, die sie förderten, ein bescheidenes Honorar und einmal im Jahr einen Ersteklasseflug zur Nike-Firmenzentrale. Die Trainer konnten es kaum fassen – man bezahlte sie dafür, dass sie kostenlose Schuhe annahmen! Im ersten Jahr (1978) wurden zehn führende Trainer unter Vertrag genommen. Schließlich waren fünfzig Trainer an dem Programm beteiligt, was dazu führte, dass man das Nike-Logo während der letzten Vier des NCAA sah (das heißt während der Halbfinale und der Endrunde der College-Basketballwettkämpfe der Männer), ein wichtiges Fernsehereignis.

Ein anderes kostengünstiges Programm war Athletes West, ein Trainingszentrum in Eugene, Oregon, für Olympiakandidaten, denen es an Möglichkeiten und Mitteln fehlte, außerhalb der Saison zu trainieren. Private Unterstützung dieser Art wurde von den Amerikanern ganz besonders während der Zeit geschätzt, als Athleten aus Osteuropa sich der tatkräftigen Hilfe ihrer Regierungen sicher sein konnten. Athletes West, das 1977 eröffnet wurde, brachte gute Werbung und gab den Athleten Zusammengehörigkeitsgefühl. Nike war auf ihrer Seite.

Ein weiteres wichtiges Programm von Nike, Ekins (wenn man »Nike« rückwärts buchstabiert, hat man die Basis für diesen Namen), verband die Schulung eines technischen Verkäufers mit Unterricht in den grundlegenden Maßnahmen zum Aufbau der Marke. Neue Beschäftigte bei Nike, die sich an dem Ekins-Programm beteiligten, lernten ebenso viel über die Technik der Schuhe wie über die

Nike-Philosophie. Die Mitglieder des Ekins-Teams begaben sich dann in die ihnen zugeteilten Märkte und berieten sowohl Sportgeschäfte als auch Orthopäden auf der Basis von ganz speziellem technischem Wissen, wie Nike-Schuhe dazu beitragen konnten, Verletzungen zu vermeiden; außerdem organisierten sie Verkaufsveranstaltungen und Roadshows und trafen auf Veranstaltungen am Wochenende mit Sportlern zusammen (bei Straßenrennen, Leichtathletikveranstaltungen, und so weiter). Alles, was sie lernten, wurde an die Nike-Firmenzentrale weitergegeben, um dort die Forschung zu unterstützen.

Das Ekins-Programm war zu dieser Zeit einzigartig, geradezu revolutionär. Kein anderer Schuhhersteller hatte eine derart große Gruppe von technisch und fachlich äußerst kompetenten Verkaufsberatern im Markt, die sich außerdem für Sport begeisterten – diese gemeinsamen Anstrengungen zum Aufbau der Marke stellten Beziehungen zu wichtigen, einflussreichen Menschen her. Die Wurzeln des Programms konnte man in der Frühzeit von Nike finden, als die Manager des Unternehmens an Besprechungen auf Sportplätzen teilnahmen.

Nike verliert an Schwung

1983 kam es zu einer Krise bei Nike: Die Lagerbestände waren zu hoch, Abverkäufe und Gewinn sanken, einige wichtige Leute verließen das Unternehmen, Knight zog sich aus dem Tagesgeschäft zurück, und es kam zu den ersten Kürzungen. Eine Reihe von Gründen führte zu dieser Entwicklung, darunter auch das stürmische Eindringen in den Markt für Sportkleidung mit eher schwachem Design und minderwertiger Qualität. Die Marke schien kein Ziel mehr zu haben und es kam zu einigen wenig sinnvollen Ausweitungen – beispielsweise in Freizeitbekleidung für Damen. Die erst vor kurzem unternommenen Anstrengungen, in Europa Fuß zu fassen, hatten wichtige Management- und finanzielle Ressourcen abgezogen. Von den neuen Produkten wurden keine zu großen Erfolgen. Aber die offensichtlichste Ursache für die Krise war die Tatsache, dass Nike von Reebok eingeholt wurde.

Die Jahresumsätze von Reebok wuchsen von 35 Millionen Dollar im Jahr 1982 auf über 300 Millionen Dollar im Jahr 1985, weil das Unternehmen die Fitness- und Aerobic-Begeisterung der Frauen, insbesondere in den USA, auszunutzen verstand. Reebok führte bequeme Sportschuhe ein, die aus weichem, anschmiegsamem Leder gemacht waren und in vielen kühnen Modefarben angeboten wurden. Bei Konsumenten mit Stilgefühl, insbesondere weiblichen, wurden Reebok-Schuhe ein Hit. Die Schauspielerin Cybill Shepherd verlieh ihnen als modischem Accessoire einen gewissen Kultstatus, als sie bei der Emmy Award-Verleihung ein Paar Reebok-Schuhe in leuchtendem Orange zu ihrem eleganten Abendkleid trug. Reebok gelang es tatsächlich, eine beträchtliche Marktlücke bei Sportschuhen zu füllen, und Nike (zusammen mit Adidas) hatte darunter zu leiden.

Nikes Unfähigkeit, diesen Trend zu erkennen und darauf zu reagieren, glich auffällig der Reaktion von Adidas auf die Joggingbegeisterung fast zehn Jahre zuvor. Nikes Geschäfte gingen gut, daher war das Unternehmen gar nicht an Trends interessiert, die es in neue Märkte (vor allem Aerobics für Frauen) geführt hätten, oder an Unternehmensmodellen, bei denen die Unterstützung von Sportlern und Beraterteams von Collegetrainern eben nicht funktionierten. Wieder einmal verhielt sich ein Unternehmen arrogant; auf die Designer von Nike wirkten die Schuhe von Reebok eher frivol und schäbig – sicherlich keine Schuhe für ernst zu nehmende Jogger oder Sportler.

Nike kehrt zurück

Als Nike um sein Comeback kämpfte, übernahm Phil Knight wieder die Leitung und begann mit einer neuen Definition der Markenidentität. Er kam zu dem Schluss, dass es bei Nike um Sport, Fitness und Leistung ging, damit konnte die Marke sich stärker darauf konzentrieren, was Nike war beziehungsweise nicht war (vergleiche Schaubild 6.1). Freizeitschuhe und Bekleidung passten nicht dazu, Basketballschuhe dagegen schon. Eine andere Schlussfolgerung, nämlich dass es bei Nike auch um emotionale Bindungen an die Konsumenten geht, verdeutlichte, dass die Marke Nike über das Produkt selbst hinausgehen und sich auf die Erfahrung konzentrieren sollte, die man macht, wenn man dieses Produkt bei sportlichen Ereignissen trägt (im Unterschied zu einem reinen Freizeitvergnügen).

Die Markenidentität von Nike um 1984

Kernidentität

Sport und Fitness,

Leistungsschuhe, die auf technischen Innovationen basieren,

Spitzensportler und wirklich sportbegeisterte Menschen,

die Freude über den Sieg.

Erweiterte Identität

Charakteristik der Markenpersönlichkeit:

- aggressiv, provokativ, direkt,
- temperamentvoll, cool,
- maskulin.

Der schwungvolle Bogen unter dem Namen, Persönlichkeiten aus dem Sport.

Eine Tradition als innovativer Laufschuh und das Trainingslager in Oregon.

Herkunft aus den USA für alle anderen Länder.

Schaubild 6.1

Phil Knight änderte auch die Regeln für den Aufbau der Marke. 20 Jahre lang hatte sich Nike auf die Unterstützung von vielen Sportlern verlassen; 1983 hatte das Unternehmen rund zweitausend Leichtathleten, die Hälfte der National Basketball Association und zahlreiche andere Sportler unter Vertrag. Die Kosten für diese Unterstützung stiegen von Jahr zu Jahr und verschlangen einen Großteil von Nikes Kommunikationsbudget. Dagegen wurde nur sehr wenig Werbung gemacht, die weitgehend auf ein paar Spezialzeitschriften beschränkt blieb. Dieser kommunikative Ansatz sollte sich gründlich ändern. Die Strategie, Sportler zu unterstützen, war fortan mehr auf Wirkung ausgerichtet, nicht so sehr auf Masse; eine begrenzte Anzahl einflussreicher Athleten wurde eingesetzt. Außerdem begann Nike, sich mehr auf Werbung zu konzentrieren, um die Marke den Massen vor Augen zu führen. Michael Jordan war sowohl das Instrument als auch das Symbol dieser neue Politik.

Nach drei schwierigen Jahren stieg der Abverkauf wieder. 1986 erreichte Nike endlich ein Umsatzvolumen von einer Milliarde Dollar, und ein unglaubliches Wachstum von Umsatz und Gewinn begann. Der Verkauf stieg auf 2,2 Milliarden Dollar im Jahr 1990, 3,8 Milliarden Dollar im Jahr 1994 und 9,6 Milliarden Dollar im Jahr 1998. In dieser Zeit trugen drei verschiedene Programme zum Aufbau und zur Pflege der Marke zum Erfolg von Nike bei: die Strategie (die mit Michael Jordan anfing), sich bei der Unterstützung von Sportlern auf einige wenige zu konzentrieren, die Entscheidung, landesweite Werbung zu nutzen, um eine dominante Präsenz zu schaffen, sowie die Entwicklung der Nike-Town-Geschäfte.

Michael Jordan – weniger ist mehr

1984 nahm Nike Michael Jordan unter Vertrag; er erhielt einen Fünfjahresvertrag, außerdem Nike-Aktien und Lizenzgebühren in noch nie da gewesener Höhe für Schuhe mit dem Namen Jordan; es wurde geschätzt, dass dieser Vertrag dem Sportler pro Jahr eine Million Dollar einbrachte. Diese Summe betrug mehr als das Fünffache dessen, was Adidas oder Converse geboten hatten, die beide in Michael Jordan nur einen weiteren Sportler sahen, der ihre Produkte unterstützten könnte, und nicht den zentralen Angelpunkt eines Marketingprogramms sowie einer ganzen Serie von Schuhen und Bekleidungsartikeln. In einem Leitartikel bezeichnete *Fortune* den Vertrag angesichts der finanziellen Probleme von Nike als großen Fehler. Er erwies sich jedoch für das Unternehmen als ausgesprochenes Schnäppchen, größtenteils deshalb, weil Michael Jordan alle Erwartungen übertraf.

Nach Meinung vieler wurde Michael Jordan der beste Basketballspieler aller Zeiten. Seine weltweite Bedeutung hatte genauso viel mit seinem Stil zu tun wie mit der Qualität seines Spiels – anstatt andere durch seine Größe und seine Stärke zu überwältigen, nutzte Jordan seine Schnelligkeit und Sprungstärke, um durch die Luft zu segeln und spektakuläre Würfe zu improvisieren. Seine scheinbar übernatürlichen Talente nahmen die Leute gefangen, und die Jugend der Welt hatte einen neuen Helden. Außerdem erwies sich Michael Jordan als ausgeglichener, kluger Mensch mit einnehmendem Wesen, einer beneidenswerten

Arbeitsethik und dem sichtbaren Willen zum Erfolg. Letztendlich war er ein Ausnahmeathlet, der länder- und sportartenübergreifend faszinierte, eine Eigenschaft, die sich bezahlt machte, als Nike Jordans viele Qualitäten nutzte, um darauf ein beträchtliches Geschäft aufzubauen.

Jordan hatte eine immense Wirkung auf Nike. Als Verkörperung von Leistung, Spannung, Energie und Prestige war Jordan überlebensgroß und das ideale Symbol für Nike. Er gab Nike die Chance, Air Jordan zu etablieren, eine Serie von Basketball-Schuhen in auffallenden Farben und eine dazu passende Kollektion von Bekleidung. Die Einführung von Air Jordan war ein kommerzieller Hit und ein Erfolg für die Marke; im ersten Jahr wurden Umsätze von fast 100 Millionen Dollar erzielt. Als Jordan die Schuhe zum ersten Mal trug, wurden sie von den Funktionären der National Basketball Association verboten, weil sie gegen die Kleiderordnung des Verbandes verstießen. Nike spürte, dass sich hier eine günstige Gelegenheit für Öffentlichkeitsarbeit bot und veröffentlichte eine Anzeige, die besagte, die Schuhe seien nur wegen ihres revolutionären Designs von der NBA verboten worden. Als daraufhin sowohl über Nike als auch über Air Jordan ausführlich berichtet wurde, gab der NBA nach und verhalf der Geschichte zu einem Happyend im Sinne von Nike.

Air Jordans nutzte nicht nur die magnetische Anziehungskraft von Michael Jordan, sondern stellte auch eine neue Möglichkeit dar, eine Technologie der Öffentlichkeit zu präsentieren, die es bei Nike schon seit 1974 gab – versiegelte Gasblasen, die in die Sohlen der Schuhe integriert waren. (Diese Airtechnik war übrigens schon Adidas von einem NASA-Ingenieur angeboten worden, ehe er sich an Nike wandte, nachdem Adidas dankend abgelehnt hatte.)

Anfangs verkaufte sich der Schuh sehr gut, aber bald schon stagnierte der Absatz. Da Nike davon überzeugt war, dass die Öffentlichkeit die Airtechnik nicht verstand, entwickelte das Unternehmen den Visible Air [sichtbare Luft] Schuh (mit durchsichtigen Fenstern an den Seiten der Sohle) und außerdem die Air Max-Schuhserie. Diese neue Serie wurde 1987 mit einem Werbebudget von 20 Millionen Dollar eingeführt; Nike verwendete zum ersten Mal Fernsehwerbung. Die funktionalen Vorteile der Airtechnik wurden von Wettbewerbern kopiert, aber die Assoziation zu Michael Jordan und der Besitz der Marke »Air« machte es Nike möglich, die offensichtlichen technischen Vorteile zu vereinnahmen.

Jordan ermöglichte es Nike auch, aus dem Nischenmarkt der Joggingschuhe herauszukommen und ein auf Basketball bezogenes Geschäft aufzubauen; gerade damals wurde Basketball in den USA deutlich populärer. Fast über Nacht wurde Nike zum überragenden Anbieter von Basketballschuhen, zumindest was das Prestige, vielleicht sogar was den Absatz betraf.

Diese Unterstützung durch Michael Jordan rechtfertigte außerdem die ganze Politik, Stars zur Stützung der Marke einzusetzen. Nur wenige Jahre, nachdem Jordan unter Vertrag genommen worden war, erhielt Bo Jackson einen Vertrag (damals der einzige Sportler mit genug Talent, um sowohl im Profifootball als auch im Profibaseball Erfolg zu haben), um als Repräsentant für Cross-Trainers zu dienen, einer bedeutenden neuen Sportschuhkategorie, die Nike 1987 schuf. Die »Bo knows football«- und »Bo knows baseball«-Anzeigen und -Poster, die schnell geschaffen wurden, entwickelten sich zu einem Teil einer Popkultur. Als Jackson aufgrund eines Hüftproblems nicht mehr spielen konnte, wurde er schließlich durch Deion Sanders ersetzt, einem anderen Football- und Baseballstar. 1995 wurde Tiger Woods unter Vertrag genommen, um für Nike im Bereich Golf das zu tun, was Michael Jordan im Basketball erreicht hatte – die Marke auf diesem Gebiet zu etablieren und eine Reihe von Ausrüstungsgegenständen und Bekleidung zu unterstützen.

Werbung – der Aufbau einer dominanten Medienpräsenz

Viele Marketingleiter und Produktmanager stellen sich die Frage: Was passiert, wenn wir eine aggressive Werbekampagne entwickeln und diese konsequent für einen längeren Zeitraum beibehalten? Wenn überhaupt, wie positiv würde sich das auf den Markenwert auswirken? Bekämen wir dadurch die Möglichkeit, unsere Branche zu dominieren? Würde der Nutzen die Kosten übersteigen? Nike stellte sich genau diese Fragen und bietet daher ein gutes Fallbeispiel. Das Unternehmen entschloss sich, die Werbung zu verstärken, sorgte für optimale Ausführung und hatte die Geduld, die Kampagne langfristig beizubehalten. Im Wesentlichen veränderte Nike das Modell zum Aufbau seiner Marke dadurch, dass sich die Firma entschloss, direkt an einen großen Kundenstamm zu verkaufen statt sich auf das »Langsam-nach-unten-Filtern-Modell« zu verlassen, bei dem erfolgreiche Sportler einen Einfluss auf den Massenmarkt ausüben.

Der erste größere Versuch mit Konsumentenwerbung, den Nike unternahm, waren die 20 Millionen Dollar, die das Unternehmen vor den Olympischen Spielen in Los Angeles im Jahr 1984 ausgab. In dem Jahr sanken die Abverkäufe in den USA um 12 Prozent und der Gewinn schrumpfte um 30 Prozent. Zwischen 1985 und 1987 nahmen die Probleme von Nike zu. Sein Marktanteil in den Vereinigten Staaten sank von 27,2 Prozent auf 16 Prozent – wovon hauptsächlich Reebok profitierte, dessen Marktanteil von Null auf 32 Prozent emporschnellte. Nike ließ sich jedoch nicht abschrecken und erhöhte sein jährliches Werbebudget draufgängerisch auf 45 Millionen Dollar im Jahr 1989 und dann stetig bis auf 150 Millionen Dollar im Jahr 1992.

Die Städtekampagne

Mit einer Kampagne Mitte der achtziger Jahre des 20. Jahrhunderts, die den Durchbruch brachte, schuf Nike schnell eine dominante Medienpräsenz in mehreren Städten der USA, die als Trendsetter galten. Das Unternehmen verwendete Fernsehspots, die Nike mit einer Stadt in Verbindung brachten, aber die wirklichen Triebkräfte waren riesige, übergroße Plakatwände sowie Wandbilder an Gebäuden (siehe Schaubild 6.2), mit denen eine Stadt regelrecht zugepflastert wurde, und worauf die bedeutendsten von Nike gesponsorten Athleten abgebildet waren, (aber keine Produkte).[20] Die Beine von Carl Lewis streckten sich über den Rand der Großplakate hinaus, um noch mehr Aufmerksamkeit zu erregen. Diese optische Präsenz wurde durch Maßnahmen in den Läden unterstützt, um die Werbung in Abverkäufe umzusetzen.

Schaubild 6.2: Ein von Nike bemaltes Gebäude

Während der Olympischen Spiele 1984 stand Los Angeles im Zentrum des Programms. Zu den Maßnahmen gehörte eine »I love L.A.«-Fernsehwerbung mit Bildern, die die wichtigsten von Nike gesponserten Athleten in Aktion zeigten – Carl Lewis sprang in die Luft und landete im Sand von Venice Beach, John McEnroe hatte eine Auseinandersetzung mit einem Verkehrspolizisten. Diese Szenen wurden auf Großplakaten und Wandbildern wiederholt. Die dadurch geschaffene Präsenz von Nike wirkte sich auch auf die Medienberichterstattung über die Olympiade aus, wodurch Nike siebenmal sooft mit den Olympischen Spielen in Verbindung gebracht wurde wie Converse, der offizielle Sponsor. Während Converse als Sponsor Geld ausgab und Adidas Teams finanziell unterstützte, stach Nike den Konsumenten ins Auge.

Medienwerbung

In den Augen der Konsumenten setzte sich Nike erst durch landesweite Medienwerbung von seinen Wettbewerbern ab. Nike nutzte aber nicht nur die Macht der Medien, die Ausführung der Werbung war auch ideal. Beispielsweise zeigte eine frühe Michael Jordan-Werbung den Sportler, wie er durch die Luft segelt, um einen Ball in den Korb zu bringen, mit dem Slogan: »Who says man was not meant to fly?« [»Wer sagt denn, dass Menschen nicht fliegen können?«] Dieses Image wurde zum Symbol für Michael Jordan und die Anzeige zu einem der beliebtesten Poster aller Zeiten. Die private Seite von Michael Jordan wurde in einer Reihe humorvoller Anzeigen enthüllt, die Spike Lee entwickelt hatte, ein zur damaligen Zeit eher unbekannter Avantgarde-Direktor.

Schaubild 6.3: Die »Just do it«-Kampagne

Mit der »Just do it«-Kampagne, die 1988 herauskam (siehe Schaubild 6.3) landete die Nike-Werbung einen Riesenerfolg. Diese Werbung wurde von *Advertising Age* als viertbeste Kampagne des 20. Jahrhunderts bezeichnet, hinter der berühmten Volkswagenwerbung »Think small« der fünfziger und sechziger Jahre, der Coca-Cola-Werbung aus den zwanziger Jahren, »The pause that refreshes«, und der lange beibehaltenen Marlboro-Man-Kampagne.[21] Die Werbung wurde als besser eingestuft als Kampagnen von McDonald's (»You deserve a break today«), DeBeers (»A diamond is forever.«), Miller Lite Beer (»Tastes great, less filling«), Avis (»We try harder.«) und Absolut Wodka (die Flasche).

Die erste »Just do it«-Anzeige zeigte den behinderten Sportler Craig Lanchette im Rollstuhl als Teilnehmer an einem Rennen und den Slogan in weißen Buchstaben vor einem schwarzen Hintergrund. Der Slogan wurde niemals gesprochen, aber er fand bei einer ganzen Generation Resonanz. Scott Bedbury, der Werbedirektor von Nike, bemerkte: »Wir können das nicht auf Kugelschreiber oder Schlüsselringe drucken; es ist viel mehr als ein Werbeslogan. Es ist eine Idee. Es ist wie ein Geisteszustand.«[22] Es sprach übergewichtige Männer an, die wieder einmal ihr Fitnesstraining verschoben hatten, viel beschäftigte Geschäftsleute, die gar nicht mehr daran dachten, und alle möglichen Menschen, die irgendwo einen Traum im Hinterkopf hatten. Nike wurde mit der Vorstellung verbunden, dass man tatsächlich etwas für die eigene Fitness tut, die richtigen Prioritäten setzt und seinen Traum lebt (statt ihn nur zu träumen).

Der »Just do it«-Slogan wurde lange beibehalten. Er wurde 1997 für kurze Zeit durch den »I can«-Slogan ergänzt, der Sportler dazu aufforderte, sich selbst ihre Grenzen zu setzen, und andeutete, dass Erfolg immer vom Einzelnen abhängt. Diese Veränderung war ein Versuch, die Wahrnehmung der Konsumenten zu ändern und sollte Nike besser an den Haupttrend der neunziger Jahre, »caring and sharing«, anpassen. Aber die Botschaft war verwirrend und fand keinen Widerhall, teilweise weil die kreative Umsetzung nicht wirklich überzeugte. Möglicherweise war es auch nur die richtige Idee zur falschen Zeit. Der Misserfolg der »I can«-Kampagne verstärkt die Auffassung, dass eine Menge von Faktoren zusammenkommen müssen, damit Werbung funktioniert.

NikeTown – Flaggschiffläden

1992 eröffnete Nike sein erstes NikeTown-Geschäft in der North Michigan Avenue in Chicago. Noch nie zuvor hatte es etwas Derartiges zur Unterstützung einer Marke gegeben: ein bedeutendes Einzelhandelsgeschäft mit rund 6500 Quadratmeter Verkaufsfläche auf drei Etagen, das aus 18 individuellen Pavillons für die unterschiedlichen Produkte bestand, um das gesamte Nike-Programm präsentieren zu können. Dieser Laden kommunizierte vor allem das Wesen von Nike, indem er die Energie und Direktheit des Unternehmens sowie die »Just do it«-Philosophie ausdrückte. Musik à la MTV, riesige Fernsehbildschirme zeigen Wiederholungen von wichtigen Spielen; auf einem enormen Poster sieht man Michael Jordan durch die Luft fliegen, außerdem gibt es einen Bereich, der ausschließlich seiner Person gewidmet ist. Die ganze Architektur des Geschäfts, das Layout, die Menschen, das Display, der gesamte Eindruck, alles ist typisch Nike.

1996 war der NikeTown-Laden eine größere Touristenattraktion als das Art Institute von Chicago, mit mehr als einer Million Besuchern und 25 Millionen Dollar Jahresumsatz. Binnen sechs Jahren nach der Eröffnung dieses Geschäfts wurde ein weiteres Dutzend NikeTown-Läden eröffnet, einschließlich einem in New York City. Diese Geschäfte vermittelten allen Kunden ein Nike-Erlebnis, das von dessen Wettbewerbern oder den widersprüchlichen Interessen in anderen Einzelhandelsläden unbeeinflusst blieb. Die meisten anderen Methoden, mit Kunden in Kontakt zu treten, bleiben Stückwerk und gehen in der Masse unter; außerdem fehlt den meisten Einzelhändlern, die Nike verkaufen, die Motivation, in größerem Umfang die Marke im Verkaufsraum energisch zu unterstützen (sie stellen einfach Ware aus). Daher spielt NikeTown eine wichtige Rolle als Kern der Nike-Markenpflege, es ist der Anker, der allen anderen Bemühungen Halt gibt.

Schaubild 6.4: Der Flaggschiffladen von Nike

Nike in Europa

Nike begann 1981 in Europa zu verkaufen und entwickelte schnell eine beachtliche Präsenz (wobei die Schwierigkeiten von Adidas sicherlich halfen); der Erfolg in Europa milderte die Probleme, die Nike in den achtziger Jahren in den Vereinigten Staaten hatte. Beispielsweise wuchsen 1984 die weltweiten Abverkäufe von Nike, obgleich der Absatz in den Vereinigten Staaten um 10 Prozent sank.

Die Herausforderung, mit der sich Nike in Europa konfrontiert sah, war hauptsächlich eine Frage der Positionierung. Grundsätzlich verfolgte Nike in Europa die Strategie, die Marke durch die traditionelle Betonung von Leistung und technisch erstklassigen Produkten für ernst zu nehmende Sportler aufzubauen. Diese Elemente der Kernidentität hatten sich für Nike in den USA als nützlich erwiesen, aber in Europa hatte bereits Adidas diese Assoziationen für sich vereinnahmt. Daher musste sich Nike abgrenzen und tat dies mit der Nike-Persönlichkeit und der amerikanischen Tradition.

Die Assoziationen zu Amerika, die mit Nike verbunden sind, verleihen der Marke Glaubwürdigkeit und Substanz. Da viele Europäer Jogging und Fitness, Aktivitäten, die aus Amerika kamen, als modern und schick empfanden, war es für Nike einfach, eine Position in diesen Schlüsselbereichen aufzubauen. Europäer, insbesondere die jungen, lieben alles, was aus Amerika kommt; Coca-Cola, Harley-Davidson, McDonald's, Marlboro und Levi's haben von dieser Vorliebe profitiert, und genau das Gleiche tat Nike.

Für den Aufbau der Marke Nike in Europa wurden die gleichen Sportler eingesetzt wie in den Anzeigen in den USA, wobei sogar amerikanische Sportarten wie Basketball gezeigt wurden. Der englische Text der Anzeigenwerbung wurde beibehalten, außer für Frankreich wurden keine Anpassungen vorgenommen.

Nikes Persönlichkeit war auch eine wichtige Triebkraft für die Markenidentität und die Position der Marke in Europa. Nikes provokative, direkte Art, verbunden mit der Underdog-Position im europäischen Markt, sprach insbesondere die Jugend an, eine wichtige Zielgruppe, die Nike teilweise deshalb für cool hielt, weil die Marke Respektlosigkeit akzeptabel erscheinen ließ – und sie sogar zelebrierte. Im scharfen Gegensatz dazu stellte Adidas eher die Hauptströmung dar, machte keine lauten Worte und war offen für alle. Adidas war der Schuh, den Vater und Großvater trugen. Es war kein Zufall, dass Nike eines der ersten Unternehmen war, das den Musikkanal MTV für Werbung nutzte und deutlich mehr Geld dafür ausgab als alle etablierten Sportmarken zusammen.

Flaggschiffläden

Das Konzept der Flaggschiff- oder Ereignisläden ist von anderen Marken übernommen worden, seit NikeTown erstmals seine Tore öffnete. Marken wie Sony, Polo Ralph Lauren, Warner Brothers, Disney, Sega, Virgin, Bass Pro Shops und REI haben erkannt, wie nützlich es ist, ihrer Marke ein eigenes Theater zu bauen, in dem alle Kulissen, Requisiten und Schauspieler die Marke unterstützen. Zu der Bass Pro Shops Outdoor World in Springfield, Missouri, die jährlich vier Millionen Besucher anzieht, gehören ein vier Stockwerke hoher Wasserfall, Schießplätze für Gewehr und Bogen, vier Aquarien, ein Golfübungsplatz und ein Museum wild lebender Tiere. Der REI Laden, der 1996 in Seattle eröffnet wurde, entspricht genau dem Image des Unternehmens als erstklassige Quelle für Ausrüstung und Garderobe für den Aufenthalt im Freien. Dazu gehören ein Mountainbikepfad von rund 140 Meter Länge, eine Feuerstelle, an der man Campingöfen ausprobieren kann, eine Dusche, unter der man Regenbekleidung testen kann, ein Wanderweg und als Herzstück – die größte frei stehende Kletterwand der Welt in einem Gebäude.

Ein Flaggschiffladen bietet nicht nur die ultimative kommerzielle Gelegenheit, indem er dem Kunden eine praktisch absolute Erfahrung mit der Marke vermittelt, er macht es auch für die Beschäftigten im Unternehmen selbst möglich, die Markenidentität und deren Implementierung auf einen Blick zu sehen. Welches sind die wichtigen Elemente für den Aufbau eines erfolgreichen Flaggschiffladens? Die von Prophet Brand Strategy durchgeführte Marktforschung führte zu den folgenden sechs Richtlinien:

1. **Klare Markenidentität**
   Man muss sicherstellen, dass der Flaggschiffladen von einer eindeutigen Markenidentität gesteuert wird. Alle Bereiche des Unternehmens müssen nicht nur zu diesem Laden etwas beitragen, sondern auch alles mit ihm koordinieren. Alles muss übereinstimmen, und alles muss aus der Markenidentität herausfließen. Die integrierte synergistische Wirkung des Ladens in Kombination mit den anderen Anstrengungen zum Aufbau der Marke macht die Sache wirklich lohnend.

2. **Markenbezogene Vorteile für die Konsumenten**
   Der Laden darf nicht zu einem Museum für die Marke oder zu einem Unterhaltungszentrum werden, das in keiner Beziehung zu der Marke steht. Der REI-Laden beispielsweise ist darauf ausgerichtet, den Konsumenten zu belehren und komplizierte Produkte zu entmystifizieren; in diesem Umfeld dürfen Kunden eine Reihe von Outdoor-Produkten ausprobieren.

3. **Ausnutzen von Markenkapital**
   Ein Flaggschiffladen hat das Potenzial, alle Formen des Markenkapitals zu präsentieren, einschließlich der Symbole, der Farben, der Musik, der Tradition und einzigartiger Produkte. In Sonygeschäften werden die Produkte beispielsweise in einem komplett nachgebildeten Heim oder einem Büroumfeld präsentiert.

4. **Einkauf als Erlebnis**
   Der Flaggschiffladen bleibt ein Geschäft, und daher sollte er für ein Einkaufserlebnis gestaltet sein, das Spaß macht, produktiv und aufregend ist. Der Laden muss funktional sein, dabei aber gleichzeitig Markenpflege betreiben.

5. **Abwechslung für Konsumenten**
   Ohne Neuerungen wird der Laden schnell altmodisch und langweilig. Natürlich sind neue Produkte das Lebenselexir für einen lebendigen Einzelhandel, aber ein Flaggschiffladen braucht mehr Veränderung und Innovation, als neue Produkte alleine bieten können.

6. Lernen aus Erfahrung
Man darf den Laden nicht als Monolithen behandeln; man muss ihn nutzen, um in der Öffentlichkeit bekannt zu werden. Während der ersten sechs Jahre, in denen NikeTown existierte, wurden darüber rund 1900 Artikel in der Presse veröffentlicht. Man muss von den Käufern lernen – man sollte experimentieren, um herauszufinden, was funktioniert und was die Kunden anspricht, und dann diese Erfahrung an anderer Stelle im System anwenden.

Quelle: Flagship Stores, Prophet Brand Strategy.

Guten Morgen, Adidas

Adidas konnte von dem Boom während der achtziger Jahre des 20. Jahrhunderts nicht profitieren, es hatte die Entwicklung glatt verschlafen. Durch Adi Dasslers Tod 1978 ging dem Unternehmen seine wichtigste Innovationsquelle verloren. Mit dem allzu frühen Tod von Horst Dassler im Jahr 1985 verlor die Firma auch noch ihren Marketingvisionär. Die Marke kam ins Schleudern und schien kein klares Ziel mehr zu haben, und 1989 wurde das Unternehmen an den zwielichtigen französischen Geschäftsmann Bernard Tapie verkauft. Drei Jahre später steckte Tapie, der mehr politische Ambitionen als unternehmerisches Geschick hatte, in finanziellen Schwierigkeiten und überließ die Kontrolle über das Unternehmen einem Konsortium französischer Banken.

Die Lage hätte für Adidas nicht schlimmer sein können. Von 1988 bis 1992 sank der Jahresumsatz von fast zwei Milliarden Dollar auf 1,7 Milliarden Dollar; im gleichen Zeitraum wuchs der Umsatz von Nike von 1,2 Milliarden Dollar auf über 3,4 Milliarden Dollar. Während der siebziger Jahre war Adidas in den Vereinigten Staaten der Marktführer gewesen, aber bis 1992 sank sein Marktanteil dort auf magere drei Prozent. In Deutschland, dem wichtigsten europäischen Markt für Adidas, sank der Marktanteil des Unternehmens von 40 Prozent im Jahr 1991 auf 34 Prozent im folgenden Jahr, während Nike seinen Marktanteil von 14 Prozent auf 18 Prozent steigern konnte. 1992 wuchsen die Abverkäufe von Nike in Europa um 38 Prozent, während diejenigen von Adidas um fast 20 Prozent zurückgingen und das Unternehmen über 100 Millionen Dollar Verluste machte.

Es gab eine ganze Reihe von Gründen für diese Schwierigkeiten. Adidas begriff erst spät die Joggingbegeisterung und noch später die Aerobicwelle. Als das Unternehmen endlich auf diese Trends reagierte, wirkten seine neuen Produkte wenig ansprechend, schienen kein bestimmtes Ziel zu verfolgen und wichen von den Kernwerten der Marke ab (wie man in Abwandlung eines Songs von Aaron Tippin sagen könnte: »Adidas stand nicht länger für etwas und fiel daher auf alles herein«). Außerdem basierte das Marketingprogramm von Adidas nach wie vor auf den Konzepten der siebziger Jahre, während Nike innovativ war und neue Ansätze entwickelte. Kein Wunder, dass Adidas besonders bei der Jugend ein Imageproblem hatte – Adidas wirkte konservativ und funktional und absolut unmodern.

Der Umschwung

Im Frühjahr 1993, als die finanziellen Schwierigkeiten zunahmen, verkauften die französischen Banken, denen Adidas gehörte, das Unternehmen an eine Gruppe von Investoren mit Robert Louis-Dreyfus an der Spitze, der gerade die Werbeagentur Saatchi & Saatchi saniert hatte. Louis-Dreyfus wurde Geschäftsführer, zuvor konnte man Rob Strasser, ein ehemaliger Direktor bei Nike und Peter Moore, ein kreatives Talent, mit beträchtlicher Erfahrung bei Nike für das Unternehmen gewinnen. Diesem neuen Führungsteam verdankt Adidas hauptsächlich seine Erholung.

Eine der ersten Maßnahmen bestand darin, die aufgeblähte Produktpalette gesund zu schrumpfen. Anschließend entwickelten sie sehr sorgfältig eine Adidas-Markenidentität und entsprechende Initiativen zum Aufbau der Marke. Dazu zählte eine neue Untermarke für hochwertige Sportgeräte, eine neue Struktur zur Markenpflege, die Wiederbelebung der Werbung, ein Sponsorprogramm mit neuem Fokus sowie die Organisation von Massensportereignissen unter dem Markendach von Adidas.

Die Markenidentität von Adidas

Dem neuen Führungsteam war klar, dass die einmal starke und zielorientierte Marke Adidas ihren Kurs verloren hatte. Sie wollten mit einer neuen Markenidentität zu den Ursprüngen zurückkehren, den Konsumenten wieder ins Gedächtnis rufen, wofür Adidas einmal stand und die Marke gleichzeitig mit mehr Emotionen verbinden. Infolge dieses Prozesses entstand ein klareres Bild von Adidas, das als Richtlinie für den Aufbau der Marke diente. Zu den wesentlichen Dimensionen dieser Identität (die in Schaubild 6.5 zusammengefasst sind) gehörten Leistung, aktive Teilnahme und Emotion. Diese Dimensionen kann man folgendermaßen dokumentieren:

Leistung. Adidas ist grundsätzlich eine Firma und eine Marke, die hervorragende, innovative Produkte liefert. Das Unternehmen ist traditionell innovativ, um die Leistung von Spitzensportlern zu verbessern. Adidas ist glaubwürdig, weil es Athleten und ihre Sportarten versteht; es ist ein Partner, der ihnen hilft, ihr Bestes zu geben.

Aktive Teilnahme. Während Nike Leistung mit Siegen und Spitzensportlern gleichsetzt, geht es bei Adidas mehr um die Teilnahme an sich. Für Adidas bedeutet Leistung das Überwinden von Hindernissen und das Überschreiten von Grenzen, was sich im Wettbewerb eines Sportlers ausdrückt. Adidas erfasst alle und unterstützt jeden Teilnehmer, auf jeder Ebene, in jedem Spiel, unabhängig von Geschlecht und Alter. Jeder kann und sollte teilnehmen, nicht nur die Spit-

Die Identität der Marke Adidas – 1993

Kernidentität

- Leistung
  - innovative Ausrüstung,
  - ein Partner, der Leistung fördert.
- Aktive Teilnahme – es geht nicht nur ums Siegen
  - nicht nur Spitzensportler, sondern auch ganz normale Menschen,
  - Außergewöhnliches, Grenzen ausweiten.
- Emotion
  - das Vergnügen, Ziele zu erreichen,
  - der Spaß am Wettkampf.

Erweiterte Identität

- Qualitätsprodukte, auf die man sich verlassen kann,
- ernst zu nehmende Athleten, die sich ihrem Sport mit Hingabe widmen (unabhängig von Moden),
- das Beste für den Sportler,
- seit 1926 der Originalsportschuh.
- Eine Persönlichkeit mit folgenden Zügen:
  - aufrichtig, bescheiden, kompetent,
  - energiegeladen,
  - Unterstützung für Teamkollegen.

Schaubild 6.5: Markenidentität von Adidas

zensportler. Bei Adidas geht es um Teams, Teamarbeit und Teamgeist, nicht so sehr um Individuen und Stars.

Emotion. Spannung und Aufregung sind der Kern jedes Sports – sei es nun das prickelnde Gefühl des Siegens, das Hochgefühl, hervorgerufen durch außergewöhnliche Leistungen, das Teamgefühl oder die Begeisterung, die man empfindet, wenn man sich einer physischen Herausforderung stellt. Während man Nike mit aggressiven Emotionen verbindet (was durch den Spruch »Just do it« ausgedrückt wird), hat Adidas eine Bindung an positive Gefühle, die sich mehr auf die Teilnahme an einem Wettbewerb als auf das Siegen beziehen. Für Adidas ist es aufregend, wenn man sich selbst eine Herausforderung stellt; ein Sieg ist eine Belohnung, aber nicht der Grund dafür, sein Bestes zu geben.

Diese Anstrengungen zur Entwicklung einer Markenidentität gaben Adidas zum ersten Mal ein Ziel für die Entwicklung seiner Persönlichkeit vor. Es sollte daraus eine Marke werden, die aufrichtig, energiegeladen, kompetent und als Teamkollege eine hilfreiche Stütze sein würde. In gewisser Weise spiegelt diese Persönlichkeit wahren Sportsgeist wider – eine Person, die fair ist und sich an die Regeln hält, ein Spieler mit beträchtlicher Arbeitsethik und großem Teamgeist.

1993 machte die neue Adidas-Identität eine wirkungsvolle Aussage über die Marke, gab ihr eine Zielrichtung und verdeutlichte, wie sich diese Marke von Nike unterschied. Die neue Identität behielt das Erbe von Technologie, Innovation und Leistung bei, weitete die Marke aber auch in einige positive Richtungen aus.

Die Identität der Marke Adidas im Zentrum des Markenaufbaus

Eine neue leistungsstarke Untermarke – Equipment

Genau wie andere Hersteller von Sportschuhen und -kleidung hat auch Adidas ein klassisches Problem mit einer vertikalen Ausdehnung der Marke. Sie muss ein breites Publikum ansprechen, von Spitzensportlern, bis zu Menschen, die gelegentlich Sport treiben – aber während die echten Sportler eine Hochleistungsausrüstung brauchen, ist dies für die breite Masse nicht notwendig. Daher haben Marken wie Adidas (wie auch Nike und Reebok) in den meisten Warengruppen, angefangen bei den Fußballschuhen bis zum Trainingsanzug, eine recht breite vertikale Palette von Produkten und Preisen. Das Problem bei der Unterstützung einer derart großen Bandbreite besteht darin, dass das obere Ende der Palette leicht an Glaubwürdigkeit und Prestige einbüßt; der Markenname steht nicht mehr nur für das Beste, weil er auch mit Produkten verbunden ist, die bei weitem nicht zu den Besten zählen.

Um diesem Problem zu begegnen, führte Adidas eine neue Untermarke für das alleroberste Leistungs- und Qualitätssegment aller seiner Schuhe und der Bekleidung ein. (Diese Idee war Strasser und Moore gekommen, ehe sie noch zu dem Adidasteam dazustießen.) Diese Untermarke, Equipment, sollte einfach immer für das Beste stehen, egal, ob es sich nun um Basketballschuhe, Fußballschuhe oder Bekleidung zum Aufwärmen handelte. Die Kommunikation sollte sich auf die Equipment-Produkte konzentrieren, weil aus diesem Segment aufregende Neuigkeiten zu berichten waren und die auf hervorragender Technik basierende Leistung zur Essenz der Marke Adidas gehörte. Equipment stellte für Adidas eine Silver bullet dar.

Als den Käufern klar wurde, dass Adidas die besten Produkte unter dem Namen Equipment verkaufte, bekam die Marke Adidas eine neue Bedeutung – sie stand nach wie vor für Dabeisein, Emotionen und Leistung, aber die Leistung wurde jetzt relativiert. Vom Brandingstandpunkt aus betrachtet wurde das untere Ende der Qualitätsskala jetzt abgeschirmt, weil es nichts mit der Untermarke Equipment zu tun hatte. Das Hochleistungsimage der Untermarke Equipment wurde dadurch aufrechterhalten, dass etwas ältere Technik nun für das Produktangebot für Freizeitsportler verwendet wurde, während qualitativ hochwertige neue Produkte (beispielsweise die »Feet You Wear«-Technologie) nur als Teil der Equipment-Serie auf den Markt gebracht wurden.

1998 machte Nike diesem Untermarkenkonzept das höchste Kompliment, indem es diese Strategie kopierte und die Alpha-Serie als eine koordinierte Serie von Schuhen, Bekleidung und Sportausrüstung (einschließlich Uhren und Brillen) einführte. Die Alpha-Palette hat ihr eigenes Symbol, eine aus fünf Punkten gebildete Ellipse zusätzlich zu dem traditionellen schwungvollen Bogen unter dem Namen. Diese Serie hat den Vorteil, dass der Name optimal gewählt wurde; Alpha ist generell das Symbol für die Besten. Im Gegensatz dazu ist der Name Equipment rein beschreibend (man kauft, besitzt und verwendet Equipment [das heißt Ausrüstungsgegenstände] jeder Art) und führt nicht automatisch zu der Annahme, dass das Produkt auch besser sei. Ein Name, der mit wünschenswerten Assoziationen verbunden ist, erleichtert den Aufbau einer Marke.

Die Untermarke Originals

Adidas konnte natürlich auf einer großartigen Tradition aufbauen – seine Schuhe waren bei denkwürdigen Ereignissen in der ganzen Sportgeschichte getragen worden – die Frage war nun, wie Adidas diese Tradition in seinen Produkten ausdrücken konnte? Diese Frage führte zu einer neuen Produktserie mit der Untermarke Originals, die das Konzept verfolgte, die Tradition dadurch auszunutzen, dass Schuhe aus der glorreichen Vergangenheit von Adidas ausgewählt, neu aufgebaut, neu gestaltet und neu auf den Markt gebracht wurden. Der Adidas Rom, beispielsweise, der Schuh, der an die italienische Stadt und die Olympiade dort erinnert, wurde als ein Original neu herausgebracht.

Die Untermarke Originals ist für Adidas inzwischen derart erfolgreich, dass sie fast 15 Prozent aller Schuhverkäufe ausmacht. Noch wichtiger ist, dass jeder Verkauf von ein paar Originals-Markenschuhen die Glaubwürdigkeit von Adidas als echtem Schuhhersteller mit langjähriger Tradition erhöht. Nike hat, wenn auch etwas verspätet, ebenfalls Maßnahmen ergriffen und eigene Produkte wie den Cortez neu herausgebracht, einen Laufschuh aus den Tagen von Blue Ribbon Sports und der Onizuka Unternehmenspartnerschaft.

Eine neue Methode zur Pflege der Marke Adidas

Zwischen 1991 und 1992 nahm Adidas wesentliche Veränderungen im Unternehmensmanagement vor. Bis dahin war die Firma in drei Hauptgeschäftssparten untergliedert gewesen: Schuhe, Bekleidung und Ausrüstungsgegenstände für Sportler (beispielsweise Bälle und Schläger). Die neue Organisation stützte sich dagegen auf Unternehmenseinheiten, die nach Sportarten ausgerichtet waren. In der Fußballabteilung arbeiteten zum Beispiel nur Leute, die sich ausschließlich mit diesem Sport beschäftigten. Die Hauptverantwortung für diese einzelnen Einheiten wurde dorthin verlagert, wo Erfahrung mit der betreffenden Sportart vorhanden war: So wurde beispielsweise die Fußballabteilung weltweit von Deutschland aus geleitet, während im Bereich Basketball das Büro in den USA die Führung übernahm.

Diese Neuorganisation in Unternehmenseinheiten war der Schlüssel zum Erfolg der Markenstrategie. Dadurch wurde die Konzentration auf eine bestimmte Sportart möglich. Außerdem gab sie den Adidasbeschäftigten die Chance, über jede Neuentwicklung in einer Sportart informiert und immer auf dem neusten Stand zu sein, und sie half der Marke Adidas, ihre Glaubwürdigkeit als Hochleistungsmarke zurückzuerobern.

Werbung

Vor lauter Medienrummel, den Nike sowohl in Europa als auch den Vereinigten Staaten veranstaltete, sah und hörte man in den achtziger und neunziger Jahren des 20. Jahrhunderts überhaupt nichts von Adidas. Daher bestand bei der Umwandlung von Adidas die erste Priorität darin, wieder gleiche Bedingungen für alle Beteiligten im Markt herzustellen, was Adidas erreichte, indem es seine Werbeausgaben verdoppelte, um so das gleiche Verhältnis von Werbekosten zu Einnahmen zu erreichen wie Nike. Die Effizienz der Werbung wurde dadurch erhöht, dass alle Maßnahmen zentralisiert und in einer Agentur gebündelt wurden. Genau wie Nike entschloss sich Adidas aber nicht, einfach nur mehr Geld auszugeben – die Wirkung ergab sich aus der hervorragenden Ausführung der Werbung.

Denken Sie beispielsweise nur an die Kampagne, die auf der Fernsehwerbung »Die Wand« basierte, in der Nike-ähnliche surrealistische Bilder verwendet wurden, um einen Läufer zu zeigen, der durch die »Schmerzgrenze« hindurchstieß. Dieser Spot wurde von dem Kultfilmproduzenten David Lynch produziert und enthielt den Slogan »Earn it«. Die Kampagne basierte auf den Assoziationen von Leistung, die man mit der Marke Adidas verband. Die Botschaft richtet sich an den inneren Schweinehund: Jeder steht im Wettbewerb mit sich selbst. »Earn it« stellt eine Inspiration für den individuellen Sportler dar, indem es ihm sagt: »Nichts steht zwischen dir und deinem Erfolg, also übertriff Deine eigenen Erwartungen und überwinde deine Grenzen.«

In einer anderen Anzeigenkampagne wurde auf die Tradition von Adidas angespielt. In dieser Kampagne aus dem Jahr 1995 nutzte Adidas zum ersten Mal ganz bewusst die von dem Unternehmen geförderten Sportler. In einer Anzeige sah man Emil Zapotek in seiner Doppelrolle als tschechischer Läufer und Soldat, eine andere zeigte den jungen Muhammad Ali. Der Slogan lautete: »We knew then – we know now« [»Wir wussten es damals – wir wissen es heute«], eine Botschaft, die den Anspruch von Adidas auf Echtheit, Tradition und Führung kommunizierte. Die Anzeigen, die darauf hinwiesen, dass Adidas ehrlich und authentisch ist und sich auf keine Übertreibungen einließen, unterstützten die Markenpersönlichkeit, die sich Adidas als Ziel gesetzt hatte.

Eine weitere Kampagne konzentrierte sich auf den Ruf von Adidas für Technik und Leistung, indem sie das innovative »Feet You Wear«-System propagierte. Diese neue Technik wurde als natürlichster Schuh, der jemals für Sportler entwickelt wurde, gepriesen, eine Behauptung, die für Adidas vielleicht ein bisschen zu übertrieben klang. Auf jeden Fall scheute das Unternehmen keine Ausgaben für die Einführung des Produktes, weil es hoffte, sich damit in einer Zeit von den Wettbewerbern abheben zu können, als diese gerade eigene neue Produkttechnologien einführten (beispielsweise Nikes Air-Zoom-System und Reeboks-DMX System).

Sponsoring – Teams und Veranstaltungen

Obwohl Adidas von einzelnen Spitzensportlern unterstützt wurde, beispielsweise L.A. Lakers Basketballspieler Kobe Bryant, Tennisstar Anna Kournikova, Läufer Emil Zapotek und Zinedine Zidane (ein berühmter Fußballer), konzentrierte sich das Sponsoring des Unternehmens auf bedeutende Veranstaltungen, Sportvereine und Teams. Nike wird dagegen viel stärker mit individuellen Athleten in Zusammenhang gebracht und stützt sich mehr auf deren Erfolg. Eine der Nike-Anzeigen besagte: »Du gewinnst kein Silber, du verlierst Gold« und unterstrich damit eindeutig, dass es nur ums Gewinnen geht.

Adidas zeigt ein beständiges Interesse an wichtigen Sportveranstaltungen, beispielsweise der Olympiade, der Fußballeuropameisterschaft und der Fußballweltmeisterschaft. Diese Strategie erlaubt es Adidas, eine Verbindung zwischen sich und den emotionalsten Sportereignissen herzustellen. Neben der Unterstützung solcher globalen Wettkämpfe ist das Unternehmen auch Sponsor von nationalen oder sogar lokalen Teams auf der ganzen Welt. Zu den Vereinen, die von Adidas gesponsert wurden, gehören die Fußballnationalmannschaften von Deutschland, Frankreich und Spanien; die Profivereine Bayern München, AC Milano und Real Madrid; das Baseballteam der New York Yankees sowie das Football Team San Francisco 49ers. Ein Sportverein kann im Leben seiner Fans eine enorme Rolle spielen, daher bietet das Sponsoring von Teams eine einzigartige Gelegenheit zur Verbindung mit den Fans.

Die Adidas-Streetball-Herausforderung

Im Sommer 1992 testete Adidas auf dem Marx-Engels-Platz in Berlin ein völlig neues Sponsoringkonzept: Das Unternehmen unterstützte auf einem öffentlichen Platz mitten in der Stadt ein Basketballturnier zwischen lokalen Dreipersonenteams. Das Ereignis war ein Erfolg. 1993 wurden 66 derartiger Basketballturniere in den wichtigsten Großstädten Deutschlands organisiert; die Wettkämpfe erhielten den Markennamen Adidas Streetball Challenge. Einen Tag oder ein Wochenende lang wurden die Zentren wichtiger europäischer Großstädte zu Ballspielplätzen, Orte für Freiwurfwettbewerbe, Tanz im Freien, Graffitimaler und Demonstrationen von Extremsportarten, begleitet von Livemusik von Bands aus der Hip-hop- und Rapszene.

Die Adidas Streetball Challenge wurde zu einem Fest der Marke Adidas, eine Gelegenheit, um Konsumenten Adidas-Schuhe, -Sportkleidung und -Sportausrüstungen nahe zu bringen (siehe Schaubild 6.6). Die Teams, die sich an diesen

Wettkämpfen ohne Schiedsrichter beteiligten, waren dank Adidas alle in exklusive Mützen, Shorts, Trikots und Jacken gekleidet. Eigens dafür entworfene Streetball-Dekorationen schufen die gewünschte Atmosphäre – Spaß verbunden mit körperlicher Anstrengung. Eine Basketball spielende, mit Adidas-Schuhen ausgestattete Comicfigur wurde zum offiziellen Maskottchen der Streetball Challenge und zum Markensymbol.

Schaubild 6.6: Adidas Streetball Challenge

Ganz wesentlich für die Adidas Streetball Challenge war die Tatsache, dass sie den Gedanken »Teilnehmen ist alles« betonte. Zuschauer waren willkommen, aber es wurden große Anstrengungen unternommen, um alle in irgendeine Aktivität zu involvieren. Extraplätze standen für diejenigen bereit, die zwar nicht an dem Wettbewerb teilnehmen, aber selbst spielen wollten; bestimmte Bereiche wurden abgegrenzt, damit junge Leute dort ihre Geschicklichkeit erproben konnten; von Adidas gesponserte Stars gaben Demonstrationen ihres Könnens, verteilten Autogramme und redeten über ihren Sport.

Hätte Adidas keine Mitsponsoren gehabt, wäre das Potenzial zum Aufbau der Marke bei den Adidas Streetball Challenges bedeutend geringer, die Kosten dafür aber deutlich höher gewesen. Die Teilnahme der anderen Sponsoren war nicht nur für die Organisation und Finanzierung der sportlichen Ereignisse immens wichtig, sondern auch für die dadurch entstehenden Assoziationen. Zu den Sponsoren gehörten Sony, Coca-Cola (mit der Marke Sprite), Lufthansa, Siemens, die Fernsehsender Sat 1 und MTV sowie die Zeitung *Sport Bild*. Sony und MTV brachten gemeinsam eine Streetball-CD heraus und die Berichterstattung bei MTV, Sat 1 und *Sport Bild* sorgte dafür, dass die Veranstaltung in ganz Deutschland bekannt wurde.

Die Adidas Streetball Challenge wurde in andere europäische Länder exportiert. In jedem Land traten Teams zum Wettkampf um die nationale Meisterschaft an; die Gewinner wurden dann zu einem Europafinale eingeladen. Die Beteiligung von Einzelhändlern vor Ort an den Veranstaltungen erwies sich als besonders effektiv. Adidas bot ihnen die Gelegenheit, sich auf unterschiedliche Weise zu beteiligen – Einzelhändler konnten sich beispielsweise entscheiden, ein Turnier zu »mieten« und vor dem eigentlichen Ereignis kleinere Wettkämpfe zu organisieren.

Fünf Jahre nach dem ersten Testversuch nahmen 500000 Menschen an der Adidas Streetball Challenge teil. Zu den deutschen Endspielen in Berlin kamen 3200 Spieler und 40000 Zuschauer. Das weltweite Finale in Mailand besuchten Teams aus 30 so verschiedenen Ländern wie Brasilien und Taiwan. Deutschlands führendes Basketballmagazin, *Basket*, sorgte für eine wirkungsvolle Berichterstattung.

Adidas dehnte die Streetball-Challenge-Marke in mehrere Richtungen aus. Für Fußball wurde die Adidas Predator Challenge geschaffen, die sich hauptsächlich an junge Leute im Alter von sechs bis achtzehn wandte. Bei der Predator Challenge traten Vierermannschaften gegeneinander an; sie wurde in Zusammenarbeit mit den 13000 Fußballvereinen in Deutschland organisiert. Unter dem neuen Namen DFB-Adidas Cup zog diese Veranstaltung über 6500 Teams an und mehr als 300000 Zuschauer; Mitsponsoren waren Mercedes-Benz, Lufthansa, Coca-Cola und Kaercher, außerdem das Fußballmagazin *Kicker* und die Jugendzeitschriften *Bravo* und *Tween*. Dann wurde auch noch die Adidas Adventure Challenge eingeführt, die sich auf Mountain Biking, Wettrennen, Floßfahren und andere Sportarten im Freien konzentrierte.

Diese Serie von Challenge-Wettbewerben erhöht nicht nur die Präsenz der Marke Adidas, sie vermittelt den Menschen auch eine Erfahrung und Assoziationen, die zu der Markenstrategie passen, außerdem ist sie einzigartig und wurde von Adidas voll vereinnahmt. Es handelt sich dabei ja nicht einfach nur um irgendeinen Wettbewerb – es gibt nur eine Streetball Challenge, und die gehört zu Adidas. Da Adidas Teil des Namens ist, sind alle mit den Veranstaltungen verbundenen Erfahrungen und Assoziationen automatisch auch mit der Marke verbunden. Außerdem kann Adidas diese Ereignisse für seine Zwecke nutzen, ohne dass irgendeine andere Organisation, beispielsweise das Olympische Komitee, beschließt, die Gebühren für Sponsoren zu verdoppeln.

Das Resultat

Die Kombination von Medienwerbung, neuen Untermarken und Sponsoring mit der Unterstützung von sportlichen Ereignissen für die Massen (zusammen mit einigen anderen wesentlichen strategischen Entscheidungen im Hinblick auf die Marke) erwiesen sich für Adidas als immens erfolgreich. Die Verkaufszahlen stiegen von 1,7 Milliarden Dollar im Jahr 1992 auf einen Rekordumsatz von 4,8 Milliarden Dollar im Jahr 1998. Nach dem letzten verlustreichen Jahr (1993) stiegen die Gewinne stetig auf 425 Millionen Dollar im Jahr 1998 an.

Schaubild 6.7: Lektionen zum Thema Markenaufbau von Adidas und Nike

Der Erfolg der Adidas-Markenstrategie ist in zwei Ländern ganz besonders beeindruckend: im Heimmarkt Deutschland, wo die Marke führend ist, und in den Vereinigten Staaten, wo Adidas im Vergleich zu Nike nur ein Anbieter in Marktnischen ist. In Deutschland war der Marktanteil von Adidas auf magere 30 Prozent am Anfang der neunziger Jahre des 20. Jahrhunderts gesunken. Bis 1998 war der Marktanteil bei Sportschuhen jedoch wieder auf über 38 Prozent gestiegen, wodurch das Unternehmen seine Führungsposition unterstrich. In den USA vervierfachte sich der Marktanteil von unter drei Prozent auf über 12 Prozent in manchen Warengruppen im Jahr 1998.

Diese Verkaufserfolge spiegelten das verbesserte Image von Adidas wider. Eine entsprechende Befragung von Konsumenten stellte bei allen Assoziationen eine bessere Wahrnehmung fest. Ganz besonders wichtig erscheint es, dass drei der wichtigsten Assoziationen, welche die Konsumenten mit Adidas verbanden, schick, modern und cool waren – nach nur wenigen Jahren eine wirklich dramatische Veränderung. Eine andere Untersuchung zeigte, dass über fünfzig Prozent aller Sportler den Eindruck hatten, dass sich Adidas während der vorhergehenden zwei Jahre verändert hatte, moderner, aktueller und jugendlicher geworden war. Den Athleten war auch aufgefallen, dass Adidas seine Werbung und die Art der Kommunikation mit den Konsumenten verbessert hatte.

Was lernen wir daraus?

Die Geschichte, wie Adidas und Nike ihre Marken aufbauten und pflegten, liefert ein paar Lektionen, die in Schaubild 6.7 zusammengefasst sind und hier noch einmal erläutert werden sollen:

1. **Man baut eine Marke nicht allein durch Werbung auf**
   Werbung spielte eine wichtige Rolle, für Nike besonders Mitte der achtziger Jahre des 20. Jahrhunderts und für Adidas während der neunziger Jahre, aber zum Aufbau der Marke gehörten viele andere Maßnahmen. Dazu zählten Sponsoring, Unterstützung von Sportlern, Untermarken, Flaggschiffläden und populäre Veranstaltungen für die Massen, wie die Adidas Streetball Challenge, der DFB-Adidas Cup und die Adidas Adventure Challenge.

2. **Innovation gehört zum Aufbau einer Marke**
   Als die Maßnahmen entwickelt wurden, die den Marken schließlich zum Durchbruch verhalfen (einschließlich NikeTown und die Adidas Streetball Challenge), stellten sie nicht nur für das jeweilige Unternehmen, sondern für die ganze Branche eine Neuheit dar. Ein derartiger Durchbruch ist kein Zufall. Man braucht dazu in einem Unternehmen die Fähigkeit, neue Ideen zu analysieren, zu beurteilen und zu assimilieren. Wenn eine Firma mit Personal derart dünn besetzt ist, dass alle außerordentlichen Aktivitäten nach außen vergeben werden müssen, ist das durchaus schwierig; aber sowohl Nike als auch Adidas hatten geeignete Leute, um das Konzept nach außen zu tragen und durchzusetzen.

3. **Eine optimale Ausführung der Werbung lohnt sich**
   Zahlreiche Untersuchungen haben gezeigt, dass die Qualität von Werbung etwa vier- bis fünfmal wichtiger ist als das Geld, das man für die Schaltung dieser Werbung ausgibt; kurz gesagt: eine tolle Kampagne kann für zehn Millionen Mark eine Geschichte erzählen, die 50 Millionen Mark wert ist. Die erfolgreichen Kampagnen von Nike und Adidas waren ideal ausgeführt und umgesetzt, angefangen bei dem frühzeitigen Sponsoring von Adidas über die »Just do it«-Werbung von Nike bis zur Adidas Streetball Challenge.

4. **Die Produkte sind ungeheuer wichtig für eine Marke**
   Hinter der Marke müssen Inhalte stehen. Von Anfang an waren Adidas und Nike innovative Unternehmen – sie entwickelten aufregende Produkte, die darüber hinaus noch echte funktionale Vorteile boten – sie machten nicht nur Schaumschlägerei. Vom Waffle-Schuh über Air Jordans bis zu Feet You Wear und weiteren Neuerungen spielten Produkte und deren Weiterentwicklung für beide Marken eine große Rolle.

5. **Die Marke ist mehr als die Summe der Produkte**
   Eine starke Marke hat eine Persönlichkeit, man verbindet damit Assoziationen zum Unternehmen sowie Emotionen und sieht darin eine Möglichkeit, das eigene Ich auszudrücken. Nike entwickelte eine starke Persönlichkeit –

provozierend, aggressiv, direkt. Diese Persönlichkeit erwies sich als sehr nützlich, nicht nur im Kontakt mit den Kunden, sondern auch, um eine Position zu verteidigen; bei Nike ging es immer um Emotionen und den Ausdruck des eigenen Ichs. Anfangs funktionierte die Betonung funktionaler Vorteile für Adidas gut, verlor aber an Bedeutung, als der Markt reifer wurde; als Adidas dann in den neunziger Jahren des 20. Jahrhunderts dazu noch eine Persönlichkeit und Emotionen entwickelte, stellte die Marke wieder eine Verbindung zum Konsumenten her und war erneut auf Erfolgskurs.

6. **Man muss die Markenidentität kennen**
   Eine eindeutige Markenidentität muss die Entwicklung von Programmen und deren Durchführung im Zeitverlauf steuern. (Während der neunziger Jahre erwies sich die Identität von Adidas als äußerst stabil.) Erinnern Sie sich, dass sowohl Nike als auch Adidas sich positiv zu entwickeln begannen, nachdem sie eine Markenidentität entwickelt hatten. In beiden Fällen führte diese Entwicklung dazu, dass die Marken einen neuen Fokus erhielten und Initiativen ergriffen wurden, um den Marken eine neue Ausrichtung zu geben.

7. **Das Markenteam sollte Verantwortung für die Marke übernehmen**
   Sowohl bei Adidas als auch bei Nike übernahmen die für eine Warengruppe oder einen Geschäftsbereich verantwortlichen Teams die Führung in Bezug auf die Markenstrategie und waren eng in die Entwicklung innovativer Programme zum Aufbau der Marken eingebunden. Die Verantwortung für die Marken wurde nicht an außen stehende Partner delegiert. Das Markenteam von Nike war derart in kreative und Medienentscheidungen involviert, dass die Werbeagentur völlig frustriert reagierte – einmal kaufte sie eine ganze Zeitungsseite, um einen Brief an Nike mit einem eindeutigen Friedensangebot abzudrucken.

8. **Man muss die Kunden auf emotionaler Ebene einbinden**
   Beide Marken haben Mittel und Wege gefunden, eine Bindung zum Kunden aufzubauen, die über rein funktionale Vorteile hinaus geht. Die Nike-Werbung, NikeTown und die Adidas Streetball Challenge schufen eine Bindung, indem sie Emotionen ansprachen.

9. **Man sollte Untermarken einsetzen, eine Geschichte erzählen und die Wahrnehmung steuern**
   Sowohl Nike als auch Adidas haben bewiesen, wie erfolgreich Untermarken zum Aufbau einer Marke eingesetzt werden können. Die Verwendung einer eigenen Marke für das Topsegment (Adidas Equipment beziehungsweise Nike Alpha) hebt diese Produkte von der Massenware ab, mit denen sich die höchsten Absatzzahlen erzielen lassen. Außerdem halfen Nike und Adidas eine Reihe von Silver-Bullet-Untermarken (beispielsweise Air Jordan) und technische Eigenschaften mit Markencharakter (Air und Feet You Wear), die Geschichte ihrer Marken zu erzählen.

Vorschläge

1. Beurteilen Sie die Maßnahmen zum Aufbau von Marken, die in diesem Kapitel vorgestellt wurden. Welche Maßnahme bewundern Sie am meisten? Warum? Was war für die Implementierung dieser Maßnahme besonders wichtig?
2. Warum verpassten sowohl Adidas als auch Nike den Trend zu Aerobics? Wieso waren die beiden Unternehmen so unaufmerksam und sorglos?
3. Welche erfolgreichen Modelle zum Aufbau von Marken gibt es in Ihrer eigenen Branche? Wie könnte man diese Modelle noch verfeinern oder verbessern?
4. Gibt es in Ihrem Unternehmen eine Aussage über die Markenidentität, die eine eindeutige Grundlage für den Aufbau der Marke darstellt? Gibt diese Aussage über die Markenidentität genügend Hinweise, um Entscheidungen über Alternativen hinsichtlich der Kommunikation und der Ausführung zum Aufbau der Marke zu treffen und anzuzeigen, welche Maßnahmen nicht zur Zielsetzung passen?
5. Entwickeln Sie neue Methoden zum Aufbau einer Marke, die zurzeit in Ihrer Branche noch nicht erfolgreich eingesetzt werden. Welche Probleme ergeben sich bei deren Implementierung? Wie könnte man diese Probleme lösen?

7

Die Bedeutung von Sponsoring für den Aufbau einer Marke

MasterCard als Sponsor der Fußballweltmeisterschaft[23]

MasterCard wurde 1966 als Kreditkarte für jene Banken eingeführt, die nicht zu dem Bank Americard System (dem Vorgänger von Visa) gehörten. Inzwischen sind über 20000 Finanzinstitute Mitglieder bei dieser Organisation, die eine ganze Familie von weltweiten Produkten betreut, die alle direkt oder indirekt von der Marke MasterCard gesteuert werden.

Der Wettbewerb mit Visa war und ist eine wichtige Herausforderung für MasterCard. Nachdem die Organisation im Laufe der Jahre an Boden verloren hatte, erreichte MasterCard 1993 nur noch 60 Prozent des weltweiten Volumens von Visa. American Express, ein weiterer Wettbewerber in diesem Markt, hatte eine deutlich geringere Bedeutung und lag in dritter Position, mit einem Volumen, das nur halb so groß wie das von MasterCard war.

Visa war gut positioniert; der Slogan »Everywhere you want to be« führte zu starken Assoziationen mit wichtigen Attributen einer Kreditkarte, beispielsweise der Akzeptanz in vielen Geschäften und Restaurants und der weltweiten Nutzung (Weltreisende und solche, die es werden möchten, können ziemlich sicher sein, dass ihre Karte überall akzeptiert wird). Außerdem hatte Visa in seiner Branche die Olympiade für sich vereinnahmt, da es seit 1986 deutlich sichtbarer Sponsor dieses sportlichen Ereignisses ist. Abgesehen davon, dass die Olympischen Spiele das beste Vehikel sind, um einen Eindruck von Leistung und weltweiter Präsenz zu vermitteln, sprechen sie auch stark patriotische Gefühle an und nutzen die damit verbundenen emotionalen Vorteile aus.

MasterCard sah sich nicht nur mit der Herausforderung von Visa und anderen Kreditkarten in den Vereinigten Staaten konfrontiert, sondern musste auch erst einmal globale Assoziationen herstellen. Kreditkarten brauchen ganz besonders eine weltweite Markenstrategie, da sie zu den wenigen Produkten zählen, die wirklich auf der ganzen Welt genutzt werden, insbesondere von der einflussreichsten Zielgruppe. Außerdem bot sich in Europa erhebliches Wachstumspotenzial, da die Anzahl von Kreditkarten pro Person und die Häufigkeit der Nutzung der Karten deutlich unter dem Niveau lagen, das in den Vereinigten Staaten erreicht worden war.

Daher war MasterCard von der Möglichkeit angetan, für den Preis von 15 Millionen Dollar einer von elf weltweiten Sponsoren – und der einzige aus dem Kreditkartenbereich – für die Fußballweltmeisterschaft von 1994 zu werden. Dieses Ereignis bot die Möglichkeit, den Bekanntheitsgrad der Marke zu erhöhen und damit das Marketingprogramm von MasterCard auf der ganzen Welt zu beleben. Die Fußballweltmeisterschaft, die 1994 in den Vereinigten Staaten veranstaltete wurde und zu der 24 Fußballnationalmannschaften eingeladen waren, ist neben den Olympischen Spielen das einzige wirklich globale Sportereignis. Außerdem galt die Sponsorenschaft für 15 weitere wichtige Fußballturniere, die zwischen 1991 und 1994 stattfinden würden.

Als weltweiter Sponsor genoss MasterCard eine Reihe von Vorteilen. Auf allen Fußballplätzen, auf denen die insgesamt 269 Wettkämpfe während der Sponsoringperiode von 1991 bis 1994 ausgetragen wurden, fand eine deutlich sichtbare, strategisch platzierte Bandenwerbung statt. (Eine derartige Werbung war Visa als Sponsor der Olympischen Spiele nicht erlaubt.) Außerdem erschien in den Programmen zu den einzelnen Ereignissen eine ganzseitige Werbung für MasterCard. Sowohl für die Fußballweltmeisterschaft 1994 als auch für die anderen ihr vorausgehenden Wettkämpfe hatte MasterCard in seiner Branche das Exklusivrecht, die Bezeichnung »Offical Sponsor« und »Official Card« zu verwenden und Gebrauch von dem offiziellen Emblem, Maskottchen sowie der Begleitmusik zu den Ereignissen zu machen. Bei allen genannten Sportveranstaltungen durfte MasterCard seine Produkte vor Ort ausstellen und hatte Zugriff auf Eintrittskarten.

Ein beträchtliches Risiko beim Sponsoring von Ereignissen wie der Fußballweltmeisterschaft ist hinterhältiges Marketing, das heißt, ein Wettbewerber (beispielsweise Visa oder American Express) schafft mit anderen Mitteln eine Assoziation zwischen der eigenen Marke und dem Wettkampf. Um dieses Risiko zu mindern, wurde MasterCard auch der Sponsor der US-amerikanischen Nationalmannschaft und kaufte die exklusiven Werberechte für die Ereignisse, einschließlich der Fernsehrechte für einen Kanal in spanischer Sprache.

Das Marketingprogramm

MasterCard entwickelte eine umfassende Marketing- und Promotionskampagne, um die Sponsorenschaft der Fußballweltmeisterschaft auszunutzen. Zusätzlich zur Werbung wurden eine Reihe von Promotionsaktivitäten durchgeführt, von denen viele von den Banken umgesetzt wurden, die zur MasterCard-Organisation gehörten. Beispielsweise wurden verschiedene Lotterien veranstaltet (es gab Reisen in Länder zu gewinnen, die sich für die Weltmeisterschaft qualifiziert hatten) sowie eine Watch-n-Win-World-Cup-Kampagne, bei der man Eintrittskarten zur Weltmeisterschaft gewinnen konnte. Ein richtiges Fußballfestival, das 36 Städte umfasste, die Legends of Soccer Tour, wurde in Kooperation mit anderen Marken gesponsert. Bei jedem dieser Ereignisse besuchten 90 Prozent der Zuschauer (im Durchschnitt 2300) einen MasterCard-Stand. Pelé, einer der berühmtesten Fußballstars, konnte für zwei Millionen Dollar zur Unterstützung von MasterCard gewonnen werden; er erschien auf Postern und in Anzeigen und nahm an einigen Ereignissen teil. Banken und Einzelhändler veranstalteten Promotionskampagnen, bei denen man Pelé-Poster oder -Videos gewinnen konnte.

Systematisch wurde Öffentlichkeitsarbeit betrieben. Einem MasterCard-Team gelang es, kostenlos im Radio erwähnt zu werden, ein Vorteil, dessen Wert

Schaubild 7.1: Eine Anzeige von MasterCard anlässlich der Fußballweltmeisterschaft

auf 500000 Dollar geschätzt wurde, und das Fernsehspecial »Kickin' for Kids« erreichte 197 Märkte. Die Medien berichteten auch über die Ambassadors Cup-Zeremonie, bei der 24 Menschen ausgezeichnet wurden, die in den Vereinigten Staaten die Liebe zum Fußball erweckt hatten. Durch die Berichterstattung vor Ort über dieses und ähnliche Ereignisse wurden schätzungsweise 36 Millionen Kontakte geschaffen. In Los Angeles erreichte ein Heißluftballon von MasterCard allein über 5000 Menschen.

Andere Programme sollten eine persönliche Verbindung zu MasterCard herstellen. 7500 Händler nahmen an neun »MasterCard Welcoming the World«-Seminaren teil. Bei jedem der 52 Spiele der Weltmeisterschaft wurde ein Gebiet in Stadionnähe nach dem Vorbild einer typischen Hauptstraße in einer amerikanischen Stadt ausgestattet – diese Main Street USA wurde von insgesamt 3,6 Millionen Leuten besucht. 42 MasterCard/Coca-Cola-Willkommenszentren, die am Flughafen oder in stark frequentierten Bereichen in der Nähe der Austragungsstätten für die Spiele angesiedelt waren, boten über 10000 Stunden lang mehr als einer Million Menschen Hilfe und Beistand; die Besucher tranken Coke und erhielten World-Club-Master-Value-Heftchen (die Rabatte bei 80 an dem Programm teilnehmenden Händlern boten). In Los Angeles wurde der weltweit größte Themenpark für Fußball, genannt SoccerFest, errichtet.

Da das Sponsoring der Fußballweltmeisterschaft eine globale Angelegenheit war, versuchte MasterCard seine Partner auf der ganzen Welt zu ermutigen, Vorteil daraus zu ziehen. Anlässlich der Weltmeisterschaft wurde eine Werbekampagne vorbereitet, zu der auch ein Fernsehwerbespot mit Pelé gehörte, der in über 40 Ländern gezeigt wurde. Diese weltweiten Kampagnen wurden auch durch Newsletter, Hinweise zur Ausführung von Promotion, Handbücher zum Sponsoring, Werbevideos, Pelé-Fotos, Einladungen des Unternehmens und Begrüßungsgeschenke unterstützt. Die meisten Aktionen fanden in den Ländern statt, wo Fußball ein beliebter Sport ist und deren Nationalmannschaften an der Weltmeisterschaft teilnahmen.

Außerhalb der Vereinigten Staaten folgten Zweigorganisationen und Tochtergesellschaften dem Beispiel von MasterCard und übernahmen die Sponsorenschaft von regionalen Wettkämpfen und der Nationalmannschaft. In Europa, wo die Fußballweltmeisterschaft mindestens genauso wichtig ist wie die Olympiade, wenn nicht noch wichtiger, war das Interesse äußerst hoch. In 18 europäischen Ländern gaben mit MasterCard verbundene Banken über 19 Millionen Dollar aus. Schätzungsweise wurden die 52 Spiele der Weltmeisterschaft weltweit von insgesamt 7,8 Milliarden Menschen gesehen.

Es war nicht einfach, überall Banken zur Teilnahme an dem Programm zu ermuntern und sie dabei zu unterstützen, was teilweise an kulturellen Unterschieden lag, aber auch an den unterschiedlichen Fähigkeiten und Möglichkeiten, das Sponsoringprogramm umzusetzen. Um die Hindernisse zu überwinden, schickte MasterCard aus den USA Werbefachleute nach Europa, um Partnern zu helfen, die keine Erfahrung mit dem Sponsoring von sportlichen Ereignissen hatten. Später bildete das Unternehmen ein weltweites World-Cup-Marketingteam (zu dem Mitglieder aus jedem Gebiet der Erde gehörten), um regelmäßig Wissen und Erfahrungen weiterzuleiten.

Ergebnisse

Eine Zielsetzung des Sponsoring der Fußballweltmeisterschaft durch MasterCard bestand darin, die Präsenz der Marke durch mehr als die bezahlte Fernsehwerbung zu verstärken. Natürlich wurde das MasterCard-Emblem in Anzeigen und in der Bandenwerbung verwendet (siehe Schaubild 7.1). Die Übertragung der Fußballweltmeisterschaft erreichte weltweit ein kumuliertes Publikum von 31,2 Milliarden Menschen (zweimal so viel wie die Olympischen Sommerspiele von 1992); im Durchschnitt war die Marke acht Minuten lang während der üblichen Fernsehübertragungen und ganze 12 Minuten lang während des Endspiels sichtbar. Wenn man durch Werbung genauso lange dem Publikum vor Augen sein möchte, dann würde das schätzungsweise 493 Millionen Dollar kosten; selbst wenn man annimmt, dass der Wert der Präsenz während der Fernsehübertragungen nur fünf Prozent des Wertes eines Kontakts mittels einer Anzeige ausmacht, kommt immer noch eine Summe von 25 Millionen Dollar zusammen. Außerdem wurden durch Spruchbänder in den Straßen, Großplakate, Werbung an Bussen, Kiosken und Haltestellen weitere 8,5 Milliarden Kontakte geschaffen. Es wird geschätzt, dass eine weitere Milliarde Kontakte durch das Auftreten von Pelé und Zeitschriftenartikel über ihn erzielte wurde.

MasterCard wollte mit allen diesen Maßnahmen zwei Ziele erreichen. Vor allem stand der Bekanntheitsgrad der Marke im Vordergrund (besonders im Vergleich zu Visa), außerdem sollte die Sponsorenschaft einem breitem Publikum bekannt gemacht werden (sie sollte deutlicher werden als die Verbindung zwischen Visa und den Olympischen Spielen). Messungen hinsichtlich des Zielerreichungsgrades waren in Frankreich, Deutschland, Großbritannien, Argentinien und Brasilien, also Ländern, wo Fußball äußerst beliebt ist, durchaus positiv, der Erfolg in Japan, Mexiko und den Vereinigten Staaten schien nicht ganz so groß. Das zweite Ziel war, weltweit das Image der Marke zu verbessern. Erfolge in dieser Hinsicht konnten eindeutig in Brasilien, Mexiko und Argentinien nachgewiesen werden, auf etwas niedrigerem Niveau auch in den Vereinigten Staaten, in Japan, Deutschland und in Großbritannien.

Befragungen von angeschlossenen Banken ergaben, dass die Sponsorenschaft MasterCard in drei Bereichen deutlich weiterhalf: (1) neue geschäftliche Möglichkeiten für die Banken aufgrund des erhöhten Bekanntheitsgrades der Marke (2) ein größeres Interesse am Erwerb und Gebrauch der Karte und (3) das Image von MasterCard als starke Marketingorganisation wurde verbessert. Der Erfolg hinsichtlich dieser Kriterien erhöhte die Bereitschaft, weiterhin Sponsor der Fußballweltmeisterschaft zu bleiben.

Im letzten Kapitel wurde der Einsatz von Sponsoring durch Adidas und Nike untersucht. Insbesondere Adidas war ein Pionier in Sachen Sponsoring, und seine frühzeitige Verbindung mit den Olympischen Spielen war ein wichtiger Faktor für den Aufbau und die Unterstützung einer starken Marke während der fünfziger, sechziger und siebziger Jahre des 20. Jahrhunderts. Im sechsten Kapitel wurde außerdem anhand der Streetball Challenge und deren Bedeutung für den Wiederaufstieg von Adidas während der neunziger Jahre aufgezeigt, wie wichtig eine Sponsorenschaft sein kann, die eine Marke für sich vereinnahmt.

In diesem Kapitel wollen wir Sponsoring als Mittel zum Aufbau einer Marke näher untersuchen. Ziel ist es zu verstehen, wie Sponsoring als Unterstützung einer Marke funktioniert und wie man diese Erkenntnisse in effektive Programme umsetzen kann. Diese strukturierte Vorgehensweise wird deutlich machen, dass Sponsoring ein ganz anderes Mittel zum Aufbau einer Marke darstellt als Werbung und dass man entsprechend anders damit umgehen muss.

Sponsoring fördert die kommerzielle Verbindung einer Marke mit einem sportlichen Ereignis, einem Team, einer guten Sache, Kunst, einer kulturellen Attraktion oder Unterhaltung. Es handelt sich also nicht immer um Sponsorenschaft eines bestimmten Ereignisses, sondern dazu zählt beispielsweise auch das Sponsoring einer Basketballmannschaft durch einen japanischen Automobilhersteller oder einer Gesellschaft zur Bekämpfung von Krebs durch eine Bekleidungsmarke. Sponsorship heißt nicht, dass die davon profitierende Gruppe die Marke, die Sponsor ist, ihrerseits unterstützt. Jemand wie Tiger Woods stellt eine Stütze für eine bestimmte Marke dar, weil er seinen Namen für Produkte dieser Marke hergibt, sie in der Werbung und anderswo unterstützt und generell als Anwalt für die Marke auftritt. Im Gegensatz dazu bietet ein gesponsertes Ereignis oder Team keine Unterstützung (auch wenn das Sponsoring darauf hinzudeuten scheint) für die Marke.

Sponsoring gibt es schon lange. Angeblich war 1898 die britische Marke Bovril ein Sponsor des Nottingham Forest Fußballvereins, Gillette war 1910 ein Baseballsponsor und Coca-Cola war Sponsor der Olympischen Spiele im Jahr 1928. Während der letzten Jahre ist jedoch die Bedeutung von Sponsoring für den Aufbau von Marken dramatisch gestiegen.

Dem aus Chicago kommenden *IEG's Sponsorship Report* zufolge rechnet man im Jahr 2000 für Nordamerika mit Ausgaben für Sponsoring in der Größenordnung von mehr als sieben Milliarden Dollar, von denen rund 67 Prozent etwas mit Sport zu tun haben werden, etwa 19 Prozent werden für Unterhaltung, Festivals oder andere Vergnügungen ausgegeben, acht Prozent kommen einer guten Sache und sechs Prozent der Kunst zugute. Man schätzt, dass weltweit die Ausgaben für Sponsoring etwa dreimal so hoch sind wie die für Nordamerika alleine. Die Angaben über Ausgaben für das Sponsoring von bestimmten Ereignissen lassen dessen Wirkung möglicherweise zu gering erscheinen, weil mit vielen solchen Ereignissen Werbemaßnahmen, Promotionskampagnen und andere Marketingaktivitäten verbunden sind, für die genauso viel oder sogar mehr ausgegeben wird.

Für den Aufbau von Marken bietet Sponsoring einzigartige Vorteile. Werbung ist aufdringlich, ganz eindeutig eine bezahlte Botschaft, die offen versucht, zu überzeugen oder eine Haltung zu ändern; im Gegensatz dazu kann Sponsoring Teil des alltäglichen Lebens der Menschen werden. Werbung ist gut geeignet, um bestimmte Eigenschaften und funktionale Vorteile zu kommunizieren, aber die meisten starken Marken gehen weiter, um emotionale Vorteile und die Möglichkeit zu schaffen, sich durch die Marke selbst auszudrücken, um eine Persönlichkeit darzustellen und sich selbst durch immaterielle Vorzüge von anderen abzuheben. Sponsoring kann sehr nützlich sein, wenn man eine Marke über die greifbaren (materiellen) Attribute hinaus definieren will, weil es zu Assoziationen führen kann, die einer Marke und deren Beziehung zu den Kunden Tiefe, Gehalt und ein Gefühl von Aktualität verleihen.

Trotzdem wird Sponsoring noch erstaunlich wenig genutzt. Die meisten Unternehmen verfügen über eine Infrastruktur, die ihnen einen Zugang zur Werbung und anderen Promotionskampagnen leichter macht; ihre Geschäftspartner, wie beispielsweise Agenturen, sind auch eher in Richtung Werbung und Promotionen orientiert als auf Sponsoring ausgerichtet. Selbst wenn die letztgenannte Möglichkeit grundsätzlich bekannt ist, gibt es in der Regel keine Abteilung, die über eine Liste von Ereignissen, Programmen oder Institutionen verfügt, aus denen man wählen könnte. Und selbst wenn es solche Listen gibt, dann gibt es so viele Wahlmöglichkeiten, dass die Auswahl und das Management einer Sponsorenschaft zu einer wahren Kunst werden, die unkonventionelles Denken erfordert, was in den meisten Unternehmen gar nicht so einfach ist.

Die Rolle der Sponsorenschaft beim Aufbau von Marken

Sponsoring kann auf vielfache Weise zum Aufbau von Marken beitragen, wie Schaubild 7.2 demonstriert.

Schaubild 7.2: Sponsoring zum Aufbau von Marken

Das Hauptziel von Sponsoring besteht meistens darin, mehr Kontakte mit der Marke zu schaffen und Assoziationen zu entwickeln. Drei weitere Vorteile des Sponsoring können jedoch äußerst wichtig dabei sein, geeignete Kandidaten dafür zu finden und zu beurteilen: Es ist in der Lage, die Leute im eigenen Unternehmen für den Aufbau der Marke zu mobilisieren, den Kunden eine besondere Erfahrung zu bieten und neue Produkte oder Technologien vorzustellen. Ein anderes Ziel besteht darin, eine Anbindung der Marke an die Ereignis/Kunden-Bindung zu erreichen.

1. Mobilisierung der Mitarbeiter im eigenen Unternehmen für den Aufbau der Marke

Die Maßnahmen zum Aufbau einer Marke und deren Resultate sind häufig intern im Hinblick auf die eigenen Angestellten sowie die mit einer Marke verbundenen Geschäftspartner und extern im Hinblick auf die Kunden nützlich. Diese Aussage trifft insbesondere auf das Sponsoring zu.

Für die Beschäftigten eines Unternehmens und Geschäftspartner ergeben sich häufig emotionale Vorteile, wenn sie stolz darauf sind, mit einer bestimmten Sponsorenschaft verbunden zu sein, sowie aufgrund der Verbindung zwischen dem Sponsoring und ihrem eigenen Lebensstil beziehungsweise ihren eigenen Werten. Beispielsweise waren Leute, die mit dem MasterCard-Sponsoring zu tun hatten, begeistert über die Fußballweltmeisterschaft und ihre direkte Bindung dazu.

Eine Studie versuchte ganz gezielt, die Auswirkungen von Sponsoring auf die Beschäftigten eines Unternehmens festzustellen.[24] Die Bank of Ireland wollte wissen, wie ihre beiden wichtigsten Sponsorenschaften, die Bank of Ireland Gaelic Football Championship und die Bank of Ireland Proms (ein Konzert mit klassischer Musik, das live im Fernsehen übertragen wird) auf die eigenen Angestellten wirkten. Obwohl sich das Sponsoring hauptsächlich an die Kunden der Bank wendete, waren über 80 Prozent der Bankangestellten – von den Direktoren bis zu den Lehrlingen – stolz darauf, dass die Bank ein Sponsor von sportlichen Ereignissen war; 75 Prozent waren stolz auf das Sponsoring von Kulturereignissen. Wenn man die Beschäftigten dazu bringt, derartige Veranstaltungen zu besuchen, kann man die emotionalen Vorteile noch verstärken.

Das Sponsoring eines Teams kann für emotionale Vorteile besonders geeignet sein, weil eine Bindung an ein Ziel, einen Sieger und eine Tätigkeit hergestellt wird. Ein Unternehmen, das Sponsor für einen Rennwagen wurde, berichtete, dass die Beschäftigten Erfolg und Misserfolg des Wagens genau verfolgten und auf ihre Verbindung damit ungeheuer stolz waren. Als in einem Basketballendspiel in Japan ein von Toyota gesponsortes Team gegen ein Team mit dem Sponsor Isuzu antrat, waren die Beschäftigten der beiden Unternehmens stark an dem Ergebnis interessiert. Um sich zu verdeutlichen, wie wichtig ein solcher emotionaler Vorteil sein kann, sollten Sie sich einmal die Auswirkungen vorstellen, wenn Sie das intensive Interesse eines Bayern-München-Fans an seinem Verein Ihrem Markenteam einimpfen könnten.

Das Sponsoring eines Ereignisses kann auch als Katalysator für die weltweite Durchführung von Maßnahmen zum Aufbau einer Marke und das dazugehörige Team dienen. Als MasterCard Sponsor der Fußballweltmeisterschaft wurde, musste das Unternehmen in vielen verschiedenen Gegenden zwischen Tausenden verschiedenen Banken Übereinstimmung und Synergien erzielen. Damit das Sponsoring erfolgreich wurde, bedurfte es gewaltiger Anstrengungen, um weltweit Informationen zu teilen und Werbe- und Promotionskampagnen zu koordinieren. Die so geschaffenen Kommunikationskanäle sowie die gewonnene Erfahrung halfen jedoch bei der Lösung von Problemen, die jenseits des eigentlichen Sponsoring lagen.

2. Ein besonderes Erlebnis für Kunden

Das Erlebnis einer besonderen Veranstaltung (beispielsweise die Teilnahme bei einem Golfturnier oder der Zugang zu einem VIP-Zelt in Wimbledon) kann Kunden eine einzigartige Möglichkeit bieten, eine Bindung zu einer Marke oder einem Unternehmen zu entwickeln. Allein schon die Tatsache, dass dem Kunden die Teilnahme an einem derartigen Ereignis ermöglicht wird, insbesondere, wenn es sich um eine Prestigeveranstaltung handelt, sagt viel über die Marke und die dahinter stehende Firma aus (beispielsweise, dass es sich dabei auch um etwas Hochkarätiges handelt). Außerdem bietet sich so eine einzigartige und greifbare Möglichkeit, einen wichtigen Kunden zu belohnen. Wenn man einmal annimmt, dass die gleiche Veranstaltung jahrelang gesponsert wird, kann man derartige Belohnungen jedes Jahr austeilen und so dem Kunden einen Anreiz bieten, selbst diese Beziehung zu pflegen. Außerdem bietet ein solches Ereignis die Gelegenheit, sich mit wichtigen Kunden in entspannter Atmosphäre zu treffen; man bekommt einen Zugang zu anderen Menschen, der ohne die Veranstaltung im Hintergrund gar nicht möglich wäre.

Wenn man einen Kunden sogar in eine Veranstaltung mit einbezieht, kann man diesen Kunden sozusagen zum Mitglied der gleichen Familie oder des gleichen Teams machen wie die Marke selbst. Besonders wenn die Erfahrung mehrfach wiederholt wird (vielleicht jährlich), erhöht das die Loyalität beträchtlich. Eine derartige Bindung lohnt sich wirklich und entsteht meistens dann, wenn ein Kunde als Insider der Markenorganisation behandelt wird und/oder wenn die Veranstaltung einen Bezug zu der eigenen Identität, Persönlichkeit oder dem Lebensstil des Kunden hat.

3. Vorführung eines neuen Produktes/einer neuen Technik

Wie bereits erwähnt, kann eine Untermarke für ein neues Produkt oder eine neue Technologie sich als Silver bullet für eine Marke erweisen und einer Zielgruppe die Markenidentität vermitteln. Beispielsweise kann ein neues Produkt oder eine Technologie andeuten, dass eine Marke einen bestimmten Vorteil für sich vereinnahmt hat, oder zeigen, dass eine Marke innovativ ist beziehungsweise auf die Wünsche der Kunden eingeht.

Am wirkungsvollsten lässt sich ein neues Produkt mit Hilfe von Öffentlichkeitsarbeit einführen. Wenn es neu, interessant und wichtig genug ist, dass die Presse darüber schreibt, dann ist auch die Wahrscheinlichkeit höher, dass die für den Aufbau der Marke gesetzten Ziele erreicht werden. Öffentlichkeitsarbeit ist nicht nur kostengünstiger als Werbung, sie ist auch glaubwürdiger. Eine Sponsorenschaft kann der notwendige Hebel sein, um ein Produkt oder eine Technologie nachrichtenwürdig zu machen, sodass sich die Presse damit befasst. Selbst wenn die Presse nicht darüber berichtet, kann Sponsoring ein Umfeld schaffen, in dem eine Vorführung interessanter und lebendiger wird. Ein weiterer Vorteil besteht darin, dass die Präsenz des Produktes oder der Technologie die Bindung zwischen der Marke und der Veranstaltung verstärken kann.

M&M's führte beispielsweise anlässlich des New York City Marathon eine neue Farbe ein. Die Idee, dass ein Hersteller von Süßwaren einen derartigen Rummel um eine neue Farbe machte und deren Einführung mit einem Großereignis in New York verband, war derart ausgefallen, dass die Werbewirksamkeit immens war und das Produkt sogar während der Fernsehübertragung des Ereignisses erwähnt wurde. Genauso wurde die Vorstellung der neuen Visa Cash Card bei den Olympischen Spielen 1998 von der Presse erwähnt.

Eine Veranstaltung kann auch dazu genutzt werden, eine Technologie vorzuführen, die zu einer wesentlichen, mit einer Unternehmensmarke verbundenen Assoziation gehört. Beispielsweise installierte Panasonic das größte Videodisplay, das sich je in einem Stadion in den USA befand, 1996 bei der Olympiade in Atlanta. *Sport Illustrated* nutzte eine neue Druck- und fotografische Technik, um erstmalig eine tägliche Olympiaausgabe zu drucken und zu verteilen. Motorola lieferte bei den gleichen Olympischen Spielen das größte jemals für eine Sportveranstaltung geschaffene digitale System. Und Sprint stellte seine Sprachtechnologie vor, indem es die Kopfhörer lieferte, die die Trainer der National Football League während der Spiele tragen.

4. Mehr Kontakte zur Marke herstellen

Oft lassen sich die Kosten für Sponsoring allein damit rechtfertigen, dass die Präsenz der Marke durch die Öffentlichkeitsarbeit oder deren Erscheinen auf allen möglichen Postern, Schautafeln und Banden erhöht wird. Eine Methode, um die Wirkung von dermaßen erhöhten Kontakten zu testen, besteht darin, die Bekanntheit der Marke vor und nach dem Ereignis zu messen. Eine ganze Reihe von Beispielen zeigt, dass sich die Bekanntheit der Marke dank Sponsoring deutlich erhöht, ganz besonders dann, wenn die Marke auch nach dem gesponserten Ereignis durch weitere Marketingmaßnahmen unterstützt wird. Beispielsweise stellte eine bis dahin nur wenig bekannte Computerfirma fest, dass ihr Sponsoring einer Fußballmannschaft zu einer beträchtlichen ungestützten Bekanntheit des Sponsors (was mit der Bekanntheit der Marke eng korreliert) sowohl bei den Leuten führte, die sich die Spiele des Teams angeschaut hatten (53 Prozent) als auch bei denjenigen, die sich Spiele anderer Mannschaften der gleichen Liga angesehen hatten (22 Prozent).[25]

Ein zweiter Ansatz besteht darin, den zusätzlichen Kontakt zu einer Marke zu messen, der durch die im Rahmen von Sponsorenschaften verwendete Bandenwerbung, Plakate, Schilder oder sonstige Maßnahmen am Ort des Geschehens beziehungsweise durch die Kleidung der Teilnehmer entsteht. Joyce Julius & Associates analysiert Fernsehübertragungen von Ereignissen, um festzustellen, wie lange eine Marke »deutlich im Bild« war; man kann dann den Wert dieser Zeit berechnen. Das Unternehmen fand heraus, dass das Spitzensportereignis im Jahr 1992 das Indianapolis 500 war, bei dem 307-mal Sponsoren erwähnt wurden; für die entsprechende Werbung zur selben Fernsehzeit hätte man 72 Millionen Dollar ausgeben müssen.[26] Das zweitwichtigste Ereignis war ebenfalls ein Autorennen, das Daytona 500, gefolgt von der *Newsweek* Championship, einem der ATP Tennisturniere und der Federal Express Orange Bowl (es ist kein Zufall, dass zwei dieser Ereignisse ganz ausdrücklich mit den Namen von Sponsoren verbunden waren).

Die Wirkung eines Markennamens oder Logos am Veranstaltungsort kann geschätzt werden, indem man feststellt, wie viele Leute ihm während der Veranstaltung ausgesetzt waren. Wie oben schon angeführt, schätzte MasterCard, dass sein Auftritt bei der Fußballweltmeisterschaft zu acht Milliarden Kontakten mit der Marke führte. Natürlich ist Werbung mit einer konzentrierten Botschaft effektiver (auch wenn sie ganz offensichtlich kommerzieller ist), man muss also gewisse Abstriche machen. Trotzdem übersteigt üblicherweise der Wert der zusätzlichen Kontakte mit der Marke die Gesamtkosten des Sponsoring, selbst wenn man den Kontakten zu einer Marke während einer Veranstaltung nur zehn Prozent der Werbewirksamkeit von bezahlter Werbung beimisst.

Man muss zwischen dem Status eines Sponsors unterscheiden (also beispielsweise einer der Sponsoren der Olympiade zu sein) und Veranstaltungen, die nach einem Sponsor benannt werden (das Buick Open); Letztere bringen zwei zusätzliche Vorteile mit sich. Erstens hilft die Werbung, die die Verbindung des Namens mit dem Ereignis nach sich zieht, die Präsenz der Marke zu erhöhen, und zwar in Abhängigkeit davon, wie viel die Presse darüber berichtet. Zweitens ist es wesentlich leichter, eine Marke mit einer Veranstaltung zu assoziieren, wenn das Ereignis nach der Marke benannt wird, als wenn die Marke nur auf irgendeiner Ebene einer der Sponsoren eines Ereignisses ist.

Ein nach einer Marke oder einem Unternehmen benanntes Stadion ist eine besonders effektive Methode, den Bekanntheitsgrad der Marke zu erhöhen und ihre Präsenz zu verstärken. 3Com ist das weltweit zweitgrößte Netzwerkunternehmen, aber nur wenige Leute hatten davon gehört, bis die Firma vier Jahre lang 4,5 Millionen Dollar für die Genehmigung bezahlte, ihren Namen auf das Stadion zu schreiben, in dem das San Francisco 49er Footballteam und das Giants Baseballteam zu Hause sind. Nach dieser Namensänderung sprach der

Fernsehberichterstatter Al Michaels fünf Minuten lang an einem Montagabend über dieses Arrangement; Werbezeit im gleichen Umfang hätte 3Com genauso viel gekostet wie die Erlaubnis, seinen Namen am Stadion anzubringen. Außerdem wurde die Geschichte über den Namenswechsel von Zeitungen auf der ganzen Welt übernommen, und 3Com wird bei jedem Spiel (rund 200 pro Jahr) an prominenter Stelle erwähnt. Kurzfristig kann es allerdings von Nachteil sein, die Namensrechte für eine Veranstaltungsstätte zu kaufen. Wenigstens eine Untersuchung ergab, dass über 30 Prozent der Befragten einem Unternehmen gegenüber negativ eingestellt sind, das den Namen einer solchen Stätte in seinen eigenen umändert.[27]

Die Verbindung eines Markennamens mit einer Immobilie oder dergleichen im Rahmen eines Sponsorvertrages hat den weiteren Vorteil, dass es schwer ist, diese Beziehung wieder zu lösen; beide Seiten haben einen größeren Anreiz und sehen eine größere Notwendigkeit, das Geschäft zum Erfolg zu führen. Wenn Unternehmen nur für bestimmte Ereignisse Sponsoren sind, dann bleiben sie häufig aus unterschiedlichsten Gründen in den Medien unerwähnt, sodass sich keine positive Wirkung für den Aufbau der Marke ergibt.

Ein ziemlich einmaliges Experiment in Indien Mitte der achtziger Jahre des 20. Jahrhunderts deutet darauf hin, dass Sponsoring den Bekanntheitsgrad einer Marke beeinflussen kann.[28] Einer der drei indischen Reifenhersteller, MRF, verwandte drei Jahre lang sein Werbebudget fast ausschließlich für die Sponsorenschaft von sportlichen Ereignissen (die Ereignisse selbst und ihre Verbindung mit MRF wurden etwas beworben); während der gleichen Zeit machten die Wettbewerber (Ceat und Dunlop) weiterhin herkömmliche Werbung. Die Bekanntheit der Marke MRF (als erste erwähnt, wenn Leute nach Reifenmarken gefragt wurden) wuchs während der vier Jahre stetig von vier auf 17, von dort auf 20 und dann auf 22 Prozent, und der ungestützte Bekanntheitsgrad wuchs erst von 39 auf 72 Prozent, sank dann leicht auf 70 ab und stieg dann letztendlich auf 76 Prozent. Ganz offensichtlich verbesserte sich der Bekanntheitsgrad während des ersten Jahres geradezu dramatisch; der einmal erreichte hohe Bekanntheitsgrad bröckelte dann nicht ab, sondern erwies sich als beständig oder wuchs sogar noch im Laufe der Zeit.

5. Assoziationen zu der Marke entwickeln

Der fünfte und häufig wichtigste Grund für die Übernahme einer Sponsorenschaft ist der Wunsch, von einer Zielgruppe mit einer positiven Assoziation verbunden zu werden. Ob es gelingt, eine gewünschte Assoziation herzustellen, hängt von der Stärke von insgesamt drei Verbindungen ab, wie Schaubild 7.3 verdeutlicht.

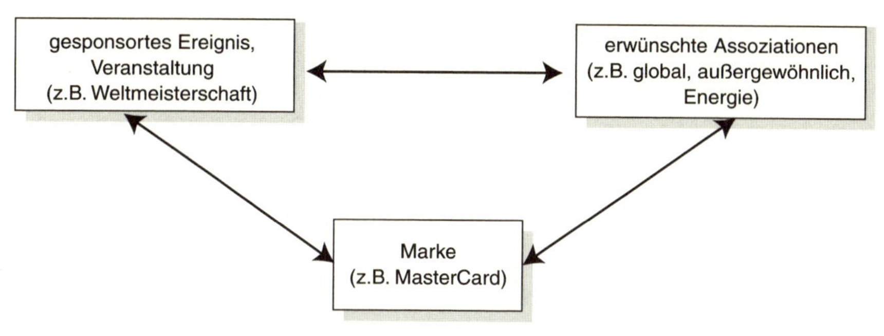

Schaubild 7.3: Mit Hilfe von Sponsoring Assoziationen zu einer Marke entwickeln

Assoziationen, die mit dem gesponserten Ereignis verbunden sind

Die gleichen qualitativen und quantitativen Techniken, die man anwendet, um festzustellen, welche Assoziationen mit einer Marke verbunden sind, kann man auch dazu nutzen, die mit einer gesponserten Veranstaltung verbundenen Assoziationen und deren relative Stärke zu ermitteln. Im Fall einer bedeutenden Sponsorenschaft kann ein gründliches Verständnis des Images des gesponserten Ereignisses bei der Zielgruppe – das heißt ein Image, das über greifbare Attribute hinausgeht – ganz entscheidend sein, um die Wirkung des Sponsoring zu optimieren.

Genau wie mit einer Marke können mit einem gesponserten Ereignis eine ganze Menge Assoziationen verbunden sein. Manche Veranstaltungen (Kegeln zum Beispiel) werden als eher billig betrachtet, während andere (beispielsweise eine Opernaufführung) eindeutig Klasse haben. Es gibt etablierte Veranstaltungen mit langer Tradition (Kentucky Derby), andere sind noch neu und voller Energie (die Swatch Events). Manche werden als typisch männliche, um nicht zu sagen Machoereignisse betrachtet (Autorennen), andere sind eher feminin (Eiskunstlauf der Damen). Die Veranstaltungen können auch völlig verschiedene Persönlichkeiten haben: Ein Skiabfahrtslauf ist aufregend, eine Fußballmannschaft ist stark, ein Stadtentwicklungsprojekt kann kompetent sein und ein Schönheitswettbewerb elegant. Auch der Ort der Veranstaltung kann von Bedeutung sein, sei es eine Stadt oder ein Gebäude (wie beispielsweise die Transamerica Pyramide), ein Land (Spanien) oder eine Region (Südfrankreich), insbesondere für einen Reiseveranstalter oder eine Hotelkette.

Es lohnt sich, fünf Assoziationen besonders zu betonen, weil sie für so viele Marken wichtig sind und weil Sponsoring auf einzigartige Weise zu ihrer Entstehung beitragen kann. Das Erste sind Assoziationen, die durch die funktionalen Eigenschaften der Veranstaltung selbst hervorgerufen werden. Beispielsweise entstehen bei einem Golfturnier starke Assoziationen zu Golf, Golfspielern, Golfausrüstungen und Golfprofis; ein Hersteller von Golfausrüstungen oder -bekleidung kann davon profitieren. Die übrigen vier sind eigentlich Eigenschaften eines Unternehmens (besonders aber von Unternehmensmarken), nach denen Marken häufig streben, die für sie aber nur schwer erzielbar sind: Führung, global sein, lokal sein und sozial involviert sein. Eine Sponsorenschaft kann häufig eine äußerst wirkungsvolle Methode sein, um diese Assoziationen herzustellen.

Viele Marken behaupten explizit, in ihrer Warengruppe führend zu sein, was meistens bedeutet, dass sie innovativ, erfolgreich und zuverlässig sind. Es ist jedoch ebenso unklug wie wirkungslos, wenn eine Marke selbst eine derartige Behauptung aufstellt. Das Sponsoring eines sportlichen Ereignisses kann jedoch die Assoziierung der Marke mit Führung und Führungsqualitäten auf ganz verschiedene Weise unterstützen. Erstens haben manche Veranstaltungen selbst das Image, die beste oder renommierteste zu sein – the Masters (Golf), Wimbledon (Tennis), the Kentucky Derby, the Indy 500 (Autorennen) und die Olympiade fallen alle in diese Kategorie. Zweitens gibt es bei allen sportlichen Veranstaltungen Sieger, und die Assoziation zum Sieg und der Entschlossenheit und dem Talent, die erforderlich sind, um es zu schaffen, sollten auf alles abfärben, das mit dem Ereignis in Verbindung steht.

Global zu sein ist eine weitere unternehmensbezogene Assoziation, die für viele Marken wichtig ist. Die Verbindung eines Sponsors mit einem wirklichen Weltereignis wie beispielsweise der Fußballweltmeisterschaft oder der Olympiade ist eine Art, die Behauptung zu unterstützen, die Marke sei global. Das war auf jeden Fall eines der Ziele von MasterCard, als die Marke Sponsor der Fußballweltmeisterschaft wurde, denn sie musste gegen Visas Behauptung »Everywhere you want to be« und dessen Verbindung zur Olympiade konkurrieren. Die Assoziation mit etwas Weltweitem ist eine der Hauptattraktionen der Olympischen Spiele für Sponsoren. UPS war beispielsweise 1996 Sponsor der Olympiade, teilweise um damit eine Assoziierung der Marke mit weltweiter Kompetenz zu erreichen, teilweise aber auch, um ein ernst zu nehmender Wettbewerber von FedEx und DHL zu werden.

Das Sponsoring von lokalen Veranstaltungen ist eine ausgezeichnete Möglichkeit, um eine Verbindung zu einer Gemeinde oder Gemeinschaft herzustellen und dadurch stärkere lokale Assoziationen aufzubauen. In einer Untersuchung äußerten sich zwei Drittel der Befragten positiver über Unternehmen, die an lokalen oder bodenständigen Veranstaltungen teilnahmen, während nur etwa 40 Prozent positiv auf das Sponsoring eines nationalen Ereignisses durch ein Unternehmen reagierten.[29]

Um eine größere Präsenz und mehr Synergien zu erzielen, könnte man mehrere lokale Sponsorenschaften miteinander verbinden. Die Adidas Streetball Challenge und der DFB-Adidas Cup, die im letzten Kapitel beschrieben wurden, bieten ein Beispiel. Wie im sechsten Kapitel erwähnt, organisiert Adidas jedes Jahr Dutzende von Veranstaltungen in Deutschland, und einige Hundert lokale Ereignisse finden in ganz Europa statt. Die lokalen Turniere werden mit Hilfe von lokalen Verbänden, Sportvereinen und Einzelhändlern organisiert. Einzelhändler können außerdem einen Wettkampf »mieten« und rundherum zusätzliche eigene Veranstaltungen gruppieren. Alle lokalen Ereignisse sind mit nationalen und europäischen Ereignissen verbunden.

Das Sponsoring einer auffälligen Aktivität, die dem Gemeinwohl dient (indem sie beispielsweise der Umwelt oder der Gemeinde nutzt) ist eine hervorragende Möglichkeit für ein Unternehmen zu kommunizieren, dass es an etwas glaubt und Werte vertritt, die über das reine Herstellen von Produkten hinausgehen. Beispielsweise ist McDonald's der Sponsor von Ronald McDonald House, ein Haus, in dem Familien wohnen können, während die Kinder medizinisch betreut werden. Tanqueray war der Sponsor eines Fahrradrennens mit 1800 Teilnehmern zugunsten der Aidshilfe und sammelte auf diese Weise 5,5 Millionen Dollar; auf anderer Ebene veranstaltete das Unternehmen auch 180 AIDS Ride awareness nights in 30 Bars in Kalifornien. Die American Express-Kampagne Charge Against Hunger spendete drei Cents von jeder Kartentransaktion an eine Welthungerhilfsorganisation; eine Tournee mit Stevie Wonder durch elf Städte machte Werbung für dieses Konzept.

Die Herstellung einer Verbindung zwischen der Marke und dem gesponserten Ereignis

Eine Verbindung zwischen einer Marke und einem von ihr gesponserten Ereignis entsteht nicht automatisch. Es ist wahrscheinlich einer der größten Fehler, wenn Sponsoren versäumen, eine Bindung zwischen der Marke und der gesponserten Veranstaltung herzustellen.

DDB Needham's SponsorWatch nutzt ein Verbraucherpanel, um die Wirksamkeit von Sponsoring zu überprüfen.[30] Jeden Monat werden 500 bis 800 Haushalte per Post kontaktiert, und der Haushaltsvorstand wird gebeten, einen Fragebogen auszufüllen. Die Daten werden über einen Zeitraum von drei bis zwölf Monaten hinweg analysiert, der mit dem sportlichen Ereignis oder einer Saison in Verbindung steht.

Die SponsorWatch Daten zeigen, dass der Zusammenhang zwischen Sponsoren und den von ihnen gesponserten Ereignissen geringer ist als man erwarten könnte. SponsorWatch verwendet »exclusive awareness« [»ausschließliche Bekanntheit«] als eine Messgröße für diesen Zusammenhang – das heißt den Prozentsatz der Zielgruppe, der die Verbindung zwischen der Marke und dem gesponserten Ereignis erkennt, abzüglich des Prozentsatzes der Leute, die irrtümlich glauben, dass es eine Verbindung zwischen dem Ereignis und der stärksten Wettbewerbsmarke gibt. Ganz offensichtlich schwächt eine solch eingebildete Verbindung zu einem Wettbewerber die Vorteile der Bindung – wenn in dieser Hinsicht zu viel Konfusion herrscht, könnte Werbung für das gesponserte Ereignis und die damit verbundenen Assoziationen sich als nützlich für den Wettbewerber erweisen.

Manche Sponsorenschaften schaffen eine erstaunlich geringe ausschließliche Bekanntheit. Seit mehreren Jahren ist Coca-Cola das offizielle Erfrischungsgetränk für die National Football League, und 1993 zahlte das Unternehmen 250 Millionen Dollar, um den Vertrag fünf Jahre zu verlängern. Laut SponsorWatch glauben jedoch 35 Prozent der Befragten, Pepsi sei der Sponsor, das ist nur ein

Prozent weniger als sie sich für Coke aussprachen. Nur 15 Prozent der Befragten waren in der Lage, Hilton als Sponsor der Olympischen Sommerspiele 1992 zu nennen; die gleiche Anzahl von Leuten glaubte, Holiday Inn sei der Sponsor. Andere Sponsoren der gleichen Olympiade, wie beispielsweise Crest, Oscar Mayer, Panasonic, Maxwell House und Nuprin erlitten das gleiche Schicksal. Dagegen erkannten über 50 Prozent Visa als Sponsor, während jeweils etwas weniger als 30 Prozent der Befragten MasterCard beziehungsweise American Express für den Sponsor hielten – was natürlich auch beträchtliche Prozentsätze sind.

Von den 102 offiziellen Sponsoren der Olympischen Spiele, die SponsorWatch seit 1984 beobachtet hat, konnte nur die Hälfte eine erfolgreiche Bindung zu den Spielen aufbauen – eine »erfolgreiche Bindung« bedeutet, dass ein Unternehmen wenigstens 15 Prozent der Befragten als Sponsor bekannt ist (und von mehr Leuten – Unterschied von mindestens 10 Prozentpunkten – mit dem Ereignis in Verbindung gebracht wird als der nächstplatzierte Wettbewerber). Man kann hier kam von einem strikten Kriterium sprechen. Anders ausgedrückt: Wenn das Ziel darin bestand, den Bekanntheitsgrad der Marke zu erhöhen und eine Verbindung mit den Olympischen Spielen herzustellen, dann verschwendeten viele der Sponsoren ganz einfach ihr Geld.

Warum profitieren nur so wenige Firmen von dem Sponsoring? Der erste von drei wichtigen Gründen ist, dass ein Sponsor der Olympiade nicht die Erlaubnis hat, sich in Stadien oder in Programmheften zu verewigen (wie es bei der Fußballweltmeisterschaft erlaubt ist), daher ist es gar nicht so einfach, die Sponsorenschaft bekannt zu machen. Zweitens besteht zwischen manchen Marken und den Olympischen Spielen nur eine geringe natürliche Verbindung, die beiden Partner passen gar nicht richtig zusammen. Drittens investieren manche Sponsoren nichts, um die Verbindung deutlich zu machen, weil ihr ganzes Geld für die Sponsorengebühr ausgegeben wurde.

Ein direkter Ansatz, um eine Bindung zu einem Ereignis herzustellen, ist die Werbung während der Fernsehübertragungen des Ereignisses. Für die Olympischen Spiele von 1984, 1988 und 1992 zeigen die Daten von SponsorWatch, dass es 54 Prozent der 58 Marken, die Werbung machten, gelang, eine Verbindung herzustellen, während nur eine Marke (*Sports Illustrated*, die natürlich selbst ein Medium zur Berichterstattung über die Spiele ist) von den 27, die keine Werbung machten, eine erfolgreiche Bindung herstellen konnte.

Es ist außerdem wichtig, wie stark die Bindung ist und wie lange sie anhält, denn die Wirkung der Assoziation kann im Falle einer Veranstaltung, die nicht auf ein kleines Zeitfenster beschränkt ist, vervielfacht werden. Beispielsweise etablierte der Versandhändler J.C. Penney eine vergleichsweise starke Bindung an die Olympischen Spiele, aber nur so lange, wie die Spiele dauerten. Vor den Spielen lag der Bekanntheitsgrad der Bindung sogar unter dem des Konkurrenten Sears, und danach war er nur um sechs Prozent höher. Dagegen erzielte Visa eine erfolgreiche Bindung, die drei Monate vor den Spielen und noch einen Monat danach um 16 bis 20 Prozent höher lag als die der Wettbewerber. Wahrscheinlich ist die Bindung sogar noch in den Jahren stark, in denen gar keine Spiele stattfinden.

Die Daten von SponsorWatch zeigen, dass von den 51 Sponsoren, denen eine erfolgreiche Bindung an die Olympischen Spiele gelang, nur 60 Prozent diese Bindung auch vor und nach den Spielen aufrecht erhalten konnten; für die anderen 40 Prozent bestand die Bindung nur während der Spiele. Ganz offensichtlich führen Assoziationen, die mehrere Jahre lang bestehen, eine Bindung wesentlich deutlicher vor Augen. Visa ist zum Teil deshalb so erfolgreich, weil das Unternehmen schon mit einigen Olympischen Spielen in Zusammenhang gebracht wurde und daher während der Spiele nicht gegen Verwirrung anzukämpfen hat; es muss die Zuschauer einfach nur daran erinnern, dass Visa der offizielle Sponsor ist.

IBM als Sponsor von Kunst

IBM tritt als Sponsor auf, um im positiven Sinne bekannt zu werden, um sich als stimulierendes und führendes Unternehmen in einer sich ständig ändernden Branche darzustellen und um zu demonstrieren, dass die Firma und ihre Beschäftigten etwas für die Allgemeinheit tun. Gründliche Recherchen haben IBM klargemacht, dass sein Sponsoring viel effektiver ist, wenn es von anderen Medienaktivitäten unterstützt wird.

Die Wirkung der Sponsorenschaft für eine Leonardo da Vinci-Ausstellung in London wurde untersucht. Alle Besucher bekamen einen kurzen Fragebogen in die Hand gedrückt; sie wurden gebeten, ihre Namen und Telefonnummern anzugeben. Einige, die den Bogen ausgefüllt hatten, wurden anschließend angerufen und befragt; auf der Liste wurden sie nach dem Sponsor der Ausstellung gefragt, wie sie von dem Sponsoring erfahren hatten, wie passend es ihnen erschien, was ihrer Meinung nach der Sponsor zu der Ausstellung beigetragen hatte und was sie von IBM hielten. Ungestützt wurde IBM von 28 Prozent der Befragten als Sponsor genannt (das ist eine niedrigere Zahl als die durchschnittlichen 41 Prozent) und gestützt von 57 Prozent (ebenfalls niedriger als die üblichen 66 Prozent). Die meisten hatten erst in der Ausstellung von dem Sponsoring erfahren, das heißt, dass die Wirkung des Sponsoring auf diejenigen, die nicht in die Ausstellung gingen, gering war.

Einige Jahre später trat IBM als Sponsor der Pompeji-Ausstellung, ebenfalls in London, auf. Bei dieser Gelegenheit verkündete eine umfangreiche Werbekampagne die Sponsorenschaft von IBM, und interaktive IBM-Computer wurden in der Ausstellung verwendet. Die Erinnerung an IBM war dadurch deutlich höher; ungestützt wurde IBM von 45 Prozent der Befragten, und gestützt von 74 Prozent mit dem Ereignis in Verbindung gebracht. Außerdem wussten 34 Prozent der Leute von dem Sponsor, noch ehe sie in die Ausstellung gingen, das ist deutlich mehr als der Durchschnitt von 25 Prozent. Fast 60 Prozent gaben an, sie hätten nun eine positivere Haltung IBM gegenüber, während nur ein Prozent nun eine schlechtere Meinung hatte.

Quelle: Walshe, Peter; Wilkinson, Peter: »Pompeii Revisited: IBM Digging for Success«, in: *Marketing and Research Today*, Februar 1994, S. 89-95.

Eine Veränderung oder Ausweitung des Markenimages

Da ein gesponsortes Ereignis im Blickpunkt der Öffentlichkeit steht, mit wünschenswerten Assoziationen verbunden wird und die Marke bereits eine Bindung dazu hat, besteht der letzte Schritt darin, die Assoziationen auf die Marke zu übertragen, sodass deren Image verbessert und verstärkt wird. Man kann sich dabei grundsätzlich zwei Konzepte vorstellen. Erstens könnte man annehmen, dass der Prozess von einem Wunsch nach Konsistenz gesteuert wird.

Psychologen haben herausgefunden, dass in einem Fall, in dem eine starke Assoziation (beispielsweise global) mit einem Ereignis verbunden ist, das seinerseits eine Bindung zu einer Marke hat, die Auffassung der Leute verstärkt wird, dass auch die Marke global ist, damit ihr kognitives Verständnis konsistent ist. Zweitens könnte der Versuch, jemanden davon zu überzeugen, dass eine Marke global ist, sich leichter in dem Zusammenhang mit einem Ereignis wie den Olympischen Spielen verwirklichen lassen, wo einem dieses Konzept (Globalität) eher in den Sinn kommt und ins Auge springt.

Es gibt deutliche Beweise dafür, dass eine Sponsorenschaft das Image einer Marke beeinflussen kann. SponsorWatch fand beispielsweise heraus, dass in Bezug auf die Frage, welche Kreditkarte den besseren Service biete, vor den Olympischen Spielen 1992 Visa von 15 Prozent mehr der Befragten genannt wurde als MasterCard; die Überlegenheit von Visa wuchs auf 30 Prozent während der Veranstaltung und veränderte sich auf 20 Prozent einen Monat danach (Schaubild 7.4 verdeutlicht dies). Ende 1997 ergab eine Untersuchung, dass durchschnittlich zehn Prozent mehr der Konsumenten, die von der Verbindung zwischen Visa und den Olympischen Spielen wussten, Visa anhand einer Reihe von Eigenschaften (beispielsweise Akzeptanz im Handel oder Nutzen insgesamt) als bestes Kreditkartenunternehmen beurteilten als diejenigen, denen die Sponsorenschaft nicht bekannt war.[31] Ähnlich wurde Seiko im Vergleich zu Timex während der Olympischen Spielen von 20 Prozent mehr Befragten als bestes Produkt beurteilt, im Vergleich zu fünf Prozent mehr vorher und zehn Prozent einen Monat danach. Ganz entsprechend entwickelte sich die gemessene »erfolgreiche Bindung« Seikos an die Olympiade von negativen zwei Prozent (das heißt, Timex wurde häufiger als Sponsor der Spiele genannt als Seiko) einen Monat vor der Olympiade auf 18 Prozent während der Spiele und acht Prozent einen Monat danach.

Bei dem Experiment des indischen Reifenherstellers MRF hatte die Verwendung des Werbebudgets für das Sponsoring von sportlichen Ereignissen Auswirkungen auf den Bekanntheitsgrad der Marke, deren Image und ihre Beliebtheit. Während des vierjährigen Beobachtungszeitraums verbesserten sich alle sieben Imagekomponenten stetig, außerdem war ein Anstieg der Vorliebe für die Marke zu beobachten – der Prozentsatz der Kunden, die MRF den Vorzug gaben, wuchs von vier auf neun und dann weiter auf 21 und 22 Prozent, während die Position der Wettbewerber unverändert blieb. Vor der Untersuchung war eine Imagedimension, Innovation, extrem niedrig gewesen, sie wuchs jedoch während des ersten Jahres des Experiments deutlich an, obgleich in dieser Zeit keine

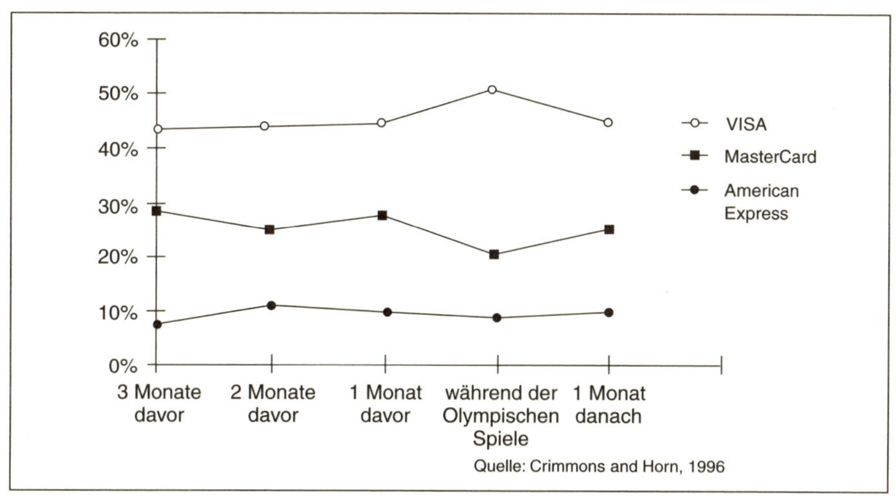

Schaubild 7.4: Wahrnehmung von Kreditkarten als die jeweils beste

Werbung über irgendwelche tatsächlichen Veränderungen gemacht wurde. Wieso diese Entwicklung? Zusätzlich zu dem Glanz, den das Sponsoring von Sportveranstaltungen generell vermittelt, mag es auch einer Marke ein gewisses Maß an Energie und spannender Aufregung verleihen, dass sich in eine Wahrnehmung von Innovation übersetzen lässt.[32]

Assoziationen müssen passen

Wenn die mit einem Ereignis verbundenen Assoziationen wirklich auch zu der Marke und den damit verbundenen Assoziationen passen, wird alles leichter. Es wird einfacher, die Marke mit der Veranstaltung in Verbindung zu bringen, und es ist wahrscheinlicher, dass dadurch das Markenimage verbessert wird. Die folgenden drei Fälle sind Beispiele dafür, wie Assoziationen passen können:

1. Ein Hersteller von Golfschlägern (wie Calloway) tritt als Sponsor eines Golfturniers auf, bei dem seine Produkte zum Einsatz kommen und die Zuschauer potenzielle Käufer des Produkts sind. Umso besser, wenn ein Spieler mit Schlägern von Calloway dann auch noch erfolgreich ist.
2. Sony war der Sponsor für die gesamte Unterhaltung, die auf einigen Schiffen der Celebrity Cruise Line geboten wurde. Jedes Schiff wurde zur Demonstration für die Sony-Technik, einschließlich der Fernsehgeräte in den Einzelkabinen, der Audioanlage, den Sony-Filmen, die in dem Videozentrum gezeigt wurden, dem von Sony selbst konzipierten Bereich (mit Geschenkladen), den Sony-PlayStations für Kinder, der sechs Meter hohen Sony-Leinwand und dem Kino mit 1000 Plätzen. Zu Beginn des ganzen Programms wurde die Premiere eines wichtigen Sonyfilms an Bord für 1200 Gäste inszeniert.
3. DuPont, der Hersteller von warmer Unterwäsche, war der Sponsor für die Erforschung der Beringstraße; auf dieser Forschungsreise kletterten ein Dut-

zend amerikanische und russische Forscher bei extremer Kälte durch sechs Meter hohe Schneeverwehungen.

Eine Untersuchung ging der Bedeutung des passenden Sponsoring nach, indem es Sponsoring mit einigen anderen Variablen verglich, um deren relative Bedeutung für die Entscheidung, eine Eintrittskarte zu einem Themenpark zu kaufen, zu erfassen. Zu den Faktoren gehörten der Sponsor selbst (Children's Miracle Network und das Kennedy Center, die beide für die darstellenden Künste wichtig sind – beide sind beliebt, aber ihre Beziehung zu Vergnügungsparks ist deutlich verschieden), die Entfernung zum Park (entweder eine Fahrt von 45 oder von 90 Minuten), Anzahl der Fahrten auf den verschiedenen Karussels (32 oder 46), Qualität des Essens (annehmbar oder gut), Eintrittspreis (24 Dollar 95 oder 34 Dollar 95) und Öffnungszeiten (12 oder 16 Stunden).[33] Die Bedeutung des zum Park passenden Sponsoring für den Kauf einer Eintrittskarte war zweimal so hoch wie die des Preises, der Entfernung oder der Öffnungszeiten und 1,6-mal so hoch wie die der Anzahl der Fahrten und des Essens.

Schaffen Sie Ihre eigene Veranstaltung

Möglicherweise gibt es kein Ereignis, das wirklich gut zu einer Marke passt, oder es steht nicht für Sponsoring zur Verfügung; es herrscht ein Mangel an qualitativ hochwertigen Ereignissen.[34] Die Lösung könnte darin bestehen, selbst eine Veranstaltung zu kreieren. Auch dafür gibt es Beispiele:

- Die Chase Corporate Challenge der Chase Bank, die es seit 1977 gibt, besteht aus einer Reihe von 3,5 Meilen-Rennen, die inzwischen in 19 Städten der USA sowie in London und in Frankfurt stattfinden und mit einen Laufwettbewerb im Oktober in New York enden. Über 150 000 Läufer aus mehr als 6 000 Unternehmen beteiligen sich; Chase hat auch nationale und lokale Partner für sein Sponsoring gefunden.
- Die PowerBar CEO Challenge Race lädt die Führungsspitze anderer Unternehmen ein, gegen die Direktoren von PowerBar anzutreten. Dem Sieger winken 5 000 Dollar, die er einem gemeinnützigen Verein seiner Wahl spenden kann.[35]
- Das Stoli Vodka Ski Classic besteht aus einer Serie von fünf Skiabfahrtsläufen, an denen sich nur Leute aus dem Gastgewerbe beteiligen dürfen. Zu der Veranstaltung gehören ein Kochwettbewerb mit anschließendem Verkosten nach jedem Rennen; sie war ein wichtiger Faktor bei Stolis Einführung von sechs neuen Wodkageschmacksrichtungen im Jahr 1997.
- Das Sta-Bil National ist eine Serie von Wettbewerben für Rasenmäher in zwölf Städten, das teilweise von Sta-Bil gesponsert wird (ein Zusatz, der verhindert, dass Benzin während der Lagerung degeneriert), außerdem von Dixie Chopper (einem führenden Rasenmäher) und Citgo Schmiermitteln. Seit 1992, als das Ereignis eingeführt wurde, sind die Abverkäufe von Sta-Bil jedes Jahr um 50 Prozent gestiegen.

- Das Black Velvet Smooth-Steppin' Showdown ist die größte Two-Step-Tanzveranstaltung für Amateure in den ganzen USA. Laut Angaben des Herstellers stieg der Ausschank der Marke in Verbindung mit sechs regionalen Veranstaltungen um 320 Prozent.
- Die Harley-Davidson's Anniversary-Reunion-Feiern sind Großereignisse, die über 100000 Harley Fans nach Milwaukee in Wisconsin ziehen. Eine internationale Werbekampagne (einschließlich Fernsehwerbung in Zusammenarbeit mit der Biersorte Miller Genuine Draft der Miller Brewing Company) mobilisiert Millionen von Kunden auf der ganzen Welt zur Teilnahme an lokalen Veranstaltungen in ihrem jeweiligen Heimatland. Diese Feiern haben einen signifikanten Wert für den Aufbau der Marke.
- Nike organisiert eine Reihe von Fußballspielen, die von den Nationalmannschaften ausgetragen werden, die Nike sponsert. Diese Spiele ergeben zusammen eine Art Mini-Fußballweltmeisterschaft und führen aufgrund der Kartenverkäufe, den Fernsehübertragungsrechten und Sponsorenschaftsverkäufen zu stetigen Einnahmen für Nike.[36]

6. Teil der Bindung werden, die bereits zwischen Ereignis und Kunden besteht – der Verbundeffekt

Bei jedem gesponserten Ereignis, Team oder was auch immer gibt es eine Gruppe von Menschen, die stark involviert sind, die sich Zeit für die Sache nehmen und gut informiert sind. Das gesponserte Ereignis ist möglicherweise zu einem wichtigen Teil ihres Lebens geworden und zu einer Möglichkeit, ihre eigene Identität auszudrücken – für das Selbstverständnis mancher Menschen ist es sehr wichtig, zu den Förderern eines Opernhauses zu gehören oder eine Dauerkarte für die Spiele der Jets zu haben. Die Existenz einer Bezugsgruppe (beispielsweise alle anderen Besitzer einer Dauerkarte für die Spiele der 49er oder alle anderen Teilnehmer am Ironman-Rennen) festigt die Bindung einer Person an eine Veranstaltung.

Stolz spielt durchaus auch eine Rolle bei der Identifikation mit einem Ereignis. Manche Menschen sind äußerst stolz auf das Olympische Team ihres Landes, ein Regionalmuseum, ein lokales Ereignis oder ein Unternehmensprogramm. (Über 95 Prozent der Befragten in Amerika und 90 Prozent derjenigen in Großbritannien stimmten der Aussage zu, die Olympischen Spiele seien eine Quelle für Nationalstolz.[37]) Diese Emotion kann eine wichtige Triebfeder sein, um eine Bindung zwischen einer Person und einem gesponserten Ereignis herzustellen.

Kann der Sponsor einer Veranstaltung Teil des emotionalen Engagements, der Möglichkeit zum Selbstausdruck und der sozialen Bindung werden? Kann man sich sozusagen anhängen, sodass zwischen einer Marke und einem Ereignis nicht nur Assoziationen bestehen, sondern die Marke Teil der Bindung wird? Ein derartiger Effekt könnte äußerst lohnend sein, nicht nur im Hinblick auf den Teil der Bevölkerung, der involviert ist, sondern auch in Bezug auf alle anderen, die irgendwie damit zu tun haben.

Drei Faktoren können möglicherweise einen Verbundeffekt anzeigen. Erstens müsste die Marke wahrscheinlich für längere Zeit eine enge Verbindung mit einem Team oder Ereignis eingehen, das ihren Namen trägt (wie beispielsweise der Adidas Predator Cup, die Toyota Wildcats, oder das Transamerica Open). Es wird nicht genügen, einen Chevron-Aufkleber zu zehn anderen auf einen Rennwagen zu pappen; das Auto muss außerdem die Chevron-Farben und das Logo tragen, um wirklich für ein Chevron Team zu stehen. Darüber hinaus sollte die Marke mit einem Ereignis verbunden werden, zu dem sie etwas beitragen kann. Pennzoil Motorenöl oder Porschewagen leisten einen logischen Beitrag zu jedem Autorennen und den daran beteiligten Teams, von dem Getränk Kool-Aids lässt sich das nicht sagen.

Zweitens müssten die Leute, die damit zu tun haben, wirklich in das Ereignis involviert werden (es genügt nicht, gelegentlich einmal zu einem Konzert zu gehen, wenn man gerade nichts Besseres zu tun hat). Zeichen für ein echtes Engagement könnte der Grad der Teilnahme an Ereignissen sein, die Neigung, Nachrichten darüber zu verfolgen und der Wunsch, das Engagement anderen gegenüber sichtbar zu machen, sodass es regelrecht zu einem Abzeichen wird. Um ein extremes Beispiel zu betrachten: Leidenschaftliche Anhänger von Bayern München gehen nicht zu Spielen des Vereins, wenn es sich gerade einrichten lässt, sie organisieren vielmehr ihr Leben um den Terminkalender des Vereins herum.

Drittens sollte das Gefühl, dass die Marke ein gewisses Risiko einging, als sie sich für eine bestimmte Aktivität engagierte, zu dem Verbundeffekt beitragen. Barclays Bank sprang als Sponsor für das englische Fußballteam ein, nachdem Canon sich zurückgezogen hatte, teilweise vermutlich wegen des Hooliganismus, zu dem der Sport führte.[38] Barclays hatte den Eindruck, dass diese Sponsorenschaft über ein hohes Profil verfügte, eng mit dem Ausdruck britischen Lebensgefühls verbunden war und auch eine Beziehung zu einem jungen Publikum herstellen würde. Untersuchungen über das Sponsoring zeigten, dass Fußballfans den Eindruck hatten, Barclays sei mit seinem Engagement ein Risiko eingegangen und dass diese Sponsorenschaft für eine gesunde Entwicklung des Sports absolut notwendig sei. Man konnte tatsächlich feststellen, dass die Unterstützung durch ein wichtiges einheimisches Finanzinstitut dem Image der Fußballliga half – wodurch die Sponsorenschaft natürlich wertvoller wurde.

Nachwirkungen

In vielen Fällen werden Ereignisse gesponsort, weil man hofft, dass das Publikum seine Vorliebe und Begeisterung für die Veranstaltung auch auf die Marke übertragen wird. Hier waltet die gleiche Logik, mit der man erklärt, dass die Attraktivität einer Werbung ein wesentlicher Faktor für ihren Erfolg ist. Es gibt deutliche Beweise dafür, dass nicht nur Aufmerksamkeit und Interesse steigen, wenn man eine Werbung mag; die positive Haltung der Werbung gegenüber wird auch auf die Marke übertragen. Vermutlich geschieht beim Sponsoring von Veranstaltungen etwas Ähnliches.

Was schief gehen kann

In manchen Fällen bedeutet Sponsoring nur, dass das Management sich auf einen Egotrip eingelassen hat, während es in anderen Fällen immens erfolgreich sein kann. Wovon hängt das Ergebnis ab? Für die Antwort auf diese Frage kann es sinnvoll sein, mit Abstand zu betrachten, was alles schief gehen kann, um Klarheit zu gewinnen.

Das Ereignis ist ein Flop

Wenn sich die Veranstaltung als Fehlschlag erweist, dann sind die Ausgaben für die Sponsorenschaft verschwendet, und sie kann sich sogar negativ auf den Sponsor auswirken. Kodak war einmal der Sponsor eines Kodak Liberty Ride-Festivals; für die Teilnahme sollten Menschen in 100 Städten 23 Dollar pro Person bezahlen, um Rad fahren zu dürfen, an einem Picknick teilzunehmen und sich die Übertragung eines Konzerts von Huey Lewis anzusehen. Das Problem bestand darin, dass die Organisatoren nur einen Bruchteil der versprochenen 500000 Menschen auf die Beine brachten; schlechte Organisation und ein eher schwaches Konzept waren das Problem.[39] Golfturniere und andere Veranstaltungen, die sich auf einen bestimmten Spieler stützen, leben immer mit dem Risiko, dass die Spitzenspieler nicht teilnehmen werden oder schon früh ausscheiden (entweder weil sie verlieren oder sich verletzen).

Negative Assoziationen

Das Schlimmste, was passieren kann, ist, dass schlechte Assoziationen entstehen und die Marke tatsächlich beschädigt wird. IBMs Sponsoring der Olympischen Spiele in Atlanta im Jahr 1996 sollte die Technologie des Unternehmens im besten Licht darstellen, indem sie Informationen sofort zur Verfügung stellte. Die Probleme, die sich jedoch mit dem IBM-System zeigten, führten zu einer weltweiten negativen Werbung.

Verschiedene Unternehmen als gemeinsame Sponsoren können zu Verwirrung führen oder sogar zu negativen Assoziationen. Sprint war beispielsweise ein zweitrangiger Sponsor der Fußballweltmeisterschaft im Jahr 1994, während MasterCard der offizielle Kreditkartensponsor war. Als Sprint bereits bezahlte Telefonkarten mit dem Logo der Veranstaltung herausgab, ging MasterCard vor Gericht und gewann das Verfahren. Das Sponsoring von Sprint war zwar kein völliger Fehlschlag, aber die negativen Schlagzeilen über das Telekomunternehmen standen einem vollen Erfolg im Weg.

Fehlende positive Assoziationen

Mitunter passen ein Sponsor und ein Ereignis ideal zusammen, aber ein Großteil des Publikums nimmt einfach keine Kenntnis davon. In einem solchen Fall muss man den Leuten vielleicht auf die Sprünge helfen, damit sie die Verbindung wahrnehmen. Während der Olympischen Spiele 1992 machte Seiko Anzeigenwerbung um sicherzustellen, dass die Verbindung zwischen der Zeitnahme bei den Rennen und der Leistung von Seiko deutlich wurde: »We are the clock, and we stand behind everyone who races to greatness in the games of the 25th Olympiad. We're Seiko, the measure of greatness.«[40] [»wir sind die Uhr im Hintergrund bei jedem Wettlauf zum Erfolg während dieser 25. Olympiade. Wir sind Seiko, das Maß für Größe.«]

Da Rennfahrer keine schicken Sonnenbrillen unter ihren Helmen tragen können, erwartete sich Revo wenig Gewinn von einer Sponsorenschaft für Autorennen. Das Unternehmen beschloss aber, die Windschutzscheibe der Wagen neu zu gestalten, sodass der Revo-Markenname integriert werden konnte und für alle Fernsehkameras und Zuschauer gut sichtbar war. Dank dieser zusätzlichen Forschung und Entwicklung verbesserte das Unternehmen den Wert des Sponsoring für sich deutlich, denn nun wurde Revo mit der Glastechnik für Windschutzscheiben assoziiert.

Der Verlust von zukünftigen Rechten

Wenn erfolgreich eine Verbindung zu einem gesponserten Ereignis hergestellt wurde, dann wäre es glatte Verschwendung, sich wieder davon zu trennen. Es ist ganz logisch, dass langfristiges Sponsoring eine viel stärkere Verbindung schafft, geringerer Investitionen bedarf und über einen längeren Zeitraum wirkungsvoll ist. Wenn eine Sponsorenschaft verloren geht, weil es nichts gab, was den Sponsor (vertraglich oder moralisch) an das gesponserte Ereignis band, ist die Investition eine Verschwendung. Noch schlimmer ist es, wenn die Assoziationen, die man sich von dem gesponserten Ereignis erwartet hat, von einem Wettbewerber vereinnahmt werden. Es ist daher empfehlenswert, sich in einem Abkommen das Recht garantieren zu lassen, dass man auch in den folgenden Jahren mit dem Sponsoring weitermachen kann. American Express hat sich immer noch nicht davon erholt, dass es vor den Olympischen Spielen 1988 seinen Sponsorenvertrag an Visa verlor; der Prozentsatz der Leute, die Visa als die beste Karte für internationale Reisen beurteilten, stieg von 11,5 Prozent vor den Spielen auf 27 Prozent danach.[41]

Zu viele Sponsoren

Mitunter fällt es schwer, eine Marke mit einem gesponserten Ereignis zu verbinden, weil schon zu großes Gedränge herrscht, es zu viele Sponsoren gibt. Wenn man versucht, die möglichen Vorteile des Sponsoring zu beurteilen, sollte man auf Durcheinander und eine mögliche Störung einer Bindung dadurch achten. Eine Methode, dagegen vorzugehen, besteht darin, eine Reihe von unterschiedlichen Maßnahmen zum Aufbau von Bindungen zu ergreifen, beispielsweise Promotionen und das Internet.

Durch Fernsehwerbung kann die Aufmerksamkeit für die Marke trotz zahlreicher anderer Sponsoren erhöht werden, indem man eine virtuelle Zeichensetzung nutzt – das heißt, die Fernsehübertragung mit einem Zeichen beispielsweise mitten auf einem Fußball- oder Tennisplatz oder an einer anderen auffälligen Stelle zu überlagern, sodass es ins Auge sticht und die Assoziation zu dem Ereignis verbessert. Ein derartiges Zeichen kann in 3-D übertragen werden und an exponierter Stelle erscheinen, ohne den Wettbewerb selbst zu stören.

Hinterhältiges Marketing

Ein Risiko, das Sponsoren von bedeutenden Ereignissen beachten müssen, besteht darin, dass ein Wettbewerber zu hinterhältigen Marketingmaßnahmen greift und versucht, sich selbst mit einem Ereignis in Verbindung zu bringen, das er gar nicht gesponsert hat. In einem solchen Fall profitiert die Konkurrenzmarke von den Ausgaben, die der Sponsor gezahlt hat.

Eine Art des hinterhältigen Marketings besteht in Medienwerbung, die mit der Veranstaltung im Zusammenhang steht. Während der Olympischen Spiele von 1992 in Barcelona und 1996 in Atlanta machte beispielsweise Nike aggressive Bandenwerbung. Diese Anstrengungen erweckten so erfolgreich den falschen Eindruck, Nike sei einer der Sponsoren, dass das Olympische Komitee beschloss, Sidney, wo die Spiele im Jahr 2000 veranstaltet wurden, aufzufordern, sechs Wochen vor den Spielen alle Plätze für Außenwerbung dem Komitee zur Verfügung zu stellen. Federal Express machte während der Olympischen Winterspiele in 1992 in Albertville in Frankreich Fernsehwerbung, die bei 62 Prozent der Zuschauer zu der Auffassung führte, Federal Express sei der offizielle Sponsor. Der tatsächliche Sponsor, der U.S. Postal Service (der von nur 13 Prozent der Zuschauer als solcher erkannt wurde), war davon nicht begeistert.[42] Eine andere hinterhältige Marketingtaktik besteht darin, als Sponsor für eine untergeordnete Kategorie aufzutreten; beispielsweise unterlief Fuji die weltweite Sponsorenschaft von Kodak für die Olympiade von 1988, indem es als Sponsor der US-amerikanischen Schwimmer auftrat.

Man kann sich gegen hinterhältiges Marketing wehren, indem man mehr in die Bindung an das Ereignis investiert und Werbung und Promotionskampagnen zuvorkommt, die eine andere Marke damit verbinden. Ein extremer Ansatz besteht darin, ganz explizit zu verkünden, dass man in einem bestimmten Fall keine Wettbewerber hat. 1996 verteidigte Visa seine olympische Sponsorenschaft, indem es Anzeigen schaltete und verkündete, American Express sei bei den Olympischen Spielen nicht zugelassen. Die Kampagne unterstützte Visas Anstrengungen, seinen exklusiven Bekanntheitsgrad zu erhöhen und schwächte die hinterhältigen Marketingbemühungen von American Express; sie trug auch dazu bei, Visa mehr in die Nähe von American Express zu rücken (mit alle den Vorteilen, die sich den Benutzern hinsichtlich des Ausdrucks des eigenen Ichs bieten) und weg von MasterCard, dem eigentlichen Wettbewerber.[43]

Sponsoring ist mit hohen Kosten verbunden

Der Ertrag, den das investierte Kapital bringt, kann beim Sponsoring beträchtlich sein, wie das Beispiel des Telekomanbieters Sprint zeigt, dem seine Investition als Sponsor der Fußballweltmeisterschaft 1994 einen schätzungsweise zweieinhalbmal so hohen Ertrag dank zusätzlicher Gesprächseinnahmen einbrachte.[44] Aber mitunter enttäuschen der Wert und die Vorteile der Sponsorenschaft den Sponsor, weil die Kosten zu hoch sind. Wenn die Kosten im Lauf der Zeit eskalieren, wächst die Wahrscheinlichkeit, dass man zu viel zahlt.

Wie kann man den Wert einer Sponsorenschaft beurteilen um festzustellen, ob es sich dabei um eine vernünftige Investition handelt? Nur selten ergibt sich, wie im Fall von Sprint, die Möglichkeit, Sponsoring direkt mit Abverkäufen in Verbindung zu setzen. Es ist jedoch möglich, den Einfluss des Sponsoring mit dem anderer Maßnahmen zu vergleichen, indem man standardisierte Bewertungsmethoden nutzt. Eine derartige Meßmethode ist der IEG Sponsorship Valuation Service, der in dem folgenden Kasten beschrieben wird.

Der IEG Sponsorship Valuation Service

Jedes Jahr untersucht IEG 3000 potenzielle Sponsoring-Möglichkeiten und beurteilt über 500 Sponsorenschaftsprogramme und -verträge. Durch eine Analyse bestehender Relationen zwischen den Summen, die Unternehmen für Sponsorenrechte ausgeben und den Vorteilen, die ihnen das Sponsoring bringt, entwickelt IEG Wertkennziffern für die ganze Palette von Sponsorshipvorteilen. Mit Hilfe einer eigens entwickelten und geschützten Formel berechnet die Firma empfehlenswerte Gebühren für das Sponsoring, indem sie fünf grobe Kategorien von Faktoren untersucht: materielle Vorteile (wie erhöhte Aufmerksamkeit in den Medien, Zeigen des Namens, des Logos im Fernsehen, Verkauf von Eintrittskarten, und so weiter), immaterielle Vorteile (das Ausmaß an Kundentreue, Exklusivität in einer Kategorie und Prestige des gesponserten Ereignisses), geografische Reichweite und Wirkung (lokale Wirkung auf der einen und globale Reichweite auf der anderen Seite), Kosten-Nutzen-Verhältnis (einschließlich der Analyse der mit dem investierten Kapital erzielten Erträge je nach Art des gesponserten Ereignisses) und Faktoren, die sponsorspezifisch sind (beispielsweise die Dauer des Sponsoring und das Wettbewerbsmaß in einer bestimmten Kategorie).

Die IEG-Beurteilung ist sehr umfangreich und wird von einer angesehenen, unabhängigen Organisation erstellt, die selbst keine Sponsorshipverträge anbietet – daher ist sie auch äußerst objektiv. Mehr als 130 der aktivsten Sponsoren in den USA haben sich zufrieden über die Beurteilung von IEG geäußert.

Sieben Schritte zum effektiven Sponsoring

Wie kann ein Unternehmen ein geeignetes Objekt für sein Sponsoring finden und die Sponsorenschaft erfolgreich managen? Aufgrund der Erfahrung von erfolgreichen und weniger erfolgreichen Sponsoren lassen sich sieben wesentliche Richtlinien identifizieren, die in Schaubild 7.5 dargestellt sind und die Chancen für ein erfolgreiches Sponsoring erhöhen dürften.

Schaubild 7.5: Sieben Schritte zum erfolgreichen Sponsoring

1. Setzen Sie klare Kommunikationsziele für die Marke

Die Strategie für das Sponsoring sollte die Kommunikationsziele der Marke berücksichtigen. Häufig gibt es drei verschiedene Arten von Zielen: höhere Präsenz/höherer Bekanntheitsgrad, Entwicklung von Assoziationen und Aufbau einer Bindung. Jedes dieser Ziele könnte zu einer wichtigen Triebkraft für die Sponsoringstrategie werden.

Um klare Kommunikationsziele zu entwickeln, muss man zunächst einmal das Wesen der Marke verstehen, deren Kernidentität, die erweiterte Identität und die damit verbundene Wertvorstellung. Das Setzen von Prioritäten gehört ebenfalls dazu. Besteht das Ziel darin, Assoziationen, die bereits mit der Marke verbunden sind, zu verstärken, bestehende Assoziationen zu ändern oder aus beidem? Das Wissen um die notwendigen Assoziationen sollte die Sponsoringstrategie leiten – nicht nur die Auswahl von Sponsorenschaften, sondern auch die Art und Weise, wie sie gemanagt und ausgenutzt werden.

2. *Werden Sie selbst aktiv*

Beim Sponsoring ist die Versuchung groß, einfach etwas aus einem gegebenen Angebot auszuwählen, insbesondere in Unternehmen, die jährlich mit Tausenden von Angeboten bombardiert werden. Man muss jedoch bei der Auswahl von Objekten für das Sponsoring selbst aktiv werden, indem man für das ideale Sponsoring eine Reihe von Kriterien entwickelt und dann eine Reihe von Objekten auflistet, die laut diesen Kriterien gut geeignet sind. Wenn man selbst aktiv wird, erhöht sich die Wahrscheinlichkeit, sich mit der Sponsorenschaft durch Originalität von der Masse abzuheben. Um ein mögliches Sponsoring genau beurteilen zu können, braucht man grundlegende Informationen über die Zielgruppe und die mit dem Objekt verbundenen Assoziationen. Eine Liste von vielen möglichen Sponsorenschaften nach ihrer Persönlichkeit geordnet und deren Vergleich mit der Markenpersönlichkeit, die man selbst kommunizieren möchte, um herauszufinden, was passt, ist häufig eine nützliche Methode, um Optionen zu beurteilen.

Ein einfaches Entscheidungsraster wie das in Schaubild 7.6 dargestellte kann auch bei der Erstellung einer Kandidatenliste helfen, die in die engere Wahl kommen. Man beurteilt anhand dieses Rasters, wie gut eine Sponsoring-Chance zu einer Markenidentität passt; welche der mit der Kernidentität verbundenen Assoziationen werden durch das Sponsoring verstärkt? Die zweite Dimension ist das Ausmaß, in dem die Möglichkeit zum Sponsoring zu Interaktionen führt; inwieweit bietet das Sponsoring die Möglichkeit zur Erfahrung der Markenidentität?

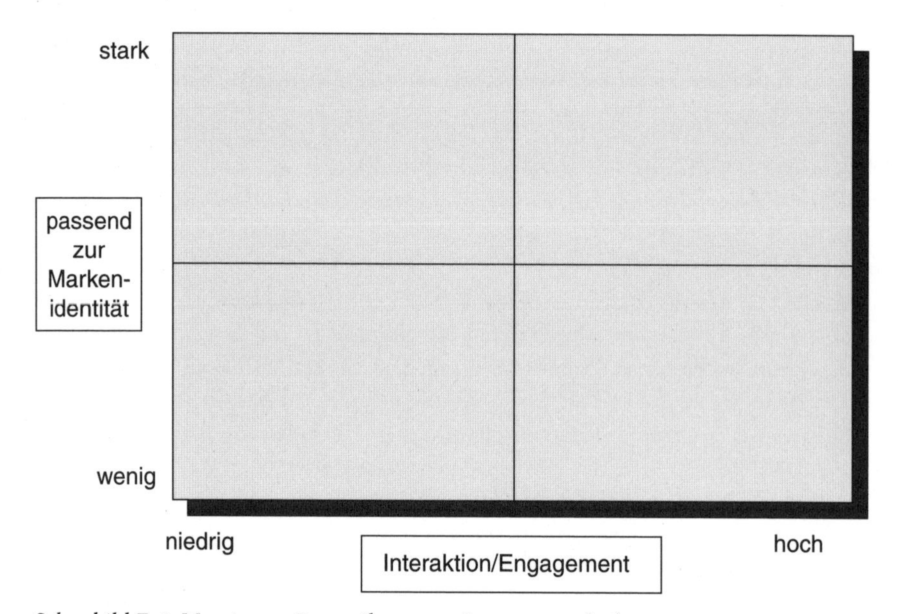

Schaubild 7.6: Matrix zur Beurteilung von Sponsorenschaften

3. Halten Sie Ausschau nach einem besonders passenden Objekt

Wenn ein Ereignis außerordentlich gut zu einer Marke passt, dann ist das wesentlich besser, als wenn es nur gut passt und wenn man etwas passend machen muss oder es überhaupt nicht passt, dann liegt ein ernst zu nehmendes Handicap vor. Ein Zeichen für eine außerordentlich gute Passung ist es, wenn ein Produkt auf eine Art und Weise präsentiert werden kann, die mit der Essenz des Sponsoring eine Einheit bildet. Ein gutes Beispiel ist die warme Unterwäsche von DuPont, die hervorragend für das Abenteuer in der Beringstraße geeignet ist. Bei den Olympischen Spielen machte es die Rolle von Seiko bei der Zeitnahme, die von UPS bei der Auslieferung der Eintrittskarten und die von Champion als Lieferant der Parade- und Preisverleihungsuniformen für das amerikanische Team für diese Sponsoren einfacher, eine Bindung zwischen sich und dem Ereignis herzustellen.

4. Machen Sie die Sponsorenschaft zu ihrer eigenen Veranstaltung

Beim erfolgreichen Sponsoring besteht die Hauptaufgabe darin, die Marke mit den Assoziationen in Verbindung zu bringen, die mit dem Ereignis verknüpft sind. Diese Aufgabe lässt sich wesentlich einfacher und kostengünstiger lösen, wenn die Marke zu einem untrennbaren Element der Veranstaltung selbst wird. Wie schon früher bemerkt, liegt der wahre Schlüssel zum Erfolg darin, sich das gesponserte Ereignis längerfristig anzueignen und nicht nur für dessen Dauer; erinnern Sie sich nur an die Untersuchung über die Olympischen Spiele, die aufzeigte, dass weniger als die Hälfte der Sponsoren auf sinnvolle Weise mit der Veranstaltung verbunden waren. Sich ein Ereignis anzueignen, bedeutet unter anderem:

a) Man sollte sich auf ein oder wenige Ereignisse konzentrieren, statt eine lose Verbindung zu vielen aufzubauen.
b) Man sollte eine langfristige Beziehung und langfristige Verträge anstreben; man sollte sich vor Arrangements hüten, in die, wenn sich gerade alles positiv entwickelt, auf einmal ein Wettbewerber einsteigen kann.
c) Man sollte sich um ein Ereignis bemühen, das man dann unter eigenem Namen veranstalten kann.
d) Man sollte sich davor hüten, in der Masse von Sponsoren unterzugehen.
e) Man muss immer auf hinterhältiges Marketing gefasst sein und einen Plan haben, wie man damit umgehen kann.

5. Halten Sie Ausschau nach Werbemöglichkeiten

Diese sind ein Zeichen für besonders effektives Sponsoring. Über den Daumen gepeilt gilt, dass das Gesamtbudget für erfolgreiches Sponsoring drei- bis viermal so hoch sein sollte wie die eigentlichen Kosten der Sponsorenschaft für sich genommen; das zusätzliche Geld braucht man, um die Marke stärker mit dem

Ereignis zu verbinden und das Potenzial dieses Ereignisses voll auszunutzen. Mit Hilfe von Werbung kann man die Ziele hinsichtlich der Markenpflege leichter und effektiver verwirklichen. Wenn man mit einem werbewirksamen Ereignis, das sowieso stattfindet, eine Produktvorführung verbinden kann, dann bedeutet dies, dass dem Produkt von vornherein Interesse entgegen gebracht werden wird – man muss nicht ein gesondertes Ereignis für die Vorstellung schaffen.

6. Überlegen Sie, wie sich das Sponsoring auf verschiedene Weise lohnen könnte

Mitunter spielt das Sponsoring die verursachten Kosten dadurch wieder ein, dass es eine höhere Präsenz für die Marke schafft und gewisse, mit der Marke verbundene Assoziationen entstehen lässt oder verstärkt. Eine Sponsorenschaft kann jedoch auch auf andere Weise wesentliche Ziele der Markenpflege erreichen – indem man wichtigen Kunden durch Teilnahme an einer Veranstaltung zu einem besonderen Erlebnis verhilft, indem man neue Produkte präsentiert, indem man das eigene Unternehmen für die Markenpflege mobilisiert und indem man die Marke in die zwischen dem Ereignis und den Kunden bestehende Bindung integriert. Wiederum ist eine gründliche Untersuchung des möglichen Sponsoring nützlich.

Starke Marken, die über umfassende finanzielle Mittel verfügen, profitieren mehr von einem Sponsoring als kleine, die in dieser Hinsicht benachteiligt sind. Oft sind die Einstiegskosten für kleine Marken zu hoch. Wenn sich das Sponsoring lohnen soll, könnte man Co-Marketing mit anderen starken Marken ins Auge fassen. Der Erfrischungsgetränkehersteller Ocean Spray entschloss sich beispielsweise, zusammen mit Polaroid und Gillette als Sponsor für das Dale Jarrett's Busch Series Rennteam aufzutreten, um so das Sponsoring erschwinglich zu machen und dessen Wirkung auf Einzelhändler und Kunden zu erhöhen.

7. Managen Sie das Sponsoring aktiv

Effektives Sponsoring passiert nicht einfach; man muss Ziele setzen, Programme durchführen, um diese Ziele zu erreichen und den Erfolg der Resultate messen. Betrachten Sie Sponsoring als eine Art von Co-Branding. Eine Co-Marke wird dadurch geschaffen, dass man konsequent ein zusammengesetztes Logo verwendet, aktiv die Markenpräsenz aufbaut und Assoziationen damit verbindet. Die Co-Marke ist der ultimative Vorteil, den man aus der Sponsorenschaft ziehen kann. Aktives Management bedeutet außerdem, dass das Unternehmen und seine Partner selbst involviert werden, wie die Fallstudie über MasterCard zeigte, in der das Sponsoring der Fußballweltmeisterschaft genutzt wurde, um viele Leute im Unternehmen selbst zu involvieren.

Sponsoring kann wirksam sein. Überlegen Sie nur, wie Virgin seine Persönlichkeit durch die Virgin Balloon Challenge ausdrückt, wie viel Präsenz und Engagement die Adidas Streetball Challenge erzeugt, wie viel Bindung durch

Saturns Homecoming Event entsteht und welche Assoziationen durch die Hallmark Hall of Fame geschaffen werden. Derart effektives Sponsoring passiert nicht spontan oder von allein; stattdessen haben die Unternehmen sie sich zu Eigen gemacht, sie aktiv gemanagt, in ihre eigenen Programme zur Markenpflege integriert, und sie dienen der Erreichung der strategischen Ziele der Marke. Wie bei jedem anderen Elemente der Markenpflege auch gibt es einen Riesenunterschied zwischen gutem und großartigem Sponsoring. Man sollte sich selbst die Latte hoch legen.

Vorschläge

1. Beurteilen Sie das Sponsoring, in das Ihre Marke bisher involviert war. Welche Assoziationen sind mit diesen gesponserten Objekten verbunden? Was haben sie zum Aufbau Ihrer Marke beigetragen?
2. Wählen Sie eines der wichtigsten Elemente der Kernidentität Ihrer Marke aus. Identifizieren Sie Ereignisse oder Veranstaltungen, die mit ähnlichen Assoziationen verbunden sind; denken Sie dabei an Sport, Unterhaltung und kulturelle Ereignisse oder Institutionen.
3. Sponsoring kann besonders wirkungsvoll Elemente der Markenidentität verstärken. Sind Ihre Sponsoringmaßnahmen eine Ergänzung für andere Ansätze zum Aufbau der Marke, indem sie Aspekte der Kernidentität oder der erweiterten Identität entwickeln oder verstärken?
4. Identifizieren Sie Sponsorenschaften Ihrer Wettbewerber, die perfekt zur Marke passen. Identifizieren Sie erfolgreiches Sponsoring außerhalb Ihrer eigenen Branche. Betrachten Sie dabei auch Ereignisse, die unter einem Firmennamen veranstaltet werden.
5. Wie wird Ihr Sponsoring gemanagt? Könnte man das Management verbessern? Wie werden Sponsorenschaften innerhalb Ihres Unternehmens koordiniert?

8

Markenaufbau und Markenpflege im Internet

Durch Onlineverbindungen haben wir die Möglichkeit,
auf die Bedürfnisse von Kunden in einer Weise einzugehen,
wie es seit den Zeiten der Straßenverkäufer,
die von Tür zu Tür gingen, nicht mehr möglich war.
George Fisher, Geschäftsführer von Kodak

Das Internet bedeutet das Zusammentreffen von Medien und Handel
auf eine Art und Weise, die bestehende Kommunikationskanäle
grundsätzlich destabilisieren könnte.
Martin McClanan, Internet-Guru, Prophet Brand Strategy

Wagt's mit meiner Kost, ihr Esser!
Morgen schmeckt sie euch schon besser
und schon übermorgen gut!
wollt ihr dann noch mehr, – so machen
meine alten sieben Sachen
mir zu sieben neuen Mut.
Friedrich Nietzsche

Von den Siegern lernen

AT&T und die Olympischen Spiele

Als Teil seiner Sponsorenschaft der Olympischen Sommerspiele 1996 entwickelte AT&T eine Website, die Besuchern den Eindruck eines virtuellen Besuches der

Spiele geben sollte. Auf einer Seite konnten die Besucher das Olympische Dorf live erleben, ein Anblick, der sonst den Athleten und Funktionären vorbehalten war. An anderer Stelle konnte der Besucher durch das Olympische Museum schlendern, die neuesten Informationen über einzelne Ereignisse bekommen, oder an »virtuellen« Wettkämpfen teilnehmen und sein Abschneiden mit dem anderer Spieler vergleichen. Natürlich konnten die Besucher von dieser Website aus auch die AT&T-Homepage aufsuchen.[45]

Ein Besuch der Website lohnte sich, nicht nur, weil sie informativ und interessant war, sondern vor allem, weil sie einen einmaligen Einblick in die Olympischen Spiele gewährte. Die Website verschaffte der Marke AT&T nicht nur eine erhöhte Präsenz (pro Tag wurden Seiten insgesamt mehr als 300000-mal besucht), sie schuf auch ganz wesentliche Assoziationen. Die aktive Einbeziehung der Besucher in das Geschehen verband AT&T deutlich stärker und intensiver mit der Olympiade als Werbung das hätte tun können, außerdem erhöhte sie die Chance, dass Prestige und Spannung der Spiele ebenfalls mit der Marke AT&T verbunden würden. Und da die Website außerdem eine Demonstration der Leistungsfähigkeit der Telekommunikation war, verstärkte sie indirekt einige wesentlichen Werte der Marke AT&T.

H&R Block

Die H&R Block-Website beschreibt die Dienstleistungen des Unternehmens rund um die Steuererklärung genauso wie alle anderen Finanzdienstleistungen und -produkte auf seriöse und leicht verständliche (wenn auch wenig phantasievolle) Art. Sie wurde entwickelt, um potenzielle Kunden zu schulen und bietet außerdem praktische Informationen, beispielsweise Details über einzelne Steuern, außerdem Zugang zu Henry, einem virtuellen Steuerberater, Software zur Vorbereitung der Steuererklärung, die man herunterladen kann, sowie die für die Einkommenssteuer notwendigen Formulare. Die Website bietet daher für die 18 Millionen Kunden des Unternehmens einen effizienten und wirtschaftlichen Weg, um an Informationen und Material zu kommen. Balkenüberschriften auf verschiedenen anderen Websites sowie in der Suchmaschine Yahoo! lenken den Verkehr auf die H&R Block-Seiten.

In der Hoffnung, diese solide Basis ein bisschen aufmotzen zu können, lud die Werbung des Unternehmens Kunden ein, sich an dem H&R Block »Wir bezahlen Ihre Steuern«-Wettbewerb zu beteiligen. Über 50000 Kunden machten bei einem zehnwöchigen Quiz mit. Pro Woche erhielten die Teilnehmer drei E-Mails mit Informationen über Steuern, die speziellen, auf Steuern bezogenen Dienstleistungen von H&R Block und einer Reihe von allgemeinen Fragen. Etwa 40 Prozent der Empfänger solcher E-Mails schrieben pro Woche zurück, insgesamt blieben 97 Prozent der Teilnehmer die vollen zehn Wochen beim Spiel dabei. Eine Untersuchung nach diesem Wettbewerb zeigte, dass dadurch das Bewusstsein für bestimmte H&R Block-Dienstleistungen ebenso enorm gestiegen war wie die Anzahl der Besuche der Website.

Die Website von Kotex

Die Website von Kotex wendet sich an junge Mädchen, deren Körper und Leben gerade enormen Veränderungen und Stress ausgesetzt ist. Der Gesamteindruck, das vermittelte Gefühl und die Sprache sind so gewählt, dass sich die Teenager angesprochen fühlen – das ist ihre Welt und niemand spricht mit erhobenem Zeigefinger zu ihnen. Ziel ist es, mit jungen Mädchen und Frauen in Kontakt zu kommen und die Kotex-Produkte zum Bestandteil eines ganz wichtigen Lebensabschnitts zu machen. Schaubild 8.1 zeigt eine Seite der Kotex-Website.

Ein informativer Teil über die Menstruation enthält Abschnitte über die Anatomie, über Gefühle, Gymnastikübungen, Körperpflege, das Frauwerden, den weiblichen Zyklus, PMS, das toxische Schocksyndrom (TSS) und häufig gestellte Fragen. In einem Abschnitt über die Produkte werden Empfehlungen ausgesprochen, die sich nach den jeweiligen Bedürfnissen richten (für die Nacht, für sportliche Aktivitäten, für schwache Blutungen usw.). In »Girlthing« können junge Mädchen ihrer Meinung Ausdruck geben, an einem Quiz teilnehmen oder auf andere Art Kontakt aufnehmen. Beispielsweise können Teenager über ihre Vorlieben und Abneigungen schreiben und ihre Kommentare später im Internet lesen. Die so entstehenden sozialen Bindungen können stark sein und, was genauso wichtig ist, die Marke Kotex mit einbeziehen. Die Annahme, die Kotex-Website sei eine besonders stark bindende, ist sicherlich unrealistisch, aber sie beeinflusst eine beträchtliche Gruppe von jungen Mädchen.

Obwohl das World Wide Web erst kürzlich seinen Einzug in die Welt der Konsumenten hielt, hat es trotzdem bereits erhebliche Auswirkungen auf Marken und deren Aufbau und Pflege. Eine Reihe starker Marken – einschließlich der großen frühen Online-Marken wie America Online, Amazon.com und Yahoo! – sind ein deutliches Zeichen dafür, dass das Web mit Hilfe seiner eigenen, einzigartigen Kommunikationskanäle und seiner auf Erfahrung basierenden Verbindungen zu Kunden Marken schaffen kann. Zur gleichen Zeit haben Unternehmen wie Gap, ESPN, Disney und Charles Schwab beträchtliche Ressourcen eingesetzt, um ihren bereits starken Marken eine wichtige Web-Komponente hinzuzufügen.

Wir leben ganz offensichtlich in einem digitalen Zeitalter, und die starken Marken dieser Ära werden diejenigen sein, denen es am besten gelingt, das Web für sich auszunutzen. Die Bedeutung des Web als Mittel zum Markenaufbau und zur Markenpflege nimmt ständig zu, die Zahlen sind überwältigend. Allein in den Vereinigten Staaten erreichte das Web binnen fünf Jahren 50 Millionen Haushalte; im Vergleich dazu brauchte das Fernsehen dafür 13 Jahre und das Radio 38 Jahre. Die Wachstumsrate ist in anderen Ländern nicht ganz so dramatisch hoch wie in den USA, aber sie ist immer noch beeindruckend. Bemerkenswerterweise erreicht das Web auch Menschen, die bisher keinen westlichen Medien ausgesetzt waren.

Das Web gewinnt auch zunehmend Einfluss auf Geschäftsmodelle und auf die Kommunikation einzelner Marken. Dell, Amazon, Charles Schwab, eBay

Schaubild 8.1: Die Kotex-Website

und andere haben gezeigt, dass man mit dem Web die vorherrschenden Geschäftsmodelle ganzer Branchen in Frage stellen und dabei starke Marken schaffen kann. Die Kommunikation rund um die Marken hat sich ebenfalls geändert – die Präsenz einer Marke im Internet erhöht die Wirkung ihres Auftritts in anderen Medien und ist in manchen Fällen der Kitt, der die ganzen Kommunikationsanstrengungen zusammenhält.

Was macht das Internet einzigartig?

Bei der traditionellen Medienwerbung nimmt man meistens an, dass die Mitglieder des Auditoriums passive Empfänger einer Botschaft sind; derjenige, der seine Marke aufbaut, steuert nicht nur den Inhalt der Werbung, sondern auch das Umfeld. In der Werbung werden Marken als großartige Monolithen aufgebaut, Werbeagenturen stellen makellose, monumentale Kunstwerke ins Scheinwerferlicht und versuchen, sie so im Gehirn des Konsumenten zu verankern. In gewisser Weise schafft die herkömmliche Fernsehwerbung eine Barriere zwischen der Marke und dem Konsumenten, da Letzterer keine aktive Rolle bei diesem Erlebnis spielt – es ist genauso, als würde man in einem Museum von einem Platz vor der Absperrung aus ein Gemälde oder eine Skulptur betrachten. Traditionellerweise war diejenige Markenpflege am erfolgreichsten, die sich konsequent auf die Marke als Monument in Reinkultur konzentrierte: Die Marke Marlboro ist beispielsweise fest in einem Western-Umfeld verankert, denn die Kommunikation wurde perfekt so gestylt, dass sie immer diese Bildwelt reflektiert.

Die frühen Anstrengungen zum Markenaufbau und zur Markenpflege über das Web behandelten es einfach als ein anderes Werbemedium. Passive Werbebalken wurden auf Seiten geklotzt, fast nach dem gleichen Konzept, mit dem ein Medienplan die Ausstrahlung einer Reihe von Fernsehspots während verschiedener Programme im Laufe der ganzen Woche festlegt; der wichtigste Maßstab für den Erfolg war die Anzahl der Kontakte, die eine Zielgruppe mit einer bestimmten Seite aufnahm. Die Websites waren üblicherweise einfache Kopien von Anzeigenwerbung und Katalogen. Die Resultate waren nach herkömmlichen (oder leicht angepassten) Maßstäben (Kosten pro Tausend Kontakte oder Kosten pro Click auf die Seite) im Allgemeinen enttäuschend.

Es ist gar nicht überraschend, dass ein neues Medium anfangs auf eher traditionelle Weise genutzt wird. Von den alten Griechen (deren frühe Dramen einfach nur eine Choreographie von Liedern waren) bis zu den ersten Fernsehprogrammen (in denen die Kamera auf einen Sprecher gerichtet war, der in ein Mikrophon sprach) orientierte sich der Einsatz von neuen Kommunikationskanälen zunächst immer an den Traditionen der bereits bekannten Kanäle. Inzwischen hat man allerdings begriffen: Das Internet ist ein ganz anderes Medium. Werbung spielt nach wie vor eine Rolle, aber sie muss dem Netzumfeld angepasst werden und wird nur noch selten eine Hauptrolle im Rahmen der Programme zum Aufbau von Marken spielen.

Anders als beim traditionellen Werbemodell geht es beim Internet um Erlebnis und Erfahrung. Im Web spielt das Publikum eine aktive Rolle; man lehnt sich nicht mehr zurück, sondern nach vorn, und das verändert alles. Meistens hat der Webnutzer ein ganz konkretes Ziel im Sinn – er sucht Information, Unterhaltung oder möchte eine Transaktion tätigen – und er ignoriert alles oder ärgert sich sogar darüber, was sein Vorankommen behindert (dazu gehören auch Seiten, die sich zu langsam aufbauen und schlechte Instruktionen, denen man nicht intuitiv folgen kann). Wenn sich die im Web betriebene Markenpflege dieser geistigen Konditionierung des Webnutzers anpasst, dann kann das Erlebnis wesentlich eindrucksvoller sein, als es eine Fernsehwerbung als Teil eines Gesamtprogramms zum Aufbau der Marke sein kann.

Wem es schwer fällt, das zu glauben, der sollte sich einmal überlegen, wie wirksam für die Markenpflege ein Besuch in Disneyland ist im Vergleich zum Ansehen eines Disneyfilms. Wenn man einen Tag in Disneyland verbringt, dann entwickelt man eine intensive persönliche Assoziation zu Disney, die der beste Disney-Film nicht erzeugen kann. Genauso kann ein Besuch in einem Pottery-Barn-Töpfereigeschäft die Marke viel enger und intensiver an den Kunden binden als eine Anzeige für Pottery Barn. Wenn man das Web verstehen will, dann ist ein auf Erfahrung und Erlebnis basierendes Modell wie ein Vergnügungspark oder ein Einzelhandelsgeschäft eine bessere Metapher als passiv konsumierte Werbung.

Von der anfänglichen Konzeption bis zur laufenden Unterstützung sind die Entwicklung und Fortführung des Interneterlebnisses viel komplexer als Werbekampagnen. Die Marke steht eben nicht mehr isoliert und vor der Umwelt geschützt auf einem Podest. Stattdessen spaziert sie zwischen den Leuten herum, eine Tatsache, die Chance und Risiko zugleich ist. Die Kunst und Wissenschaft, im Web Markenpflege zu betreiben, erfordert sowohl neue Perspektiven und Fähigkeiten als auch die Bereitschaft, die einzigartigen Eigenschaften des Internets zu verstehen – es ist interaktiv und bezieht die Menschen in das Geschehen mit ein; es bietet aktuelle, umfassende Information und führt zu einem sehr persönlichen Erlebnis.

Vor allem ist das Web interaktiv *und* involviert Menschen. Ein Webnutzer spielt vielleicht ein Spiel, vertieft sich in einen Chat, sucht Informationen, drückt eine Meinung aus oder spielt Musik, und das alles mit einem einzigen Mausklick oder der Berührung der Tasten. Mehr braucht man nicht, um sich ein Musikerlebnis auf der Pepsi-Site zu gönnen, bei American Express die eigene finanzielle Situation zu definieren, ehe man um Rat für ein bestimmtes Problem bittet oder mit Compaq-Computer E-Mails auszutauschen, um sich ein Upgrade zu besorgen. In dem General Mills Schulhof-Cyberspace können Kinder dem Kaninchen Trix und dem Kobold Lucky Charms E-Mails schicken. Ein Käufer in dem Peapod Web Supermarkt fragt nach dem Preis und Informationen über die Nährstoffe, ehe er ein Produkt kauft. Eine Intel-Nutzergruppe tauscht sowohl schlechte als auch gute Informationen über das Unternehmen und seine Produkte aus. Durch die Bereitstellung eines ganzen Netzwerks kann das Web eine ausgiebige, geradezu leidenschaftliche Kommunikation mit der Marke anregen, die es sonst gar nicht geben würde (oder die man zumindest nicht hören würde).

Die Interaktion mit anderen Menschen im Rahmen des Internet kann potenziell eine bedeutende soziale Erfahrung sein, die sich um die Marke dreht. Selbst diejenigen, die sich auf der Website von Starbucks nicht in ein Gespräch verwickeln lassen, berichten trotzdem von einem sozialen Erlebnis, und der gesellschaftliche Kontakt auf der Basis des Internets gibt einer Marke eine großartige Gelegenheit, ein wichtiger Teil des Lebens eines Menschen zu werden. Mehr kann eine Marke nicht verlangen. Die Kotex-Seite hat beispielsweise das Ziel, vielen Teenagern einen sozialen Treffpunkt zu bieten und erzeugt bei vielen jungen Mädchen ein Bindungsgefühl.

Das Kauferlebnis wird nicht immer mit der Markenpflege in Zusammenhang gebracht, weil die große Isolation, die die Fernsehwerbung mit sich brachte, es vielen Marken erlaubte, die mechanische Abwicklung des Kaufs anderen zu überlassen. Das Internet bietet aber fast allen Unternehmen die Gelegenheit, an die Konsumenten direkt zu verkaufen und diese neue Beziehung in eine wirkungsvolle Maßnahme zum Aufbau der Marke zu verwandeln. Firmen wie beispielsweise Longs Drugs oder Compaq nutzen das Web für den Versuch, die Vorteile des vertikalen Modells auszunutzen, die Wettbewerber wie Drugstore.com und Dell bereits haben.

Da die größere Einbeziehung des Publikums und die aktive Teilnahme an dem Ereignis das Internet deutlich von konventionellen Medien unterscheiden, ist jede Wirkung – sei sie nun positiv oder negativ – aller Wahrscheinlichkeit nach wesentlich intensiver. Man erinnert sich vermutlich viel stärker an etwas, was man gelernt hat, und das Gelernte wird zukünftiges Verhalten beeinflussen; ein aktives Engagement schafft mit Sicherheit eine stärkere Bindung zwischen der Marke und einer Person. Die Marke wird mit größerer Wahrscheinlichkeit Teil der persönlichen Welt des Einzelnen, und zwar auf eine sehr lebendige Weise. Im Allgemeinen werden die Assoziationen, die man mit der Marke verbindet, aufgrund des Erlebnisses und des direkten Engagements stärker sein.

Zweitens bietet das Web aktuelle, umfassende Informationen – derart detaillierte Informationen kann man sonst nirgends finden. So kann beispielsweise Ford seine ganze Produktpalette im Detail beschreiben, einschließlich der technischen Daten für jedes Modell. Diese Information kann auf verschiedene Art und Weise präsentiert werden, beispielsweise über Modelle für einen bestimmten Lebensstil, einen bestimmten Zweck oder ein bestimmtes Klima; es wird sogar auf Bestellmöglichkeiten hingewiesen. Wenn es praktisch nicht möglich ist, sich ein Auto direkt übers Internet zu bestellen, dann wird zumindest eine Händlerliste präsentiert.

Wer sich etwas anschaffen will, das mit einem hohen persönlichen Engagement verbunden ist, beispielsweise ein Auto, eine Versicherungspolice, Ski oder ein Motorrad, sammelt häufig erst einmal umfangreiche Informationen und wertet sie aus. Mit Hilfe des Internets kann sich eine Marke an diesem Auswahlprozess beteiligen, indem sie gut sichtbar nützliche Daten zur Verfügung stellt, damit das Kaufverhalten des Konsumenten beeinflusst und (was noch wichtiger ist) die Chance verringert, dass Wettbewerber ebenfalls einflussreiche Informationen zum Entscheidungsprozess beisteuern.

Aktuelle Informationen, die auf einer Website oder in einer Balkenwerbung gezeigt werden, können Energie und Modernität vermitteln. Indem sie die Motivation liefern, die Website wieder zu besuchen, können sie auch zum Aufbau einer Beziehung beitragen. Die Tatsache, dass man auf einer bestimmten Website möglicherweise einen neuen Kommentar, ein Comic, ein Spiel oder neueste Informationen über die Behandlung einer Krankheit finden könnte, stellt einen Grund dafür dar, warum man diese Website möglicherweise in die Liste der persönlichen Favoriten aufnimmt. Mache Websites bieten eine Art Tickerdienst (beispielsweise Aktienkurse bei Charles Schwab, dem Discount-Broker, oder Sportergebnisse bei ESPN), damit es sich lohnt, diese Site häufig zu besuchen; die CNN-Newssite beispielsweise wird pro Tag 30- bis 40-mal auf den neuesten Stand gebracht. Die Site von Adidas bot während der Fußballweltmeisterschaft Informationen über den aktuellen Stand des jeweils laufenden Spiels sowie Wiederholungen wichtiger Spiele. Auf der Levi's-Site gibt es eine Art Bühne, auf der jeden Monat ein anderer Rockmusiker oder eine andere Band auftritt, wodurch die Marke Levi's modern wirkt. Besucher der Website können sich Musik anhören, Videos anschauen und sich über Tourneedaten informieren.

Die Kommunikation von umfassender, detaillierter Information über eine Marke kann das Verhältnis zwischen Marke und Konsumenten vertiefen. Auf einer rein persönlichen Ebene weiß man am meisten über die Eigenschaften und den Hintergrund derjenigen Menschen, die einem am Nächsten stehen – Freunde, Verwandte und Geschäftspartner. Wenn es Ihrer Website auf ähnliche Weise gelingt, Kunden zu motivieren, Ihre Marke richtig gut kennen zu lernen (das heißt, etwas über ihren Hintergrund, ihre Tradition, ihre Symbole und Werte in Erfahrung zu bringen), dann dürfte dadurch eine intensivere Beziehung entstehen.

Drittens macht eine Website Dinge *persönlicher.* Wer eine Website aufsucht, kann häufig über ein Menü das auswählen, was ihn interessiert, und vermeiden, was für ihn irrelevant ist. Beispielsweise sieht man auf der McDonald's-Website zunächst eine Familie, die auf ein Restaurant zugeht. Wenn man den Elternknopf anklickt, dann wendet sich die Site eher an Erwachsene; klickt man dagegen auf »Kind«, werden kindgerechte Informationen gezeigt. Die vorgestellten funktionalen Vorteile können bei der Information über Produkte auf den jeweiligen Nutzer zugeschnitten werden. Der Teil der AT&T-Site für Leute, die ein eigenes Unternehmen gründen wollen, gibt ihnen die Gelegenheit anzugeben, ob sie lieber Zeit oder Geld sparen wollen, und je nach Wahl ist die Präsentation anders gestaltet.

Eine Website kann auch persönlich gestaltet werden, ohne dass der Besucher ständig in die Gestaltung einbezogen wird. Informationen über den Benutzer (aufgrund von früheren Besuchen der Site) können genutzt werden, um ein Umfeld zu schaffen, das für diesen speziellen Anwender maßgeschneidert ist. Die

Website der Bekleidungskette Gap speichert die Größe und Farbvorlieben von Besuchern, und Amazon empfiehlt aufgrund der Erfahrung mit früheren Käufen Bücher. Eine Site für den Lebensmittelhandel könnte speichern, an welchen Rezepten ein Besucher interessiert ist und die bereitgestellte Information und damit den Gesamteindruck der Site entsprechend modifizieren – Leuten, die an schicken Einladungen zum Abendessen interessiert sind, würde beispielsweise ein eleganterer, formellerer Eindruck geboten als Leuten, die eher Rezepte für eine schnelle Mahlzeit zwischendurch suchen. Manche Websites (beispielsweise Hotmail, Firefly oder Pointcast) verwenden die Informationen, die eine Person bei der Registrierung eingibt, um eine maßgeschneiderte Erfahrung mit der Marke zu bieten. Obgleich Bedenken hinsichtlich Datenschutz und Privatsphäre eine umfassende und rücksichtslose Ausnutzung dieser Möglichkeiten wohl verhindern werden, haben wir doch ein Zeitalter erreicht, in dem auf breiter Basis Angebote auf Individuen zugeschnitten werden.

Eine persönliche Ansprache bedeutet auch, dass eine Marke für unterschiedliche Zielgruppen unterschiedliche Positionen einnehmen und verschiedene Identitäten annehmen kann. Wie bereits erwähnt stellt sich die McDonald's-Website für Erwachsene und Kinder unterschiedlich dar. Die Marke Robert Krups für kleine Haushaltsgeräte hat eine »preisgünstige« Positionierung auf der europäischen Website und eine wesentlich höherpreisige, qualitativ hochwertige Positionierung mit ganz anderer Darstellung auf der US-amerikanischen Website. Das Erlebnis der Website von CDNow und die dadurch hervorgerufenen Assoziationen mit der Marke sind bei klassischer Musik ganz andere als in einem Rockmusik-Umfeld.

In anderen Medien wirken die mit einer Marke verbundenen Assoziationen oft blass und schwach, weil ein großer Teil des Publikums, der sie wahrnimmt, gar nicht zur Zielgruppe gehört (es kann sich dabei um Konsumentengruppen handeln, die zwar für das Unternehmen insgesamt von Bedeutung sind, aber nicht die eigentliche Zielgruppe für eine Marke darstellen). Unglücklicherweise kann eine Kommunikation, die eine bestimmte Zielgruppe oder ein bestimmtes Marktsegment erfolgreich anspricht, auf eine andere Gruppe wenig anziehend oder sogar abstoßend wirken. Im Internet kann die Botschaft aber exakt auf den Besucher zugeschnitten werden, sodass eine ganz spezifische Kommunikation nur diejenigen erreicht, die sie erreichen soll und von anderen gar nicht wahrgenommen wird.

Eine Personalisierung bedeutet, dass alle Aufgaben der Markenpflege, angefangen beim Herstellen von Assoziationen bis zum Aufbau von Bindungen, wesentlich effektiver ausgeführt werden können. Das Web kann eine virtuelle Marke schaffen, die dem individuellen Besucher genau angepasst wird, wobei die Assoziationen intensiver sein dürfen und sich eine engere Bindung an die Marke herstellen lässt. Eine Personalisierung ist das natürliche Ergebnis von Interaktion und einer tief gehenden Erfahrung; genauso wie jeder Besucher von Disneyland eine ganz persönliche Erfahrung mit nach Hause nimmt, schafft sich jeder Besucher des Internet auch seine ganz persönliche Markenerfahrung.

Markenpflege per Internet

Das Schaubild 8.2 präsentiert sechs Möglichkeiten für den Aufbau einer Marke im Internet. Die offensichtlichsten Mittel, die Website selbst und die Verwendung von Werbung oder gesponserten Inhalten, werden ausführlich dargestellt, außerdem werden wir Richtlinien für ihre Benutzung präsentieren. Vier weitere Optionen – das Intranet, das Extranet zum Kunden, Öffentlichkeitsarbeit über das Web und E-Mail – stellen jedoch auch ein beträchtliches Potenzial für die Markenpflege dar. Wenn man das Web produktiv nutzen will, muss man verstehen, wie man alle diese Mittel einsetzen kann; wenn man auch nur eines davon ignoriert, schöpft man die Möglichkeiten des Internets zum Aufbau einer Marke nicht voll aus.

Schaubild 8.2: Markenpflege über das Internet

Eine Website

Eine Website (oder Subsite), die einer Marke gewidmet ist, stellt das potenziell wirkungsvollste Mittel zum Aufbau der Marke dar, weil sie sowohl den Bedürfnissen der Marke als auch der zwischen der Marke und dem Kunden bestehenden Beziehung genau angepasst werden kann. Außerdem kann sie alle die Mittel des Internets nutzen, um Assoziationen zu schaffen und bestehende zu verstärken.

Werbung und gesponserte Inhalte

Balkenwerbung und andere bezahlte, kreative visuelle Botschaften und Erlebnisse im Internet schaffen Präsenz und Assoziationen und veranlassen Konsumenten, bestimmte Websites anzuklicken. Eine Marke kann auch als Sponsor für einen Inhalt (beispielsweise Informationen über eine Warengruppe, Spiele oder sonstige Aktivitäten) auf der Website eines anderen Unternehmens auftreten. Sponsoring macht es möglich, die mit einer anderen Marke verbundenen Assoziationen für sich auszunutzen und sich einen Teil des Internets anzueignen.

Intranet

Wie im zweiten und dritten Kapitel dargelegt wurde, hat eine Marke unter anderem auch die wichtige Rolle, ihre Identität innerhalb des Unternehmens (und an Partner, die an der Markenpflege beteiligt sind) zu kommunizieren, sodass jeder weiß, wofür die Marke stehen soll. Ohne dieses gemeinsame Wissen und Engagement wird keine wirkungsvolle Markenpflege stattfinden.

Ein Intranet (im Allgemeinen ein System von einzelnen Websites, das Leute innerhalb eines Unternehmens miteinander und zu Partnern nach außen verbindet) kann eine Schlüsselrolle für die interne Kommunikation einer Marke und ihrer Identität spielen. Die Ladenkette Williams-Sonoma ist beispielsweise stolz darauf, in jeder Warengruppe weltweit die besten Produkte zu bieten; das Intranet des Unternehmens könnte diese Dimension der Kernidentität unterstützen, indem es ausführliche Informationen über erstklassige Produkte und Verkaufsstellen bietet. 3M, zu dessen Markenessenz Innovation gehört, könnte das Intranet nutzen, um technische Probleme interaktiv zu diskutieren und damit Unterstützung beim kreativen Denken bieten. In solchen Fällen werden die Nutzer des Intranets (Einkäufer, Manager, Kundenberater und andere) die Substanz und die Begeisterung hinter der Markenessenz spüren.

Ein Intranet kann die Markenidentität, Markenstrategien und die wirkungsvollsten Bemühungen zur Stärkung dieser Identität auch direkter kommunizieren und dabei Richtlinien und Hilfestellungen für die optische Präsentation geben. Levi Strauss hat sein gesamtes Modell für die Markenpflege ins Netz gestellt, einschließlich der Segmentierungsstrategie, Identitäten und Strategien für alle bestehenden und geplanten Marken, außerdem Ideen hinsichtlich deren Implementierung, sodass jeder, der irgendwo auf der Welt an einer Levi's-Marke arbeitet, sich an der gültigen Strategie orientieren kann. Texas Instruments unterhält das Communicators Café, eine Intranet-Site für Kommunikationsmanager, die sämtliche TI-Anzeigen enthält, den gesamten Rahmen für die Markenpflege, die Beschreibung der Markenstrategien und Richtlinien für die Präsentation des Logos und anderer visueller Elemente. Diese Site verstärkt die Chance, dass die TI-Kommunikation weltweit stimmig wirkt. Andere Unternehmen nutzen ein Intranet, um Details der Markenidentität zu kommunizieren – zum Beispiel Leitbilder und visuelle Metaphern, damit die Beschäftigten und Geschäftspartner die Marke besser verstehen können. Optische Metaphern sind für die globale Markenpflege besonders wichtig, da aufgrund von Sprachproblemen die verbale Beschreibung oft unzulänglich oder verwirrend ist.

Intranets können sehr wirkungsvoll, aber auch überwältigend sein. Ein wirkungsvolles Intranetsystem wird Informationen so organisieren, dass sie produktiv sind und man leicht auf sie zugreifen kann; es wird auch Mittel und Wege finden, potenzielle Nutzer wissen zu lassen, wann und wie man das Intranet nutzen soll.

Ein Extranet zum Kunden

Wenn man das firmeneigene Intranet teilweise für Kunden öffnet, dann bindet man diese in das interne System ein, das hinter einer Marke steht. Üblicherweise erhält der Kunde hierdurch die Möglichkeit, auf Informationen zuzugreifen, Aufträge zu platzieren oder Unterstützung zu erhalten, gerade so, als sei er selbst Teil der Organisation.

Dell beispielsweise hat Passwort-geschützte, direkt auf den Kunden zugeschnittene Extranet-Websites geschaffen. Diese Sites werden als Dell Premier Pages vermarktet und geben den Beschäftigten der 200 größten Dell-Kunden die Möglichkeit, selbst einen Computer aus einer Reihe von Produkten auszuwählen, die alle zu dem System des Kunden passen und den Anforderungen genügen. Die Angestellten dieser Kunden erhalten auch Zugriff auf Informationen, die normalerweise den Dell-eigenen Leuten vorbehalten sind, beispielsweise Daten über frühere Käufe und die technische Datei, die von den Dell-Technikern für Problemlösungen genutzt wird. Bei FedEx können die Kunden einen Auftrag erteilen, daraufhin erhalten sie einen Aufkleber mit Strichcode für den Versand sowie Lieferinformationen und eine Rechnung; der Kunde kann dann auch den Weg eines Pakets verfolgen, indem er sich in das Versand- und Auslieferungssystem einklickt. Indem er den gleichen Zugang zu Informationen erhält wie die Leute von FedEx, fühlt sich der Kunde nicht nur ernst genommen und wichtig, auf diese Weise spart sich FedEx auch Kosten.

Ein Extranet zum Kunden unterstützt die Markenpflege auf unterschiedliche Weise. Die Dell Premier Page bietet nicht nur einen verbesserten Service, sondern verstärkt auch die mit der Dell-Kernidentität verbundenen Assoziationen Effizienz und Reaktionsfähigkeit beträchtlich. Außerdem, und das ist möglicherweise noch wichtiger, haben Kunden den Eindruck, dass sie etwas Besonderes und Teil der erweiterten Dell-Familie sind. Diese Art der Beziehung, die beste, die sich eine Marke wünschen kann, fördert unter Umständen die Zufriedenheit und Behaglichkeit, wodurch die Markentreue verstärkt wird.

Ein Extranet bietet beträchtliche Möglichkeiten zur Markenpflege. Insbesondere können sein Aussehen, der Gesamteindruck und der Inhalt so gestaltet werden, dass sie die Marke widerspiegeln. Viele Richtlinien, die für den Aufbau von Marken über das Web von Bedeutung sind, lassen sich auch auf Extranets anwenden. Das sollte einen nicht überraschen, weil ein Extranet grundsätzlich wie eine Website funktioniert (und häufig auch einige oder alle Websites einer Marke integriert).

Öffentlichkeitsarbeit über das Internet

Zur Öffentlichkeitsarbeit über das Web gehört auch Kommunikation, die nicht von der Marke gesteuert wird, beispielsweise persönliche Homepages, Sites mit Neuigkeiten, Klatsch oder Gerüchten, Diskussionsrunden und Chatrooms.

Diskussions- und Chatrunden, die um eine Marke organisiert wurden, haben Abverkäufe sowohl in positiver als auch in negativer Hinsicht dramatisch beeinflusst. Iomega, der Hersteller von Zip-Diskettenlaufwerken, erlebte einmal eine riesige Nachfrage nach einem neuen Produkt, die fast ausschließlich durch Web-PR geschaffen wurde. Eine enorme Online-Diskussion über einen Rechenfehler, den ein Intel Pentium Chip machte, führte dazu, dass ein vergleichsweise geringfügiges technisches Problem zu einem gewaltigen Imageproblem wurde. Die alte Regel, dass ein glücklicher Kunde seine Erfahrung drei oder vier anderen Leuten weitererzählt, ein verärgerter aber mit zehn bis fünfzehn Menschen über sein Problem redet, muss modifiziert werden, denn heutzutage können Kunden, die eine schlechte Erfahrung gemacht haben, Tausenden von Menschen sofort und kostenlos von ihrem Erlebnis berichten.

Glücklicherweise kann man die Öffentlichkeitsarbeit über das Internet beeinflussen. Eine direkte Möglichkeit besteht darin, dass eigene Angestellte oder deren Stellvertreter (die sich klar und deutlich als solche zu erkennen geben) an Konferenzen oder Diskussionen teilnehmen. Eine derartige Teilnahme beeinflusst natürlich nicht nur den Inhalt, sondern auch den Ton des Dialogs. Ein anderer Ansatz besteht darin, das Entstehen von Foren zu unterstützten, die nicht destruktiv sind. Specsaver, eine britische Kette von Optikern, hat eine Verbindung zwischen ihrer Website und Newsgroups geschaffen, die Bedürfnisse in Bezug auf Augengläser sachlich diskutieren.

Wenn negative Informationen auftauchen, kann man darauf im Web reagieren (indem sich eigene Leute, wie oben beschrieben, an der Diskussion beteiligen) oder außerhalb des Webs (über Pressemitteilungen oder Werbung). Wenn die Information falsch ist, sollte man sie so schnell wie möglich widerlegen. Wenn die schlechten Nachrichten auch nur ein Körnchen Wahrheit enthalten, sollte man das Problem schnell zugeben und aufzeigen, wie man am besten damit umgehen sollte. Es ist äußerst riskant, wenn man schlechten Nachrichten einfach erlaubt, sich zu verbreiten.

Nur allzu oft wird die Kommunikation von Kunden über das Internet, sei es nun in Form von E-Mails oder in Chatrooms als ärgerliche Störung oder gar als Problem empfunden, statt als günstige Gelegenheit. Ehe es das Web gab, sprachen die Kunden außer Hörweite miteinander über eine Marke. Heutzutage ist es möglich, ihre Reaktionen auf eine Marke und ihre Erfahrungen mit ihr – sowohl die positiven als auch die negativen – direkt zu erfahren. Der Zugang zu derartiger Information ist eine großartige Chance. Man kann neue Anwendungsmöglichkeiten für ein Produkt entdecken, sich mit Problemen befassen, die bei dessen Nutzung auftreten, und frühzeitig auf ernsthafte Schwierigkeiten aufmerksam gemacht werden.

E-Mail

Als ein Vehikel für den Kundendienst, das Marketing oder sonstige Kommunikation, das sich zunehmender Beliebtheit erfreut, stellt E-Mail ein leistungsstarkes Hilfsmittel für die Markenpflege dar. Es ist der ultimative persönliche Kontakt: 1-800-Flowers verschickt E-Mails, um an Geburtstage oder Jahrestage zu erinnern, die Buchhandlungskette Barnes & Noble kann auf ein spezielles Ereignis in einem Laden oder Promotionskampagnen hinweisen, die Union Bank kann auf günstige Zinssätze oder Baudarlehen aufmerksam machen, und Buy.com kann Aufträge und Versand bestätigen und auf neue Produkte hinweisen. Diese Art von E-Mails schafft eine Verbindung und erinnert den Kunden gleichzeitig an die Marke und seine Beziehung zu ihr. Um zu vermeiden, dass die Flut von E-Mails als lästig empfunden wird, sollten Marken die Nachrichtenflut in engen Grenzen halten und jede Botschaft so bedeutend wie möglich für den Empfänger machen (und ihn außerdem darüber informieren, wie er seinen Namen vom Verteiler nehmen kann).

Da das Web interaktiv ist, können E-Mails sowohl *an* den Kunden geschickt als auch *von* ihm empfangen werden. Ein häufig gemachter Fehler besteht darin, dass Kunden gar nicht nach ihrer Meinung und Kommentaren gefragt werden. Noch öfter wird der Fehler gemacht, dass man den Kunden nicht zuhört und ihnen nicht antwortet – in der Welt des Internets ist ein ganzer Tag eine lange Zeit und eine Woche dauert ewig. Eine späte oder nachlässige Antwort signalisiert dem Kunden, dass sich die Marke um ihre Kunden nicht kümmert. Die Information, die Kunden bereitwillig übers Internet liefern, kennt nicht ihresgleichen, sie ist der üblichen Post oder gebührenfreien Rufnummern weit überlegen; die Nutzung dieser Information rechtfertigt fast immer das dafür notwendige System, die Leute und die Mühe.

Websites, die den Aufbau einer Marke unterstützen

Eine Website kann ein ganz wesentlicher Teil eines Programms zum Aufbau einer Marke sein, weil man darüber Informationen verbreiten, auf Erfahrung basierende Assoziationen vermitteln und andere Maßnahmen der Markenpflege besser nutzen kann. Websites sind zum Teil deshalb so leistungsfähig, weil man das Erlebnis des Besuchers und die Assoziationen, die bei ihm entstehen, weitgehend steuern kann und beides eng mit der Marke verbunden wird; das Problem »Tolle Werbung, aber keine Ahnung, für welche Marke« kann damit weitgehend vermieden werden. Wenn über die Website auch E-Commerce getätigt werden kann oder die gebotenen Informationen häufig aktualisiert werden, dann wird die Website häufig in die Liste der Favoriten aufgenommen, was die Besuchertreue wesentlich erhöht.

Wie kann aus einer Website ein wirkungsvolles Mittel zum Aufbau einer Marke werden? Fünf Richtlinien, die in Schaubild 8.3 zusammengefasst sind, sollten beherzt werden.

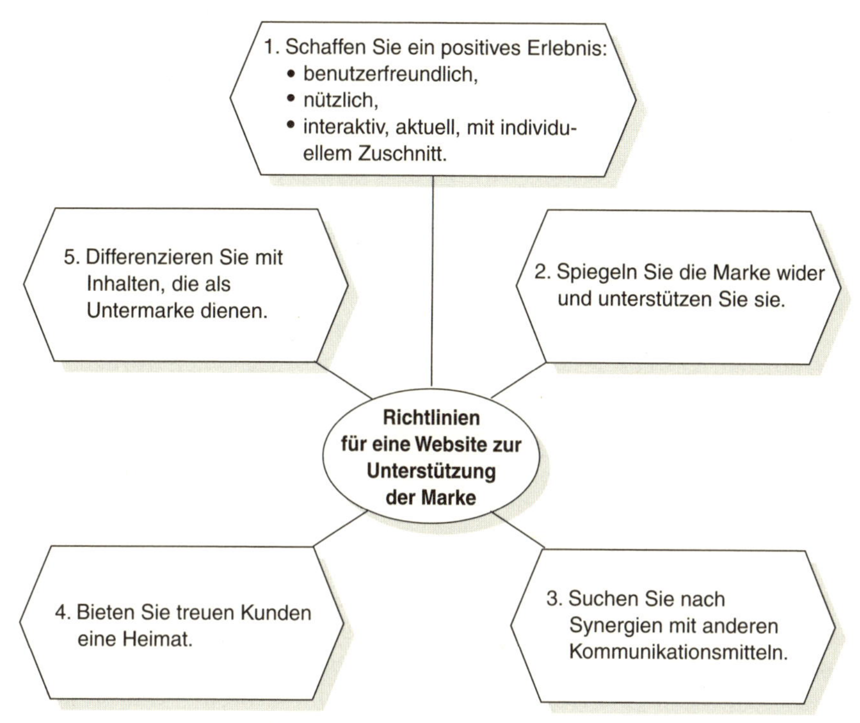

Schaubild 8.3: Eine Website zum Aufbau einer Marke

1. Schaffen Sie ein positives Erlebnis

Eine Website sollte drei grundlegende Eigenschaften haben und dadurch dem Besucher ein positives Erlebnis vermitteln. Vor allem sollte sie leicht zu benutzen sein, sie sollte den Besucher weder verwirren noch frustrieren. Sie sollte hinsichtlich des Informationsgehalts und der von ihr unterstützten Aktionen die Erwartungen erfüllen. Zweitens sollte eine Website einen guten Grund für einen Besuch bieten. Sie muss nützlich sein, relevante Informationen liefern, die Durchführung einer Transaktion ermöglichen, spannende Unterhaltung oder ein gesellschaftliches Erlebnis bieten. Wenn die Website nicht zum Besuch motiviert, den Kunden nicht dazu animiert, sie in die Liste der Favoriten aufzunehmen, lohnt sie sich nicht. In dem Maße wie die Website einen echten Gehalt bietet, kann sie tatsächlich die Marke erweitern, indem sie ein höheres Maß an funktionalen und emotionalen Vorteilen sowie dem Besucher die Möglichkeit bietet, sich selbst einzubringen. Drittens sollte die Website die einzigartigen Eigenschaften des Web nutzen. Sie sollte vor allem interaktiv sein und den Besucher involvieren (wie beispielsweise die Pepsi-Website), sie sollte auf ein Individuum zugeschnitten (wie die Website von Amazon) und aktuell (die CNN-Website) sein.

2. Die Website sollte die Marke widerspiegeln und sie unterstützen

Eine Website – oder irgendeine andere Art der Markenkommunikation übers Internet – sollte die Marke reflektieren und sie unterstützen. Allzu oft führt der Versuch, die Website einfach und funktional zu gestalten, zu einer langweiligen Erfahrung, durch die keine wesentlichen Assoziationen geschaffen oder unterstützt werden. Andererseits kann die zwanghafte Neigung, die Website aufregend und unterhaltsam zu machen, so weit gehen, dass sie nicht mehr zu der Marke passt oder nicht mehr funktional ist (wie so manche schlampig entwickelte Site, die nur damit beschäftigt ist, irgendwelche Grafiken zu laden). Die Markenidentität, nicht kreativer Übermut, sollte die Entwicklung steuern.

Wesentliche Assoziationen können direkt von dem Web unterstützt werden. Beispielsweise bietet Coke auf seiner Website eine Abzweigung, die Besucher an Orte führt, die cool sind, erfrischen und Spaß machen – die drei wesentlichen Identitätsmerkmale von Coke. Wer sich für Erfrischung entscheidet, bekommt beispielsweise die Möglichkeit, ein Lied zu komponieren oder das »Always Coca-Cola«-Jingle zu kopieren, wodurch eine Assoziation entsteht, die nicht nur zur Marke passt, sondern auch Gehalt und Substanz hat und den Besucher involviert. Mobil Oil könnte sich für ähnliche Abzweigungen für die Merkmale Führung, Partnerschaft und Vertrauen entscheiden und sowohl interne als auch externe Leitbilder einsetzen, um jedes dieser Elemente der Kernidentität zu verdeutlichen. Ein Besucher, der verstehen möchte, wofür Mobil steht, würde durch solche Details informiert und sein Interesse würde weiter geweckt.

Eine Website kann auch Assoziationen unterstützen, die eine emotionale Komponente enthalten. Die Hallmark-Website beispielsweise unterstützt eines der Hauptmerkmale der Marke, nämlich die Tatsache, dass sie Menschen hilft, ihre Gefühle auszudrücken und andere zu berühren.[46] Ein Bereich enthält kreative Möglichkeiten, »Ich liebe Dich« zu sagen. In einem anderen werden unter der Überschrift »Romantische Vorschläge« Anregungen gegeben, wie man eine Beziehung lebendiger gestalten kann. Eine Abteilung für kreative Projekte zeigt, wie man ein Geschenk für Valentine's Day selbst basteln kann, bietet eine Schnäppchenjagd und einen Briefkasten für Valentinskarten von Kindern. Dadurch erhält die Verbindung zu Hallmark ein zusätzliches gefühlsbetontes Element.

Die Symbole einer Marke können mitunter die damit verbundenen Assoziationen stark beeinflussen, und die Website sollte diese Assoziationen sowohl ausnutzen als auch verstärken. Auf der Website von Virgin gibt es einen Terminkalender von Richard Branson, in dem die Aktivitäten des Firmengründers, einem der Hauptsymbole der Marke, aufgelistet werden. Die Spring-Hill-Fabrik, die für die Automarke Saturn ein entscheidendes Markensymbol darstellt, unterstreicht die bodenständige Persönlichkeit des Unternehmens, seine eindeutigen Werte und seinen unverwechselbaren Stil sowie die Verbindung zu den USA. Die Website von Saturn verwendet ein einfaches Spruchband, das eine Landschaft in Tennessee zeigt sowie das Ortsschild von Spring Hill, das die Besucher an die Verbindung zwischen Saturn und dem Symbol von Spring Hill erinnert. Symbole wie beispielsweise der Teigjunge von Pillsbury und das fliegende rote Pferd von Mobil Oil können ebenfalls genutzt werden, um die Website ansprechender (durch die Verwendung von vertrauten Symbolen) und interessanter (durch aussagekräftige Bilder zusätzlich zum Text) zu machen und eine stärkere Bindung zwischen ihr und der Marke herzustellen (indem sie weniger allgemein und austauschbar wirkt).

Aussehen und Atmosphäre

Wenn eine Marke von Konzept und Optik her stark ist und die Website gut entwickelt wurde, dann sollte der Besucher das Gefühl haben, dass er sich in der Welt der Marke aufhält. Farbe, Layout und Persönlichkeit sollten einen Anblick und eine Atmosphäre schaffen, die an die Marke erinnern – das Kodak-Gelb, das Virgin-Rot, das Schwarz von Harley-Davidson, die lila Farbe von Milka und die Duracell Kombination von Orange und Schwarz unterstützen den Aufbau der Markenwelt. Die saubere, adrette Atmosphäre der Gap-Läden, der luxuriöse Touch einer Tiffany-Brosche oder die Sinnlichkeit der Unterwäsche von Victoria's Secret Unterwäsche kann eine richtig konzipierte Website widerspiegeln. L.L. Bean führt Besucher der Website mit Wegweisern zu bestimmten Bereichen, die an das Landleben erinnern. Das Erlebnis der Harley-Site beginnt mit einer leeren schwarzen Seite; langsam erscheint darauf der Satz: »Respect the road; it does not respect you« [»Respektiere die Straße; sie respektiert dich nicht«]. Die Assoziationen zu Heim und Familie, die bei Elektrolux hervorgerufen werden, dem schwedischen Hersteller von Haushaltsgeräten, werden dadurch eingefangen, dass man das tatsächliche Zuhause einer echten Familie als Hintergrund nimmt, um die Produkte zu präsentieren. Auf diese Weise lernt man nicht nur die Familie Essen kennen, man kann ihr auch eine E-Mail schicken.

Informationen, die sich nicht nur auf Produkte und Dienstleistungen beziehen

Eine Website kann eine verlässliche Informationsquelle für bestimmte Themen sein. Beispielsweise bietet die Kotex-Website für Teenager Informationen zu Themen, die mit der körperlichen und seelischen Umstellung, die in diesem Alter stattfindet, zu tun haben. Die Website von Healthy Choice, die Informationen zu Gymnastikübungen, Freizeitaktivitäten und Ernährung bietet, gibt der Marke die Chance, wertvolle Assoziationen zu entwickeln (insbesondere solche, die sich auf die Gesundheit und den Lebensstil beziehen). Claritin, ein Medikament gegen Allergien, hat eine Website, die auf den individuellen Besucher zugeschnittene Informationen über die Linderung von Allergien liefert, einschließlich Pollenflugbericht, Produktinformationen, Wettbewerbe und Seminare zum Thema Allergien.

Eine Website, die zuverlässige Informationen bietet, kann auf dreierlei Weise zum Aufbau einer Marke beitragen. Erstens lässt sie die Marke glaubwürdig, authentisch und kompetent erscheinen – Attribute, die eine Marke nie auf direktem Wege erwerben könnte. Die Behauptung von Kotex, eine Autorität in Bezug auf wesentliche Aspekte des Lebens eines Teenagers zu sein, wäre kaum glaubwürdig (und würde vermutlich nicht ernst genommen), aber die Website von Kotex kann diese Botschaft implizit übermitteln. Zweitens erlaubt die Unterstützung durch das Web einer Marke, direkt aber unaufdringlich an etwas teilzunehmen, was für das Leben einer Person sehr wichtig ist, wodurch sich grundsätzlich eine engere Bindung erzielen lässt. Letztendlich ermöglicht eine Website einer Marke die Kommunikation in einer Sprache und auf eine Art, die wirklich eine Beziehung herstellt. Diese Ziele der Markenpflege lassen sich wesentlich schwerer erreichen, wenn die Website nur wie ein Verkaufswerkzeug wirkt.

Websites, die versuchen, das Bedürfnis nach wichtigen Informationen zu erfüllen, sollten realistisch sein. In etwa fünf Jahren wird es vermutlich nur eine begrenzte Anzahl dominanter Websites für ein bestimmtes Thema geben – sei es nun die italienische Küche, aktuelle Filmkritiken, gesunde Lebensweise oder Mountainbike-Routen. Wer werden in den jeweiligen Kategorien die Gewinner sein? Was muss man tun, um einer von ihnen zu sein? Langfristig könnte es sich lohnen, die einzige dominante Website in einem Bereich zu sein, aber Investitionen in eine unattraktive Website könnten Verschwendung sein. Eine ganz wesentliche Frage: Kann man realistisch annehmen, dass eine Marke andere Organisationen besiegen kann, die nicht an eine Marke gebunden sind (wie beispielsweise die Stiftung Warentest oder den TÜV), aber weiterreichende Interessen haben und eher glaubwürdig sind?

Für viele Marken mag die Lösung in der Zusammenarbeit mit Partnern oder anderen Marken liegen. Ein Vorteil einer solchen Zusammenarbeit wäre, dass man sich die Investitionskosten teilen kann, aber der größere Vorteil besteht darin, eine Website zu kreieren, die viele Menschen mit ähnlichen Interessen zu ihren Favoriten zählen. Zum Beispiel das Thema Medizin. Konkret, eine Website, die eine Koproduktion von neun europäischen Pharmaunternehmen ist, liefert Informationen über den neuesten Stand der medizinischen Forschung über bestimmte Krankheiten, beispielsweise Arthritis. Ein solches Konsortium ist in einer äußerst günstigen Position, um regelmäßig Besucher anzulocken, da es mehr Glaubwürdigkeit hat als jedes einzelne daran beteiligte Unternehmen für sich alleine.

3. Suchen Sie nach Synergien mit anderen Kommunikationsmitteln

Wenn eine Website von einer Gruppe von Leuten entwickelt wurde und betreut wird, die ihren eigenen Stil und eigene Ziele haben, dann ist das Ergebnis ein Monolith – eine Website, die nicht in ein einheitliches Kommunikationskonzept integriert ist und keine Synergien schafft, sondern eher eine isolierte Anstrengung verkörpert. Man gerät sehr leicht in diese Falle, sollte sie aber tunlichst vermeiden.

Integrierte Kommunikation – also das Konzept, alle die Marke betreffenden Botschaften zu koordinieren, sodass Synergien entstehen – gibt es schon seit Jahrzehnten und hat Unternehmen, die Werbung machen, und deren Partner schon zu bemerkenswerten Initiativen stimuliert. Das Web gibt der integrierten Kommunikation aber eine völlig neue Dimension. Es wird vielleicht nicht zum maßgeblichen Medium werden, hat aber das Potenzial, zumindest die Struktur und den Kitt zu liefern, der das Ganze zusammenhält.

Das Web kann die gleiche Wirkung erzielen wie ein Flaggschiffladen

Denken Sie noch einmal an das Konzept der Flaggschiffläden und wie effektiv es für den Aufbau einer Marke sein kann, dadurch dass es Markenkonzepte lebendig, vital und greifbar macht. Denken Sie an die Rolle, die der Laden in Freeport für L.L. Bean-Kunden spielt. Er verdeutlicht eindrucksvoll die Tradition der Marke und bietet seinen Besuchern ein außergewöhnliches Markenerlebnis (wie im sechsten Kapitel erwähnt, ist das Geschäft eine bedeutende Touristenattraktion). Auf ähnliche Weise repräsentieren die NikeTown-Läden das Wesen der Marke Nike. Die Markenpersönlichkeit, deren Symbol und die damit verbundenen emotionalen Assoziationen, die der Laden entwickelt, gewinnen durch die enge Verbindung mit den eigentlichen Produkten an Wirkung.

In dem einen oder anderen Umfeld kann eine Website die gleichen Funktionen wahrnehmen wie ein Flaggschiffladen. Indem sie die Marke auf umfangreiche, involvierende und authentische Weise präsentiert, kann die Website die Grundlage für andere kommunikative Bemühungen bieten. Die Website kann intensive Beziehungen zu der Marke und der Erfahrung mit ihrer Verwendung herstellen und sie kann, sozusagen als eine Art Radnabe, mit den anderen Kommunikationsbemühungen in Verbindung stehen. Indem sie metaphorisch einen Flaggschiffladen nachahmt, wird die Website der Marke zum Kernstück der Markenpflege und reflektiert die Markenidentität lebendig und überzeugend. Selbst wenn der Website keine Führungsrolle beim Aufbau der Marke zukommt, kann sie eine ganze Reihe von anderen Kommunikationsmedien einerseits ausnutzen und andererseits verstärken, zum Beispiel Werbung, Sponsoring, Promotionskampagnen und Öffentlichkeitsarbeit.

Unterstützung der Werbung

Die meisten Werbemedien – insbesondere Fernsehen, Plakate, Displays im Einzelhandel, Verpackungen und Anzeigen – können nur einen bestimmten, begrenzten Inhalt vermitteln. Das Web kann die Werbung ergänzen, indem es umfangreiche Informationen zur Verfügung stellt, die man sonst nirgendwo unterbringen könnte. Beispielsweise kann die Werbung das Interesse an der Geschichte einer Marke wecken, und die Website kann die entsprechenden Details liefern. Die Werbung kann ein neues Produkt ankündigen, und die Website kann nicht nur spezifische Informationen zum Produkt, sondern auch zu seiner Anwendung liefern. Die Möglichkeit, untersuchen zu können, wie und wo man das Produkt nutzen kann, ist eine Ergänzung zur Werbung und macht das Markenprodukt wertvoller und attraktiver.

In Zukunft könnte den Medien (einschließlich der Werbung) eine neue Rolle zukommen, nämlich Leute zu einem Besuch der Website zu motivieren. Obgleich es zweifellos sinnvoll ist, die Website-Adresse über die anderen Medien bekannt zu machen, bedarf es doch aktiverer Methoden, um eine große Anzahl von Menschen zu veranlassen, die Website zu besuchen. Sobald es ein wichtiges Ziel, wenn nicht gar das wichtigste Ziel der Werbung sein wird, Leute zu motivieren, sich mit einem bestimmten Ziel im Hinterkopf die Website anzuschauen, wird sich die Rolle und die Ausführung der Werbung ändern.

Die Bildsprache und die Botschaft einer Werbekampagne kann durch die Homepage verstärkt werden. Untersuchungen haben wiederholt gezeigt, dass die Werbewirksamkeit deutlich verstärkt wird, wenn es in verschiedenen Zusammenhängen zu Kontakten kommt – wenn beispielsweise eine Fernsehkampagne durch Radiowerbung und spezielle Ereignisse unterstützt wird statt alleine zu stehen, sind die Erfolge in der Regel deutlich größer. Beispielsweise verwendet BMW die Bilder und Grafiken seiner jüngsten Werbekampagne in den Printmedien als Vorlage für die Website. Infolgedessen verstärkt die Website die Kernassoziationen technische Brillanz, Ästhetik und Leistung, die in der Werbung im Vordergrund stehen.

Unterstützung des Sponsoring

Eine Website kann Sponsorenschaften unterstützen, indem sie Programme für Ereignisse und allgemein interessante Informationen über Leute bringt, die mit den gesponserten Veranstaltungen zu tun haben und ausführlich über die Ereignisse berichtet. Auf diese Weise bringt das Web nicht nur einen zusätzlichen Nutzen für die Marke, es verstärkt und vertieft auch die Bindung zwischen der Sponsorenschaft und der Marke. Gatorade veröffentlicht das Programm für seinen »Hoop It Up«-Basketballwettbewerb übers Internet, und die Pepsi-Website bietet Informationen über gesponserte Konzerte.

Sponsoring bietet oft auch die Chance, Nachrichten zu produzieren. Ein Ereignis wie das Tennisturnier in Wimbledon, das Masters Golfturnier oder das Indy 500 Autorennen hat eine Menge Fans, die an Online-Informationen interessiert sind. Valvolines Website für das Indy 500 bringt hochaktuelle Details über die gefahrenen Zeiten, Profile der Fahrer und Neuigkeiten vom Rennen; da die Website das Geschehen offenbar ganz genau verfolgt, wird die Glaubwürdigkeit von Valvoline als innovative Marke, die eng mit Autorennen verbunden ist, verstärkt.

Unterstützung von Promotionskampagnen

Man kann mediengestützte Promotionskampagnen oder solche im Einzelhandel auch über das Internet unterstützen, weil die Website-Besucher in Spiele involvieren kann sowie einen Kontext und Aktivitäten bietet. Beispielsweise wurde die Website von Oscar Mayer zur Unterstützung von Promotionen wie der Talent Search Tour verwendet, bei der ein Kind gesucht wurde, das das Oscar Mayer Jingle singen konnte. Die Website sammelte Bewerbungen und informierte laufend über den Fortgang der Kampagne, die dadurch ausgeweitet und wirkungsvoller wurde. Da ein Spiel auf einer Website präsentiert werden kann, das zu kompliziert ist, um es in einer Anzeigenwerbung oder in einem Fernsehspot vorzustellen, können Promotionskampagnen auf diese Weise bedeutungsvoller und interaktiver werden.

Unterstützung von Öffentlichkeitsarbeit

Die Öffentlichkeitsarbeit hat unter anderem die Aufgabe, Nachrichten über die Marke zu liefern. Das Web kann dabei eine wichtige Rolle spielen, da die Bereitstellung von Online-Informationen ohnehin eine seiner Aufgaben ist. Das Internet kann die Verbreitung von Informationen beschleunigen und genutzt werden, um ein großes Publikum zu erreichen. Statt sich allein auf ein paar gute Kontakte zu Journalisten zu verlassen, können PR-Anstrengungen durch Detailinformationen im Internet unterstützt werden. Beispielsweise erhöhte LucasFilm die Aufregung um seinen neuen *Star-Wars*-Film, indem es auf seiner Website sorgfältig ausgewählte Informationen und Anreize veröffentlichte und so den Konsumenten immer nur kleine Häppchen bot, um die Spannung bis zur ersten Filmvorführung aufrecht zu erhalten. Die eigene *Star Wars* Website dominierte auch eindeutig irgendwelche inoffiziellen Websites, sodass die Botschaft von LucasFilm klar und deutlich blieb. Einige PR-Firmen bieten inzwischen die Dienstleistung an, bei einer Veranstaltung Informationen live in den Computer einzugeben, diese Daten an verschiedene Websites zu senden und deren Inhalt per E-Mail an Hunderttausende von Medienprofis zu schicken.

Besucher zur Website bringen

Alle kommunikativen Anstrengungen müssen auch ihrerseits die Website unterstützen. Eine wirkungsvolle Website muss auch außerhalb des Internet sichtbar sein, ein Grund dafür, warum die bedeutenden Webmarken sowie andere, die den Wunsch hegen, sich einen Teil des Cyberspace zu sichern, auch andere Medien nutzen. Yahoo! präsentierte sich mit kreativer Plakatwerbung in Großstädten, später kam noch umfangreiche Medienwerbung hinzu. Wer eine dominante Position erreichen will, muss dominant wirken, und das kann man nur, wenn man sichtbar ist.

4. Bieten Sie treuen Kunden eine Heimat

Die Website sollte denen eine Heimat bieten, die aktiv mit der Warengruppe verbunden sind und sich für eine Marke engagieren. Es sollte diese Gruppe von Menschen und ihre Beziehung zu der Marke unterstützen und fördern, statt treue Kunden als selbstverständlich hinzunehmen und sich darauf zu konzentrieren, den Kundenstamm auszuweiten. Jede Marke, die Kunden hat, die sich ihr emotional verbunden fühlen, sollte sicherstellen, dass ihre Website diese Gruppe erkennt und unterstützt.

Treue Kunden sind nicht nur für die Abverkäufe wichtig. Sie stellen auch für andere Konsumenten ein Leitbild dar sowie für alle Beschäftigten des Unternehmens und dessen Partner, indem sie die Marke mit Begeisterung und Enthusiasmus verbinden. Solche treuen Kunden sind wie Botschafter für die Marke, teilweise weil sie nicht nur mit der Marke, sondern auch mit dem Produkt zu tun haben.

Betrachten Sie nur die Rolle der Website für die Harley-Davidson-Fans. Die Website des Unternehmens bietet Informationen über Veranstaltungen und Produkte, die Möglichkeit, Accessoires zu kaufen, Technik-Experten Fragen zu stellen und ein Forum, um mit anderen Fans in Verbindung zu treten. Damit ist sie eine zentrale Schnittstelle für Motorrad- und Harley-Begeisterte.

Snapple (Erfrischungsgetränke) ist eine Marke mit einer komischen Persönlichkeit und treuen Gefolgschaft; die Website versorgt diese treuen Kunden mit Informationen und intensiviert die Erfahrung mit dem Produkt. Eine Reihe von Spielen reflektiert das Wesen der Marke Snapple, darunter auch ein Spritzspiel, bei dem es darum geht, dass der Besucher versucht, bewegliche Ziele mit einem Wasserstrahl zu treffen und eine Snapple-Schatzsuche, bei der die Aufgabe darin besteht, sechs Flaschen zu finden, die auf der Website versteckt sind. Der Besucher kann auch seine Snapple Strology finden, die aufgrund des Lieblingsgeschmacks ein Persönlichkeitsprofil und Monatshoroskop erstellt.

Treue Kunden müssen die Geschichte der Marke kennen

Das Wissen um die Wurzeln einer Person, eines Ortes oder eines Unternehmens kann Interesse und eine Bindung schaffen. Das Gleiche gilt für eine Marke; ihre Geschichte und Tradition kann eine funktionale Beziehung in eine tiefe emotionale Bindung verwandeln. Außerdem kann die Geschichte einer Marke hoch interessant sein, besonders dann, wenn wirkliche Personen darin vorkommen. Das Internet bietet die Chance, solche Geschichten zu erzählen.

Auf der Harley-Davidson-Website kann man beispielsweise lernen, wie zwei junge Designer namens Harley und Davidson sich im Jahr 1901 bemühten, Radfahren einfacher zu machen. Man kann nachlesen, welche Rolle Harley im Kampf gegen Pancho Villa und im Ersten Weltkrieg spielte, sowie über Rennen und Innovationen bei Harley-Davidson im Laufe der Jahre. Sowohl für den Harley Stammkunden als auch den Möchtegernkunden sind derartige Geschichten Teil des Mythos, der die Marke umgibt.

Bei L.L. Bean enthält die Geschichte des Firmengründers die Essenz der Marke Bean; der Mann aus Maine, der sich am liebsten im Freien aufhielt und das Unternehmen 1912 gründete, ist legendenumwoben. Alles fing damit an, dass Bean einen Stiefel kreierte, der ein leichtes Lederoberteil mit wasserdichtem Gummiunterteil verband und dann den Kunden hundertprozentige Zufriedenheit garantierte, nachdem sich bei der ersten Lieferung der Stiefel Probleme mit den Nähten zeigten. Die Eröffnung des Einzelhandelsgeschäfts in Freeport, Maine, im Jahr 1917 war ein weiterer Meilenstein. Ein Kunde, der zu diesem Laden hingeht, entwickelt potenziell eine größere Treue und größeres Engagement als der gewöhnliche Einzelhandelskunde, teilweise wegen der Tradition und der Geschichte, die diesen Laden umgeben.

Einige Symbole sind für die Fans von derart großem Interesse, dass man ihre Geschichte ruhig erzählen kann – wo das Symbol herkam, wofür es steht und wie es sich entwickelte. Fruit of the Loom (Hersteller von Unterwäsche und Strickwaren) beispielsweise erzählt, wie das Markenlogo entstand. Betty Crocker (hauptsächlich bekannt für Backwaren und Backmischungen) zeigt acht verschiedene, nacheinander verwendete Versionen des Logos (das Gesicht von Betty Crocker) und fordert Besucher der Website auf, das jeweilige Gesicht dem passenden Jahr zuzuordnen. Dieses Spiel verdeutlicht außerdem auf lebendige Weise die Tradition, die Teil der Marke Betty Crocker ist.

5. Differenzieren Sie mit Inhalten, die als Untermarke dienen

Viele Websites konzentrieren sich auf funktionale Vorteile, die jedoch häufig für andere Hersteller oder Marken leicht kopierbar sind. Daher besteht die Herausforderung darin, eine Website zu produzieren, die sich von anderen abhebt, indem man etwas bietet, was die anderen nicht nachmachen können, zumindest nicht ohne erhebliche Kosten. Ein Ansatz besteht darin, immaterielle Werte zu schaffen, beispielsweise indem man die führende Website für ein bestimmtes Interessengebiet wird (für das Grillen im Freien, beispielsweise, oder Insektenschutz). Ein anderer Weg zur Differenzierung besteht in der Entwicklung von Vorteilen, Eigenschaften, Dienstleistungen oder Komponenten mit Markencharakter, die für die Website als Silver bullet fungieren.

Derartige Vorteile können ein wirkungsvolles Mittel sein, die Hauptmarke zu repräsentieren und eine Abgrenzung zu anderen zu schaffen. Es ist wichtig, dass die Vorteile Markencharakter haben und eindeutig zur Hauptmarke gehören; selbst wenn solche funktionalen Vorteile von anderen kopiert werden, sind die Silver bullet-Marken immer noch bekannt und dienen der Differenzierung. Viele Websites verwenden allerdings nur beschreibende Marken, um auf Vorteile hinzuweisen. Beispielsweise ist es in Ermangelung einer starken Eigenschaft mit markenähnlichem Charakter für Wettbewerber möglich, die Buchempfehlungen von Amazon zu kopieren. Im Gegensatz dazu können Websites, über die Weine verkauft werden, zwar Tipps geben, aber sie können den Ask the Cork Dork Service von Virtual Vineyards nicht nachahmen,

Ein anderes gutes Beispiel ist der Tide Stain Detective, der individuelle Lösungen für schwierige Flecken bietet. Mit Hilfe von aufrufbaren Menüs wählt der Benutzer die Art des Fleckens aus, das Materials sowie Farbe und Muster, und bekommt dann einen ganz gezielten Rat, wie er gegen den Fleck vorgehen muss. Der Tide Stain Detective ist eine Umsetzung der Erfahrung und führenden Rolle von Tide bei der Reinigung sowie von 50 Jahren ständiger Innovation. Als klassische Silver bullet steht er für das Wesen der Marke; außerdem ist er selbst eine Marke mit eigenem Logo und auffälligem Namen. Wettbewerber können den funktionalen Vorteil kopieren, aber es dürfte ihnen schwer fallen, den Tide Stain Detective aus seiner Position zu verdrängen.

Ein anderes Beispiel ist der Road Warrior von Travelocity, eine der führenden Websites für Reisende. Die Website von Road Warrior, die als »ultimate business travel resource« [die Informationsquelle für Geschäftsreisende] bezeichnet wird, bietet aktuelle Informationen über Preise, Neuigkeiten, Witterungsbedingungen usw. für Tausende von Destinationen auf der ganzen Welt, eine Umrechnungstabelle für Währungen, hilfreiche Details bezüglich Reservierungen und Rabatte für Autovermieter. Außerdem kontaktiert die Website Reisende, um sie über irgendwelche Änderungen ihrer Flüge zu informieren und ihnen einen kostenlosen, individuellen Führer zu bieten, in dem Empfehlungen für Unterhaltungsmöglichkeiten und Serviceadressen am Zielort gegeben werden. Der Road Warrior ist eine Silver bullet-Untermarke von Travelocity.com, die zu Assoziationen mit einem technisch führenden, kundenfreundlichen Unternehmen führt, das zusätzliche Dienstleistungen für Geschäftsreisende bietet. Mit seiner eigenen Marke und seinem eigenen Logo hat der Road Warrior zumindest potenziell einen eigenen Markenwert, was bedeutet, dass Wettbewerber ihn nur schwer nachahmen können.

Noch ein weiteres Beispiel ist die L.L. Bean-Parksuche. Wer das L.L. Bean-Geschäft besucht, kann dieses System nutzen, um sich über 1500 Parks, Wälder und Wildgehege zu informieren. Es gibt auch Informationen über die 36 verschiedenen Aktivitäten, die in den Parks angeboten werden, beispielsweise Wandern, Kajakfahren, Vögel beobachten oder Snowmobilfahren. Die Besucher können die Datenbank nach Orten und/oder Aktivitäten absuchen; man kann sich also eine Liste aller Parks im Norden Kaliforniens ausdrucken, in denen man mit dem Mountainbike fahren darf.

Ein Vorteil mit Markencharakter bietet auch eine Möglichkeit, einer ansonsten eher langweiligen Marke oder Website etwas mehr Persönlichkeit zu verleihen. Ernst & Young bietet Abonnenten den Service Ernie, der es Kunden erlaubt, auf der ganzen Welt zu den Beschäftigten von Ernst & Young Kontakt aufzunehmen; er ist freundlicher und zugänglicher als die Hauptmarke und diese Persönlichkeit färbt auf die Hauptmarke ab. Außerdem verfügt die Marke damit über einen zusätzlichen Service, der eine Verbindung zu bestehenden und neuen Kunden herstellt.

Werbung und gesponserte Inhalte

Am Anfang dieses Kapitels haben wir darauf hingewiesen, dass das Internet ein Medium ist, in dem das Publikum im Gegensatz zu anderen Medien aktiv wird und nicht nur konsumiert. Außerdem haben wir festgestellt, dass passive Spruchbänder das Potenzial des Webs nur ungenügend ausnutzen. Dies bedeutet jedoch nicht, dass Werbung oder gesponserte Inhalte im Internet keine Rolle für die Markenpflege spielen können. Es heißt allerdings, dass derartige Inhalte dem Webumfeld angepasst werden sollten und dass sie dort vermutlich nur eine Nebenrolle spielen werden.

Werbung bedeutet, dass für die Präsenz einer Marke im Web gezahlt wurde, und die häufigste Form ist eine Balken- oder Spruchbandwerbung. Das Internet bietet jedoch noch viele andere Möglichkeiten. Ein Unternehmen erlaubt den Besuchern seiner Website, den Cursor durch ein Symbol zu ersetzen; stellen Sie sich vor, wie aufregend es für die Fans ist, wenn sie das Symbol von Mercedes oder Harley-Davidson verwenden können.

Ein gesponserter Inhalt assoziiert eine Marke mit einer Website zu einem relevanten Thema. BestWestern trat beispielsweise als Sponsor des CNN Interactive's City Guide auf, eine beliebte Website, die Informationen über Hotels in verschiedenen Städten bietet. Regal by Buick war ein Sponsor der NCAA Women's Basketball Tournament Fantasy Games Challenge. IBM sponserte ein interaktives Spiel, das Shockwave IBM Virtual Dunkathon auf einigen Websites, die mit Sport und Spiel zu tun haben (beispielsweise nba.com), um auf diese Weise junge, mit Technik vertraute Leute anzusprechen, die sonst möglicherweise IBM aus dem Weg gehen würden.

Online Sponsoring kann als Teil eines Programms zum Aufbau der Marke beträchtliche Vorteile bieten. Diese Vorteile, die bereits ausführlich im siebten Kapitel vorgestellt wurden, findet man auch in der digitalen Welt.

Die Grenzen der Websites

Werbung und gesponserte Inhalte sind wichtig, weil Websites ihre Grenzen haben. Eine Website ist leistungsfähig, weil sie ein einzigartiges, interaktives, sehr persönliches Erlebnis bieten kann, das mit dem Zugang zu einer aktuellen, umfangreichen Datenbank verbunden ist; daher ist sie oft der Eckpfeiler für die Markenpflege übers Internet. Es ist jedoch nicht einfach, eine Website zu schaffen, die Kunden anziehen und halten kann. Im Internetumfeld ist die Annahme »sie werden schon kommen, wenn wir es nur installieren« selten richtig, weil einfach zu viele Websites um die Gunst eines Publikums buhlen, das meistens sehr zielorientiert ist. Es muss einen guten Grund für den Besuch einer Website geben, *und* potenzielle Besucher müssen wissen, dass diese Site überhaupt existiert. Aufmerksamkeit zu wecken und einen Grund für einen Besuch zu schaffen sind zwei schwierige Aufgaben.

Außerdem sind nicht alle Websites für alle Marken geeignet. Sie funktionieren am besten für Produkte und Dienstleistungen, die man leicht online bestellen kann (Bücher, Aktien, Computerzubehör) oder für solche, über die ein potenzieller Kunde erst ausführliche Informationen sammeln will (Autos oder Urlaubsreisen). Eine Marke, die in keine dieser beiden Kategorien fällt – beispielsweise Schöllers Eiscreme, Wilkinson-Rasierklingen oder Kraft-Käse – muss ein doppeltes Hindernis überwinden. Wenn man das Produkt nicht übers Internet anbieten oder ganz spezielle Information bereitstellen kann, dann muss man potenziellen Besuchern einen anderen Grund liefern, die Website zu besuchen, vielleicht Unterhaltung oder einen Bereich von allgemeinem Interesse. Selbst wenn man weiß, wie man die Leute motivieren kann, lässt sich vielleicht nur schwer eine Verbindung zur Marke herstellen oder die eigene Idee steht im Wettbewerb zu einer bereits etablierten, nicht markengebundenen Website einer anderen Organisation. Dann wird es schwer sein, Besucher anzulocken, weil die eigene Website kein offensichtliches Ziel für sie ist.

Auch leistungsfähige Websites werden nur ein begrenztes Publikum erreichen, vielleicht sogar nur engagierte Stammkunden. Denken Sie einmal an die Website der Automarke Saturn, die möglicherweise nur treue Kunden anzieht und Leute, die sich gerade nach einem Auto in der gleichen Klasse wie Saturn umsehen. Da ein breiteres Publikum (Leute, die momentan zwar kein neues Auto suchen, aber vielleicht irgendwann) möglicherweise nicht motiviert ist, die Saturn-Website zu besuchen, muss man auf andere Möglichkeiten zur Markenpflege zurückgreifen. Wenn IBM als Sponsor eines Spiels auf der NBA-Website auftritt, erhöht es seine Präsenz in den Augen einer durchaus attraktiven Zielgruppe, von denen die meisten Leute niemals eine IBM-Website besuchen würden.

Ist eine Website unpassend oder ihre Reichweite ungenügend, können dann Werbung und gesponserte Inhalte im Web für die Markenpflege wirkungsvoll sein? Sind diese Arten der Kommunikation fähig, mehr zu bieten als die Möglichkeit, sich einfach zur Website der Marke durchzuklicken? Können sie diejenigen Kunden einer Marke (wie beispielsweise Saturn) erreichen, die nie deren eigene Website anklicken würden oder alle jene (zum Beispiel Kunden von Mum Deo), für die eine Markenwebsite nicht relevant ist? Können Werbung und gesponserte Inhalte die klassischen Aufgaben beim Aufbau einer Marke übernehmen, nämlich ihre Präsenz erhöhen, Aufmerksamkeit wecken und Assoziationen schaffen und verstärken? Die folgende Untersuchung liefert einige ermutigende Ergebnisse.

Die Wirkung von Online-Werbung

Das Internet Advertising Bureau (IAB) und das Marktforschungsinstitut Millward Brown Interactive führten 1997 eine Untersuchung über die Auswirkungen von Internet Werbung auf den Aufbau von Marken aus.[47] Die Spruchbandwerbung von zwölf Websites wurde getestet, darunter CNN, ESPN, Lycos und

Ziff-Davis. Über 16000 Leute wurden über diese Testsites rekrutiert und ihnen wurde nach dem Zufallsprinzip eine Testwerbung oder eine Kontrollwerbung gezeigt; nach einem kurzen Zeitraum, der einen bis sieben Tage umfasste, wurden die Testpersonen per E-Mail aufgefordert, einen kurzen Fragebogen zu beantworten. So wie das Experiment konzipiert war, bestand der einzige Unterschied zwischen der Test- und der Kontrollgruppe darin, dass ihnen einmal eine bestimmte Spruchbandwerbung gezeigt worden war.

Die Ergebnisse sind ein deutlicher Beweis dafür, dass man mit Werbung im Internet Markenpflege betreiben kann. Der durchschnittliche gestützte Bekanntheitsgrad (»Haben Sie schon einmal von dieser Marke gehört?«) stieg von 61 auf 64 Prozent, ein statistisch signifikanter Unterschied trotz der Tatsache, dass drei Marken bereits einen Bekanntheitsgrad von fast 100 Prozent hatten. Für eine Marke, Delta Airlines Business Class, stieg der Bekanntheitsgrad sogar von 43 auf 66 Prozent, für eine andere, Deja News, verbesserte er sich von 28 auf 34 Prozent. Die Bekanntheit der Anzeigenwerbung (»Haben Sie diese Anzeige schon einmal gesehen?«) stieg im Durchschnitt von 34 auf 44 Prozent, was ein deutliches Zeichen dafür ist, dass die Anzeigen von den Befragten tatsächlich wahrgenommen wurden.

Die Wahrnehmung der Hälfte der zwölf getesteten Marken wurde derart beeinflusst, dass die Veränderung statistisch signifikant war. Diese Ergebnisse ließen sich beobachten, obwohl bei diesem Experiment nur ein einziger Kontakt zu einer Spruchbandwerbung mit begrenztem Inhalt stattgefunden hatte. Vergleichen Sie damit einmal die Wirkung einer Spruchbandwerbung von Volvo, die das Auto und den Slogan »So sleek, so swift.« (»So schnittig, so schnell.«) zeigte:

	Test-Gruppe	Kontroll-Gruppe
Ist ein gutes Auto	17 Prozent	11 Prozent
Bietet etwas anderes als andere Automarken	11 Prozent	7 Prozent

Schaubild 8.4: Wahrnehmung der Marke – Volvo Luxusautomobile

Ein paar Richtlinien

Werbung und gesponserte Inhalte im Internet können wirkungsvoll sein, aber es gibt dabei einiges zu beachten. Dazu zählt die Gratwanderung zwischen Aufmerksamkeit wecken und so ablenkend und ärgerlich sein, dass die Werbung der Marke mehr schadet als nutzt. Anders als das Fernseh-, Radio- oder Plakatanzeigenpublikum, das darauf getrimmt ist, Unterbrechungen und Ablenkungen zu akzeptieren, übernimmt das Internetpublikum selbst die Kontrolle und ist weniger entgegenkommend. Wie kann man die einzigartigen Qualitäten des Webs erkennen und ausnutzen – seine Fähigkeit, jemanden persönlich anzusprechen, interaktiv zu sein und eine Quelle für aktuelle, umfangreiche und relevante Informationen darzustellen?

Die folgenden Richtlinien geben Hinweise darauf, wie Werbung und gesponserte Inhalte diesen Herausforderungen begegnen und übers Internet Marken aufbauen können, indem sie ein Bewusstsein für sie wecken, Assoziationen schaffen und die Markentreue verstärken.

Zielgruppenauswahl

Jede Werbung beginnt mit der Auswahl einer Zielgruppe, aber für das Internet ist das aus zwei Gründen besonders wichtig. Erstens, weil die Werbung im Web bisher, gemessen an den Kosten pro Tausend Kontakten, sehr teuer war, daher sollte man die Bemühungen nicht dadurch verwässern, dass man Leute erreicht, die gar nicht zur Zielgruppe gehören. Zweitens müssen die Botschaften über eine gewisse Relevanz verfügen, weil die Besucher von Websites Werbung leicht ignorieren können. Die Auswahl der richtigen Zielgruppe wird die Wahrscheinlichkeit erhöhen, dass die Werbung wirklich beachtet wird.

Es gibt viele Möglichkeiten, im Web Zielgruppen auszuwählen. Eine Methode basiert auf den impliziten oder expliziten Profilen der Besucher, die man für Websites wie HotWired, Amazon oder America Online festgestellt hat. Eine andere basiert auf Aufgabenindikatoren, beispielsweise den Schlagwörtern, die für wichtige Suchmaschinen wie Yahoo! oder Excite verwendet werden. Eine weitere ist der Grund dafür, warum die Brauerei Miller das Schlagwort *Bier*, IBM die Worte *Laptop* und *Notebook* und Libri (ein führender deutscher Buchgroßhändler) das Wort *Buch* bei führenden Suchmaschinen gekauft haben. Aufgrund dieser Käufe erscheinen bestimmte Pop-up-Anzeigen, wann immer ein Benutzer der Suchmaschinen diese Schlagwörter verwendet.

Beachten Sie die mit dem Kontext verbundenen Assoziationen

Ein bestimmter Kontext, beispielsweise Parent Soup oder Disney, zieht nicht nur ein bestimmtes Publikum an, sondern ist auch mit einer Reihe von Assoziationen verbunden. Diese Assoziationen sind wichtig, weil sie möglicherweise einen Einfluss auf die mit der Marke verbundenen Assoziationen haben, genau wie das bei Printmedien oder im Fernsehen auch der Fall ist.

Ein Experiment verdeutlichte die Chance einer starken, gut positionierten Website, Assoziationen auf eine Marke zu übertragen. In dem Versuch wurde ein Dockers-Bekleidung-Spruchband auf der Website von HotWired gezeigt, um das Image der Dockers-Kleidung hinsichtlich der Dimensionen schick, cool, temperamentvoll und aufregend zu verbessern.[48] Als die Besucher von HotWired einen Unterschied in ihrer Wahrnehmung von Dockers und den mit der HotWired-Gemeinde verbundenen Assoziationen feststellten, lösten sie den Widerspruch dadurch auf, dass sie ihre Wahrnehmung von Dockers änderten.

Seien Sie für den Kontext relevant

Wenn ein Spruchband im richtigen Umfeld erscheint, kann es durchaus als Werbung wahrgenommen werden, aber es erscheint nicht als als Störenfried und hat eine gute Chance, die gewünschten, mit der Marke verbundenen Assoziationen zu unterstützen. Intel verwendete beispielsweise auf der Website der Mplayer-Spielgemeinde fünf- bis zehnsekundige Anzeigen, die auf dem Bildschirm erschienen, während das Programm heruntergeladen wurde, um auf die Leistungsverbesserungen hinzuweisen, die man mit dem neuen Pentium-II-Prozessor erzielen kann. Beim Herunterladen ist natürlich eine Erhöhung der Rechnergeschwindigkeit, um die Wartezeit zu reduzieren, durchaus relevant. Hewlett-Packard verwendet eine Spruchbandwerbung, die vorschlägt, die gezeigte Seite in Farbe zu drucken; das Band erscheint sowohl als Aufforderung als auch als Werbung.

Werden Sie Teil der Hostsite

Das Sponsoring wird eine stärkere Bindung an die Marke haben, wenn die Marke zum Teilnehmer wird. Intel verwendete seine BunnyPeople (Typen, die Arbeiter im Hochreinheitsraum für die Chipfertigung repräsentieren sollen), um einen derartigen Bezug herzustellen. Die BunnyPeople wurden über den ganzen Textinhalt der Mplayer-Site verteilt; die Spieler hatten die Möglichkeit, einen dieser Typen anzuklicken und ihn damit als ihren eigenen Repräsentanten für das Spiel auf der Mplayer-Site zu verwenden.

Interaktive Spruchbandwerbung

Interaktive Spruchbänder beziehen das Publikum insofern mit ein, als sie es zu einer Reaktion auffordern. Eine Untersuchung kam zu dem Ergebnis, dass die Wahrscheinlichkeit, dass solche interaktiven Bänder angeklickt werden, um 70 Prozent höher ist als diejenige, dass jemand auf ein nicht interaktives Band klickt, das den Besucher nur auf eine andere Seite weiterleitet.[49] John Hancock beispielsweise platzierte ein Spruchband oben auf verschiedenen beliebten Zielsites, in dem das Bild eines kleinen Mädchens gezeigt und die Frage gestellt wurde: »Sie ist .... Jahre alt und ich möchte, dass sie einmal zum .... College geht. Wie kann ich dafür vorsorgen?« Der Besucher konnte das passende Alter und die Art von College eintragen, auf das seine Tochter einmal gehen sollte, woraufhin eine Berechnung angestellt wurde, wie viel er monatlich sparen müsste, um dieses Ziel erreichen zu können. Ein einfaches Puzzle, ein Wettbewerb, ein Comic oder eine Reihe einfacher Fragen wie die erwähnten von dem John-Hancock-Band veranlassen den Besucher nicht nur zum Anhalten und Nachdenken darüber, ob er ein Produkt oder eine Dienstleistung braucht, sondern verbinden auch eine Marke mit seinem Bedürfnis.

Bieten Sie Nachrichten, Unterhaltung oder einen anderen Anreiz

Es gibt zahlreiche Möglichkeiten, um dem Publikum einen Anreiz zu bieten, sich von Werbung involvieren zu lassen oder sie zumindest zu tolerieren. Manche Zeitschriften wie *Variety* und *Forbes* drucken Schlagzeilen als Teil ihrer Werbung. Hewlett-Packard bietet ein Pongspiel mit Animation in seinem Spruchband, das Besucher gegen einen Computer spielen lässt. Diese Website wird häufig heruntergeladen, ein Riesenkompliment für die Werbung (vergleichbar der Wirkung konventioneller Anzeigen, die so packend sind, dass sie zum Gesprächsthema werden). Andere Unternehmen bieten einen freien Zugang zum Computer oder Internet im Austausch dafür, dass sie eine Reihe von Anzeigen in eine Suchmaschine integrieren dürfen.

Symbole und Slogans

Ein Spruchband hat, genau wie ein Plakat, nur Platz für einen begrenzten Inhalt; wie kann man es am besten nutzen? Ein einprägsamer Slogan und ein Symbol können bei der knappen Kommunikation helfen. Slogans wie beispielsweise »Nobody doesn't like Sara Lee« und »The Quiet Company« sowie Symbole wie der Pillsbury-Teigjunge und die Kutsche von Wells Fargo machen es leichter, per Spruchband zu kommunizieren.

Ziele und wie man ihren Erfolg misst

Im Fall von Werbung, die entwickelt wurde, um mehr Besucher zu einer Website zu locken oder sie zum sofortigen Handeln zu bewegen, ist das Weiterklicken (wenn ein Mausklick den Besucher einer Website zur Homepage des werbenden Unternehmens bringt) ein relevanter Maßstab. Das Durchklicken spiegelt aber nicht unbedingt die Fähigkeit der Werbung wieder, den Bekanntheitsgrad zu erhöhen und Assoziationen aufzubauen. In der IAB-Untersuchung war die Korrelation zwischen Durchklicken und einer erhöhten Bekanntheit der Marke gleich Null – bei den wirkungsvollsten der zwölf ausgewählten Anzeigen, Volvo und Schick, zeigte sich überhaupt keine Korrelation. Wenn man dem Durchklicken einen zu hohen Stellenwert einräumt, besteht die Gefahr, sich von der eigentlichen Markenstrategie zu entfernen, um hier eine hohe Rate zu erzielen. Stattdessen sollte man mit Maßstäben für den Bekanntheitsgrad und für Assoziationen experimentieren, wie das beispielsweise in der IAB Studie geschah. Der Vorteil des Web besteht darin, dass man derartige Experimente leicht und kostengünstig durchführen kann.

Resümee

Martin McClanan, ein Internet-Guru bei Prophet Brand Strategy, bemerkte (das Zitat ist am Anfang dieses Kapitels wiedergegeben), dass »das Web das Zusammentreffen von Medien und Handel auf eine Weise repräsentiert, die bestehende Kommunikationskanäle grundsätzlich destabilisieren könnte.« Seine Beobachtungen weisen darauf hin, dass Teilnehmer im Web diesbezüglich die richtige Perspektive haben müssen. Reine E-Commerce-Marken sollten nicht einfach nur eine funktionale, bequeme Methode zum Bestellen von Produkten bieten (denn das führt häufig zu einem Geschäft mit niedrigen Gewinnmargen) sondern sollten über eine Persönlichkeit, Gemeinsamkeiten, Inhalt und Unterhaltung eine Marke aufbauen, um so zu längeren Besuchen anzuregen und die Markentreue zu erhöhen. Diese Marken sollten alle zur Markenpflege vorhandenen Mittel nutzen und sich nicht nur auf das Web beschränken.

Marken, die auch außerhalb des Web zu finden sind, sollten das Internet nicht einfach als ein anderes Medium betrachten; es sollte als wesentlicher Teil der Anstrengungen zum Aufbau der Marke betrachtet werden, wenn nicht sogar als deren Triebfeder. Noch wichtiger ist die Tatsache, dass die Einführung des Web ganze Geschäftsmodelle und die Rolle der traditionellen Kommunikationsmittel ändern kann. Unter Umständen sollte man das Internet nutzen, um bei der Markenpflege über die reine Kommunikation hinauszugehen und alle Aktivitäten als eine nützliche Kette darzustellen, angefangen bei der Produktentwicklung bis hin zum Service.

Das Web hat sich so rasch entwickelt, dass nicht viele der traditionellen Kommunikationsmanager die Verantwortung für die Bemühungen der Marke im Internet übernehmen und dabei großartige Ergebnisse produzieren können. Unternehmen brauchen hochrangige Manager im eigenen Haus, die wissen, wie man die breite Palette von Kommunikationsmitteln nutzt (sowohl die im als auch außerhalb des Internets), die neue E-Business-Modelle entdecken und die Möglichkeiten des E-Commerce entwickeln und ausnutzen. Heute ist die Position eines Web-Direktors noch selten, aber schon bald wird er ganz wichtig für Marken sein, die einen echten Wettbewerbsvorteil herausarbeiten und ihn dann auch verteidigen wollen.

Genauso wichtig wird es sein, die richtigen externen Kommunikationspartner zu wählen. Da die meisten traditionellen Werbeagenturen das Web nur als einen weiteren Kommunikationskanal ansehen, sind auch nur eine Hand voll von ihnen in der Lage, das nötige technische Wissen und Erfahrungen im Bereich E-Commerce zu demonstrieren. Andererseits verstehen es nur wenige Internet-Entwickler, ihre Fähigkeiten in den Dienst der Markenpflege zu stellen. Die Mischung von Fähigkeiten, die man braucht, um eine digitale Markenstrategie zu entwickeln, die von einer starken, eindeutigen Identität geleitet wird – eine, die sicherstellt, dass die Gruppen innerhalb und außerhalb des Unternehmens, die für die Implementierung zuständig sind, die Chancen des Internets zum Aufbau von Marken bestmöglich ausnutzen – ist heutzutage schwerer zu finden als Gold.

Im Web geht es um Erlebnis und Erfahrung. Also muss das Erlebnis mit der Marke verbunden werden. Die Marke ist das, was man nicht kopieren kann. Der Trick besteht also darin, die Marke aufzubauen, indem man ein Erlebnis schafft, das die Menschen mit der Marke verbinden. Dieses Erlebnis kann man den Leuten durch Ausnutzung der einzigartigen Qualitäten des Web bieten, aber nur dann, wenn man mit der technischen Entwicklung Schritt hält.

Vorschläge

1. Unterstützt Ihre Präsenz im Internet Ihre Marke? Werden Symbole verwendet und verstärkt?
2. Gibt es einen Anreiz für Besucher, wiederzukommen?
3. Stärkt Ihre Präsenz im Internet die Marke, indem sie dem Kunden einen zusätzlichen Nutzen bietet?
4. Verstehen diejenigen, die für Ihre Präsentation im Internet verantwortlich sind, die Markenidentität richtig?
5. Verwickelt Ihre Website vorhandene oder potenzielle Kunden in einen Dialog? Schafft sie eine bessere Verbindung zwischen Ihnen und Ihren Kunden? Erleichtert Sie ein Feedback von Kunden? Wie werden Informationen, die vom Kunden kommen, in Ihrem Unternehmen genutzt?
6. Ist Ihre Präsenz im Internet über alle Marken und Märkte hinweg und auch mit anderen Medien konsistent?
7. Überprüfen Sie die Präsentation Ihrer Marke im Web auf der Basis der obigen sechs Fragen.

9

Medienwerbung allein genügt nicht zum Aufbau einer Marke

Jeder erlebt mehr, als er versteht – aber das Erlebnis,
nicht das Verständnis beeinflusst unser Verhalten.
Marshall McLuhan

Widersetzen Sie sich dem Gewöhnlichen.
Raymond Rubicam, Gründer von Young & Rubicam, etwa 1925

Siegergeschichten

Aletekost von Nestlé

In Frankreich schuf Nestlé Wickelstuben an Autobahnraststätten entlang der Autoroute Sud, der Hauptverkehrsader für Familien, die in den sonnigen Süden in Urlaub fahren. In den Wickelstuben gibt es Windeln und andere Babysachen, außerdem Babynahrung. Es handelt sich hierbei nicht um eine altruistische Initiative sondern um eine Methode, die Konsumenten für Nestlés Alete-Kindernahrung zu gewinnen. Mit dem Angebot von Babyprodukten verdient sich das Unternehmen die Dankbarkeit der Eltern und erreicht eine emotionale und funktionale Bindung der Konsumenten an die Marke.

Hewlett-Packard

Im Herzen von Manhattan stellte Hewlett-Packard Lastwagenanhänger auf, in denen das Kontrollzentrum für das Indy 500 Rennen nachgebaut war, das für verschiedene Aufgaben HP-Farbdrucker verwendete. Passanten wurden eingeladen, das Kontrollzentrum zu besichtigen. Die Show mit dem Titel »The Color of Business« vermittelte Besuchern ein Verständnis für die Bedeutung von Farbe und HP-Druckern in der heutigen schnelllebigen Unternehmenswelt. Die Faszination des Kontrollzentrums zog einerseits Besucher an und war andererseits die Quelle für wesentliche Assoziationen.

Progressive Insurance

Die Versicherungsgesellschaft Progressive Insurance ist unkonventionell und innovativ, sowohl was das Geschäft mit Autoversicherungen als auch die Markenpflege betrifft. Als das Unternehmen feststellte, dass die langsame Behandlung von Schadensfällen zu den häufigsten Beschwerden von Konsumenten führte, die in Unfälle verwickelt worden waren, führte es einen Express-Dienst zur Regelung von Schadensfällen mit eigenem Markennamen ein, Immediate Response. Deutlich gekennzeichnete Immediate Response-Wagen fahren in Hauptverkehrsbereichen umher, damit sie im Fall eines Unfalls die Bezahlung des Schadens an Ort und Stelle regeln können. Diese Autos mit dem Markennamen Progressive schaffen eine bedeutende und relevante Präsenz; Fahrer und Kunden bestätigen, dass Progressive oft schneller an der Unfallstelle ist als die Polizei.

BMW

Das BMW-Tennis- und Golfturnier schafft eine starke Bindung der Konsumenten an die Marke. Der Wettkampf ist ein gesellschaftliches Ereignis für Tennis- und Golfamateure sowie Autonarren und findet jedes Jahr an einem anderen wunderschönen Ort in Europa statt. Im Vordergrund steht Spaß, begleitet von gelegentlichen zwanglosen Unterhaltungen über Autos und Sport. Das Ereignis, die damit verbundene Öffentlichkeitsarbeit und die Direktmarketing- und Promotionsaktionen vor und nach der Veranstaltung schaffen einen Kontext, in dem der Konsument eine tiefe und emotionale Bindung zu der Marke aufbauen kann, weil sie Gefühle, Bilder und positive Gedanken über BMW entwickeln, die in seiner Erinnerung haften bleiben.

Wann immer im alten Ägypten ein Pharao starb, mumifizierten Priester den Leichnam und legten ihn in einen prunkvollen Sarkophag. Der Sarkophag wurde dann im Tal der Könige in ein Grabmal gestellt. Solche Grabdenkmäler waren kunstvolle Monumente, die in jahrelanger Arbeit entstanden. Ihr Zweck bestand darin, dem König eine sichere Reise von diesem Leben ins Jenseits zu ermöglichen und den Göttern und anderen Wesen der Schattenwelt mitzuteilen, dass in dem Sarkophag nicht irgendwer lag, sondern ein Pharao.

Die alten ägyptischen Grabdenkmäler haben bis zu 20 Kammern und viele Gänge, die von Meistern ihres Fachs ausgemalt und mit Reliefs dekoriert wurden. Die Wandgemälde erzählen Geschichten über den Pharao – woran er glaubte und was ihm etwas bedeutete. Sie beschreiben auch alltägliche Handlungen, beispielsweise Jagden, die Teil des Lebens des Pharaos waren. Die Kammern enthielten Grabbeigaben und sonstige Schätze aus dem Besitz des Pharaos.

In gewissem Sinn betrieben die Erbauer der ägyptischen Grabdenkmäler Markenpflege; sie versuchten, durch die schiere Größe und Gegenwart des Grabmals eine Präsenz zu schaffen. Sie schufen eine Reihe von Assoziationen, die den Pharao charakterisierten. Dann stellten sie eine enge Verbindung zwischen der »Marke« Pharao und den Göttern her, indem sie ein Gebäude errichteten, zu dem die Götter eine Beziehung haben würden. Und all dies ohne Werbung!

Wie man eine Marke aufbaut

Bei der Umsetzung einer Markenstrategie konzentriert man sich auf die Präsenz und die Assoziationen, die mit der Marke verbunden sind, und Bindungen an die Konsumenten (Schaubild 9.1). Jede dieser Aufgaben wird von der Markenidentität und der Markenposition gesteuert. Selbst für die Präsenz braucht man Leitlinien, denn manche Ansätze sind möglicherweise nicht mit der Markenidentität kompatibel.

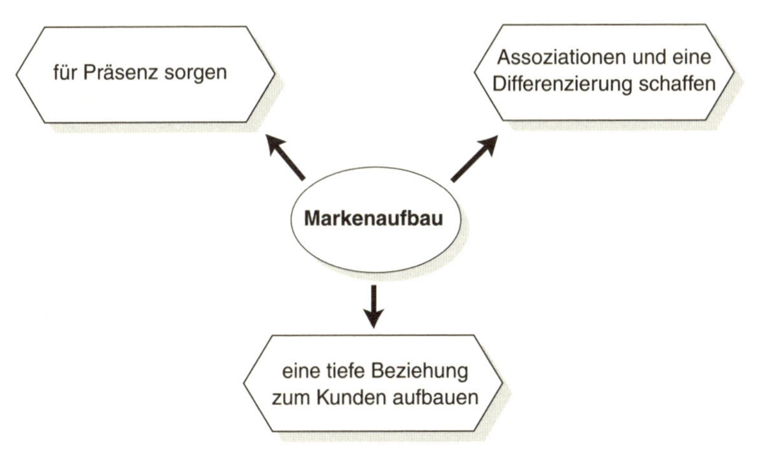

Schaubild 9.1: Aufgaben beim Aufbau einer Marke

Man unterschätzt oft die Bedeutung einer Präsenz. Marken wie Intel, Coke und Visa haben dominante Positionen hauptsächlich auf der Basis ihrer überwältigenden Präsenz entwickelt. Jede von ihnen ist in ihrem Umfeld allgegenwärtig; eine derartige Präsenz regt nicht nur zum Kauf an, sie kann auch die Wahrnehmung beeinflussen. Man traut einer Marke wie Intel Führungsqualitäten, Erfolg, Qualität und sogar Spaß und Energie zu, nur weil man sie überall sieht.

Zur Präsenz gehören verschiedene Komponenten, einschließlich Wiedererkennung (»Haben Sie schon von dieser Marke gehört?«), ungestützte Erinnerung daran (»Welche Marken kommen Ihnen in den Sinn?«) und die erste Marke, die einem in den Sinn kommt, sowohl beim Einkauf als auch generell, wenn man an Marken denkt. Die relative Bedeutung der einzelnen Komponenten hängt vom Wettbewerbsumfeld ab. Für eine kleine oder aufstrebende Marke in einem großen Markt könnte die Wiedererkennung das Hauptziel sein. In anderen Situationen ist die Erinnerung an die Marke wichtiger; in dem Buch *Building Strong Brands* wurde die Gefahr diskutiert, sich ins Abseits zu manövrieren (die Wiedererkennung ist hoch, aber man erinnert sich nur selten an die Marke). Für eine dominante Marke, besonders in einer Warengruppe, die von Spontankäufen lebt, beispielsweise Kaugummi, kann es lebenswichtig sein, den Konsumenten als Erste in den Sinn zu kommen. In fast allen Fällen sollte man das Ziel haben, hinsichtlich aller drei Komponenten erfolgreich zu sein.

Der Aufbau von Assoziationen, das Kernstück der Markenpflege, wird von der Markenidentität bestimmt. Das Ziel besteht nicht nur darin, bedeutende Assoziationen zu schaffen, sondern auch die Marke zu differenzieren, wie das beispielsweise Southwest Airlines, Tiffany und Jaguar tun. Aufgrund des Young & Rubicam Brand Asset Valuators, der auf einer strukturierten Untersuchung von über 13000 Marken in drei Dutzend Ländern basiert, ist die Differenzierung der Schlüssel zu einer starken Marke, wichtiger als Wertschätzung, Bedeutung und Wissen über die Marke.[50] Das Young & Rubicam-Modell verdeutlicht, dass neue Marken sich zuerst um eine Differenzierung bemühen, und das früheste Anzeichen dafür, dass eine Marke an Glanz verliert, ist üblicherweise ein Mangel an Differenzierung. Markentreue muss auf einzigartigen Eigenschaften basieren; es fällt sehr schwer, sich für eine 08/15-Marke zu engagieren.

Die wirklich starken Marken, so wie Harley-Davidson und Saturn, schaffen nicht nur Präsenz und Differenzierung, sondern gehen einen Schritt weiter, um eine tiefe Beziehung zu einer Kundengruppe zu entwickeln – solche Marken werden ein wichtiger Bestandteil im Lebens der Kunden. Wenn eine solche Bindung entsteht, werden die funktionalen und emotionalen Vorteile sowie die Möglichkeit, sich durch die Marke auszudrücken, sehr intensiv empfunden. Kunden werden äußerst treu sein und wahrscheinlich mit anderen über die Marke reden, um deren Vorzüge zu preisen und ihre Schwächen zu verteidigen.

Wie man das Herz der Konsumenten gewinnt

Die Entwicklung einer tief gehenden Bindung an ein Kundensegment ist üblicherweise viel wichtiger als die reinen Zahlen anzudeuten scheinen. Treue, engagierte Kunden beeinflussen nicht nur andere, sie bilden auch eine solide Basis für Abverkäufe. Nicht alle Marken können sich eine große Gruppe von Stammkunden schaffen; ein rein funktionales Produkt von geringem Interesse wie das Waschmittel Dash hat möglicherweise gar nicht dieses Ziel. Aber es dürfte ein wichtiges Plus für Marken sein, wenn sie Stammkunden anziehen können.

Kundenbeziehungen im Modell

Eine Marke kann keine tiefen Beziehungen entwickeln, wenn sie die Kunden nicht gut versteht. Es gilt herauszufinden, was den Kunden am Herzen liegt, den Teil ihres Lebens entdecken, der für Engagement steht oder ausdrückt, wer oder was sie sind – ihr Selbstbild. Eine Methode, das herauszufinden, besteht darin, sich die bereits existierenden loyalen Kunden genau anzusehen: Wieso haben diese Leute eine derartig starke Bindung an die Marke? Motivforschung kann dabei sehr hilfreich sein. Der Schlüssel zum Erfolg besteht darin, *von* den Kunden als Individuen zu lernen und nicht etwas *über* die Kunden als Gruppe zu erfahren. Welche Bindung besteht zwischen der Marke und dem Selbstbild des Kunden und seinem Lebensstil? Außerdem sollte man herausfinden, was dem Kunden lieb und teuer ist, seine Überzeugungen, Aktivitäten, Interessen und Besitztümer betrachten. Das Wesen der meisten Menschen lässt sich in diesen drei Dimensionen ausdrücken, wie das Modell über Kundenbeziehungen in Schaubild 9.2 verdeutlicht.

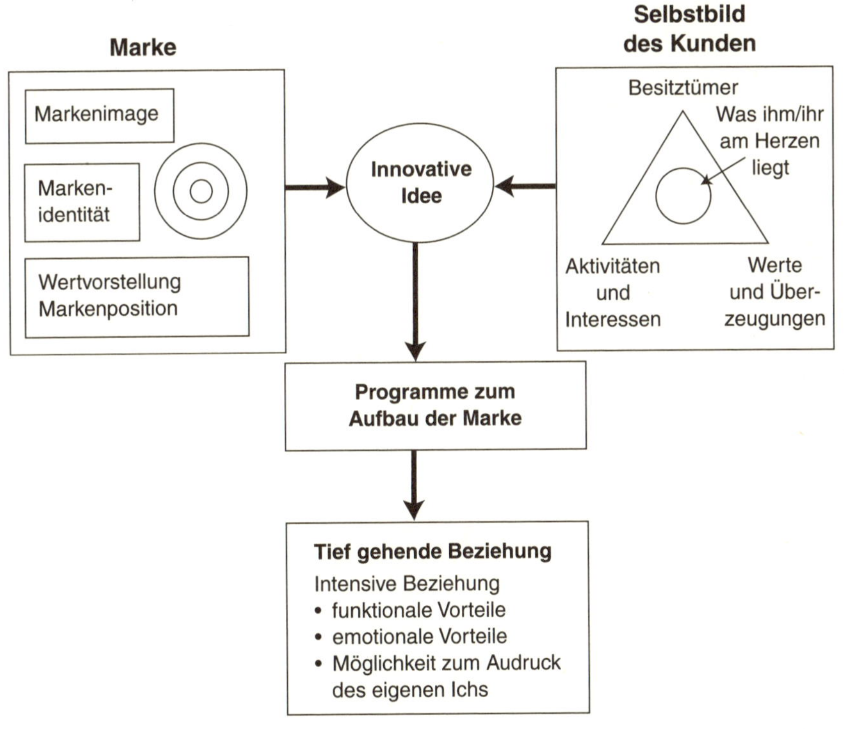

Schaubild 9.2: Kundenbeziehungen im Modell

Werte und Überzeugungen. Die Werte und Überzeugungen eines Kunden stellen das Wesen dieser Person dar, das, wofür sie steht. Die Kette The Body Shop (für Kosmetik und Hautpflegeprodukte) schafft eine Verbindung zu Menschen, die sich für soziale Fragen interessieren; die Programme des Unternehmens zur Unterstützung der Dritten Welt, zur Rettung der Wale und zum Umweltschutz generell finden bei einer Zielgruppe Anklang, für die ähnliche Werte und Überzeugungen wichtig sind. Das Ronald-McDonald-House-Programm, das Unterkünfte für Familien von schwer erkrankten Kindern bereitstellt, spiegelt die Werte und Ansichten eines Teils der McDonald-Kunden wider. Apples Slogan »Think different« und ungewöhnliche Computerfarben sprechen Leute an, die den kämpferischen Willen schätzen, gegen einen monolithischen Wettbewerber anzutreten. Microsoft dagegen verwendet die Frage »Where do you want to go today?« [»Wohin wollen Sie heute gehen?«], um eine Reihe von Zielvorstellungen anzudeuten und damit ebenfalls eine Verbindung zu einem Kundensegment herzustellen.

Aktivitäten und Interessen. Eine weitere Dimension der Kundenpersönlichkeit umfasst Aktivitäten und Interessen, wie beispielsweise Tennis, Fußballspiele, Reisen, Heimwerken, Familie, Investitionen, Sport treiben, zur Arbeit fahren und Restaurantbesuche. Als fester Bestandteil einer dieser Aktivitäten oder Interessen mit der Folge, außerordentliche funktionale Vorteile nach sich zu ziehen, kann eine Marke eine Bindung zum Konsumenten aufbauen. The North Face beispielsweise könnte Teil des Outdoor-Programms werden, indem es die Ausrüstung und das Know-how für Wanderer und Kletterer zur Verfügung stellt. Ein Anleger, der online Aktien kaufen möchte, könnte Charles Schwab, den führenden Online-Makler, als Partner für die Verbesserung seiner Portfoliostruktur in Erwägung ziehen.

Eigentum. Wir sind, was wir haben. Eigentum wird hier sehr weit gefasst und schließt Personen, Orte, Ideen oder Gruppen genauso ein wie Dinge. Alles dies kann ein Selbstgefühl ausdrücken oder bestätigen[51] – also alles das, was zu einem Menschen gehört und er in dem Wort »ich«, und nicht »mein«, zusammenfasst. Die Herausforderung für die Marke besteht in der Identifikation des Produkts für den Käufer. In manchen Fällen (beispielsweise Harley-Davidson) ist natürlich die Marke selbst so ein Besitz und bietet immense emotionale Vorteile und die Möglichkeit der Identifikation. Wenn ein Kunde ein Harley-Davidson-T-Shirt hoch hält und sagt: »Diese Marke, das bin ich«, und dazu berichtet, wie sie zum Bestandteil seines Lebens wurde, oder wenn der Besitz eines Mercedes-Benz jemandem das Gefühl gibt, etwas erreicht zu haben, dann hat die Marke eine starke Bindung zu dem Kunden aufgebaut.

Die innovative Idee

Wie in Schaubild 9.2 dargestellt wurde, ist eine innovative Idee das wesentliche Element beim Aufbau einer Marke, das heißt, ein zentrales Konzept (wie eine Markenpersönlichkeit) oder Programm (wie die Adidas Streetball Challenge oder NikeTown), um das eine Reihe von Programmen zum Aufbau der Marke entwickelt werden kann. Eine gute, innovative Idee wird Programme fördern, die

- zum Aufbau der Marke beitragen, indem sie Präsenz, Assoziationen und Beziehungen schaffen,
- beim Kunden eine Resonanz erzeugen,
- aus der Menge hervorstechen.

In vielen Fällen wird die innovative Idee davon inspiriert, was Konsumenten wirklich am Herzen liegt. Daher entwickelte Adidas die Idee für die Adidas Streetball Challenge. Die Zielgruppe, junge Leute, reagierte positiv auf die Idee eines Wochenendes voll sozialer Kontakte und physischer Aktivitäten mit viel Wettbewerb. In Schaubild 9.3 sind weitere Beispiele für innovative Ideen und Vorlieben der Konsumenten zusammengetragen.

Marke	**Konsumenten Vorliebe**	**Innovative Idee**
Adidas	Teamwettbewerbe als Wochenendbeschäftigung	Adidas Streetball Challenge
Coca-Cola	Patriotismus und das Vergnügen am Feiern	Olympic Torch Ralley
Harley-Davidson	Sich als Macho und frei fühlen	Harley Owners Group (HOG)
Maggi	Kochen mit Vergnügen für Familie und Freunde	Kochstudio
Starbucks	Spaß und Geselligkeit in der täglichen Kaffeepause	eine Reproduktion der europäischen Kaffeehaustradition
TAG Heuer	Identifizierung mit dem Jachtsport	Sponsoring des Whitbread Yacht Race

Schaubild 9.3: Beispiele für innovative Ideen

Innovative Ideen können auch von der Marke selbst ausgehen. Beispielsweise kann eine solche Idee auf einem der folgenden Aspekte beruhen:

- dem Produkt: Der IBM ThinkPad, Apples iMac und der Audi TT sind alles Markenaussagen, die als treibende Kraft beim Aufbau der Marke dienen können.
- der Position: Die Geschichte von Häagen-Dazs (die weiter unten in diesem Kapitel beschrieben wird) bietet ein Beispiel für eine Markenposition, die als innovative Idee hinter einer ganzen Reihe von Programmen stand.
- der Markenpersönlichkeit: Die Virgin-Persönlichkeit diente als Inspiration für eine Reihe von treibenden Ideen, die hinter vielen verschiedenen Programmen standen.

Offensichtlich kann eine zündende, innovative Idee als Befreiungsschlag wirken, wie beispielsweise NikeTown oder die Adidas Streetball Challenge, der für eine Reihe von Programmen zum Aufbau der Marke den nötigen Anstoß bietet. Aber wie kann man eine solch innovative Idee hervorbringen? Glück spielt durchaus eine Rolle. Der Managementguru Tom Peters empfahl einmal Unternehmen: »Genießen Sie das Chaos und die Freuden einer zufälligen Entdeckung – das ist der richtige Ansatz!« Es ist jedoch kein Zufall, dass manche Unternehmen mehr Glück haben als andere; wie Louis Pasteur schon sagte: »Der Zufall kommt nur einem bereiten Geist zu Hilfe.« Ein Unternehmen kann eine Kultur und Struktur schaffen, in der es Menschen möglich ist, eine außergewöhnliche Idee zu entdecken, und, was vielleicht noch wichtiger ist, in der sie die Motivation und Befugnis haben, eine solche Idee zu unterstützen, sodass sie Erfolg haben kann. Es kann auch einen Prozess etablieren, der die Wahrscheinlichkeit, eine erfolgreiche innovative Idee zu finden, erhöht. Ein derartiger Prozess läuft vermutlich in drei Phasen ab.

In der ersten Phase stellt man die wichtigsten Aspekte der Marke und des Kunden klar. Für die Marke bedeutet das Markenimage und die Identität (einschließlich Persönlichkeit, Symbole und Markenwesen, der damit verbundenen Wertvorstellung und die Markenposition). Im Hinblick auf den Konsumenten betrifft es seine Aktivitäten und Interessen, seine Werte und Überzeugen sowie seine bereits oben diskutierten Besitztümer. Welche dieser Aspekte bieten Anhaltspunkte, um den Konsumenten zu packen?

In der zweiten Phase definiert man mögliche innovative Ideen auf der Basis der Vorstellungen, Konzepte und Einsichten, die man in der ersten Phase entwickelt oder gewonnen hat. Es kann helfen, ein paar einfache Fragen zu stellen: Was ist echte Magie? Was findet wirklich einen Widerhall? Was stellt einen Unterschied zu anderen Marken dar? Ein richtiger Workshop in kreativem Denken könnte ebenfalls eine lohnende Investition sein; denken Sie aber daran, dass bereits Programme für kreatives Denken von anderen entwickelt wurden – der Workshop braucht also keine einfache Brainstorming-Sitzung zu sein.[52]

In der dritten Phase werden die vorgeschlagenen Ideen diskutiert. Welche Programme zum Aufbau der Marke könnte man um jede von ihnen herum gruppieren? Welche Auswirkungen hätten diese Bemühungen? Wie viele Leute in der Zielgruppe könnte man damit erreichen? Welche Assoziationen würden entwickelt? Wie würde man den Erfolg messen? Wie könnte man das Konzept weiter entwickeln, um es noch zu verbessern?

Hobart Corporation

Die Hobart Corporation – ein Hersteller von Geräten für das Lebensmittelgewerbe seit mehr als 100 Jahren – wurde in ihrer Branche zwar nicht unbedingt als führend betrachtet, hatte aber einen guten Ruf für qualitativ hochwertige Produkte aufgebaut. Sie war das größte Unternehmen der Branche und lieferte an viele verschiedene Einzelhändler (Restaurants und Bäckereien) und Großkantinen (beispielsweise in Schulen) und deckte die wesentlichen Warengruppen ab. Die anderen führenden Unternehmen waren immer nur in einer bestimmten Produktkategorie hervorragend (beispielsweise Kühlschränke) oder nur in einer Branche wohl bekannt.

Hobart wollte mehr. Das Unternehmen hatte das Ziel, einen dauerhaften Wettbewerbsvorteil zu entwickeln, indem es nicht nur bei den Produkten, sondern auch bei den kreativen Gedanken führend wurde. Die innovative Idee bestand darin, Rat und Lösungen für alltägliche Probleme zu bieten, mit denen Restaurants und Kantinen im Tagesgeschäft zu tun hatten: gute Angestellte zu finden und zu behalten, die Unbedenklichkeit der Nahrung zu gewährleisten, Kosten zu senken, Abfall zu vermeiden und den Absatz pro Verkaufsfläche zu erhöhen. Diese organisatorischen Probleme lagen den Kunden besonders am Herzen.

Diese innovative Idee, sich der Alltagsprobleme der Kunden anzunehmen, führte zu einem imposanten Programm zum Aufbau der Marke, bei dem PR-Maßnahmen im Vordergrund standen. Anzeigenwerbung, die sich auf besonders dringliche Probleme konzentrierte, ging dem Programm voraus. Beispielsweise zeigte eine Anzeige ein Schild mit der Aufschrift »Beschäftigte müssen sich die Hände waschen, ehe sie zur Arbeit zurückkehren« über einem Waschbecken in einer Angestelltentoilette und stellte die Frage: »Brauchen Sie vielleicht einen umfassenderen Ansatz für die Unbedenklichkeit der Nahrungsmittel?« In der Anzeige kamen auch die Lösungsvorschläge von Hobart vor sowie der Slogan: »Solide Geräte. Solide Ratschläge.«

Diese Anzeigenkampagne spielte nur eine untergeordnete Rolle innerhalb des ganzen Programms zum Aufbau der Marke, das mit Hilfe von Hensley, Segan and Rentschler entwickelt wurde, einem Business-to-Business-Kommunikationsunternehmen. Hobart arbeitete direkt mit Journalisten von der Fachpresse zusammen, nicht damit über seine Produkte, sondern über seine Ideen berichtet wurde. Ziel waren Artikel mit Schlagzeilen wie »Kalter Krieg: Clevere Kühlschränke schützen Restaurateure vor Lebensmittelvergiftungen«. (Der Artikel erschien im *Hotel Magazine.*) Hobart veränderte auch die Einführung neuer Produkte und betonte nun, wie ein Produkt dem Kunden bei wichtigen Geschäftsproblemen helfen konnte. Beispielsweise wurden bei dem Hobart Turbo Wash weniger die technischen Details wie die versenkten Spritzdüsen betont, als die Tatsache, dass er eine ungeliebte Aufgabe – das Schrubben von Töpfen und Pfannen – viel leichter machte, wodurch die Angestellten im Restaurant und in der Kantine viel zufriedener würden.

Hobart kreierte auch ein Kundenmagazin, *Sage: Seasoned Advice for the Food Industry Professional*, mit fundierten Artikeln, die mit denjenigen in Fachzeitschriften durchaus mithalten konnten – nicht einfach nur Schaumschlägerei vom Hersteller. Um diesen neuen Ansatz auf Messen vorzustellen, gab es am Hobart-Stand ein Ideenzentrum, in dem man Experten um Rat bei Problemen aus dem Geschäftsleben fragen konnte. Innerhalb des Unternehmens wurde die Botschaft von der führenden Position bei Abteilungs- und Firmenbesprechungen sowie durch interne Hausnachrichten unterstützt.

Eine andere Methode von Hobart waren Präsentationen auf wichtigen Veranstaltungen der Branche, wie beispielsweise auf dem Home Meal Replacement Summit und auf der National Conference of the Foodservice Consultants. Außerdem bot Hobart auf seiner Website eine Menge Inhalte zu wichtigen Themen; Besucher konnten hier diverse Abhandlungen finden, Stellungnahmen von Industrieexperten, Briefing-Unterlagen und sonstiges Material, das wöchentlich auf den neuesten Stand gebracht wurde. Hobart platzierte diesen Inhalt auch strategisch günstig auf vielen anderen Websites, die häufig von Leuten aus dem Lebensmittelgewerbe aufgesucht wurden, und ausgewählte Artikel wurden auch in gedruckter Form einem breiteren Publikum zur Verfügung gestellt.

Quelle: Unser Dank geht an Steve Kissing von Hensley, Segal and Rentschler, der dieses Beispiel für eine innovative Idee vorschlug und die Details lieferte.

Ein Modell für Beziehungen zu anderen Unternehmen

Auch Unternehmen sind Kunden – aber man muss das Modell für Kundenbeziehungen auf Unternehmen zuschneiden. Genau wie Menschen, haben Unternehmen Wertvorstellungen und Überzeugungen, die zu ihrem Wesen gehören. Die beiden anderen Punkte des Kundenbilds im Modell (Schaubild 9.2) müssen jedoch durch die Botschaft des Unternehmens und unternehmerische Belange ersetzt werden.

Werte und Überzeugungen

Unternehmerische Werte sind etwas Eigenes. Sozial orientierte Aktivitäten sind für The Body Shop wichtig, während für andere Unternehmen ein Interesse an der Kunst oder Wohltätigkeitsorganisationen ganz oben steht. Hewlett-Packard kümmert sich besonders um seine Angestellten, deren professionelle Erfüllung und private Zufriedenheit. Chevron sorgt sich um die Umwelt. 3M fördert die unterschiedlichsten Arten von Innovationen.

Die Mission eines Unternehmens

Jedes Unternehmen hat eine Mission oder eine Aktivität, durch die es sich definiert. General Motors entwickelt Autos, stellt sie her und verkauft sie. Xerox ist die »digital document company«. Disney macht Leute glücklich. Eine Mission ist für Unternehmen nicht nur in funktionaler, sondern auch in emotionaler Hinsicht wichtig – sie drückt aus, wofür ein Unternehmen überhaupt da ist. Will man eine Verbindung zwischen einer Marke und einer Firma herstellen, sollte man sich erst ansehen, wie diese ihre Mission definiert. Beispielsweise könnte ein Zulieferer von General Motors eine Verbindung herstellen, indem er sich auf die Themen Straßen, Sicherheit beim Autofahren oder Rallyes konzentriert. Auf diese Weise könnte die Zulieferermarke die gleiche Leidenschaft für Autos und deren Bedeutung für die Gesellschaft demonstrieren wie GM.

Unternehmensprobleme

Jedes Unternehmen hat seine Probleme, genauso wie eine Reihe von Aktivposten, die entwickelt wurden, um die Probleme zu lösen. Hobart, das im letzten Kasten ausführlich dargestellt wurde, ist ein Beispiel dafür, wie man derartige unternehmerische Schwierigkeiten zur Entwicklung einer treibenden Idee nutzen kann. Hobart fragte sich ganz einfach, welche größeren Probleme seine Kunden überwinden müssten, um erfolgreich arbeiten zu können und begann dann, sich zu einem kompetenten Berater hinsichtlich dieser Themen zu entwickeln.

Mittel zum Aufbau der Marke

Ob das Ziel nun darin besteht, die Präsenz zu erhöhen, Assoziationen zu schaffen oder eine tief gehende Bindung herzustellen: Wie entwickelt man eine Reihe von Programmen zum Aufbau der Marke um eine innovative Idee herum? In der Vergangenheit war der effektive Einsatz von Medienwerbung der Eckpfeiler für die meisten Maßnahmen zum Aufbau der Marke. Die Annahme, eine erfolgreiche Markenpflege bestünde darin, eine gute Werbeagentur zu finden, sie zu bewegen, großartige Werbung zu entwickeln und dann eine ausgedehnte Kampagne zu finanzieren, ist langsam aber sicher veraltet. Den Aufbau einer Marke an eine Werbeagentur zu delegieren, die (auch wenn sie das Gegenteil behauptet) dazu neigen wird, die üblichen Anzeigen und Spots zu machen, ist nicht länger ein Rezept für den Erfolg des Branding – und es ist fraglich, ob es das jemals war.

Ohne Frage kann Medienwerbung sehr wirkungsvoll sein, besonders dann, wenn eine wirklich großartige Kampagne wie »Got Milk?« entwickelt wird, und sie wird wahrscheinlich auch in Zukunft den größten Teil der Investitionen zum Aufbau der Marke für sich vereinnahmen können. Bei der Medienwerbung gibt es jedoch eine Reihe von Problemen und Einschränkungen, sodass es gefährlich ist, die wachsende Anzahl von Alternativen zu ignorieren.

Aufgrund der Zunahme von Nischenmagazinen und -zeitungen und der Nutzung von speziellen Fernsehkanälen wird die Medienwerbung zunehmend fragmentiert. Dies hat positive Aspekte, denn es ist nun möglich, bestimmte Zielgruppen in einem Kontext zu erreichen, was der Marke oft hilft. Es bedeutet jedoch auch, dass die Kostenersparnisse dank optimaler Nutzung, die man früher mit Medienwerbung in Verbindung brachte, nun nicht mehr so leicht zu erzielen sind, weil man viel mehr Anzeigen in viel mehr Publikationen schalten muss, um die gleiche Anzahl von Leuten zu erreichen. Da außerdem wenige echte Talente viel zu viel Werbung produzieren, wird es immer schwieriger, den großen Knüller zu landen, den man bräuchte.

Das reine Ausmaß an Werbechaos, das teilweise durch immer kürzere Fernsehspots entsteht, verschreckt möglicherweise das Publikum. Marktforschungsuntersuchungen deuten darauf hin, dass die Konsumenten der Werbung skeptisch gegenüber stehen. In einer Studie gaben 16 Prozent der Befragten in Großbritannien an, dass sie auf die Werbeblöcke im Fernsehen achteten, 65 Prozent trauten der Fernsehwerbung nicht mehr, und jede(r) dritte Befragte gab an, Werbung irritiere oder verärgere ihn oder sie.[53] Obwohl die Antworten möglicherweise etwas verzerrt sind, ist es doch ernüchternd sich vorzustellen, dass Werbung von 84 Prozent derjenigen ignoriert wird, an die sie sich wenden möchte, und dass nur ein Drittel der Leute sie vertrauenswürdig und nicht irritierend finden.

Besondere Sorge macht den für die Markenpflege Zuständigen die Tatsache, dass Medienwerbung zum größten Teil passiv konsumiert wird und keine derart intensive Verbindung herstellen kann, wie das alternativen Methoden möglich ist, die experimenteller und involvierender sein können. Die Möglichkeit, mit Hilfe von Werbung eine tief gehende Bindung zu Kunden aufzubauen, ist relativ gering.

Glücklicherweise muss die Medienwerbung nicht das dominante oder auch nur eines der wichtigsten Mittel zum Aufbau der Marke sein. Es sind schon starke Marken aufgebaut worden, bei denen andere Werkzeuge eine wesentliche Rolle spielten, wie beispielsweise das Internet, Sponsoring, Promotionskampagnen, Direktmarketing, Flaggschiffläden, Klubs für Kunden, die Verteilung von Produktmustern oder Proben, Plakate und andere optische Hilfsmittel, Dienstleistungsprogramme für die Öffentlichkeit mit eigenem Markencharakter (wie das Ronald McDonald House), eine erhöhte Präsenz durch Kioske und Displays in Läden – um nur eine Auswahl zu nennen. Denken Sie nur an die Adidas Streetball Challenge, die NikeTown-Geschäfte, die Virgin-Werbegags und das MasterCard-Sponsoring der Fußballweltmeisterschaft. Die Herausforderung besteht darin, die Dutzende von Mitteln, die für den Aufbau einer Marke in einem Unternehmen zur Verfügung stehen, zu nutzen und zu managen, auch dann, wenn sich das Unternehmen unbehaglich fühlt, sobald es über Werbung hinausgeht, möglicherweise, weil ihm intern nicht die nötige Sachkenntnis zur Verfügung steht.

Der Aufbau von Marken – europäische Vorbilder

Im größten Teil dieses Kapitels präsentieren wir Vorbilder dafür, wie man Marken auch ohne Medienwerbung aufbauen kann und jedes dieser Beispiele steht für eine besondere Art von kreativem Flair. Diese Leitbilder wurden teilweise aus dem europäischen Raum gewählt, vor allem deshalb, weil in Europa die Werbung erheblichen gesetzlichen Restriktionen unterliegt, und daher gibt es mehr alternative Ansätze zum Aufbau von Marken. Nach der Vorstellung dieser Leitbilder werden wir einige Hinweise zum Aufbau von Marken geben, die auf den vorgestellten Fallstudien und dem aus den vorhergehenden drei Kapiteln Gelerntem basieren.

Die Maggi-Story

Julius Maggi gründete die Firma Maggi vor über 100 Jahren, als er die erste Trockensuppe entwickelte. Sein Ziel war es, nahr- und schmackhafte Mahlzeiten für Arbeiterinnen zu kreieren, die weder die Zeit noch das Geld hatten, um zu Hause ein richtiges Essen zu kochen. Einige Jahre später erfand er die Flüssigwürze (dargestellt im Schaubild 9.4), die zum Maggi-Symbol wurde. Die auffällige Flasche wurde im deutschsprachigen Teil Europas genauso bekannt wie die Coke-Flasche in Amerika; die Maggi Flüssigwürze war bei vielen Rezepten die geheime Zutat, die der Köchin Komplimente einbrachte. Nach dem Zweiten Weltkrieg kaufte Nestlé die Firma Maggi.

Schaubild 9.4: 100 Jahre Maggi Flüssigwürze

Als Maggi feststellte, dass die Stammkunden während der achtziger und neunziger Jahre des 20. Jahrhunderts älter wurden, wandte sich die Marke an die jüngere Generation mit Halbfertiggerichten, Fertiggerichten und Tiefkühlkost, außerdem wurden bestimmte exotische Gerichte und Mahlzeiten für Kinder angeboten. Diese Initiativen entsprachen voll und ganz der Maggi-Tradition und dem Wesen der Marke als bestem Freund/bester Freundin des Kunden/der Kundin in der Küche und den folgenden Elementen der Kernidentität:

Partnerschaft: Maggi ist ein Partner in der Küche, der Ideen, Methoden und Produkte zum Herstellen von leckeren, schnellen, nahrhaften und preiswerten Mahlzeiten und Snacks beisteuert.

Innovation: Ständig werden neue Ideen in Bezug auf Geschmack und Bequemlichkeit präsentiert.

Medienwerbung (die sich darauf konzentriert, was die Marke für den Konsumenten tun kann oder was die Produkte neu, anders und begehrenswert macht) spielt nach wie vor eine Rolle für die Markenpflege von Maggi in Deutschland, dem wichtigsten Markt. In Deutschland ist allerdings das wichtigere Programm zum Aufbau der Marke, sowohl was die Investitionen als auch die Wirkung betrifft, dasjenige, das auf dem Maggi-Kochstudio-Konzept basiert. Diese innovative Idee von Maggi wurde davon inspiriert, was den Kunden am meisten am Herzen liegt – das Kochen.

Das erste Kochstudie wurde 1959 in der Firmenzentrale von Maggi in Frankfurt eingerichtet; es wird heute hauptsächlich noch zur Aufnahme von Werbefilmen genutzt, in denen die Verwendung von Produkten demonstriert wird. Ständige Bitten der Konsumenten, dieses Studio besuchen zu dürfen, motivierten Maggi dazu, das Kochstudio-Konzept auf andere Kommunikationsmittel auszuweiten. Im Laufe der Jahre hat es sich zu einem umfassenden Ausdruck der Maggi-Partnerschaft mit den Konsumenten entwickelt. Zusätzlich zu dem nach wie vor bestehenden ursprünglichen Fernsehstudio sind inzwischen sieben wichtige Programme zum Aufbau der Marke mit dem Kochstudio, das zu einer eigenen Marke geworden ist, verbunden (siehe Schaubild 9.5). Jedes stellt einen eigenständigen Beitrag dar und der Gesamteffekt ist eine wahre Symphonie zur Unterstützung der Marke Maggi.

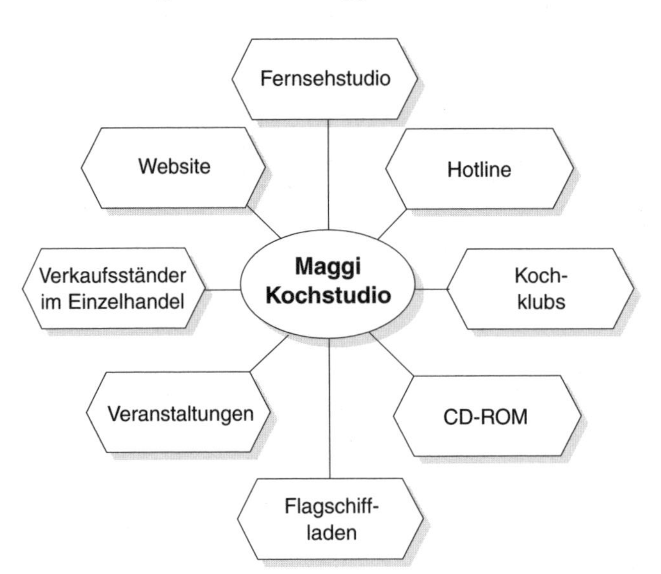

Schaubild 9.5: Das Maggi Kochstudio – Rundumbetreuung für den Kunden

Die Kochstudio-Hotline

Als Unterstützung für treue Kunden, die durch irgendeinen der Maggi Kontaktpunkte involviert wurden, bietet die Kochstudie-Hotline Konsumenten die Möglichkeit, Fragen zu stellen und Anregungen zu geben. Die Beschäftigten der Hotline beantworten pro Tag durchschnittlich 150 telefonische Anfragen und 70 Briefe. Die Erfahrungen aufgrund dieser Interaktionen werden mit anderen wichtigen Abteilungen bei Maggi geteilt, besonders der Forschungs- und Entwicklungsabteilung.

Kochklubs

1992 eröffnete Maggi einen Kochstudio-Klub, der inzwischen auf 400000 Mitglieder (oder 0,5 Prozent der deutschen Bevölkerung) angewachsen ist und ein eigenes Klubmagazin herausgibt, das dreimal jährlich erscheint. Im Mai 1996 begann Maggi, Konsumenten zu ermutigen, unter der Regie des Kochstudios ihre eigenen lokalen Kochklubs zu starten; binnen weniger Jahre entstanden über 400 dieser Klubs, die von der Zeitschrift *Topfgucker* und Rednern unterstützt wurden.

CD-ROM

Die CD-ROM des Maggi Kochstudios mit dem Titel »Kochen macht Spaß« enthält 300 Rezepte, eine ganze Enzyklopädie von Gourmetbegriffen, Musik, ein Video und einen äußert nützlichen Service für die Kunden. Über 150 Gerichte werden mit musikalischer Untermalung präsentiert, und für die meisten von ihnen gibt es auch Angaben über Nährwert, Nährstoffe und Kalorien. Mit einer Suchfunktion kann man Rezepte aufspüren, die zu den Zutaten passen, die der Koch gerade zur Hand hat.

Flaggschiffladen

Maggis 185 Quadratmeter großer Flaggschiffladen in Frankfurt wurde 1996 eröffnet. In dem Laden, der als Maggi Kochstudio Treff bekannt ist, gibt es einen Bereich, in dem Produkte und Utensilien angeboten werden wie Halbfertiggerichte, Gewürzmischungen, Schürzen, Kochbücher und als Neuheit Parfümzerstäuber in Form der berühmten braunen Maggiflasche.

Außerdem gibt es in dem Laden zwei Küchen. In der Vorführküche im vorderen Teil des Geschäfts können Besucher den Beschäftigten beim Kochen mit Maggi-Produkten zuschauen, mit ihnen fachsimpeln, die fertigen Gerichte probieren und eine Karte mitnehmen, auf der das Rezept steht. In der Experimentierküche werden täglich Kochkurse angeboten, in denen die Teilnehmer Gerichte zubereiten und dann verzehren; es gibt spezielle Veranstaltungen für Anfänger, Diabetiker und Kinder. Jeden Tag wird eine Kochstunde live auf der

Maggi-Website übertragen und jede Woche gibt »Cooking Live« (eine Radiosendung, die live gesendet wird und die Zuhörer anrufen können) dem Publikum die Möglichkeit, über Kochen und Ernährung mit Maggi-Angestellten zu plaudern. Regionale Werbung einschließlich Großplakate sorgt dafür, dass Kunden in das Geschäft kommen.

Veranstaltungen

Bei Ereignissen wie der Hundertjahrfeier im Jahr 1997, anlässlich der 1000 Gäste zu einem Prominentenbankett nach Frankfurt geladen wurden, präsentiert Maggi die Marke als energiegeladen und spannend. Die Teilnehmer feierten nicht, indem sie sich zum Essen hinsetzten, sondern indem sie an über 800 Herden, die bereit standen, selbst etwas kochten. Die Veranstaltung fand einen Platz im *Guiness Buch der Rekorde* als die größte Vorführküche der Welt, was Maggi viel Werbung einbrachte und für die Teilnehmer einen denkwürdigen und amüsanten Abend bedeutete.

Verkaufsständer im Einzelhandel

Maggi-Verkaufsständer in der entsprechenden Abteilung in Supermärkten bieten über einen Sensorbildschirm Informationen übers Kochen und Ernährung. Rezepte rund um Maggi-Produkte werden auf Wunsch ausgedruckt. Im Ständer ist ein Bewegungsmelder eingebaut, sodass er hörbar einen vorbeigehenden Kunden begrüßen kann: »Hallo, hier ist das Maggi Kochstudio.« Konsumenten haben auch die Möglichkeit, sich an dem Ständer einen alten Maggi-Werbefilm aus dem Jahr 1936 anzusehen oder Neudrucke von klassischer Maggi-Werbung zu bestellen.

Website

Die Maggi-Website ist ebenfalls in Verbindung mit dem Kochstudiokonzept konzipiert. Die Homepage begrüßt Besucher mit den Worten: »Willkommen im Maggi Kochstudio. Für uns bedeutet Kochen mehr als die reine Vorbereitung einer Mahlzeit. Uns macht Kochen Spaß! Und diesen Spaß möchten wir mit Ihnen teilen!« Es gibt eine ganze Reihe von Möglichkeiten für Besucher, miteinander und mit Maggi zu kommunizieren: Rezeptwettbewerbe, ein schwarzes Brett, Live-Übertragungen von Kochklassen im Flaggschiffladen, die Möglichkeit, Mitglied im Kochstudio-Klub zu werden, einen Online-Laden, eine E-Mail-Antwortzentrale und Informationen über Ernährung, Maggi-Produkte, Kochen und Unterhaltung.

Mit dem Maggi-Kochstudio-Programm demonstriert Maggi Partnerschaft, indem es den Kunden nicht nur die Zutaten und Hilfsmittel zum guten Kochen gibt, sondern indem es ihnen zeigt, wie man sie verwendet. Es unterstützt die Kernidentität, indem es aus Maggi viel mehr macht als die Summe seiner Produkte. Auf diese Weise grenzt es Maggi von den Wettbewerbern ab.

Maggi hat zu einer Gruppe von Kunden eine enge Bindung aufgebaut, indem es auf ihre Bedürfnisse eingeht. Diesen Kunden sind Kochen und Essen wichtig, sie wenden Zeit dafür auf und besitzen eine Menge Kochutensilien, die ihre Liebe zum Kochen ausdrücken. Maggi stellt die Verbindung zu ihnen her, indem es ihr Partner wird und sie dabei unterstützt, Hervorragendes zu leisten, was für sie einen wichtigen emotionalen Vorteil und die Möglichkeit bietet, sich selbst auszudrücken. Laut der Panelforschung der GfK war Maggi 1998 die Marke für abgepackte Ware mit der höchsten Konsumentenakzeptanz in Deutschland; 87 Prozent der Konsumenten kauften und verwendeten Maggi-Produkte regelmäßig. Diese außerordentliche Leistung kann man zum großen Teil dem Maggi-Kochstudio-Programm zuschreiben.

Swatch – der Meister der Werbung

Swatch, die es seit 1983 gibt, hat gezeigt, dass eine Uhr für modernsten Stil stehen und ein Kunstwerk aus der Schweiz sein kann, während sie gleichzeitig auch Spaß, Jugendlichkeit, Provokation und Vergnügen ausdrückt. Um diese Markenidentität zu kommunizieren, hat sich Swatch teilweise auf Werbegags verlassen, aber auch auf Sponsorenschaften und eine dynamische Produktpalette. Die innovative Idee basierte auf einer Aussage über die Markenpersönlichkeit, die betonte, die Marke sei anders (um nicht zu sagen schockierend), beschwingt und schick. Für die Einführung in Deutschland, Spanien und Japan hing das Unternehmen riesige Uhren von einem Wolkenkratzer in der betreffenden Stadt. Die Schlagzeile auf der 165 Meter langen Uhr, die in Frankfurt verwendet wurde, lautete: »Aus der Schweiz, Swatch, DM 60«. Dieser Gag erregte nicht nur die Aufmerksamkeit der Presse, sondern auch der Zielgruppe.

Swatch trat außerdem als Sponsor der Freestyle-Skiweltmeisterschaft in Breckenridge auf, der First International Breakdancing Championship im Roxy, von Andrew Logans »Alternative Miss World Show« in London, von Straßenmalern in Paris und der Veranstaltung »L'heure est à l'art« in Brüssel. Für Swatch sind die alternativen Formen der Medienkommunikation zur Botschaft geworden, sie haben sich zu einem festen Bestandteil der Marke Swatch entwickelt. Sie haben das Swatch-Lebensgefühl mit definiert – eine Welt von Einstellungen und Werten, die Swatch mit seinen Kunden teilt.

Eine dynamische Produktpalette hat geholfen, Interesse zu wecken und die Aufmerksamkeit auf Swatch zu ziehen. Mehrmals im Jahr bringt Swatch eine neue Uhrenkollektion heraus. Einige davon, wie beispielsweise modische Sportuhren, bieten echte Produktinnovationen, aber die meisten sind einfach modebestimmt. Swatch ist zu einem aktiven Sponsor der Popkulturbewegung geworden, zu der so bekannte Designer und Künstler wie Keith Haring, Alessandro Mendini, Kiki Picasso und Pierre Alechinsky gehören. Jede neue Uhr ist ausgefallener, schockierender, aufregender. Außerdem wird zur Erinnerung an Ereignisse wie das Auftreten des Halleyschen Kometen, die Perestroika und die Earth-Summit-Konferenz eine Uhrenkollektion herausgebracht.

Die Häagen-Dazs-Story

Grand Met führte Häagen-Dazs 1989 trotz einer Rezession in Europa ein, in einem stagnierenden Marktsegment mit etablierten Wettbewerbern. Unilever, Nestlé, Mars und eine Menge kleiner, aber bedeutender nationaler Eiscremehersteller (beispielsweise Schöller in Deutschland, Mövenpick in der Schweiz und Sagit in Italien) machten intensiv Werbung, hatten einen hohen Bekanntheitsgrad und kontrollierten den begrenzten Raum in den Kühltruhen in Europas Supermärkten. In manchen Ländern hatten starke Handelsmarken im Markt für den Heimverzehr einen Anteil von 40 Prozent. Außerdem verfügte Grand Met nur über eine kleine Palette von Lebensmitteln und war in den Absatzkanälen Europas kaum präsent.

Die Eiscreme von Häagen-Dazs war dicker, kremiger und teurer als die der Wettbewerber – um 30 bis 40 Prozent teurer als der nächste Wettbewerber und gut neunmal so teuer wie die billigsten Produkte. Zielgruppe für das Produkt waren wohlhabende, kultivierte Erwachsene, und Grand Met positionierte es als sinnliches Verwöhnprodukt für die oberen Schichten, das man das ganze Jahr über genießen konnte; diese Positionierung wurde die treibende Kraft hinter der Marke Häagen-Dazs. Der fiktive skandinavische Markenname rief bei Europäern Vorstellungen von Natur und Frische hervor, die sich gut mit den wichtigsten Attributen der Eiscreme verbinden ließen.

Üblicherweise wird ein neues Produkt wie Häagen-Dazs mit großen Werbeanstrengungen eingeführt. Aber Grand Met wählte einen anderen Ansatz und eröffnete mehrere noble Eissalons in bekannten, exklusiven europäischen Einkaufsstraßen, in denen viele Leute zu Fuß unterwegs waren (siehe Schaubild 9.6). Die caféartigen Läden vermittelten ein Gefühl von Exklusivität, Qualität, Sauberkeit und Natürlichkeit (ganz anders als die sterilen Eiscafés, die Häagen-Dazs in den USA aufmachte). Mit ihrer deutlichen Präsenz und den vielen Passanten verankerten die Läden ein aggressives Verkostungsprogramm; die Passanten erlebten Häagen-Dazs in einem Umfeld, das auf ein positives, ja sogar denkwürdiges Erlebnis schließen ließ.

Das Verkostungsprogramm wurde auch mit gesponserten kulturellen Ereignissen unter dem Rahmenprogramm »Häagen-Dazs widmet sich dem Vergnügen und der Kunst« verbunden, und diese zusätzlichen Assoziationen verstärkten das Markenimage. Beispielsweise stellte das Sponsoring von verschiedenen Opernaufführungen sicher, dass Häagen-Dazs am richtigen Ort von den richtigen Leuten gesehen und gekostet wurde. Bei der Avantgarde-*Don Giovanni*-Produktion der Opera Factory wurde die Regieanweisung leicht verändert: Don Giovanni verlangte ein Sorbet, erhielt aber stattdessen einen Becher von Häagen-Dazs. Kostenlose Werbung.

Häagen-Dazs platzierte seine Produkte auch in hochklassigen Hotels und Restaurants und verkaufte nur an diejenigen, die den Namen Häagen-Dazs in die Speisekarte aufnahmen. Das Programm wurde von einer Promotionskampagne unterstützt, bei der Kunden, die einen Becher Häagen-Dazs-Eiscreme kauften,

Schaubild 9.6: Häagen-Dazs-Schaufensterfront

einen Gutschein erhielten, der sie zu einem verbilligten Essen für zwei in bestimmten Restaurants berechtigte. Diese Art von Kontakt unterstützte das exklusive, besondere Image, das die Marke suchte. Als Häagen-Dazs auch in Supermärkten und anderen Läden Einzug hielt, lieferte das Unternehmen Gefrierschränke mit Glastüren, hinter denen die einzelnen Geschmacksrichtungen sichtbar waren. Diese Gefrierschränke unterschieden Häagen-Dazs von anderen Eiscrememarken, die man meistens mühsam in den vollgepackten und häufig lieblos behandelten Kühltruhen des Einzelhandels suchen musste.

Zur Einführung gehörte auch eine Werbekampagne mit vergleichsweise geringem Budget, die Schwarzweißanzeigen verwendete, die von dem sinnlichen amerikanischen Film *9½ Wochen* inspiriert wurden. Diese Medienwerbung wurde für die Produktion einer Musik-CD ausgenutzt, die auf die Anzeigen Bezug nahm und in über 4000 Musik- und Lebensmittelgeschäften verkauft wurde.

Die Maßnahmen zum Aufbau der Marke waren in mehrfacher Hinsicht erfolgreich. In die Eissalons kam viel Laufkundschaft; das Café am Leicester Square in London verkaufte beispielsweise über 50000 Eisbällchen in einer Woche im ersten Sommer nach der Eröffnung. Über 4000 europäische Einzelhändler stellten Häagen-Dazs-Gefrierschränke mit Markennamen in ihre Geschäfte. Trotz des geringfügigen Medienbudgets von nur etwa einer Million Dollar, stieg der Bekanntheitsgrad in Großbritannien binnen weniger Monate auf über 50 Prozent. Der Europaabsatz von Häagen-Dazs stieg binnen fünf Jahren von 10 Millionen Dollar auf 180 Millionen Dollar und machte bald darauf ein Drittel des Marktes für erstklassige Eiscreme aus, obwohl die Marke nach wie vor deutlich teurer blieb als die rasch auftauchenden Nachahmer.

Die FlowTex-Story

1986 brachte FlowTex seine Installationen, für die man keine Gräben ausheben muss sondern für die Flachbohrungen genügen, nach Europa, um sie Versorgerbetrieben und anderen privaten und öffentlichen Unternehmen zur Verlegung von Rohren und Kabeln anzubieten. Die Technik hat einen wesentlichen Vorteil: Da man Kabel und Rohre unter die Erde bringen kann, ohne Gräben ziehen zu müssen, spart man damit Zeit und Geld. Die Vorteile für Leute, die dort wohnen, wo derartige Verlegungen stattfinden, bestehen darin, dass es weniger Verkehrsprobleme und Baulärm gibt und dass außerdem die Natur und die Tierwelt geschützt werden, weil man keine Bäume fällen und Löcher graben muss.

In einer Branche, die nicht für ihre Erfindungen berühmt ist, hebt sich FlowTex von anderen ab. FlowTex ist für seine ungewöhnlichen, aber effektiven Ansätze bei der Lösung von schwierigen Problemen im Bauwesen bekannt geworden. FlowTex ist das einzige vertikal integrierte Unternehmen in der Flachbohrbranche, das nicht nur seine eigenen technischen Geräte entwirft und entwickelt, sondern sie auch bei kleinen und großen Installationsprojekten einsetzt. Innovation, Beharrlichkeit sowie die Begeisterung für die eigene Arbeit sind der Stolz des Unternehmens und definieren die Unternehmenskultur.

Anfang der neunziger Jahre des 20. Jahrhunderts hatte die Geschäftsführung den Eindruck, dass verschiedene Faktoren dem Wachstum des Unternehmens im Weg standen. Erstens hatten sich lokale Allround-Bauunternehmer eine ähnliche Technik wie die von FlowTex gekauft und boten nun grabenlose Installationen als Teil ihres viel umfassenderen Bauprogramms an. Zweitens zog die Mehrheit derjenigen, die Entscheidungen im Tiefbau zu treffen hatten, nach wie vor das Ausheben von Gräben vor – eine Methode, die sich schon seit der Römerzeit bewährt hatte. Trotz der vielen Vorteile erschien das Ausprobieren von etwas Neuem nach wie vor riskant. Drittens wurde FlowTex zunehmend als Nischentechnik angesehen, die man nur in ganz bestimmten Situationen verwendete, beispielsweise wenn man historische Bauwerke schützen wollte.

Die Geschäftsleitung musste also einen Weg finden, um die Vorteile der FlowTex-Technologie den Entscheidungsbefugten in Versorgerbetrieben und der öffentlichen Verwaltung gegenüber wirkungsvoll zu kommunizieren. Sie fing damit an, dass sie die wichtigsten Probleme der Entscheidungsträger herauszufinden versuchte und entdeckte einen wunden Punkt: Die Manager in Versorgungsbetrieben und Beschäftigten in der öffentlichen Verwaltung werden von

Das Erlebnis der Marke als innovative Idee

Die innovative Idee bei Disneyland, Starbucks (Kaffeehäuser) und Nordstrom (Läden für Schuhe, Accessoires und Oberbekleidung) ist das totale funktionale und emotionale Erlebnis, das die Marke bietet. Der Schauplatz des Erlebnisses, die Farben, Gerüche und andere Eindrücke, die damit verbunden sind, schaffen Assoziationen und verstärken sie. Die folgenden Leitlinien mögen nützlich für die Kreation eines wirkungsvollen Markenerlebnisses sein:

- **Beziehen Sie die Kunden aktiv ein**
  Die Leute lernen mehr, wenn sie aktiv beteiligt sind, als wenn sie nur passiv etwas beobachten. Um Kunden in direkten Kontakt mit der Marke zu bringen, bietet Häagen-Dazs Verkostungen in seinen Eissalons an. Die von BMW gesponserten Tennis- und Golfturniere offerieren die Möglichkeit, ein Auto Probe zu fahren, und die Teams, die bei der Adidas Streetball Challenge gegen einander antreten, tragen Schuhe und Kleidung von Adidas.
- **Sprechen Sie alle Sinne an**
  Ein Markenerlebnis, das gleichermaßen Sicht, Gehör, Geruchssinn, Geschmackssinn und Tastsinn eines Kunden anspricht, wird eher erinnert als eines, das nur einen oder zwei Sinne anspricht. Radiowerbung beispielsweise betrifft nur das Gehör des Kunden. In den Geschäften des Hemdenherstellers Thomas Pink duftet es nach frischem Leinen, um den Eindruck von Frische zu verstärken; das spricht den Geruchssinn an und verbindet sich mit dem Anblick der Kleidung und dem Gefühl, wenn man sie berührt.
- **Unterstützen Sie das Erlebnis mit Hinweisen auf die Marke**
  Um ein denkwürdiges Erlebnis mit der Marke zu verbinden, sollten Sie im Umfeld Hinweise schaffen, die die Position der Marke verdeutlichen. Die durchsichtige Sohle eines Air Jordan-Schuhs von Nike unterstützt optisch die Assoziation zu Hochleistung durch die gasgefüllte »Luft«-Blase. Farbe kann das Erlebnis der Marke auch beeinflussen – ein gold- oder platinfarbener Kanister für Motorenöl deutet auf eine höhere Qualität als ein blauer oder schwarzer Kanister. Das Fehlen von Schiedsrichtern bei den Adidas Streetball Challenge-Spielen verstärkt den Eindruck, dass Fairplay dabei einfach der Standard ist.
- **Weiten Sie das Erlebnis aus, indem Sie viele Kontaktpunkte schaffen**
  Fast jedes Erlebnis bietet verschiedene Möglichkeiten, um die Wahrnehmung des Kunden zu beeinflussen. Die Form, die Art der Oberflächengestaltung und die Farbe eines Produktes können Auswirkungen auf das Ge- oder Verbrauchserlebnis haben. Außerdem kann die Botschaft, die von der Werbung oder von Displaymaterial im Handel ausgeht, emotionale Vorteile schaffen oder verstärken.

der Öffentlichkeit zunehmend mehr beobachtet und von Konsumentenvereinen, die in Europa einen großen Einfluss haben, mehr und mehr zur Rechenschaft gezogen. Dieser Druck erwies sich als guter Ansatzpunkt.

FlowTex konnte diesen Entscheidungsträgern mit einer Lösung dienen, die den Bürgern ihre Bedenken hinsichtlich der Unannehmlichkeiten und Umweltschäden, die Bauarbeiten mit sich bringen, nahm. Keine Gräben mehr! Die FlowTex-Technik konnte der öffentlichen Verwaltung oder den Versorgerbetrieben helfen, gleichzeitig progressiv und um das Wohl der Konsumenten besorgt zu erscheinen. Es gab nur ein großes Problem: FlowTex war eine kleine Firma und den Konsumenten nicht bekannt. Das beschloss die Geschäftsleitung zu ändern.

Daher wurde die innovative Idee geboren, die Marke FlowTex aufzubauen, indem man der Öffentlichkeit gegenüber die Vorteile dieser Technik verdeutlichte. Um den Kontakt zu Konsumenten wirkungsvoll zu gestalten, musste FlowTex jedoch mehr bieten als nur »Technikpalaver«, an dem die Konsumenten entweder nicht interessiert waren oder das sie nicht verstanden. FlowTex entschied sich daher für eine Präsentation seiner einzigartigen Persönlichkeit und Unternehmenskultur.

Diese Strategie wurde in der Branche nicht nur als ungewöhnlich betrachtet, sondern auch als riskant. Ingenieurbüros hatten noch nie viel Geld ausgegeben, um eine Marke aufzubauen, und Tiefbauunternehmen hatten noch nie versucht, mit Konsumenten zu kommunizieren, um so die Öffentliche Verwaltung zu beeinflussen. Viele glaubten, die Investitionen von FlowTex seien reine Geldverschwendung und dass die Öffentlichen Verwaltungsbetriebe nicht positiv auf die Vorgehensweise reagieren würden. Außerdem war FlowTex als vergleichsweise kleiner und spezialisierter Lieferant in keiner besonders günstigen Position, um seine Kommunikation zu verstärken. Zudem war das Unternehmen derart rasch gewachsen, dass kaum Zeit geblieben war, um seine Markenidentität zu definieren.

Trotzdem entschloss sich FlowTex, den Plan auszuführen. Zunächst definierte es seine Markenidentität: FlowTex sollte für seine unkonventionellen, aber wirkungsvollen Lösungen für Tiefbauprobleme bekannt werden. Als wesentlicher Schritt wurde der Ausdruck und die Definition der Unternehmenskultur – die Wertvorstellungen und Überzeugungen der Firmengründer sowie das, was die Beschäftigten zärtlich als »Stallgeruch« bezeichneten – angesehen. FlowTex hatte eine einzigartige Markenpersönlichkeit; die Marke verband die Kompetenz und Disziplin, die für schwierige Bauprojekte notwendig sind, mit der einnehmenden, energiegeladenen, jugendlichen, lebenslustigen und humorvollen Art, wie man Aufgaben in einem kleinen Unternehmen im Privatbesitz erledigt.

Als Nächstes musste die Firma einen Weg finden, um ihre grundlegende Technologie zu kommunizieren. Der erste Schritt bestand in der Entwicklung einer optischen Darstellung der Marke. Die Farben Blau und Weiß wurden für die Darstellung des Markennamens gewählt, weil Blau zu den High-Tech-Assoziationen passte, für die FlowTex stehen wollte, und Weiß den Eindruck von Sauberkeit verstärkte – ein wesentlicher Vorteil für Konsumenten. Der FlowTex-Name in Kursivschrift und der geschwungene Pfeil darunter versuchten, Assoziationen mit Bewegung und Fließen zu wecken. Zur Unterstützung der grafischen Darstellung der Marke betonte der Slogan »Nachdenken – Installieren«, dass FlowTex in den gesamten Prozess involviert ist, von der anfänglichen Planung bis zum endgültigen Ergebnis; das Unternehmen verkauft nicht einfach nur Geräte.

Eine andere grafische Darstellung der Marke beinhaltet die Zeichnung von Haus und Baum, die im Schaubild 9.7 dargestellt ist und verdeutlicht, wie FlowTex unter einem Haus gräbt, ohne die Natur oder bestehende Gebäude zu stören. Diese Darstellung wurde für jegliche Art der Kommunikation als einfaches, aber wirkungsvolles Mittel genutzt, um die funktionalen Vorteile der FlowTex-Flachbohrtechnik zu vermitteln. Es war eine wunderbare Art, eine Geschichte zu erzählen, die langweilig oder verwirrend hätte sein können.

Schaubild 9.7: Die grafische Darstellung der Marke FlowTex

Ein effektives Fünfjahresprogramm zum Aufbau der Marke wurde ebenfalls entwickelt; es begann mit einer Kampagne in Wirtschaftszeitschriften und Magazinen zur allgemeinen Unterhaltung, auf die eine kleine Fernsehwerbekampagne folgte, um die Präsenz der Marke zu erhöhen. In den Kampagnen wurden die Vorteile der Flachbohrtechnik der Öffentlichkeit auf einfache und amüsante Art scheibchenweise vorgestellt. Da man diese direkte Ansprache des Konsumenten für unkonventionell hielt, verstärkte sie noch die mit der Marke FlowTex verbundenen Assoziationen zur Innovation.

Eine weitere wichtige Innovation war die ausgiebige Nutzung von mehreren alternativen Programmen zum Aufbau der Marke, um Entscheider in den Gemeinden, Versorgerbetrieben und der Öffentlichen Verwaltung direkt anzusprechen. Jedes Programm wurde um ein bestimmtes Thema herum gruppiert, das für ein ganz bestimmtes, eng gefasstes Zielsegment relevant war – Anwendungen in der Umwelttechnik, spezielle Verkabelungsprobleme für Elektrizitätswerke und so weiter. Für jedes Thema wurde ein integriertes Programm zum Aufbau der Marke einem unterschiedlichem Publikum gegenüber entwickelt, das die vielen Einflussfaktoren widerspiegelte, die bei der Entscheidung, die FlowTex Technik einzusetzen, eine Rolle spielen.

Jedes Programm wurde sorgfältig in logischen Folgen aufgebaut; es begann mit Postwurfsendungen (gedrucktes Material, ein Video oder eine CD-ROM), Einladungen zu einem Symposium in einer Großstadt, das sich mit einem bestimmten Thema beschäftigte, sowie Öffentlichkeitsarbeit und Promotionskampagnen. Die Bemühungen wurden außerdem durch bestimmte Sektionen der Website des Unternehmens unterstützt, zu deren Besuch Entscheidungsbefugte angeregt wurden. Kurz nach dem Empfang der ersten Postwurfsendung wurde ein potenzieller Kunde auch von einem FlowTex-Verkaufstechniker kontaktiert. Diese Aktionen standen in Verbindung mit der FlowTex-Anzeigenwerbung, indem die gleichen Themen und Bilder bei allen Ansätzen zum Aufbau der Marke verwendet wurden. Eine größere Präsenz wurde außerdem durch die Teilnahme an Messen und Ausstellungen erzielt sowie durch das Sponsoring von ATP-Tennisturnieren. Auf den Messen wurden die Produktvorführungen zur Show; Ausstellungen boten die Gelegenheit vorzuführen, wie FlowTex arbeitet, seine Kultur vorzustellen und die kühne und jugendliche Persönlichkeit des Unternehmens und seiner Beschäftigten zu demonstrieren.

Die fünfjährigen Anstrengungen zum Aufbau der Marke waren für FlowTex immens erfolgreich. Die direkte Kommunikation mit dem Konsumenten hob das Unternehmen von anderen ab und führte indirekt zu Assoziationen mit Kühnheit, Kreativität sowie Offenheit neuen Ideen gegenüber, die zum Bestandteil der FlowTex-Kultur wurden. Ein wesentlicher Faktor für den Erfolg war die Mischung aus konkreten Botschaften in speziellen technischen Fachzeitschriften und generellen Ansätzen, um in einem zweiten Schritt die Konsumenten zu erreichen.

Der wichtigste Faktor war aber vermutlich die Verwendung von verschiedenen Ansätzen zum Aufbau der Marke, die sich mit speziellen Themen direkt an die Entscheidungsträger in Versorgerbetrieben und der Öffentlichen Verwaltung wandten. Durch diese verschiedenen Ansätze gerieten die Entscheidungsträger ähnlich unter Beschuss wie die Verteidiger bei einem Basketballspiel, die sich der ganzen gegnerischen Mannschaft gegenübersehen. FlowTex ist seither als McDonald's der Flachbohrtechnik bekannt geworden, denn das Unternehmen hat sein Programm zum Aufbau der Marke erfolgreich genutzt, um ein schnell wachsendes Franchisesystem in ganz Europa aufzubauen.

Die Ford-Galaxy-Story

Der Ford Galaxy wurde 1995 in den kleinen, aber stark wachsenden Markt der europäischen Mehrzweckfahrzeuge eingeführt. Der Galaxy, der VW Sharan sowie der Seat Alhambra waren drei identische Minivans, die in Portugal in einem Gemeinschaftsunternehmen von Ford und Volkswagen hergestellt wurden. Die Fahrzeuge, die man in ihrer Klasse als elegant bezeichnen konnte, wurden als bequem und leicht lenkbar gepriesen und gewannen in Europa mehrere Auszeichnungen. Die erste Herausforderung für Ford bestand darin, den Galaxy in Großbritannien einzuführen, dem größten Auslandsmarkt für das Unternehmen. Die Einführung war erfolgreich, weil eine intelligente Positionierungsstrategie mit einer aggressiven Direktmarketingkampagne kombiniert wurde, die darauf abzielte, Leute hinter das Lenkrad dieses Autos zu bringen.

Der Cadbury-Themenpark

Der Süßwarenhersteller Cadbury eröffnete in den frühen neunziger Jahren des 20. Jahrhunderts die Cadbury World. Besucher dieser ehemaligen Fabrik in Birmingham (die inzwischen in ein Museum, einen Themenpark und in ein Süßwarengeschäft mit Erlebnischarakter verwandelt worden war) wurden von einem Messer schwingenden Indianerpriester aus dem Dschungel von Yukatán begrüßt. Dann begann eine zweieinhalbstündige Führung durch die Geschichte der Schokolade, in der solch bekannte Persönlichkeiten wie der Eroberer Hernando Cortés und der Aztekenkönig Montezuma auftraten. Der Besucher lernt etwas über Herkunft und Geschichte von Kakao und Schokolade sowie darüber, wie Cadbury im Jahr 1824 mit einem Lebensmittelgeschäft anfing und nach und nach Handelsbeziehungen im ganzen britischen Empire knüpfte. So wie sich die Geschichte der Schokolade mit der von Cadbury verbindet, erscheint Cadbury als Autorität in Sachen guter Schokolade.

Noch wichtiger sind jedoch Hunderte von Gelegenheiten, die verschiedenen Sorten aus Cadburys umfassendem Schokoladensortiment kostenlos zu probieren, was den Besuchern zu einem direkten Erlebnis mit Cadbury-Schokolade verhilft, der Markenpflege dient und den Cadbury-Slogan unterstützt: »Die Schokolade – der Geschmack«. Die Cadbury World ist mit anderen europäischen Marken vergleichbar, die die Tore des Unternehmens für Besucher geöffnet haben, wie beispielsweise Nestlé in der Schweiz oder die vielen Brauereien und Winzer, die Führungen veranstalten. Ein wesentlicher Unterschied besteht darin, dass die Cadbury World tatsächlich Gewinn abwirft, da man Eintritt bezahlen muss, was aber die rund eine halbe Million Besucher pro Jahr nicht abschreckt.

Positionierung

Ford musste den Galaxy in Bezug auf die bereits vorhandenen Mehrzweckwagen (den Renault Espace und den Chrysler Voyager) positionieren, die sich beide Familien mit Kindern als Zielgruppe ausgesucht hatten. Die beiden erwähnten Marken waren als Autos positioniert, mit denen man Kinder, Hunde und alles andere transportieren konnte, was man zu einem Familienpicknick, zur Fahrt in den Urlaub oder zu sonstigen Freizeitaktivitäten brauchte. Mehrzweckwagen waren damals als ebenso praktische wie langweilige Autos bekannt, mit wenig Stil oder Persönlichkeit – ideal für Herrn oder Frau Jedermann.

Ford wollte diese Stereotype durchbrechen, indem es den Galaxy nicht als Minivan, sondern als ein »Auto plus« positionierte – ein Fahrzeug in der Größe eines normalen Autos, mit den Eigenschaften und dem Stil eines normalen Autos, aber einem wesentlich geräumigeren Innenraum. Dadurch wurde der Galaxy ein Auto für die Oberschicht und bot dem viel beschäftigten Manager funktionale Vorteile und die Möglichkeit, das eigene Ich durch diese Marke auszudrücken. Dieses Image machte den Galaxy durchaus als Firmenauto geeignet, ein Marktsegment, das Ford zu erobern hoffte. (In der Preiskategorie des Galaxy sind in Großbritannien etwa die Hälfte der verkauften Autos Firmenautos.) Die Positionierung wurde zur treibenden Idee: Die Metapher einer Erste-Klasse-Flugreise, die zu Assoziationen mit Bequemlichkeit, Geräumigkeit und Luxus führte, half, das Konzept auf den Punkt zu bringen und wies sogar darauf hin, wie man es kommunizieren konnte.

Die ursprüngliche Werbung zeigte einen Geschäftsmann, der scheinbar in der komfortablen Ersten Klasse in einem Flugzeug sitzt – ein Eindruck, der dadurch verstärkt wurde, dass die gleiche Musik wie für einen berühmten Fernsehwerbespot für British Airways verwendet wurde. Selbst wenn offensichtlich wurde, dass der Mann in einem Ford Galaxy saß, unterstützten die Landschaftsaufnahmen, während das Auto über eine weit offene Fläche fuhr (und die Wolken am Himmel perfekt im Vordergrund reflektiert wurden), das Bild von einem Flugzeug und die Assoziationen mit Geräumigkeit. Der Slogan »Travel First Class« wurde in der Werbung verwendet. Eine Trickaufnahme, die zeigte, wie sich ein Auto in einen Galaxy verwandelt, betonte deutlich, dass der Galaxy, mit der gleichen Größe wie ein normales Auto, nicht ein typischer sperriger, schwer zu lenkender Minivan war. Zu weiteren Programmen zur Erhöhung der Präsenz des Galaxy gehörte ein Bereich zur Vorstellung des Galaxy am Flughafen Heathrow und Ständer mit Sensorbildschirmen an Standorten, die von Geschäftsreisenden häufig aufgesucht wurden.

Direktmarketing und Probefahrten

Zum Direktmarketing gehörten eine Reihe von gezielten Postwurfsendungen, die das Bewusstsein für die Marke wecken, Assoziationen aufbauen und (am wichtigsten) Leute ans Steuer des Autos bringen sollten. Herzstück der Direktmarketingmaßnahmen war vor der Einführung des Wagens eine Vorabinformation, die an 100000 ausgesuchte, potenzielle Galaxy-Käufer gerichtet war. Eine Aussendung im Mai 1994 sollte diejenigen, die bereits auf der Suche nach einem Minivan waren, dazu veranlassen, ihren Kauf bis zur Einführung des Galaxy zurückzustellen; die übrigen Vorabinformationen wurden im Juli 1995 verschickt, kurz bevor der Galaxy verfügbar wurde.

Besonders wichtig für die Direktmarketingbemühungen war der Aufbau und die aktive Kultivierung einer Datenbank prospektiver Kunden. Dazu nutzte man eine Reihe von unterschiedlichen Quellen, darunter auch die Namensliste von 80000 Besuchern einer wichtigen Automobilausstellung, von 50000 Leuten, die im ganzen Land Händler aufgesucht hatten, um sich umzuschauen, von 340000 Menschen, deren Namen sich in diversen internen und externen Datenbanken fanden (90000 von ihnen hatten auf eine Postwurfsendung reagiert), von 75000 Leuten, die eine Postkarte über den Galaxy erhalten hatten, die einer Postwurfsendung eines anderen Unternehmens beilag, sowie von drei Millionen Besitzern einer Bankkarte und den 600000 Empfängern des *Ford Magazine*, denen im Rahmen von zahlreichen »Win-a-Galaxy« Kampagnen die Chance winkte, den Galaxy einen Monat lang probefahren zu dürfen.

Ein zweiter Ansatz richtete sich an die Fuhrparkmanager in Unternehmen; dazu gehörte eine Postwurfsendung, die eine umfassende Übersicht über die Kosten, die ein Galaxy seinem Besitzer verursachen würde, präsentiere. Außerdem wurde 13000 Fahrern von Firmenwagen und 46000 Mitgliedern des Ford Business Club (eine Gruppe ausgewählter Fordbesitzer) Vorabinformation über den Ford Galaxy geschickt.

Zusätzlich zu dem Direktmarketing wurden mehrere andere Programme geschaffen, um Leute zum Probefahren anzuregen. Ein Programm, das 400 Autos umfasste, gab beispielsweise Fuhrparkmanagern und ihren Fahrern die Möglichkeit, den Wagen zu testen. Den Galaxy konnte man außerdem auf wichtigen Ausstellungen sehen, die von Fuhrparkmanagern besucht wurden; während einer dieser Veranstaltungen wurden Ford Galaxys verwendet, um die Leute vom Parkplatz zur Ausstellungshalle zu transportieren. Auf diese Weise fuhren praktisch alle Fuhrparkmanager wenigstens einmal in einem Ford Galaxy.

Um Leute, die ihr Auto direkt beim Händler kauften, zu einer Probefahrt zu ermutigen, nutzte Ford sein ausgedehntes Händlernetz in Großbritannien. Ein Programm bot diesen Händlern günstige Konditionen für Leih- und Vorführwagen. Ein anderes sollte Händler dazu bewegen, Veranstaltungen und Promotionskampagnen rund um Aktivitäten zu veranstalten, die bei Kunden besonders beliebt waren: Malwettbewerbe für Kinder, ein anderer Wettbewerb, bei dem es darum ging, Unterschiede festzustellen, und ein gemeinsames Programm mit der sehr beliebten Mountainbike-Marke Muddy Fox.

Schon kurz nach seiner Einführung überholte der Ford Galaxy in Großbritannien den Renault Espace als Marktführer in seiner Kategorie und erreichte schnell einen Marktanteil von 36 Prozent; über die Hälfte davon wurde durch Verkäufe an Unternehmen und Fuhrparks erzielt. Die Stärke der Marke spiegelte sich in ihrem Bekanntheitsgrad wider, ihrem Image und den Abverkäufen. Schon Monate nach der Einführung erinnerten sich 72 Prozent der Befragten ungestützt an das Automodell, im Vergleich zu 85 Prozent für den Espace. Die Einführungskampagne für den Galaxy führte auch zu positiven Assoziationen in Verbindung mit den wichtigen Dimensionen Attraktivität/Stil und Geräumigkeit.

Die Ford-Connection

Werbung und Direktmarketing, auch wenn es sehr gezielt eingesetzt wird, sind Einbahnstraßen der Kommunikation zu passiven Konsumenten. Ford hat inzwischen ein Programm auf der Basis des Internets entwickelt, das eine sehr unterschiedliche Methode der Kommunikation mit Fordbesitzern darstellt; das Konzept wird die Ford-Connection genannt und verbindet Ford und Fordhändler per E-Mail mit der riesigen Gruppe von Fordbesitzern. Die Connection sorgt für einen ununterbrochenen Dialog mit den Kunden. Im Austausch für Informationen von den Kunden über sich und ihr Auto, bietet Ford ihnen Versicherungen an, die Teilnahme an Veranstaltungen, an Promotionskampagnen, zusätzliche Gratistage beim Mieten eines Autos oder ein kostenloses Upgrade bei der Hertz Autovermietung. Würde das Connection-Programm zu einem einzigen großen Laden für alle transportbezogenen Bedürfnisse erweitert, dann könnte es potenziell zu einer weiteren treibenden Idee für Ford werden.

Die Tango-Story

Tango ist eine der erfolgreichsten europäischen Erfrischungsgetränkemarken in einem Markt, der von amerikanischen Colas dominiert wird. Tango ist britisch, steht für Spaß, tollen Fruchtgeschmack und Sinn für Humor. Es wurde 1981 auf den Markt gebracht und ist inzwischen vom Absatz her das drittstärkste kohlensäurehaltige Erfrischungsgetränk in Großbritannien. Es hat in dem äußerst fragmentierten und undifferenzierten Markt der Limonaden einen soliden Anteil von 12 Prozent, und das bei einem überdurchschnittlich hohen Preis.

Tango hat nicht nur die jungen britischen Konsumenten als Zielgruppe, sondern auch die jung Gebliebenen. Seine Markenidentität basiert auf seinem Fruchtgeschmack sowie einer Einstellung und Persönlichkeit, die das Unerwartete betont, die für Spaß, Humor, Verrücktheit, Ironie und Respektlosigkeit mit einem Touch Wirklichkeit steht. Was den Geschmack betrifft, hat Tango keinen Vorteil den anderen Marken wie Fanta, Orangina oder Sunkist gegenüber; was seine Einstellung betrifft, steht es jedoch einmalig da.

Der Aufbau einer Marke in einem fragmentierten Markt, der nur wenige Möglichkeiten für eine sinnvolle Differenzierung hinsichtlich des Produktes oder konventioneller Marketingvariablen bietet (wie beispielsweise Verpackung oder Preis) ist schwierig. Britvic, dem Unternehmen, dem Tango gehört, gelang das, indem es die enge Verbindung zwischen Tango und dem Leben in britischen Städten betont, die sich in einer Reihe von Wertvorstellungen und Überzeugungen widerspiegelt, die auch eine große Anzahl der britischen Konsumenten teilt. Diese Werte und Überzeugungen – der britische Sinn für Humor, die Suche nach Spannung und Spaß im täglichen Leben – stellen etwas dar, was den Konsumenten besonders am Herzen liegt, haben die Tango-Markenidentität und Positionierungsstrategie beeinflusst und stellen eine sinnvolle Abgrenzung von den konkurrierenden Erfrischungsgetränkemarken aus Amerika dar.

Die innovative Idee bestand darin, die lustige, schelmische Tango-Markenpersönlichkeit mit einem sehr britischen, mitunter geradezu verrückten Sinn für Humor auszunutzen. Zwischen 1992 und 1999 wurden mehrere erfolgreiche Werbekampagnen gefahren. Eine frühe Kampagne betonte höchst originell die geschmacklichen Vorzüge der Marke, den echten Apfelsinengeschmack bei Tango Orange. Der Orangeman, das Maskottchen von Tango, wurde mit dem Slogan eingeführt: »You know when you've been Tango'd« (was sich teilweise auf die Streiche bezieht, die Kunden einander spielen), ein Slogan, der zu einem feststehenden Ausdruck der englischen Sprache wurde. Die Werbung zeigte scheinbar normale Menschen, denen beim Konsum der Marke Seltsames widerfuhr; sie wurden etwa von einem Orangen-Dschinn mit einem aufgeblasenen Gummihandschuh geohrfeigt oder explodierten, nachdem sie etwas getrunken hatte. Zu einer breiten Palette von Werbung außerhalb der Medien gehörten Verkaufspromotionen, die sogar mit Preisen ausgezeichnet wurden, andere direkte Kampagnen, innovative Arten der Verkostung, viel Öffentlichkeitsarbeit und eine breite Präsenz im Internet.

Eine vor nicht allzu langer Zeit durchgeführte Werbekampagne versuchte, Tango zu *der* nationalen Limonade zu machen und dabei ein britisches Nationalgetränk – Tee – durch Tango in den Herzen und Köpfen der Menschen zu ersetzen (siehe Schaubild 9.8). Die Werbung zeigte typische Situationen, in denen die Briten üblicherweise zu einer Tasse Tee Zuflucht nehmen, beispielsweise bei unerwartetem Besuch oder nach einem Streit mit Kollegen oder Freunden. Indem Tango diese Situationen mit seinem speziellen Humor aufgriff und Tee durch Tango ersetzte, schuf die Marke »Tango-Momente« statt der traditionellen Tea-Time.

Schaubild 9.8:Tango-Werbekampagne

Eine Sommerkampagne für Tango ist ein anderes Beispiel für den innovativen Ansatz der Marke. Wie nicht anders zu erwarten, wählte Tango einen völlig anderen Ansatz als alle übrigen Marken, um eine Verbindung zu der Fußballweltmeisterschaft 1998 herzustellen. Es forderte die Leute auf, zu Hause zu bleiben, statt nach Frankreich zu fahren (wieso sollten Briten dorthin fahren wollen?) und bot ihnen die Chance, einen »Schrein« für zu Hause zu gewinnen, bestehend aus einem Fernsehgerät mit Großbildschirm, Flutlicht, einem aufblasbaren Sofa, Fleischpasteten, einem Tischfußballspiel und einer Wagenladung Tango.

Ein wichtiger Teil des Programms zum Aufbau der Marke Tango ist die Website, die 1996 eingeführt wurde und die schon mehrfach auf den neusten Stand gebracht wurde. Sie lädt Besucher ein, sich für die Marke zu engagieren. Folgen Sie dem unerschrockenen Forschungsreisenden Gotan (dem dicken orangefarbenen Tangomann), surfen Sie im Web und landen Sie auf coolen Sites überall auf der Welt. Es handelt sich hierbei um eine Suchmaschine, die nach dem Zufallsprinzip zu allem Möglichen führt – beispielsweise zu Pranks 101 (eine Tango-Site für Konsumenten, auf der man alle möglichen Streiche und Späße findet), Net.Games (*die* Site für Internet-Spiele), wirklich tolle Hochzeiten (Vorschläge, wie man dieses Ereignis zu etwas Besonderem machen kann) und einer Site, auf der erläutert wird, wie man bekannte Persönlichkeiten in den April schicken könnte. Dieser Teil der Tango-Website bietet Inhalte, um Surfer zu anderen Websites zu führen, die die gleichen Werte vertreten wie Tango.

In einem anderen Teil findet man ein wöchentlich aktualisiertes Internet-Spiel, bei dem der Besucher Gotan über mehr als 30 schwierige Ebenen führen muss. Ziel des Spiels ist es, eine perfekte Tasse Tango (statt der gewohnten Tasse Tee) zu produzieren. Der Besucher wird in die Tangowelt involviert, weil er Punkte gewinnen kann. Die Sieger der Woche gewinnen Eintrittskarten, Computerspiele, Videokassetten oder einen kostenlosen Urlaub. Für die besten Wochensieger gibt es eine Champions League, in der man noch bedeutendere Preise gewinnen kann. Diese Spiele sind besonders bei der wichtigsten Tangozielgruppe beliebt, Konsumenten im Alter zwischen 16 und 24, und verführen zu einem regelmäßigen Besuch der Tango-Site.

Verschiedene andere Brandingmaßnahmen haben die Identität der Marke Tango als innovativ, verblüffend und witzig noch verstärkt. 1992 wurde die Tangodose neu gestaltet und kam ganz in Schwarz auf den Markt. 1999 folgte ein neues Verpackungsdesign: eine 3-D-Grafik, wiederum eine absolute Neuheit. Im Laufe der Jahre hat Tango auch durch die Ergänzung neuer Geschmacksrichtungen wie schwarze Johannisbeere, Zitrone und Apfel das Produkt deutlich verändert. Anfangs erhielt jede neue Geschmacksrichtung eine eigene Markenidentität. Apfel stand beispielsweise für Verführung. Die Dose selbst drückte die Persönlichkeit aus: Auf der für Apple Tango fand man breite grüne Lippen, die aus einer vorausgegangenen Werbekampagne über verführerische Äpfel übernommen worden war. Die Dose für Zitrone, eine Geschmacksrichtung, die anfangs von der ausgefallenen Euphoria-Werbung unterstützt wurde, war mit gelben Punkten übersät. Orange behielt die ursprüngliche Schockwirkung und Aggressivität bei und wurde als Explosion dargestellt, der »Hit« aus echten Orangen, und auf der Dose für Schwarze Johannisbeeren sah man Beeren, die gerade unter einem Stromschlag erzitterten. Tango entwickelte verschiedene Programme zum Aufbau der Marke, die zu jeder Geschmacksrichtung passten. Diese Programme wurden geschaffen, um das jeweilige Geschmackserlebnis optisch zu kommunizieren. Die innovativen und häufig unorthodoxen Maßnahmen zur Markenpflege brachten die Marke und deren Abverkäufe voran. Mehr als 25 Prozent der britischen Konsumenten geben an, Tango zu trinken. Neben Nike und Levi's wird Tango für eine der angesehensten Jugendmarken gehalten. Bei einer kürzlich durchgeführten Untersuchung, in der britische Konsumenten gefragt wurden, welche Marken ihrer Meinung nach das New Britain reflektierten, erschien Tango unter den ersten Zehn.

Der Aufbau von Marken ohne Werbung – ein paar Richtlinien

Auf der Basis der gerade vorgestellten Fallbeispiele sowie der zahlreichen bereits im Teil IV präsentierten, wurden die folgenden zehn Richtlinien für über die Medienwerbung hinausgehenden Markenaufbau entwickelt (im Schaubild 9.9 zusammengefasst).

1. Klären Sie die Markenidentität, die damit verbundene Wertvorstellung und Position

Die Markenidentität mit den angestrebten Assoziationen ist die Grundlage für jedes wirkungsvolle Programm zum Aufbau der Marke, besonders, wenn man unterschiedliche Ansätze wählt. Eine eindeutige Markenidentität mit Gehalt und Tiefgang stellt eine Anleitung für diejenigen dar, die Kommunikationsprogramme entwickeln und durchführen, sodass die Kunden nicht versehentlich widersprüchliche oder verwirrende Botschaften erreichen. Leider haben viele Unternehmen keine einheitliche Vision von der Identität ihrer Marke. Stattdessen treibt die Marke irgendwo, gesteuert von den sich häufig ändernden taktischen Kommunikationszielen der Produktmanager. Der Erfolg von Marken wie Häagen-Dazs, Swatch oder Ford basiert jedoch auf einer klaren Markenidentität. Sowohl bei Nike als auch bei Adidas verbesserte sich die Wirkung der Maßnahmen zum Markenaufbau spürbar, nachdem die Markenidentität unter die Lupe genommen war.

Die Wertvorstellung und die Position unterstützen die Markenidentität. Die Wertvorstellung zeigt, welche funktionalen und emotionalen Vorteile man für eine Marke schaffen oder kommunizieren muss und wie Kunden sie zum Ausdruck ihrer Persönlichkeit nutzen können. Das sind grundsätzliche Zielsetzungen, die einer Kundenbeziehung dienen. Die Markenposition setzt Prioritäten für die Imageveränderungen.

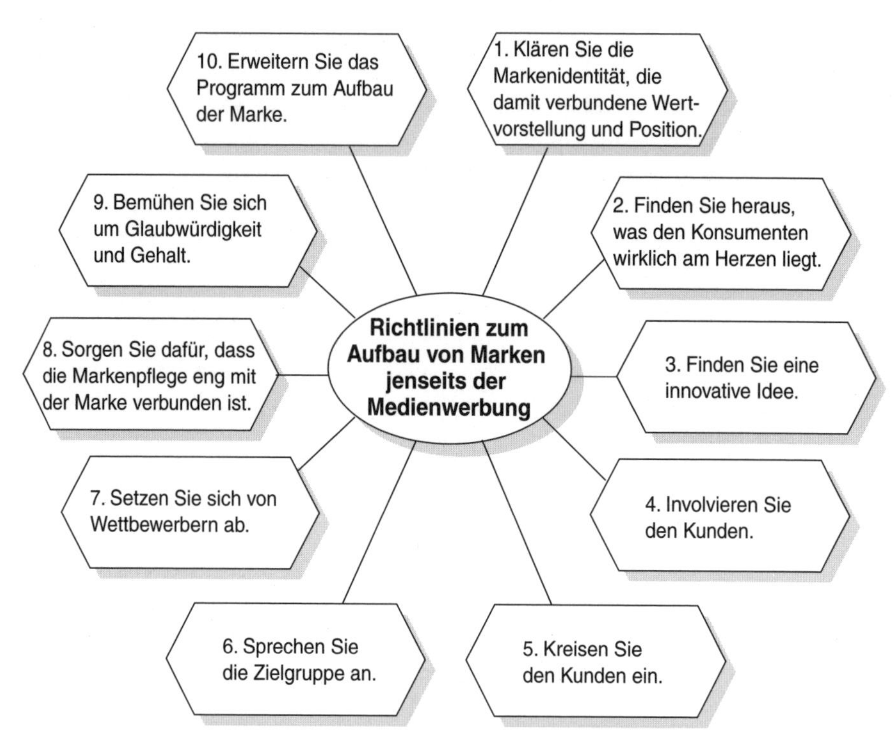

Schaubild 9.9: Aufbau von Marken jenseits der Medienwerbung

2. Finden Sie heraus, was den Konsumenten wirklich am Herzen liegt

Ein Programm zum Aufbau einer Marke sollte sich bemühen, die Konsumenten gut zu verstehen und entdecken, was ihnen wirklich am Herzen liegt, also jene Elemente, die für ihr Leben und ihr Selbstgefühl wesentlich sind. Herausfinden, was den Menschen etwas bedeutet und die Marke zu einem Teil davon zu machen, ist der Weg zu einer engen Beziehung und dem Aufbau einer treuen Stammkundschaft. Maggi teilt die Leidenschaft fürs Kochen mit seinen treuen Anhängern. Nikes »Just do it«-Ansatz zum Markenaufbau lieferte vielen Amerikanern eine Motivation aktiv zu werden, Sport zu treiben und sich nicht länger vor einem Trainingsprogramm zu drücken. Diese positive Botschaft an die Konsumenten war auch eng mit der Identität der Marke Nike verbunden. Hobart entdeckte eine Reihe von Schwierigkeiten, mit denen sich seine Kunden herumschlugen und nutzte dieses Wissen als Basis für ein wirkungsvolles Programm zur Markenpflege.

3. Finden Sie eine innovative Idee

Finden Sie eine innovative Idee, ein Konzept, auf dem sich die Marke aufbauen lässt, weil es bei Kunden auf Resonanz stößt und die Marke von den Wettbewerbern abhebt. Diese innovative Idee sollte zum Kernstück werden, um eine Reihe von koordinierten Programmen zum Aufbau der Marke entwickeln zu können. Die Quelle für die innovative Idee können die Kunden und ihre Bedürfnisse sein, es kann aber auch die Marke selbst sein (vielleicht deren Persönlichkeit, ein Symbol oder das Produkt selbst). Für Maggi wurde das Kochstudio zur treibenden Idee; für Adidas die Streetball Challenge, für MasterCard das Sponsoring der Fußballweltmeisterschaft, für Hobart die Führungsrolle hinsichtlich neuer Ideen und Gedanken und für Häagen-Dazs die Positionierung.

4. Involvieren Sie den Kunden

Beziehungen werden verstärkt, wenn sich die Partner aktiv engagieren und einbezogen fühlen. Forschungsergebnisse weisen darauf hin, dass für Konsumenten eine früher Interaktion mit einer Marke wichtiger ist als nachträgliche Informationen über sie.[54] Starke Marken sprechen den Konsumenten daher an, indem sie ihm eine Möglichkeit geben, eine Probefahrt zu machen oder das Produkt zu verkosten. Maggis Kochstudio-Treff, der Ford Galaxy, NikeTown's Basketball-Korbring, die Adidas Streetball Challenge und die Häagen-Dazs-Eissalons in Europa verhalfen den Konsumenten zu einer Verbrauchserfahrung; die Cadbury World ist so konstruiert, dass eine Teilnahme und Involvierung des Konsumenten stattfindet. Und Klubs wie die von Swatch oder Maggi sind eine äußerst effektive Methode, um treue Kunden bei der Stange zu halten. Ein Klub bietet nicht nur die Möglichkeit zur Teilnahme, sondern involviert den Kunden auch in eine Gruppe, die die gleichen Interessen und Ziele hat wie er und die gleichen Aktivitäten ausübt.

5. Kreisen Sie den Kunden ein

Umgeben Sie den Kunden mit einer Reihe von sich gegenseitig unterstützenden Programmen zum Aufbau der Marke, so wie diejenigen von Maggi, Nike oder MasterCard. Die Versuchung ist groß, jeden Ansatz zur Markenpflege isoliert zu behandeln, aber eine Reihe von Untersuchungen hat gezeigt, dass sich die Wirkung beim Einsatz von verschiedenen Medien nicht kumuliert, sondern multipliziert. Ein Grund dafür liegt darin, dass jedes Mittel irgendwann seine Wirkung verliert, ein anderer ist, dass der Kunde verschiedene Ansätze auch aus verschiedenen Perspektiven sieht und so kaum Lücken entstehen können. Es kann sogar mehr als ein Hauptprogramm geben – Nike benutzt beispielsweise Medienwerbung, Unterstützung von Spitzensportlern (wie Michael Jordan) und NikeTown gleichberechtigt nebeneinander.

6. Sprechen Sie die Zielgruppe an

Die Maßnahmen zum Aufbau einer Marke müssen sich an eine Zielgruppe wenden, um Resonanz zu finden; die meisten Marken verschwimmen, wenn die Segmentierungsstrategie kein eindeutiges Ziel mehr hat. Man muss den richtigen

Mittelweg finden, damit die Marke nicht einerseits so konzentriert ist, dass sie nur wenige Menschen anspricht oder andererseits so breit gefasst wird, dass sie überhaupt nichts mehr aussagt. Die im 2. Kapitel vorgestellte Lösung besteht darin, Positionen (oder vielleicht sogar Identitäten) zu entwickeln, die für verschiedene Segmente maßgeschneidert sind.

Man sollte sich so persönlich wie möglich an den Zielkunden wenden. Einige Programme, die auf dem Internet basieren – wie beispielsweise die Ford-Connection oder Amazons E-Mail-Kommunikation – passen die Botschaft dem angesprochenen Individuum sehr geschickt an. Andere Marken, zum Beispiel Tango oder Maggi, nutzen andere Wege für eine ähnlich persönliche Ansprache.

7. Setzen Sie sich von Wettbewerbern ab

Es gibt nicht nur zu viel Durcheinander in der Werbung, sondern auch bei so gut wie allen anderen Maßnahmen zum Aufbau von Marken. Eine Marke muss Konsumenten überraschen oder vielleicht sogar auf positive Weise schockieren, ob das nun durch eine innovative Umsetzung von althergebrachten Programmen geschieht oder durch völlig neue Programme. NikeTown, die Adidas Streetball Challenge, die Website von AT&T Olympic, die Swatch-Gags und das Maggi-Kochprogramm sind im Wesentlichen deshalb erfolgreich, weil sie alle ganz neue Ansätze darstellen.

Ungewöhnliche Promotionskampagnen können ein wirkungsvolles Mittel sein, um sich von anderen abzuheben. Volkswagen veranstaltete beispielsweise für den neuen VW Käfer eine Schnitzeljagd quer durch Europa. Die Teilnehmer mussten im Web surfen, Rätsel lösen und auf verschiedenen Websites Fragen beantworten, um einen Preis zu gewinnen – eine Schatzsuche, die ihresgleichen sucht.

8. Sorgen Sie dafür, dass die Markenpflege eng mit der Marke verbunden ist

Um starke Marken aufzubauen, muss die Ausführung von Maßnahmen in jeder Hinsicht optimal sein; gut ist nicht gut genug. Aber die Ausführung muss eindeutig mit der Marke verbunden sein und darf kein Eigenleben entwickeln, das die Marke verdeckt. Werbeleute kennen das Problem, dass sie atemberaubende Werbung machen, an die sich jeder erinnert und über die alle reden, mit der aber kaum jemand eine konkrete Marke verbinden kann, nur zu gut. Wenn die Marke die Hauptperson ist (also im Zentrum der Kommunikation steht) oder sich das Programm zur Markenpflege einverleibt hat, ist dieses Problem nicht so groß. Zu Adidas gehören die Adidas Streetball Challenge und der DFB-Adidas-Cup schon allein aufgrund des jeweiligen Namens. Genauso steht auch bei Nike-Town die Marke im Mittelpunkt, ebenso bei den Testfahrten des Ford Galaxy oder auf den Tango-Websites.

9. Bemühen Sie sich um Glaubwürdigkeit und Gehalt

Glaubwürdigkeit ist eine starke Assoziation, die mit einer Marke verbunden sein kann, und ein Gütetest für Maßnahmen zum Aufbau einer Marke besteht darin festzustellen, ob sie zur Glaubwürdigkeit der Marke beitragen. Die Position und Identität der Marke sollten auf eine solche Weise kommuniziert werden, dass sich ein echtes Gefühl mit der Marke verbindet und sie eine gewünschte Assoziation voll und ganz für sich vereinnahmen kann. Es ist kein Zufall, dass Marken wie Apple, Porsche, Nike und Volkswagen auf der Basis hervorragender Produktinnovationen ein Comeback gelang. Die Glaubwürdigkeit hängt weitgehend von der Substanz hinter dem Produkt oder der Dienstleistung ab und von der Geschichte der Marke. Die Behauptung Volvos, sichere Autos zu bauen, ist glaubwürdig, weil die Produkte im Verlauf der Firmengeschichte immer schon dieser Behauptung entsprochen haben.

10. Erweitern Sie das Programm zum Aufbau der Marke

Ein Programm kann in seiner Wirkung eingeschränkt sein, wenn nur wenige Menschen damit in Kontakt kommen. Die Aufgabe besteht also darin, es auch außerhalb des Kernbereichs, für den es bestimmt ist, auszunutzen. Eine Möglichkeit ist die Entwicklung von Miniprogrammen, wie das Maggi mit den lokalen Kochklubs machte oder MasterCard mit den Programmen für individuelle Banken vor Ort. Ein anderer Weg besteht darin, Leute an die Programme zu erinnern, beispielsweise mit kleinen Geschenken, kostenlosen Proben, Werbeprodukten wie T-Shirts oder E-Mails. Man kann außerdem versuchen, vielleicht mit Incentives, diejenigen, die mit dem Programm in Kontakt kommen oder kamen zu animieren, die Botschaft an andere weiterzugeben.

Öffentlichkeitsarbeit und Medienwerbung können wirkungsvolle Methoden sein, um die Präsenz zu erhöhen. Viele erfolgreiche Programme haben eine Beteiligung von Nachrichtensendungen sorgfältig eingeplant. Die Einbeziehung von bekannten Fernsehpersönlichkeiten in die Olympic Torch Rally von Coca-Cola (eine Promotionskampagne im Jahr 1996, bei der 5500 Personen einen Staffellauf mit einer Fackel durch die Vereinigten Staaten veranstalteten), stellte sicher, dass die Medien ein Interesse an der Übertragung dieses Ereignisses in den Nachrichten haben würden. Obgleich Starbucks und The Body Shop kaum etwas für Werbung ausgeben, wurden beide zu starken Marken mit Millionenumsatz, für die Werbung sehr wichtig war und ist. Wenn man keine kostenlose Werbung bekommen kann, lohnt es sich, dafür zu bezahlen. Beispielsweise könnten Ausgaben, die die Aufregung, den Spaß und die Begeisterung beim Fußballspielen im Rahmen des DFB-Adidas-Cup publik machten, wichtige, mit Adidas verbundene Assoziationen verstärken.

Die Umsetzung – eine Frage der Organisation

Wenn Sie eine Strategie zum Aufbau Ihrer Marke haben, die über Werbung hinausgeht, wie setzen Sie diese dann um? Zwei Faktoren sind ganz wichtig für den Erfolg in diesem anderen Umfeld – die Fähigkeit, einen Zugang zu alternativen Medien zu finden sowie das Talent zur medienübergreifenden Koordination.

Zugang zu alternativen Medien

Für alternative Ansätze, beispielsweise Sponsoring, die Verbindung mit einer guten Sache, Direktmarketing, Kundenklubs, Werbegags, Websites, Öffentlichkeitsarbeit, Flaggschiffläden, Verkostungen und anderen Methoden, braucht man das nötige Wissen und die nötigen Fähigkeiten. Marken müssen Maßnahmen einsetzen können, die in ihrem Umfeld relevant sind und müssen besser verstehen lernen, wie man Ergebnisse misst. Außerdem muss man begreifen, wie die verschiedenen Medien zusammenhängen, damit man Synergien schaffen kann. Wer diese Fähigkeiten erwerben will, könnte das Folgende tun:

- **Hemmungen im Unternehmen selbst beseitigen**
  Schaffen Sie eine Organisation, die innovative Ansätze akzeptiert. Möglicherweise war es kein Zufall, dass Häagen-Dazs in Europa eingeführt wurde, von einer eigenständigen Firma ohne festgefügte Normen; erst nachdem sich die Firma etabliert hatte, wurde sie ganz von der Muttergesellschaft integriert. Es kann kein Zweifel daran bestehen, dass der Erfolg von Swatch zum großen Teil dem hemmungslosen Geschäftsführer des Unternehmens zuzuschreiben ist.
- **Testen Sie Ihre Ideen**
  Experimente und Pilotprojekte können einem Unternehmen helfen, Fähigkeiten und Wissen zu erwerben und Erfahrungen aus erster Hand darüber zu sammeln, was funktioniert und was nicht. Die Programme von Swatch, Adidas und Häagen-Dazs wurden zuerst getestet.
- **Ernennen Sie eine Person oder ein Team für alternative Programme**
  Diese Person oder dieses Team sollte die Aufgabe haben, Optionen für die Markenpflege zu entwickeln. Sie sollten Beziehungen zu Firmen aufbauen, die sich auf unterschiedliche Ansätze spezialisiert haben (beispielsweise Sponsoring von Veranstaltungen, Promotionskampagnen, Öffentlichkeitsarbeit, Internettechnologie und Direktmarketing). Eine zweite Möglichkeit wäre es, neue Kommunikationstechniken zu beobachten und genug über sie zu lernen, um ihre Bedeutung für ein bestimmtes Umfeld beurteilen zu können; man müsste den Markt genau beobachten um herauszufinden, was warum funktioniert. Drittens könnte man erfolgreiche Ansätze verfolgen, insbesondere außerhalb der eigenen Branche. Viertens könnte man durch systematisches kreatives Denken zu innovativen Programmen finden. Dieser Ansatz führte bei BMW in der Türkei zu einer einfachen Kampagne, die ein in der Stadt verstecktes Auto, Heißluftballons und ein Rätsel begleiteten. Nestlé hat in der

Schweiz einen hochrangigen Posten für einen Markenbeauftragten geschaffen und verfolgt damit das Ziel, weltweite, medienneutrale Programme zur Markenpflege zu kreieren.

- **Sorgen Sie für Erfahrung mit den wichtigsten Medien im eigenen Haus**
  Sobald man sich für eine innovative Idee entschieden und geeignete Maßnahmen ausgewählt hat, sollte man dafür sorgen, dass jemand im eigenen Unternehmen ein tiefes Verständnis dafür und Erfahrung damit entwickelt; eine Initiative zum Aufbau einer Marke lässt sich nur schlecht kopieren, wenn das Wissen um diese Initiative nicht im eigenen Haus vorhanden ist und für andere verfügbar gemacht werden kann. Cadbury, Swatch, Maggi und Häagen-Dazs haben im eigenen Unternehmen die Fähigkeit gefördert, die wichtigsten Medien zu steuern, was wesentlich dazu beiträgt, dass sie ihren Vorsprung halten können.

Medienübergreifende Koordination

Die medienübergreifende Koordination von Programmen muss auf einer umfangreichen, klaren Markenidentität und Position basieren. Außerdem muss das Unternehmen hinter dieser Koordination stehen. Eine Person oder ein Team muss für die Marke verantwortlich sein, um sicherzustellen, dass die Identität und Position eindeutig sind und dass alle Maßnahmen zum Aufbau der Marke zu der Gesamtstrategie passen. Günstig wäre es, wenn innovative Ansätze gefördert und Initiativen, die nicht zur Strategie passen, korrigiert würden, ehe sie umgesetzt werden.

Traditionelle Werbeagenturen verfügen über unterschiedlich gut entwickelte Fähigkeiten, bei der Koordinierung von anderen Markenpflegemaßnahmen zu helfen. Obwohl die meisten von ihnen behaupten, in der Lage zu sein, ein breit gefächertes, zur Strategie passendes Kommunikationsprogramm entwickeln und leiten zu können, gelingt dies vielen von ihnen dann doch nicht, weil sie viel zu sehr auf Werbung konzentriert sind oder noch keinen Weg gefunden haben, Schwesterorganisationen in ein Team einzubinden. Die besseren Agenturen kombinieren unterschiedliche Kommunikationsfähigkeiten in einer Organisation, während die weniger guten entweder mit einer Reihe von eigenständigen Organisationen operieren oder sich nur auf sehr enge Bereiche konzentrieren.

Ganz gleich wie die Agentur organisiert ist, ein Programm, das Erfolg belohnt, egal, wie er erzielt wurde, wird die kreative Arbeit fördern. Was sich messen lässt und was belohnt werden kann, das wird auch getan.

Vorschläge

1. Für welche Bereiche im Leben eines Kunden könnte Ihre Marke relevant sein? Was liegt den Kunden wirklich am Herzen?
2. Beurteilen Sie ihre gegenwärtigen Programme zum Aufbau Ihrer Marke. Welche Ziele verfolgen sie? Wie wird der Erfolg gemessen? Wie gut werden die Ziele erreicht?
3. Identifizieren Sie einige gute Ansätze zum Aufbau einer Marke, sowohl in Ihrer eigenen Branche als auch in anderen, mit denen die Präsenz erhöht werden soll. Mit welchen Ansätzen lassen sich erfolgreich Assoziationen zur Marke herstellen? Womit lassen sich tiefe Bindungen aufbauen? Wieso funktionieren diese Ansätze?
4. Welche der in den letzten vier Kapiteln geschilderten Maßnahmen beeindruckt Sie am meisten? Warum?
5. Identifizieren Sie Maßnahmen zum Aufbau einer Marke, die nicht funktionieren und erläutern Sie, warum diese Maßnahmen Ihrer Meinung nach nicht erfolgreich sind.
6. Denken Sie einfach einmal kreativ und lassen Sie sich neue Möglichkeiten zum Aufbau Ihrer Marke einfallen.
7. Wenn es morgen keine Medienwerbung mehr gäbe (oder was auch immer für Sie im Moment das wichtigste Mittel zum Aufbau Ihrer Marke ist), was würden Sie dann zur Markenpflege unternehmen?
8. Fragen Sie sich einmal: Wenn dies ein Bekleidungsunternehmen wäre, wie würden wir dann die Marke aufbauen? Was könnten wir aus dem Erfolg von Ralph Lauren lernen? Welches sind in Ihrer Branche die fünf oder sechs am häufigsten verwendeten Maßnahmen zum Aufbau von Marken? Wenn Zeit und Geld keine Rolle spielten, was würden Sie dann anders machen?

Wie erzeugt man Siegermarken?

10

Siegermarken auf der ganzen Welt – nicht eine weltweite Einheitsmarke

McDonald's in Europa

Eine Überprüfung der europäischen Werbung von McDonald's im Jahr 1995 enthüllte ein paar beunruhigende Tatsachen. Das Eindringen in neue Märkte hatte dazu geführt, dass die Werbung von Land zu Land nicht konsistent war und sich oft sehr weit von dem entfernte, was die Kernelemente der Identität hätten sein sollen. Werbung, die von den einzelnen Ländern finanziert wurde, war zunehmend auf Promotionen ausgerichtet und tat nichts für den Aufbau der Marke. In manchen Ländern wurde McDonald's als modern und exotisch positioniert statt als bekömmlich; in Norwegen wurden in einer Werbung die Kellner eines Chinarestaurants gezeigt, die Gäste mit der Bemerkung »Keine Hamburger« aufzogen, während das Personal in der Küche McDonald's Hamburger verschlang. In Spanien wurde dagegen sehr allgemeine Werbung mit lächelnden Gesichtern und fröhlicher Musik verwendet.[55]

Diese Entfernung von der Kernidentität war der unbeabsichtigte Nachteil des immens erfolgreichen Geschäftsmodells von McDonald's, bei dem die Leute vor Ort auch die Marketingentscheidungen treffen. McDonald's ist stolz darauf, eine Weltmarke zu besitzen, die auf allgemein gültigen Werten basiert und die in jedem einzelnen Markt von großer Bedeutung ist. Die gleiche Philosophie steht hinter den von McDonald's angebotenen Speisen. Die meisten davon gibt es auf der ganzen Welt, und sie sind überall gleich, nur einige wenige Produkte werden dem lokalen Geschmack angepasst. Traditionell war die Werbung immer spezifisch für ein Land. In Europa wurde die Bemerkung des Marketingdirektors von McDonald's zitiert, dass McDonald's noch nie paneuropäische Werbung (ganz zu schweigen von globaler Werbung) gemacht habe und wahrscheinlich auch nie machen werde.

Im Sommer 1995 begann Leo Burnett, die McDonald's Werbeagentur für sechs europäische Länder (Belgien, Großbritannien, Norwegen, Schweden, Schweiz und Spanien) mit den ersten paneuropäischen Bemühungen, um eine konsistentere Werbung zu erzielen, indem sie eine Markenidentität identifizierte, die alle kommunikativen Anstrengungen vereinen und leiten konnte. Dieser Ansatz schien nicht nur logisch, sondern auch gerade rechtzeitig zu kommen, denn die Geschmäcker in Europa schienen sich einander anzunähern und die Europäische Union stand kurz bevor. Ein dreitägiges Treffen mit den kreativen Direktoren und Etatdirektoren aus den sechs Ländern wurde organisiert. Eine Menge Marktforschungsdaten über Trends im Lebensmittelbereich, Kunden und deren Motivation wurden untersucht.

Ziel des Treffens war es, sich auf eine Kernidentität und Markenessenz zu einigen, die die treibende Kraft hinter der Werbung in allen sechs Ländern sein konnte. Obgleich die Norweger etwas zögerten, kam es zu einem Konsens. Als Kernassoziationen, die mit McDonald's verbunden sind, wurden festgelegt: ein Ort für die ganze Familie, mit bekömmlichem Essen, Kinder, schnelle Bedienung, schmackhaftes Essen, Spaß und der Zauber von McDonald's. Im Anschluss an die Arbeit der Europäer an der Markenidentität wurde ein separates, aber ähnliches Projekt in den Vereinigten Staaten begonnen. Ziel war es, zunächst die Kernidentität des US-amerikanischen McDonald's zu definieren und letztendlich eine globale McDonald's-Markenessenz. Dieses Projekt kam zu bemerkenswert ähnlichen Ergebnissen wie die Europäer. Das Markenwesen wurde als »Freund, dem man traut« definiert. Diese Markenessenz wurde als Ziel angesehen, ein Konzept, das die Marke im Laufe ihrer Entwicklung beibehalten und verstärken konnte und das negative Assoziationen neutralisierte, wie beispielsweise »lächelnde Bevormundung, aber nicht authentisch«.

Die Leo-Burnett-Agenturen in den einzelnen Ländern schufen dann Werbung unabhängig voneinander, aber beeinflusst von der gleichen Markenidentität und -essenz. Heraus kam eine Werbung, die das Bild von McDonald's als ein familienorientiertes, fröhliches Lokal für bekömmliches Essen verstärkte. Obgleich die Werbung von Land zu Land sehr unterschiedlich war, hätte man sie überall einsetzen können. Ein schwedischer Spot zeigte eine berufstätige Mutter, die beschloss, eine geschäftliche Besprechung zu verschieben, damit sie ihre Tochter zu McDonald's ausführen konnte, und die dann entdeckte, dass ihr Chef mit seinem Sohn bereits dort war. In der belgischen Werbung wurde ein Junge, der sich seiner neuen Brille wegen unbehaglich fühlte, bei McDonald's trotzdem von einem Mädchen beachtet und fühlte sich gleich wieder besser. In der britischen Werbung brachte ein Junge seinen Vater dazu, mit ihm zu McDonald's zu gehen, wo der Mann »zufällig« auf seine getrennt lebende Frau traf und – zum Entzücken seines Sohnes – mit ihr zu plaudern begann. In Norwegen wurde ein Junge von seiner Großmutter durch eine surrealistische Stadt geführt, um schließlich bei einer netten, vertrauten McDonald's-Filiale zu landen.

Vor nicht allzu langer Zeit wurde eine McDonald's-Werbung, die von einem schwedisch-amerikanischen Kreativ-Team für Schweden entwickelt worden war, mit einem Preis ausgezeichnet. Die Werbung wurde dann nicht nur in Schweden, sondern auch in anderen europäischen Ländern verwendet. Da universelle Wertvorstellungen in der Werbung verwendet werden, kann man sie überall einsetzen. Das Schaubild 10.1 zeigt vier Einstellungen aus der Fernsehwerbung mit dem Titel »Small Fry Love«: Ein Junge flirtet auf der Straße mit einem Mädchen, schenkt ihr sein Herz und sein Hemd, möchte seine kleine Portion Pommes aber lieber nicht mit ihr teilen.

Schaubild 10.1: McDonald's Werbung in Schweden

Probleme, die man beachten muss

Diese kurze Betrachtung der Werbung von McDonald's in Europa weist auf einige schwierige Probleme hin. Einige der entwickelten Werbekampagnen sind besser als andere. Sollte man sich bemühen, die beste Werbung überall in Europa zu zeigen? Wie verhält man sich bei der Gratwanderung zwischen Konsistenz und Wirkung? Sollten die Bemühungen um eine konsistente Werbung auf ganz Europa oder vielleicht sogar die ganze Welt ausgedehnt werden? Wenn ja, wie? Kann man ein solches Konzept mit verschiedenen Agenturen verwirklichen? Kann man es durchführen, ohne die kreative Vitalität zu beeinträchtigen? War das oben erwähnte Treffen die beste Methode, um das gewünschte Ziel zu erreichen? Welche Rolle spielt der Kunde dabei? Es gibt keine allgemein gültigen Antworten auf diese schwierigen Fragen. In diesem Kapitel wollen wir jedoch einige

Methoden vorstellen, die Unternehmen beim Aufbau von Marken im Global Village unterstützen.

Weltmarken

Pringles, Visa, Marlboro, Sony, McDonald's, Nike, IBM, Gillette Sensor, Heineken, Pantene und Disney werden von vielen, die mit Markenpflege zu tun haben, beneidet, weil es sich bei ihnen um Weltmarken zu handeln scheint – das heißt Marken, die überall auf der Welt im Hinblick auf ihre Markenidentität, -position, Werbestrategie, Markenpersönlichkeit, das Produkt, die Verpackung, das Aussehen und den Gesamteindruck ziemlich gleich sind. Beispielsweise steht die Chipsmarke Pringles auf der ganzen Welt für »Spaß« in Gesellschaft, Frische, wenig Fett, verschließbare Verpackung und Riesenchip. Außerdem sind die Pringles-Packung, die verwendeten Symbole und die Werbung praktisch in allen Ländern gleich.

Genau wie McDonald's sind diese Marken jedoch nicht überall ganz so identisch, wie man auf den ersten Blick annehmen könnte. Pringles gibt es je nach Land in verschiedenen Geschmacksrichtungen, und die Pringles-Werbung ist auf die Kultur vor Ort zugeschnitten. Heineken ist ein qualitativ hochwertiges Markenbier, das man auf der ganzen Welt mit Freunden genießt, außer in den Niederlanden, wo es als eher alltägliches Produkt präsentiert wird. Visa verwendet in manchen Ländern unterschiedliche Logos. Sogar Coke bietet in manchen Gegenden ein etwas süßeres Getränk an (beispielsweise in Südeuropa).

Abgesehen von derartigen Variationen stellen Marken, die ziemlich global sind, einen echten Vorteil dar. Eine globale Marke kann beträchtliche Kosten sparen. Eine einzige Werbekampagne für IBM zu entwickeln kostet deutlich weniger, selbst wenn man sie an einzelne Märkte anpassen muss, als die Entwicklung von Dutzenden von Kampagnen. Die Entwicklung anderer Programme (beispielsweise der Verpackung, einer Website, einer Promotionskampagne oder einer Sponsorenschaft) ist ebenfalls kosteneffizienter, wenn die Ausgaben und Investitionen über mehrere Länder verteilt werden können. Die Möglichkeit, Kosten sparen und verteilen zu können, ist bei Sponsorenschaften mit weltweiter Wirkung, wie beispielsweise der Fußballweltmeisterschaft oder den Olympischen Spielen, besonders relevant.

Allerdings ist die verstärkte Wirkung möglicherweise noch wichtiger, die allein daraus resultiert, dass bessere Ressourcen zur Verfügung stehen. Als IBM Dutzende Agenturen durch Ogilvy & Mather ersetzte, wurde es sofort zum sprichwörtlichen Elefanten, der sich hinsetzen kann, wo immer er will. Als dem mit Abstand wichtigsten Kunden von Ogilvy & Mather stehen dem Unternehmen auf allen Ebenen die besten Leute der Agentur zur Verfügung; damit sind die Chancen auf eine optimale Kampagne deutlich gestiegen.

Die Wirksamkeit wird auch durch die Präsenz auf verschiedenen Märkten erhöht. Durch Medien-Overspill bekommt die Weltmarke mehr für jede eingesetzte Mark. Außerdem sehen Kunden, die viel auf Reisen sind, die Marke in verschiedenen Ländern, was die Wirkung einer Kampagne verstärkt. Reisende Kunden sind besonders für Kreditkarten, Fluggesellschaften und Hotels wichtig.

Zudem lässt sich eine globale Marke einfach besser managen. Die grundsätzliche Herausforderung bei der Markenpflege besteht darin, eine klare, gut formulierte Markenidentität zu entwickeln und dann dafür zu sorgen, dass diese Identität alle Aktivitäten zum Aufbau der Marke inspiriert. Im Fall einer Weltmarke ist diese Aufgabe nicht allzu schwierig; Visas »weltweite Akzeptanz«-Kampagne lässt sich viel leichter steuern als Dutzende von verschiedenen Strategien für einzelne Länder. Außerdem genügen für eine Weltmarke wesentlich einfachere Strukturen und Systeme.

Bei Weltmarken besteht der Trick darin, eine Position für sie zu finden, die in allen Märkten funktioniert. Sprite hat beispielsweise auf der ganzen Welt die gleiche Position: ehrlich, einfach, erfrischender Geschmack.[56] Aufgrund der Beobachtung, dass die Jugend überall genug von Medienrummel und leeren Versprechungen hat, verwendet Sprite für seine Werbung den Slogan: »Image ist nichts. Durst ist alles. Gehorche deinem Durst.« Diese Botschaft, sich auf die eigenen Instinkte zu verlassen, findet auf der ganzen Welt Anklang.

Eine ganze Reihe von allgemeinen Positionierungen lassen sich leicht auf andere Märkte übertragen; eine Marke ist die beste, die Wahl der oberen Zehntausend. Marken am oberen Ende der Preis- und Qualitätsskala wie Mercedes, Montblanc, Heineken und Tiffany können leicht Grenzen überschreiten, denn in fast allen Kulturen bieten sie den Kunden die Möglichkeit, durch ihren Kauf und ihre Verwendung etwas über sich selbst auszusagen. Ein anderer, leicht übertragbarer Aspekt ist das Herkunftsland; die amerikanische Herkunft von Marken wie Coke, Levi's, Baskin-Robbins, KFC und Harley-Davidson wirkt überall (vielleicht mit Ausnahme der USA selbst). Rein funktionale Vorteile (trockene, glückliche Babys dank Pampers) können auch für viele Märkte verwendet werden.

Siegermarken in allen Ländern – aber keine Einheitsmarke

Nicht alle hochklassigen Marken, amerikanischen Marken oder Marken mit beträchtlichen funktionalen Vorteilen können Weltmarken werden. Aber viele Unternehmen erliegen häufig der Versuchung, ihre Marken globalisieren zu wollen, weil sich die Geschäftsleitung auf einem Egotrip befindet oder weil man fälschlicherweise glaubt, die Globalisierung an sich stünde für Erfolg. Solche Fälle erkennt man oft an einem hoheitlichen Erlass, dass nur noch globale Programme verwendet werden dürfen. Die Bündelung aller Werbemaßnahmen bei einer Agentur und die Entwicklung eines weltweiten Werbekonzepts stellen häufig einen Eckpfeiler derartiger Bemühungen dar. Kurzsichtiges Bestehen auf einer globalen Marke kann in vielen Fällen der völlig falsche Ansatz sein und einer Marke erheblichen Schaden zufügen. Dafür gibt es drei Gründe.

Erstens hat die Marke möglicherweise gar nicht das Potenzial für eine Weltmarke und die möglichen Kostenersparnisse halten sich in Grenzen. Die Erwartungen an einen Medien-Overspill sind häufig übertrieben und individuelle Kommunikationsmaßnahmen vor Ort mitunter preisgünstiger und wirkungsvoller als der Import einer globalen Kampagne und deren Anpassung an lokale Bedürfnisse. Außerdem kann es vorkommen, dass auch eine hervorragende Agentur nicht in der Lage ist, in jedem Land Erstklassiges zu leisten.

Zweitens findet das für die Marke verantwortliche Team unter Umständen keine Strategie, mit der man eine Weltmarke unterstützten könnte – vielleicht gibt es diese Strategie auch überhaupt nicht. Möglicherweise fehlt es an den nötigen Leuten, der notwendigen Information, Kreativität oder den Fähigkeiten zur Durchführung, und dann gibt man sich irgendwann mit etwas Mittelmäßigem zufrieden. Die Aufgabe, eine optimale Strategie für ein Land zu entwickeln, ist Herausforderung genug; man sollte dann nicht noch fordern, dass diese Strategie auch auf der ganzen Welt funktionieren muss.

Drittens ist eine globale Marke unter Umständen nicht die beste Lösung oder sie ist gar nicht durchführbar, wenn die einzelnen Märkten sich grundlegend unterscheiden. Stellen Sie sich einmal folgende Situationen vor, in denen eine globale Marke wirklich nicht sinnvoll wäre:

- Völlig unterschiedliche Marktanteile: Die unterschiedlichen Maßnahmen bei der Einführung des Ford Galaxy Minivans in Großbritannien im Vergleich zu Deutschland wurden durch die Stellung der Marke Ford im jeweiligen Land beeinflusst. Während Ford in Großbritannien die führende Automarke war und als qualitativ hochwertig galt, wurde diese Position in Deutschland von VW eingenommen. Wie im neunten Kapitel erwähnt, sah sich Ford als dominierende Marke in Großbritannien mit der Herausforderung konfrontiert, den Markt für Minivans auszuweiten, und nicht nur Mütter von Fußball spielenden Kindern, sondern auch Fahrer von Firmenwagen dafür zu gewinnen. Daher wurde der Galaxy auch nicht als Minivan präsentiert und seine Geräumigkeit wurde mit derjenigen in der Ersten Klasse eines Flugzeuges verglichen. In Deutschland wurde der Galaxy dagegen ganz einfach als die »clevere Alternative« vorgestellt.
- Unterschiedliches Markenimage: In den Vereinigten Staaten steht Honda für Qualität und Zuverlässigkeit, denn die Marke schneidet in der J.D. Power-Beurteilung immer gut ab. In Japan dagegen, wo gute Qualität nur in geringerem Maße zur Differenzierung benutzt werden kann, ist Honda ein Teilnehmer bei Autorennen, mit einer jugendlichen, energiegeladenen Persönlichkeit.
- Eine andere Marke kam einem zuvor: Eine besonders gute Positionierung für einen Schokoriegel ist dann gegeben, wenn er Assoziationen zu Milch herstellen kann, bildlich ausgedrückt durch ein Glas Milch, das in den Riegel gegossen wird. Dieses Bild wird aber bereits von verschiedenen Marken in unter-

schiedlichen Märkten verwendet (beispielsweise von Cadbury in Großbritannien und Milka in Deutschland).

- Unterschiedliche Aspekte, die Kunden motivieren: Als Canon herausgefunden hatte, dass finnische Kunden befürchteten, ein Kopierer könne zu schwierig zu bedienen sein, wurde die Marke zu dem Kopierer, bei dem der Benutzer das Sagen hat. In Deutschland und Italien funktionierten dagegen Aussagen über eher traditionelle Produktvorteile besser.
- Kunden reagieren unterschiedlich auf die Werbung oder Symbole: Eine Johnny Walker-Werbung, in der der Held an einem Stierkampf in Pamplona teilnahm, schien für Deutschland zu gewagt und für andere Länder zu spanisch.

Eine globale Markenstrategie ist häufig irreführend. Die Priorität sollte nicht auf der Entwicklung globaler Marken liegen (obgleich man möglicherweise am Ende der Bemühungen eine Weltmarke hat), sondern auf der Entwicklung von Siegermarken auf der ganzen Welt – das heißt von starken Marken für alle Märkte, die von einer wirkungsvollen, aktiven, weltweiten Markenpflege unterstützt werden. Eine globale Markenpflege sollte die Menschen, Systeme, Kulturen und Strukturen eines Unternehmens nutzen, um die notwendigen Ressourcen zum Aufbau von Marken weltweit bestmöglich einzusetzen, um Synergien zu schaffen und eine weltweite Markenstrategie zu entwickeln, die die Strategien in den einzelnen Ländern koordiniert und sie ausnutzt.

Die Verteilung von Mitteln zum Aufbau von Marken ist häufig aufgrund der Dezentralisierungsfalle alles andere als optimal, weil Ländern, in denen der Markt groß ist, am meisten Aufmerksamkeit gewidmet wird, während man andererseits kleine Märkte verhungern lässt, obwohl sie ein beträchtliches Potenzial darstellen. Eine wirkungsvolle globale Markenpflege wird Chancen erkennen und aus einer übergeordneten Perspektive heraus entsprechend investieren.

Synergien ergeben sich durch gemeinsame Forschung, geteilte Investitionskosten und Erfahrungen mit Kunden, effektive Ansätze, strategische Entwicklungsprozesse, Markenpflegemodelle- und vokabular, Positionierungskonzepte und gemeinsame Bemühungen. Eine wichtige Aufgabe der globalen Markenpflege besteht darin, diese Synergiemöglichkeiten zu erkennen und auszunutzen.

So gut wie alle multinationalen Unternehmen sollten sich mit aktiver globaler Markenpflege beschäftigen. Untereinander unverbundene lokale Strategien ohne eine gemeinsame Zielsetzung oder Führung werden unweigerlich nur zu Durchschnittsmarken auf globaler Ebene oder zu leichter Verwundbarkeit führen. Einzelerfolge, die häufig irgendein brillanter Manager erzielt, werden sich dann nur hier und da und eher zufällig ergeben – wirklich kein gutes Rezept für weltweite Siegermarken.

Wir befragten leitende Angestellte aus 35 Unternehmen (die Hälfte davon mit einer Firmenzentrale in den USA, die andere Hälfte mit Firmensitz in Europa oder in Japan), die alle in vielen Ländern erfolgreiche Marken entwickelt haben. Etwa zur Hälfte bestand die Stichprobe aus Firmen, die häufig gekaufte Konsumgüter herstellen – für diese Gruppe gibt es generell die am besten entwickelten Systeme zur weltweiten Markenpflege – zur anderen Hälfte gehörten Unternehmen, die Gebrauchsgüter, High-Tech-Waren oder Dienstleistungen anbieten. In jedem Unternehmen wurden verschiedene Leute kontaktiert, aber hauptsächlich wurde der weltweit verantwortliche Produktmanager oder jemand anderes aus dem Linienmanagement befragt, häufig sogar der Geschäftsführer. Die Untersuchung konzentrierte sich auf Probleme und Chancen bei der weltweiten Markenpflege sowie die Bemühungen der Firmen, die Probleme anzupacken.

Auf der Grundlage dieser Interviews und der in diesem Buch vorgestellten Konzepte glauben wir sagen zu können, dass Unternehmen, die weltweit Siegermarken kreieren wollen, dafür eine Organisation schaffen müssen, die

- länderübergreifend den Austausch von Erkenntnissen und erfolgreichen Vorgehensweisen fördert,
- einen gemeinsamen Planungsprozess für eine globale Marke unterstützt,
- Managern Verantwortung für Marken überträgt, damit länderübergreifende Synergien entstehen können und es keine lokalen Verzerrungen gibt,
- optimale Programme zum Aufbau der Marke ausführt.

Einsichten und Erkenntnisse teilen

Ein länderübergreifendes Kommunikationssystem, das zum Erfahrungs- und Methodenaustausch beiträgt, ist eines der grundlegendsten und einfachsten Elemente einer globalen Markenpflege. In manchen Ländern mag es leicht sein, gewisse Erkenntnisse über Kunden zu sammeln, in anderen dagegen wesentlich schwieriger. Vorgehensweisen, die man möglicherweise Wettbewerbern abgeschaut hat oder die aus anderen Warengruppen stammen, können eine große Bedeutung haben, denn sie sind erprobte Modelle und zeigen, was funktioniert.

Ziel ist es, erstens einen globalen Mechanismus zu etablieren, um aus erster Hand Informationen über ein gut funktionierendes Procedere zu bekommen, zweitens eine Methode zu finden, um diese Information an diejenigen weiterzuleiten, die sie nutzen könnten und drittens einen Weg zu entdecken, der es einem erlaubt, auf eine ganze Liste von erfahrungsgemäß nützlichen Vorgehensweisen zuzugreifen.

Ein solches System zu schaffen ist schwieriger als man denken möchte. Leute, die viel zu tun haben, sind selten motiviert, sich die Zeit zu nehmen und anderen zu erklären, was funktioniert oder auch nicht; außerdem geben sie lieber keine Informationen preis, die dazu führen könnten, dass man sie kritisiert. Die Informationsüberflutung, mit der sich heute jeder im Berufsleben konfrontiert sieht, ist ein anders Problem. Und oft findet man auch in Unternehmen, die einen Austausch von Wissen über verschiedene Märkte fördern, dieses Gefühl: »Hier wird das nicht funktionieren«.

Um diese Probleme zu überwinden, müssen Firmen eine Kultur fördern und unterstützen, in denen man frei über mögliche Vorgehensweisen kommunizieren kann. Außerdem müssen sich die Leute zusammensetzen und sich austauschen, um eine umfassende Wissensbasis zu schaffen, die relevant und leicht zugänglich ist. Incentives können eine Methode sein, Menschen zu motivieren, ihr Wissen zu teilen. American Management Systems führt beispielsweise Buch über Beschäftigte, die Erkenntnisse und Vorschläge publik machen und belohnt sie im Rahmen von alljährlichen Leistungsbeurteilungen. Viele andere Unternehmen haben Prozesse und Programme entwickelt, um die richtige Kultur zu schaffen.

Schaubild 10.2: Wirkungsvolle globale Markenpflege

Regelmäßige formelle oder informelle Besprechungen können eine wirkungsvolle Methode sein, um Erkenntnisse und Wissen auszutauschen. Henkel (Hersteller von Waschmitteln und Haushaltsreinigern) veranstaltet häufige Treffen der Produktmanager aus den 20 wichtigsten Ländern. Wie effektiv solche Besprechungen sind, hängt von ihrem Format ab sowie von den Teilnehmern. Formale Präsentationen können sicherlich eine Rolle spielen; Sony stellt bei solchen Treffen beispielsweise seine beste Werbung aus der ganzen Welt vor. Die Herausforderung besteht allerdings darin, von der Präsentation zum Handeln zu kommen; wirklich lernen können die Teilnehmer nur in Workshops oder bei weniger formalen Treffen. Häufig ist die Information, die allen zur Verfügung gestellt wird, weniger wichtig als der Aufbau von persönlichen Beziehungen, die dann zu Interaktionen führen.

Frito-Lay ist etwa dreimal im Jahr Sponsor eines Seminars, zu dem ein paar Dutzend Marketingdirektoren oder Geschäftsführer aus der ganzen Welt für eine Woche nach Dallas kommen. Auf dem Seminar werden die Leute in Konzepte für Siegermarken involviert, es hilft ihnen, ihre Einstellung: »Bei mir ist es anders – globale Programme funktionieren in meinem Markt nicht« zu überwinden und es schafft einen Grundstock von Leuten, die »Marken machen«.

Während der einen Woche werden Fallstudien präsentiert, über Packungstests, Werbung oder Promotionskampagnen, die in einem Land oder einer Region erfolgreich waren und dann ebenso erfolgreich auf ein anderes Land übertragen wurden. Diese Studien demonstrieren, dass man Methoden auch in einem anderen Umfeld anwenden kann, selbst wenn das Marketingteam vor Ort skeptisch ist.

Intranets spielen zunehmend eine aktive (wenngleich eher unterstützende) Rolle für die Kommunikation von Einsichten und positiven Erfahrungen. Eine Liste von E-Mail-Adressen von wichtigen Leuten in anderen Ländern ist ein nützliches Handwerkszeug. Obgleich das Verschicken von E-Mails sehr hilfreich sein kann, um andere auf Aktionen der Wettbewerber oder technische Entwicklungen aufmerksam zu machen, ist es sonst weniger zu gebrauchen, weil eine Informationsüberflutung droht. Dieses Problem kann man jedoch mildern, wenn man firmenintern für die Nutzung des Intranets eigene Strukturen und Vorgehensweisen vorgibt. Mobil verfügt über eine Reihe von verschiedenen Netzen zum Thema »wirkungsvolle Maßnahmen«, an denen sich Leute beteiligen, die ein Interesse an bestimmten Themen und Erfahrung damit haben, beispielsweise der Einführung neuer Produkte, Markenstrukturen oder der Präsentation von Marken im Einzelhandel. Jedes Netz hat einen Sponsor aus der Firmenleitung, der unterstützend und richtungweisend wirkt, sowie einen Leiter/Vermittler, der die notwendige Energie, geistige Führung und Kontinuität beisteuert. Wichtige Einsichten und wirkungsvolle Maßnahmen werden gesucht und auf einer leicht zugänglichen Intranet-Site veröffentlicht, die von der Netzwerkgruppe betreut wird.

Besuche vor Ort ermöglichen ein besseres Verständnis für wirkungsvolle Maßnahmen. Honda veranstaltet für Teams eigene Seminare »Live with best practices«, damit die Mitarbeiter im Detail verstehen lernen, wie etwas funktioniert. In anderen Unternehmen sind Leute auf Geschäftsführerebene (Henkel, Sony) oder Produktmanagerebene (IBM, Mobil) weltweit unterwegs, um wirkungsvolle Vorgehensweisen zu entdecken, darüber zu berichten und die Teams in den einzelnen Ländern zu motivieren. Wenn man vor Ort sieht, was unternommen wird, gewinnt man ein viel besseres Verständnis, als man aufgrund einer Beschreibung entwickeln könnte.

Procter & Gamble setzt weltweit strategische Planungsgruppen, bestehend aus drei bis 20 Leuten, für jede Kategorie ein, um globale Strategien anzuregen und zu unterstützen. Eine der Aufgaben dieser Gruppen besteht darin, das Wissen vor Ort zum Verständnis der Konsumenten zu nutzen, Einblicke in das Marktgeschehen auf der Basis von Marktforschung und Geschäftserfahrung aus jedem Land zu sammeln und diese Information dann weltweit zu verbreiten. Eine andere Aufgabe besteht darin, wirkungsvolle länderspezifische Marketinganstrengungen zu entdecken (beispielsweise Positionierungsstrategien) und die Leute in anderen Ländern zu ermutigen, das auch auszuprobieren; wieder eine andere besteht darin, weltweite Kommunikationsstrategien zu entwickeln. Außerdem erstellt das Team Richtlinien, die angeben, welche Aspekte der Markenstrategie hinsichtlich ihrer Durchführung verbindlich sind und über welche das Management in den einzelnen Ländern entscheiden kann.

Gemeinsame Methoden auf funktionaler Ebene sind ein anderer Weg, um Synergien zu schaffen. In Europa verhält sich Ford von Land zu Land sehr unterschiedlich, aber Marktforschungsmethoden und -ergebnisse werden zum Vorteil aller genutzt. Beispielsweise hat Ford in Großbritannien viel Erfahrung mit Forschung im Bereich Segmentierung und Postwurfsendungen. Nicht nur die diesbezüglichen Erkenntnisse sondern auch die Techniken und Methoden werden in anderen Ländern verwendet, insbesondere dort, wo die Märkte und daher auch die Budgets kleiner sind. Länderübergreifende Kommunikation auf funktionaler Ebene ist äußert wichtig.

Man kann also auf ganz verschiedene Weise Erfahrungen mit anderen teilen, sowohl im Rahmen formaler Strukturen, wie beispielsweise einer eigenen Planungstruppe oder auch informell im Gespräch über Methoden zwischen Experten. Man sollte sich an vier Richtlinien halten um sicherzustellen, dass der Prozess wirkungsvoll funktioniert. Zunächst einmal muss auf förmlicher oder informeller Basis ein Team Wertvorstellungen schaffen und diese verdeutlichen. Eine Vision, weltweit Synergien zu erzielen, genügt alleine nicht. Das Team muss Erfahrung und Wissen aufbauen. Außerdem sollte es auf gegenseitigen Respekt, Gemeinsamkeiten und Freundschaft aufbauen. Es sollte klare Vorstellungen über die Aufgabenverteilung existieren. Drittens braucht eine solche Gruppe einen motivierenden, höher gestellten Sponsor aus dem Unternehmen, der Verbindungen und Beziehungen innerhalb des Unternehmens fördern und unterstützen kann. Schließlich müssen sich alle auf eine Methode einigen, wie die Bemühungen des Teams die Bestrebungen verwirklichen sollen, die in der Markenidentität und Markenvision zum Ausdruck kommen.

Die Entwicklung einer Weltmarke

Die Erfahrungen eines prominenten Marketingprofis für abgepackte Ware verdeutlichen ein grundlegendes Problem der globalen Markenpflege. Vor zwei Jahren forderte ein neu ernannter, weltweit agierender Produktmanager die Produktmanager der einzelnen Länder auf, eine strategische Präsentation über ihre Situation zu geben. So gut wie alle dieser Manager verwendeten ihr eigenes Vokabular, ihre eigenen Muster und Schablonen, und, das braucht wohl nicht extra betont zu werden, präsentierten ihre eigenen Strategien. Ein absolutes Chaos zeichnete sich ab, einfach unmöglich zu managen, das zweifellos dazu führen musste, dass schlechtes Marketing gemacht wurde, das zu schwachen Marken führte. Dieses Modell gilt es zu vermeiden, doch man findet es sehr häufig.

Nur geringfügig besser stellte sich die Situation in einem anderen Unternehmen dar, das ein globales Planungssystem entwickelt hatte, einschließlich einer vereinheitlichten Sprechweise und gleicher Schablonen für alle, dem es aber nicht gelang, dieses System den Produktmanager in den einzelnen Ländern verständlich zu machen und sie zu dessen Übernahme zu bewegen. Dadurch erhöhte das Planungssystem noch das Durcheinander, statt für Klarheit zu sorgen.

Eine Schablone für die Markenplanung

Unternehmen, denen es noch am besten gelingt, weltweit Siegermarken zu produzieren, haben ein bestimmte Schablone für die weltweite Markenplanung implementiert, die sich über alle Märkte und Produkte legt. Durch eine derartige Schablone wird sichergestellt, dass sich die Präsentation einer Marke für jedes zur Marke gehörende Produkt überall gleicht, egal ob in Spanien, Singapur oder Chile. In allen Fällen basiert die Präsentation auf demselben, klar definierten Vokabular, den Ergebnissen derselben strategischen Analyse und identischer Struktur und erzeugt dasselbe Ergebnis. Die meisten Unternehmen, die in dieser Hinsicht schwach sind, erkennen, dass dies ihr Bemühen, auf der ganzen Welt erfolgreich als Wettbewerber im Markt aufzutreten, behindert, und viele sind gerade dabei, Prozesse zur Lösung dieses Problems zu entwickeln. Ein gemeinsamer Planungsprozess für die Marke stellt einen Eckpfeiler für Synergien und eine Hebelwirkung auf der ganzen Welt dar. Ohne diesen werden die Bemühungen einer Firma immer bruchstückhaft bleiben.

Das in diesem Buch vorgeschlagene Modell bietet eine grundlegende Struktur für den Planungsprozess und eine damit verbundene Schablone. Natürlich sind auch andere Modelle denkbar. Außerdem ist es meistens sinnvoll, ein allgemeines Modell den Besonderheiten im eigenen Unternehmen anzupassen. Ein Erfrischungsgetränkehersteller, der in 100 Ländern den Einzelhandel beliefert, wird sicherlich andere Aspekte betonen müssen als ein Anbieter von Maschinen, der direkt an die Endkunden verkauft.

Es gibt jedoch einige grundlegende Elemente (die in Schaubild 10.3 dargestellt sind), die berücksichtigt werden müssen – eine strategische Analyse, eine Markenstrategie, genaue Angaben zu Markenaufbauprogrammen und eine Beschreibung der Ziele sowie die Messung ihres Erfolges.

Die folgenden Dimensionen sollten bei den einzelnen Elementen ganz besonders berücksichtigt werden:

Die strategische Analyse

- *Kundenanalyse*: Was sind die wichtigsten Zielgruppen? Was motiviert die Kunden (es kommt auf die wahren Motive an, nicht auf das, was Kunden vordergründig behaupten)? Welche emotionalen Vorteile und Möglichkeiten, das eigene Ich dadurch auszudrücken, bietet die Marke innerhalb ihrer Warengruppe? Was liegt den Kunden besonders am Herzen, zu welchen wichtigen Aspekten ihres Lebens und ihrer Selbstauffassung könnte die Marke eine Bindung aufbauen? Wo gibt es unbefriedigte Bedürfnisse, die die Marke erfüllen könnte?

- *Analyse der Wettbewerber*: Wer sind die wichtigen Wettbewerber, an denen man sich messen will? Wie positionieren sie sich? Welche Programme zum Aufbau ihrer Marken haben sie und wie wirkungsvoll sind diese? Hebt sich irgendwer von der Masse ab? Wie?
- *Markenanalyse*: Welches Image hat die Marke? Welche positiven und negativen Aspekte zeigen sich? Welche strategischen Initiativen werden ergriffen? Welche Annahmen kann man darüber treffen, was das Unternehmen bereit und fähig ist zu tun?

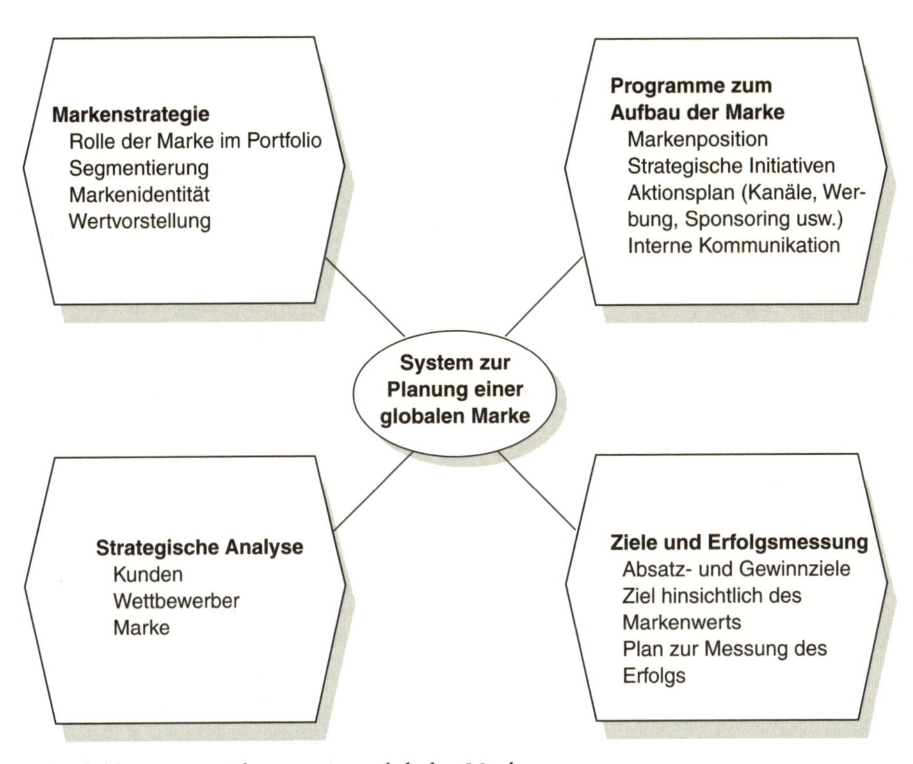

Schaubild 10.3: Die Planung einer globalen Marke

Markenstrategie

- Wie ist die Markenstrategie in das Markenportfolio eingebunden? Sollte die Marke eine bestimmte Rolle übernehmen, beispielsweise die einer Silver bullet oder strategisch wichtigen Marke?
- Welches sind die wichtigsten Zielgruppen, die die Marke ansprechen will?
- Welche Identität hat die Marke? Welche Persönlichkeit? Welches Symbol ist ihr zugeordnet?
- Was ist die Kernidentität und was die Markenessenz?
- Wie kann man die Marke differenzieren?

- Welche Kriterien und Programme gibt es, die das von der Marke gegebene Versprechen unterstützen?
- Welche Wertvorstellung vermittelt die Marke?
- Welche funktionalen oder emotionalen Vorteile muss die Marke bieten, wie muss sie dem Ausdruck des eigenen Ichs dienen können?

Programme zum Aufbau der Marke

- Welche Position nimmt die Marke ein, und welche Ziele werden mit den gegenwärtigen Bemühungen zum Aufbau der Marke verfolgt?
- Welche strategischen Initiativen werden ergriffen?
- Welche Aktionspläne und unterstützenden Programme gibt es hinsichtlich verschiedener Aspekte:
  - Absatzkanäle,
  - Werbung,
  - Sponsoring?
- Welche internen Programme zur Kommunikation der Marke gibt es?

Ziele und Messung des Erfolgs

- Welche Ziele gibt es hinsichtlich Absatz und Gewinn?
- Welche Ziele verfolgt man in Bezug auf die Distribution?
- Welche Ziele bestehen hinsichtlich des Markenwertes?
- Wie kann man die Maßnahmen zum Aufbau der Marke messen:
  - Verkauf und Gewinn,
  - Distribution,
  - Kundentreue,
  - Bekanntheitsgrad der Marke,
  - Qualitätsaussage,
  - Assoziationen (einschließlich Persönlichkeit und emotionale Vorteile).

Zwei Dimensionen dieser veranschaulichenden Übersicht werden häufig vernachlässigt, können jedoch ausschlaggebend für Erfolg oder Misserfolg sein. Die erste ist das interne Programm zur Kommunikation mit Beschäftigten und Geschäftspartnern; es kann absolut notwendig sein, um die Klarheit und Umgebung zu schaffen, die man für eine eindeutige Markenidentität braucht. Wie im dritten Kapitel erwähnt, kann die interne Kommunikation durchaus unterschiedlich aussehen, sie kann aus einem umfangreichen Handbuch bestehen (Lipton Hot Refreshment), aus Workshops (Nestlé), Informationen über das Internet (DaimlerChrysler), Rundschreiben (Hewlett-Packard), ein gebundenes Buch auf Hochglanzpapier (Volvo) oder nonverbale Videofilme (The Limited).

Die zweite Dimension, die häufig vernachlässigt wird, ist die Erfolgsmessung. Tatsache ist aber, dass solche Messungen das Verhalten entscheidend beeinflussen; wenn nichts gemessen wird, dann kommt es hinsichtlich des Aufbaus der Marken häufig nur zu Absichtserklärungen. Der Schlüssel besteht darin, über die Verkaufs- und Gewinnzahlen hinauszugehen und auch Elemente des Markenwertes zu messen. Es ist erstaunlich, wie wenige Unternehmen ein weltweites System zur Überprüfung der Marke etabliert haben. Pepsi ist in dieser Hinsicht eine Ausnahme. Mitte der neunziger Jahre des 20. Jahrhunderts führte Pepsi (auch für seine Frito-Lay-Marken) ein freiwilliges Messsystem in allen Ländern ein, in denen das Unternehmen vertreten ist. Dies erwies sich als ein derart wirkungsvolles Mittel zur Diagnose und Motivation, dass der Geschäftsführer Roger Enrico es einige Jahre später zum Pflichtprogramm machte. Bezeichnet wird das System als Gewinn- und Verlustrechnung des Marktes, und es konzentriert sich auf den Wert des Produktes (er wird mit Hilfe von Verkostungs-Blindtests überprüft), den Wert für den Kunden (womit die Breite und Tiefe der Distribution gemeint ist) und den Markenwert (die Meinung der Konsumenten und das Markenimage bei Konsumenten). Wenn die Produktmanager aus den verschiedenen Ländern, in denen Pepsi verkauft wird, sich treffen und ihre Messzahlen vergleichen, dann entdecken sie sehr schnell, dass andere sich mit sehr ähnlichen Problemen aus genau den gleichen Gründen beschäftigen müssen. Diese Erkenntnis kann die Bereitschaft erhöhen, von den Programmen und der Erfahrung anderer zu lernen.

Die Brand Leadership Company half Schlumberger Resource Management Services, ein System zur weltweiten Erfolgsmessung der Marke zu entwickeln. Zusätzlich zu der Möglichkeit, Messungen in einzelnen Ländern anzustellen, enthielt das System auch Methoden zur Diagnose der Kundenloyalität sowie der Zufriedenheit mit den Produkten, Dienstleistungen und Lösungsvorschlägen des Unternehmens. Auf diese Weise produzierte das System Informationen, die kurzfristig wirkungsvoll dabei halfen, bestimmte Kunden zufrieden zu stellen und zu behalten sowie langfristige Vorteile für den Aufbau der Marke bedeuteten. Die kurzfristigen Vorteile rechtfertigten dabei die Kosten für das System.

Ein gemeinsamer weltweiter Planungsprozess

Es muss ein eigenes Verfahren existieren, damit überhaupt geplant wird. Nur wenige Unternehmen verfügen über ein derartiges Verfahren. McDonald's führte vor kurzem einen derartigen Planungsprozess ein, um sich intern den Herausforderungen des externen Brandings zu stellen. Eine Eigenschaft eines derartigen Verfahrens ist, dass es einen eigenen Rhythmus entwickelt, der sicherstellt, dass die Planung tatsächlich gemacht wird. Die Zeiten, in denen man sich nur auf einer jährlichen Planungssitzung mit Fragen der strategischen Entwicklung beschäftigte, sind in den meisten Märkten vorbei, weil sich die Welt ganz einfach zu rasch verändert, als dass man sich dies noch erlauben könnte. Der Planungsprozess muss Raum für notwendige Anpassungen und Adaptionen bieten, sofern sich neue Technologien entwickeln, Wettbewerber Maßnahmen ergreifen oder sich Veränderungen auf Kundenseite ergeben. Wie General Dwight D. Eisenhower einmal sagte: »Pläne sind nichts, aber Planung ist alles.« Das Planungsverfahren sollte es Managern ermöglichen, bei Bedarf wichtige Änderungen durchzuführen.

Außerdem muss man die jeweiligen Aufgaben und Verantwortungsbereiche definieren. Wer ist für die Koordinierung des Verfahrens zuständig? Wer muss in Entscheidungen mit einbezogen werden? Wer muss in jedem Stadium informiert werden? Wer muss den verschiedenen Aspekten des Prozesses zustimmen? Wer ist für die Umsetzung der Planung verantwortlich?

Von oben nach unten oder von unten nach oben

In den Prozess sollte auch ein Mechanismus eingebaut werden, um eine Beziehung zwischen den globalen Strategien und den Markenstrategien in den einzelnen Ländern herzustellen. Das kann entweder von oben nach unten geschehen (wenn die weltweite Strategie die Triebfeder darstellt und die Länderstrategien angepasst werden) oder von unten nach oben (wenn die Strategie eines Landes zu einer regionalen und dann weltweiten Markenstrategie entwickelt wird).

Eine Vorgehensweise von oben nach unten, wie sie von Sony, Mobil Oil und anderen Unternehmen angewandt wird, erfordert die Entwicklung einer globalen Markenstrategie, zu der die einzelnen Länderstrategien in Beziehung gesetzt werden. Eine ländereigene Strategie kann die weltweite Strategie verstärken, indem sie weitere Dimensionen zur Identität hinzufügt. Die Markenstrategen vor Ort interpretieren vielleicht auch ein Element der Markenidentität auf etwas andere Weise (Führung mag in einem Land Führung auf technischem Gebiet bedeuten, in einem anderen dagegen Marktführerschaft). Bei einer Vorgehensweise von oben nach unten müssen die Markenteams der einzelnen Länder jede Abweichung von der globalen Strategie rechtfertigen, besonders dann, wenn sie im Gegensatz zu dieser Strategie steht.

Der umgekehrte Prozess erlaubt es Unternehmen, die weltweite Strategie auf der Basis der einzelnen Länderstrategien zu entwickeln. Länderstrategien, die sich ähneln, kann man in Gruppen zusammenfassen, vielleicht in Bezug auf die Reife des Marktes (unterentwickelt, sich entwickelnd, entwickelt) oder das Wettbewerbsumfeld (ist die Marke Marktführer oder Herausforderer?). Die Strategie wird je nach Gruppe unterschiedlich sein, aber es sollte trotzdem Gemeinsamkeiten geben, die in der weltweiten Markenstrategie definiert sein könnten.

Im Laufe der Zeit nimmt die Anzahl unterschiedlicher Strategien (und deren Variationen) üblicherweise ab, wenn man Informationen über Erfahrungen und wirkungsvolle Vorgehensweisen austauscht. Die Entwicklung hin zu einer begrenzten Anzahl von Strategien kann zu mehr Synergien führen. Auf diese Weise wird Werbung, wie die von Mercedes verwendete, möglich, bei der eine führende Agentur eine Reihe von vielleicht fünf Kampagnen entwickelt; die Länder suchen sich dann daraus diejenigen Spots aus, die für sie jeweils am wirkungsvollsten sind. Wenn es fünf wesentliche Markenstrategien gibt statt 55, kann man Werbekampagnen mit deutlich mehr Fokus entwickeln.

Die Verteilung von Verantwortung, um länderübergreifende Synergien zu erzielen

Die Chance, wesentliche weltweite Synergien in Bezug auf eine Marke zu erzielen, wird häufig durch lokale Voreingenommenheit zunichte gemacht – insbesondere die Auffassung der Manager vor Ort, ihre Situation sei einmalig und die mit Konsumenten gesammelten Erfahrungen und wirkungsvollen Praktiken von anderswo ließen sich nicht auf ihren Fall übertragen. Da dieser Glaube teilweise auf dem berechtigten Vertrauen in das eigene, gründliche Wissen über das eigene Land basiert, das dort vorherrschende Wettbewerbsmilieu und die Kunden, wird jede Andeutung, dieses Vertrauen könne eventuell fehl am Platz sein, als Bedrohung des eigenen Selbstvertrauens und der beruflichen Autonomie empfunden. Außerdem könnte das Markenteam vor Ort bewusst oder unbewusst eine Einschränkung seiner Handlungsfreiheit verspüren und befürchten, es solle gezwungen oder überredet werden, eine schwache und alles andere als optimale Strategie zu übernehmen. Da man sich außerdem an vergangene Strategien gewöhnt hat und deren Erfolg nachweisen kann, bedarf jede Änderung einer Rechtfertigung.

Die gewaltsame Lösung für durch lokale Voreingenommenheit entstehende Probleme besteht in einer zentralisierten Markenpflege, die eine globale Strategie diktiert. Obgleich diese Methode für zumindest einen Teil des Geschäfts von Smirnoff, Sony, IBM und anderen Unternehmen funktioniert hat, besteht doch immer die Gefahr (auf die am Anfang dieses Kapitels hingewiesen wurde), dass man keine wirkungsvolle weltweite Strategie findet oder implementieren kann, beziehungsweise dass es eine solche Strategie überhaupt nicht gibt. Außerdem könnte diese Art der Markenpflege von der Organisationsstruktur her unmöglich sein, vielleicht weil es etablierte dezentrale Strukturen und eine ebensolche Firmenkultur gibt. Daher müssen sich viele Unternehmen nach Alternativen zu einem zentralisierten globalen Markenprogramm umsehen.

Eine große Herausforderung besteht darin, Länderteams zu bewegen, schnell und freiwillig die Erfahrungen anderer über günstige Praktiken zu übernehmen und anzuwenden. Wenn man dieser Herausforderung gewachsen sein will, dann muss es jemanden oder eine Gruppe geben, der oder die für die globale Markenpflege zuständig ist. Es ist erstaunlich, dass es in manchen Firmen mit bedeutenden Marken niemanden gibt, der die übergeordnete Verantwortung für die Marke hat. Wenn es keine derartige motivierte Person oder Gruppe gibt, die für die weltweite Markenpflege zuständig ist, dann können keine Synergien zustande kommen; die Marke treibt in die Anarchie.

Unsere Forschungsarbeit deutet darauf hin, dass es vier mögliche Ansätze für die globale Markenpflege gibt, die durch die Verteilung der Verantwortung und dadurch definiert werden, ob eine Person oder ein Team zuständig sind (wie Schaubild 10.4 verdeutlicht). Die vier Typen kann man als weltweites Markenteam, Managementteam auf Geschäftsführerebene, globalen Produktmanager und Markenverantwortlichen bezeichnen.

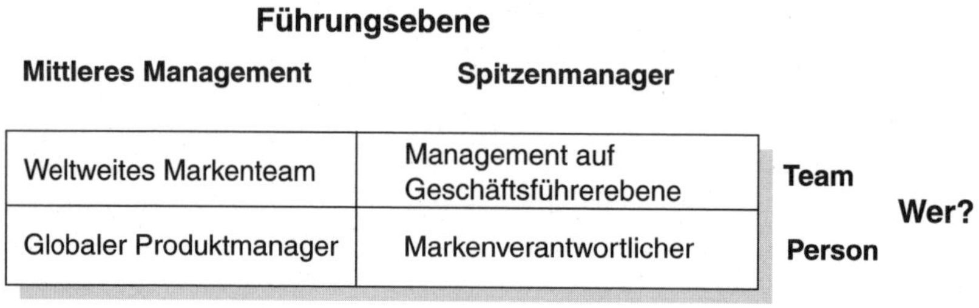

	Führungsebene			
	Mittleres Management	**Spitzenmanager**		
Wer?	Weltweites Markenteam	Management auf Geschäftsführerebene	**Team**	
	Globaler Produktmanager	Markenverantwortlicher	**Person**	

Schaubild 10.4: Wer ist für die weltweite Markenpflege verantwortlich?

Managementteam auf Geschäftsführerebene

Die Art, wie Procter & Gamble während der neunziger Jahre des 20. Jahrhunderts gemanagt wurde, ist ein gutes Beispiel für ein Managementteam auf Geschäftsführerebene, ein Modell, das immer dann passend erscheint, wenn die Spitzenmanager Marketing- oder Markenleute sind, für die Marken den wesentlichen Aktivposten des Unternehmens darstellen. Jede der elf Warengruppen von P&G wird von einem globalen Produktgruppenteam geleitet, das sich aus den vier Hauptabteilungsleitern für Forschung, Entwicklung, Produktion und Marketing für die jeweilige Warengruppe zusammensetzt. Der Vorsitzende eines solchen Teams ist ein Executive Vice President, der im Unternehmen noch eine weitere Aufgabe hat; beispielsweise ist der Leiter der in Europa für alle Gesundheits- und Kosmetikprodukte zuständigen Gruppe auch der Vorsitzende des globalen Teams, das für Haarpflege verantwortlich ist. Die Mitglieder des Teams halten regelmäßig Kontakt zueinander und treffen sich fünf- oder sechsmal pro Jahr. Jedes dieser globalen Teams hat folgende Aufgaben:

- Es definiert die Identität und Position der Marken innerhalb der Warengruppe für die ganze Welt. Die Produktmanager und Werbefachleute vor Ort setzen nur die globale Strategie um.
- Es beobachtet die Entwicklung von erfolgreichen Maßnahmen zum Aufbau der Marke vor Ort, die dann als Erfolgsmodell auf der ganzen Welt getestet und eingesetzt werden können. Ziel ist es, nach Möglichkeit Weltmarken zu schaffen.
- Es kümmert sich um die Produktinnovation und entscheidet, für welche Marken welche neuen Technologien eingesetzt werden. Beispielsweise wurde die neue Elastesse-Technologie (die verhindert, dass Haar steif wie ein Helm wirkt) für Pantene verwendet, lange bevor sie auch den drei Schwestermarken zu Gute kam.

Da nur Spitzenmanager zum Team gehören, gibt es innerhalb des Unternehmens keine Schwierigkeiten bei der Durchsetzung der Entscheidungen des Teams.

Der Markenverantwortliche

Als Markenverantwortlicher wird ein Spitzenmanager, möglicherweise sogar der Geschäftsführer, bezeichnet, der als wichtigster Verfechter und Stütze der Marke fungiert. Diese Struktur ist besonders für Unternehmen geeignet, deren Geschäftsführer und/oder Spitzenmanager markenorientiert sind und sich mit ebenso großer Leidenschaft wie Talent der Markenstrategie widmen wie das bei Henkel, Sony, The Gap und Beiersdorf (Nivea) der Fall ist. Nestlé hat einen solchen Markenverantwortlichen für jede der zwölf strategischen Marken; jeder dieser Verantwortlichen hat noch einen weiteren Posten, soll aber auf globaler Ebene richtungweisend für die Marke wirken. Beispielsweise könnte der Vizepräsident für Nahrungsmittel der Markenverantwortliche für Carnation sein, und der für löslichen Kaffee zuständige Vizepräsident könnte der Markenverantwortliche für Nescafé sein.

Der Markenverantwortliche muss allen Maßnahmen zustimmen, die der Ausweitung der Marke dienen (beispielsweise der Verwendung des Markennamens Carnation für Riegel aus weißer Schokolade), außerdem überwacht er das Auftreten und die Verwendung der Marke auf der ganzen Welt. Er muss das Umfeld vor Ort und die Manager dort kennen, muss wissen, welche wichtigen Erfahrungen gemacht und wirksame Praktiken eingesetzt wurden und sie durch seine Anregungen propagieren (mitunter energisch). In manchen Unternehmen, beispielsweise bei Sony, ergreift der Markenverantwortliche häufig selbst die Initiative, kümmert sich um die Markenidentität und -position in einem bestimmten Land und stellt sicher, dass das dortige Team seine Initiativen ebenso kreativ wie diszipliniert umsetzt. Ein Markenverantwortlicher ist nicht nur aufgrund seiner Stellung im Unternehmen glaubwürdig, sondern auch seiner Erfahrung, seines Wissens und seines Verständnisses wegen. Im Unternehmen hört man auf die Vorschläge des Markenverantwortlichen.

Als Teil seiner Organization-2005-Initiative plant Procter & Gamble für das 21. Jahrhundert, die Befugnisse und Verantwortung der regionalen Warengruppenteams einzelnen Markenverantwortlichen zu übertragen, die dann für die ganze Welt zuständig sein werden. Diese Entwicklung soll weltweite Synergien fördern und zur Schaffung von Weltmarken beitragen. Zurzeit wird nur eine Hand voll der 83 wichtigsten Marken von P&G als Weltmarken angesehen.

Globaler Produktmanager

In vielen Unternehmen, vor allem in der High-Tech-Branche und im Dienstleistungsbereich, kommen viele der Spitzenmanager nicht aus dem Marketing, sodass Wissen und Erfahrung mit Brandingmaßnahmen auf einer niedrigeren Ebene der Hierarchie angesiedelt sind. Solche Unternehmen sind außerdem häufig dezentral organisiert, mit mächtigen, autonomen Strukturen für leitende Angestellte auf regionaler oder Länderebene. In einem derartigen Umfeld stellt die Bekämpfung lokaler Voreingenommenheit und die Schaffung von länderübergreifenden Synergien eine besondere Herausforderung dar.

Der globale Produktmanager (GPM) ist beauftragt, eine globale Markenstrategie zu entwickeln, die zu starken Marken und einer globalen Strategie führt. Bei IBM nennt man diese Position »Brand Steward« (Markenverwalter), was darauf hindeutet, wie wichtig diese Funktion für den Aufbau und den Schutz des Markenwertes ist. Bei Smirnoff, einer Marke von Grand Met, hat die Person den Titel »President of the Pierre Smirnoff Company«. Bei Häagen-Dazs, einer anderen Firma der Grand Met Gruppe, ist der globale Produktmanager gleichzeitig auch Produktmanager für das wichtigste Land, was in diesem Fall die USA ist.

Obgleich manche globalen Produktmanager berechtigt sind, einige Marketingprogramme abzusegnen (bei Smirnoff muss er einigen Elementen der Werbestrategie zustimmen), haben die meisten dieser Manager so gut wie keine echten Befugnisse. Sie müssen daher versuchen, eine umfassende weltweite Markenstrategie zu schaffen, die zu Synergien führt, ohne Befehle erteilen zu können. Es gibt vier Schlüssel zum Erfolg für einen globalen Produktmanager:

- Wenn es noch keine Planung für globale Marken im Unternehmen gibt, dann schaffen Sie eine solche; falls sie existiert, nutzen Sie diese und werden Sie ihr Manager. Ein gemeinsamer Planungsprozess sorgt dafür, dass die Manager in den einzelnen Ländern die gleichen Vokabeln, Schablonen und Planungszyklen verwenden, das Gleiche produzieren und die gleichen Maßstäbe ansetzen. Auf diese Weise kann der globale Produktmanager stärker involviert werden und Veränderungen beeinflussen.
- Entwickeln Sie das interne Markenkommunikationssystem, passen Sie es den Bedürfnissen an und managen Sie es. Sie sollten das System allerdings nicht nur verwalten, sondern ein wesentlicher Teil davon werden. Wenn Sie alles über Kunden, Probleme und gute Methoden auf der ganzen Welt lernen, dann sind Sie in einer idealen Position, um Möglichkeiten und Chancen für Synergien zu definieren und sie zu kommunizieren.
- Der globale Produktmanager muss eine erfahrene, talentierte Person sein. Wieder und wieder haben die von uns befragten Unternehmen bestätigt, wie wichtig die Wahl der richtigen Person ist. Das System kann nur dann funktionieren, wenn der globale Produktmanager die nötige weltweite Erfahrung hat, in der Warengruppe verwurzelt ist, energisch und glaubwürdig auftritt und über genügend Menschenkenntnis verfügt, um mit den erfahrenen Markenspezialisten auf Länderebene umgehen zu können. Wenn die falschen Leute für eine derartige Position ausgewählt werden, dann wird das System wahrscheinlich scheitern, auch wenn es noch so gut konzipiert ist. Es ist daher ungeheuer wichtig, die richtigen Leute als globale Produktmanager auszuwählen, zu schulen, zu unterstützen und zu belohnen.
- Die Leute an der Unternehmensspitze müssen an das Konzept glauben. Sonst verschwendet der globale Produktmanager seine Zeit damit, die Geschäftsleitung davon zu überzeugen, dass Marken wichtig sind und es sich lohnt, sie zu unterstützen. Wenn im Unternehmen niemand an Marken glaubt, kann der GPM natürlich versuchen, die Unternehmensspitze zu bekehren. Genau das

machte der globale Produktmanager für MasterCard, indem er das Unternehmen dazu bewegte, eine sechsköpfige Markendirektion zu bilden (aus Mitgliedern des Aufsichtsrates, die von Banken entsandt waren), die Ratschläge hinsichtlich des Programms zum Aufbau der Marke gab und bei Aufsichtsratssitzungen Vorschläge in Bezug auf die Markenentwicklung unterstützte.

Mitunter werden die Initiativen des GPM nur halbherzig unterstützt. Wenn sich die Geschäftsleitung irgendeiner anderen Modeerscheinung zuwendet oder die Initiative nicht schnell genug den gewünschten Erfolg bringt, geht dem GPM die Unterstützung verloren, und er muss gegen den Strom schwimmen. Was auch immer er tut, ist auf Sand gebaut. Wenn man den oben zusammengetragenen Richtlinien folgt, dann ist der Erfolg so gut wie garantiert; wenn dagegen keine von ihnen berücksichtigt wird, dann stehen die Erfolgsaussichten des GPM schlecht.

Weltweites Markenteam

Häufig wird ein globaler Produktmanager als Außenseiter empfunden, jemand, der bezahlt werden muss, die Kosten erhöht und noch mehr Meetings veranlasst, die andere Leute von ihrer eigentlichen Arbeit abhalten. Die Aufgabe besteht darin, diese Person in die Gruppe der länderspezifischen Produktmanager zu integrieren und generell die Akzeptanz eines weltweiten Markenkonzeptes zu fördern. Ein weltweites Markenteam kann dazu beitragen und außerdem beträchtliches Wissen und Erfahrung sammeln, weil mehr Leute naturgemäß auch ein breiteres Feld abdecken können. Ein weltweites Markenteam kann alleine oder in Zusammenarbeit mit einem globalen Produktmanager eingesetzt werden, sodass der GPM als Vorsitzender oder Vermittler fungieren könnte.

Ein weltweites Markenteam, wie es beispielsweise von Mobil Oil, Hewlett-Packard und anderen Firmen eingesetzt wird, besteht typischerweise aus Leuten mit Markenverantwortung aus verschiedenen Gegenden der Welt, die Erfahrung mit verschiedenen Stadien der Markenentwicklung haben und mit einem unterschiedlichen Wettbewerbsumfeld vertraut sind. Möglicherweise enthält das Team auch Spezialisten für verschiedene funktionale Bereiche, beispielsweise Werbung, Marktforschung, Sponsoring oder Öffentlichkeitsarbeit. Das Team hat die gleiche Aufgabe wie sie ein globaler Produktmanager in anderen Firmen hat: Es übernimmt das weltweite Management einer Marke. Auch für das Team liegt der Schlüssel zum Erfolg in einer Planung der globalen Marke, einem globalen Kommunikationssystem, der Auswahl der richtigen Leute für das Team und der Unterstützung durch die Geschäftsleitung.

Mit einem weltweiten Markenteam können jedoch auch einige Probleme verbunden sein, besonders dann, wenn es in dem Unternehmen keinen globalen Produktmanager gibt. Wenn es niemanden gibt, der für die Umsetzung der Entscheidungen hinsichtlich einer globale Marke direkt verantwortlich ist, könnte der Druck ihrer eigentlichen Arbeit die ins Team Delegierten ablenken, sodass die Umsetzung insgesamt leidet. Außerdem fehlt es dem Team möglicherweise an der Konzentration und den Befugnissen, die notwendig sind, damit die Empfehlungen des Teams auf Länderebene auch ausgeführt werden. Mobil löst dieses Problem teilweise durch Aktionsteams, deren Mitglieder aus verschiedenen Ländern kommen und die sich mit ganz speziellen Aufgaben beschäftigen. Drittens kann es passieren, dass sich Mitglieder des Teams, aus politischen oder sozialen Gründen, den lokalen Gegebenheiten oder der Erfahrung ihrer Kollegen im individuellen Land beugen. Alles das bedeutet, dass es keine globale Markenstrategie geben kann.

Ein System mit einem weltweiten Markenteam ist wahrscheinlich dann am effektivsten, wenn die gut funktionierende Planung einer Weltmarke zu einer klar definierten globalen Strategie für diese Marke geführt hat. In einem solchen Fall ist das Markenteam dann hauptsächlich damit beschäftigt sicherzustellen, dass die Durchführung auf der ganzen Welt mit der Strategie übereinstimmt und die Kommunikation über erfolgreiche Praktiken zu fördern.

Eine Aufteilung der weltweiten Markenpflege

Manche Unternehmen setzen einen globalen Produktmanager oder weltweite Markenteams für einzelne Geschäftsbereiche ein, um diese bedeutender zu machen. Beispielsweise hat Mobil Oil verschiedene Teams für die Bereiche Schmiermittel für PKWs, kommerzielle Schmiermittel und Treibstoffe, weil es sich in jedem dieser Segmente grundsätzlich um ein anderes Markenkonzept handelt. Ein globaler Markenrat koordiniert dann bereichsübergreifend die Maßnahmen.

Lycra, eine 35 Jahre alte Fasermarke von DuPont, ist ein anderes Beispiel für eine derartige Segmentierung. Die globale Identität der Marke – flexibel, bequem, schmeichelnd und anpassungsfähig – hat zu dem weltweiten Slogan »Nothing moves like Lycra« geführt und der weltweiten Vorstellung, dass »Bewegung« einfach zu der Marke gehört. Das Problem bei Lycra besteht darin, dass es für verschiedene Zwecke eingesetzt wird und dass jeder einer aktiven weltweiten Markenpflege bedarf. Das Unternehmen fand eine Lösung, indem es die GPM-Funktion für eine Anwendung jeweils einem Land übertrug, das eine Beziehung zu dieser Anwendung hat – der brasilianische Produktmanager ist weltweit auch für Badeanzüge zuständig, der französische für Mode und so weiter. Ziel ist es, eben kein zentralisiertes Team zu entwickeln, sondern die spezielle Erfahrung aus allen Gegenden der Erde zu nutzen.

Befugnisse – GPM oder Markenteam gegenüber den Leuten vor Ort

Ein Problem, das sowohl den globalen Produktmanager als auch ein weltweites Markenteam tangiert, ist die Frage, wie viele Befugnisse man dieser Person oder Gruppe geben sollte. Weitgehende Autorität kann andeuten, dass man es mit der weltweiten Markenpflege ernst meint und die Gefahr minimieren, dass die globale Markenpflege unter dem Druck innerhalb des Unternehmens und der Wettbewerber verkümmert. Grundsätzlich könnte man dem GPM oder Markenteam das Entscheidungsrecht über die folgenden Aspekte zubilligen:

- Abweichungen von den detaillierten Instruktionen für die Präsentation des Logos. Eine Logo-Überwachungsgruppe, die dem GPM oder Markenteam unterstellt ist, könnte entscheiden und festlegen, inwieweit von der Farbe, dem Schriftbild und dem Layout des Logos und verwandter Symbole auf der ganzen Welt abgewichen werden darf.
- Aussehen und Präsentation des Produkt- oder Servicedesigns. Beispielsweise ist die IBM-Marke ThinkPad schwarz und rechteckig mit einem roten Trackball und farbigem IBM-Logo, das in einem Winkel von 35 Grad in der rechten unteren Ecke platziert ist. Jede Abweichung von diesem Aussehen muss genehmigt werden.
- Die Werbestrategie. Bei Smirnoff trifft beispielsweise der globale Produktmanager die endgültige Entscheidung über die Auswahl von Werbeagenturen und Themen für einzelne Kampagnen.
- Die Markenstrategie. Eine Möglichkeit wäre, sowohl den GPM oder das Markenteam und den Produktmanager vor Ort für die Markenstrategie und ihre Umsetzung verantwortlich zu machen.

In einigen Unternehmen sind die Befugnisse klar unterteilt: manche sind einfach ein Muss (ein Logo darf nur so verwendet werden, wie angegeben), andere kann man anpassen (das Thema der Werbung steht fest, aber die Umsetzung kann der jeweiligen Kultur vor Ort angepasst werden) und in mancher Beziehung können die Länder frei entscheiden (Promotionskampagnen vor Ort). Die Matrix in Schaubild 10.5 verdeutlicht, wie man Unterscheidungen hinsichtlich des Entscheidungspielraums treffen kann; Aufgabe der Person oder des Teams mit Markenverantwortung ist es, dafür zu sorgen, dass jeder diese Richtlinien kennt und sich daran hält.

	Festgelegt	Anpassungsfähig	Frei
Logo, Symbole			
Verpackung			
Markenidentität			
Positionierung			
Thema der Werbung			
Ausführung der Werbung			
Web-Strategie			
Öffentlichkeitsarbeit			
Preisstrategie			
Lokales Sponsoring			

Schaubild 10.5: Ermessensspielraum bei Markenaktivitäten

Obgleich es häufig sinnvoll ist, den Produktmanagern vor Ort konkrete Anweisungen bezüglich ihres Entscheidungsrahmens zu geben, so stößt doch dieses Regelsystem wie jedes andere auch an seine Grenzen. Eine gar zu strenge Kontrolle kann kontraproduktiv sein. Letztendlich ist eine starke, klare Markenidentität die beste Richtlinie, an der sich strategisches Marketing orientieren kann, ohne dass man festgeschriebene Regeln braucht.

Ein System zum optimalen Aufbau einer Marke

Wer heute angesichts der Medienüberflutung globale Siegermarken schaffen will, muss bei der Umsetzung von Konzepten hervorragende Arbeit leisten – wie schon früher bemerkt, nur gut sein reicht nicht. Das Dilemma besteht darin, wie man auf lokaler Ebene brillant sein kann und trotzdem als weltweites Unternehmen Synergien erzielt und sie ausnutzt. Eine völlige Autonomie vor Ort bedeutet in der Regel, dass die Markenpflege uneinheitlich betrieben wird und auf einer schmaleren Basis von Talenten und Ressourcen ruht. Andererseits führen Bemühungen, die Markenpflege zu zentralisieren, um Synergien zu erzielen und gegen lokale Voreingenommenheit anzugehen, häufig zu Kompromissen und Beschränkungen. Einige Unternehmen, vor allem Procter & Gamble, Audi und Henkel, haben Ansätze entwickelt, um sich diesem Problem zu stellen.

P&G kreiert außergewöhnliche Ideen, indem es die Markenteams in jedem Land ermächtigt, bahnbrechende Marktpflegeprogramme zu entwickeln. Besonders wenn eine Marke in Schwierigkeiten steckt, werden die Markenteams vor Ort ermutigt, selbstständig eine erfolgreiche Lösung für das Problem zu finden. Gelingt dies, dann probiert ihn das Unternehmen auch in anderen Ländern aus und sorgt bei Erfolg für eine schnellstmögliche weltweite Umsetzung.

Beispielsweise war Pantene Pro-V eine kleine Procter & Gamble-Marke, die das Unternehmen durch den Kauf von Richardson Vicks im Jahr 1985 erwarb. Bemühungen, den kleinen, aber loyalen Kreis von Stammkunden in den USA auszuweiten, hatten keinen bemerkenswerten Erfolg; das Gleiche lässt sich von Bemühungen in Frankreich und anderen Ländern sagen. 1990 wurden Markenstrategen allerdings in Taiwan fündig, als sie entdeckten, dass glänzendes, gesundes Haar, wie es Models mit wirklich außergewöhnlichem Haar vorführten, ein Renner war (siehe Schaubild 10.6). Obgleich den Leuten bewusst war, dass die wenigsten von ihnen jemals solche Haare haben würden, sagten sich doch viele im Stillen: »Ich muss auch solche Haare haben.« Nach sechs Monaten war die Marke mit dem Slogan »Hair so healthy it shines« Marktführer in Taiwan. Tests des Konzepts und der begleitenden Werbung verliefen auch in anderen Märkten positiv, woraufhin es in 70 anderen Ländern verwendet wurde. Heute betrachtet Procter & Gamble Pantene als eine seiner wenigen Weltmarken – aber alles fing in Taiwan an.

Audi verwendet verschiedene Agenturen, um eine optimale Markenpflege zu betreiben. Die gesamte, weltweite Kommunikation einer Agentur zu übertragen,

Schaubild 10.6: Pantene – eine Weltmarke von Procter & Gamble

kann die Umsetzung einer globalen Strategie erheblich erleichtern, kann aber auch zu Mittelmäßigkeit und voneinander sehr verschiedenen Resultaten führen. Wenn mehrere Agenturen im Wettbewerb stehen, bieten sich fast immer bessere Optionen, und die Chancen für eine brillante Leistung stehen besser. In Europa wetteifern fünf verschiedene Agenturen (als Audi Agency Network bezeichnet) aus unterschiedlichen Ländern miteinander, wer die führende Agentur sein und eine Kampagne kreieren darf. Die vier anderen erhalten dann die Aufgabe, die siegreiche Kampagne in ihrem Land umzusetzen; da sie also nach wie vor von Audi beschäftigt werden, stehen sie auch in Zukunft für weitere Runden kreativen Wettbewerbs zur Verfügung. Andere Unternehmen wenden sich an die verschiedenen Büros einer einzigen Agentur; dadurch entstehen vielleicht nicht so viele verschiedene kreative Ideen, aber es gibt auf diese Weise immer noch mehr Optionen, als wenn man sich nur an ein einziges Team in einer Agentur halten würde.

Henkel und andere Unternehmen schwören auf die Anpassung eines globalen Programms an die lokalen Gegebenheiten, um statt einer durchschnittlichen eine brillante Ausführung zu erzielen. Denken Sie an die Smirnoff-«pure thrill«-Wodkakampagne: Auf der ganzen Welt werden verschwommene Bilder klar, wenn man sie durch die Smirnoff Flasche betrachtet, aber die einzelnen Szenen variieren von Land zu Land, um Konsumenten anzusprechen, die unterschiedliche Vorstellungen davon haben, was wirklich aufregend und begeisternd ist. In Rio de Janeiro verwendete die Kampagne ein Bild der Christus Statue mit einem Fußball, und in Hollywood bildeten die Beine von zwei Menschen das »w« der großen Leuchtreklame am Hügel. Der weltweite IBM-Slogan »Solutions for a Small Planet« wurde in Argentinien zu »Small World«, weil das Wort »Planet« dort nicht die nötige Überzeugungskraft hatte. Die Benetton-Kampagne musste verschiedenen Ländern angepasst werden – was mancherorts gut ankam, wurde anderswo als schockierend empfunden.

Ein anderer Ansatz besteht darin, Zentren für vorzügliche Leistung zu schaffen – globale Einheiten mit dauerhaft dort Beschäftigten, die sich um bestimmte wichtige Bereiche kümmern, in denen Synergien erzielt werden können. Nestlé hat beispielsweise ein solches Zentrum in Deutschland, um Initiativen zum Aufbau der Marke zu entwickeln und zu fördern, die über Werbung hinausgehen. Diese Einheit hat unter anderem die Aufgabe, die Übertragung von erfolgreichen Konzepten auf andere Produkte oder Märkte zu fördern. Mobil hat ebenfalls solche Zentren zur Förderung von Synergien eingerichtet, beispielsweise für die Definition von Produkten, für Werbung und für Marktforschung.

Die Aufgabe besteht also darin, eine optimale Umsetzung zu finden, die sich auch auf andere Länder übertragen lässt. Aufgrund der erwähnten und vieler anderer Fallbeispiele lassen sich einige Anregungen hinsichtlich einer brillanten Umsetzung formulieren:

- Überlegen Sie, welche Richtung zum Aufbau der Marke Sie einschlagen wollen – beispielsweise Werbung oder lieber Sponsoring, eine erhöhte Präsenz im Handel oder Promotionskampagnen. Die Umsetzung als solche ist möglicherweise gar nicht der Clou, sondern die Wahl des richtigen Ortes oder der richtigen Veranstaltung.
- Sorgen Sie dafür, dass die besten Leute für die Marke arbeiten, sowohl in Ihrem Unternehmen als auch in den Agenturen, die Sie beschäftigen.
- Entwickeln Sie verschiedene Optionen. Je mehr Chancen es gibt, herausragend zu sein, umso größer ist die Wahrscheinlichkeit, etwas wirklich Brillantes zu erreichen. Das kann bedeuten, dass man mehrere Agenturen einschalten muss, wodurch natürlich die Managementaufgabe immens schwierig wird (weil nämlich alle Agenturen für die Strategie verantwortlich sein und einen möglichst großen Teil des Werbebudgets kontrollieren wollen). In einem solchen Fall braucht man eine starke Führung, die die Kontrolle über die Markenstrategie übernimmt.
- Messen Sie die Ergebnisse. Ein weltweites Messsystem ist wichtig, wenn man optimale Resultate erzielen will. Wenn eine Markenidentität deutlich etabliert ist und anhand des Messsystems nachgewiesen werden kann, besteht ein starker Anreiz, Programme zu entwickeln, die eine positive Veränderung herbeiführen und solche zu vermeiden, die der Marke schaden.

Auf dem Weg zur Weltmarke

Es gibt eine echte Bewegung hin zu globalen Marken und zu Markenstrategien mit einheitlicher Positionierung und kommunikativen Bemühungen. Mehr Gemeinsamkeiten führen zu erhöhter Effizienz, was attraktiv ist, außerdem aufgrund höherer Budgets zu einer stärkeren Position Lieferanten gegenüber, einer leichter zu steuernden Markenpflege und einem einfacheren Umgang mit Mittelspersonen auf der ganzen Welt. Wir kommen daher zu dem Schluss, dass eine Weltmarke wirklich erstrebenswert ist – mit zwei wichtigen Vorbehalten.

Erstens lässt sich eine Weltmarke nur selten erfolgreich per Dekret verwirklichen, das besagt, die Positionierung und sonstige Elemente, die zum Markenaufbau gehören, müssten auf der ganzen Welt gleich sein. Man sollte das Ziel vielmehr durch eine weltweite Markenpflege erreichen, die auf einem globalen Plan aufbaut, einem weltweiten Kommunikationssystem, einer effektiven Organisationsstruktur und einem System, das für eine optimale Umsetzung von Maßnahmen zum Aufbau der Marke sorgt. Mit Hilfe dieser Werkzeuge sollten die Produktmanager in den einzelnen Ländern Strategien entwickeln, um eine möglichst starke Marke zu schaffen. Ziel ist es, die Anzahl unterschiedlicher Markenprogramme auf ein Minimum zu reduzieren; am Ende kann dann eine Weltmarke stehen, es können aber auch ein paar regionale Marken sein.

Zweitens muss man sich klar machen, dass eine Weltmarke nicht immer ein erstrebenswertes Ziel ist. Man sollte vor allem danach trachten, auf der ganzen Welt Siegermarken zu haben, nicht eine einzige Weltmarke. Obgleich die Lösung »Weltmarke« sehr elegant aussieht und sie die Arbeit der Markenpflege deutlich erleichtert, sollte sich ein Unternehmen niemals unüberlegt in diese Richtung bewegen, wenn dabei die Stärke der Marke geopfert wird.

Vorschläge

1. Beschäftigten Sie sich mit den Fragen, die anhand des McDonald's-Fallbeispiels am Anfang dieses Kapitels gestellt wurden.

2. Welche globalen Marken gibt es in Ihrer Branche? Was ist bei diesen Marken weltweit standardisiert? Name und Logo? Die Position? Das Produkt? Die Werbung? Die Strategie in Bezug auf die Absatzkanäle?

3. Welche Weltmarken hat Ihr Unternehmen? Sollten es mehr sein? Welche Marken eignen sich für diese Rolle? Was steht ihnen im Weg?

4. Beurteilen Sie das weltweite Kommunikationssystem für Ihre Marken. Wie könnte es verbessert werden? Wie beeinflusst die Markenidentität das Kommunikationssystem, welche Auswirkungen hat sie darauf? Welche Mechanismen sind etabliert? Wie könnte man sie verbessern?

5. Beurteilen Sie Ihr Planungssystem. Gibt es eine allgemeine Schablone? Fördert der Planungsprozess die Entwicklung von Weltmarken?

6. Beurteilen Sie die Qualität der Umsetzung Ihrer Programme zum Aufbau der Marke. Fördert Ihr System der Markenpflege eine optimale Ausführung oder führt es eher zu Mittelmaß? Wie könnte man die Situation ändern?

7. Welche Struktur verwendet Ihr Unternehmen zur Markenpflege? Ist eine Person oder ein Team für die Marke verantwortlich? Ist diese Funktion beim Spitzen- oder beim mittleren Management angesiedelt? Wie könnte man die Situation verbessern?

Anmerkungen

1. Aaker, David A.; Jacobson, Robert: »The Financial Information Content of Perceived Quality«, in: *Journal of Marketing Research*, Mai 1994, S. 191–201. Aaker, David A.; Jacobson, Robert: »The Value Relevance of Brand Attitude in High-Technology Markets«, Arbeitspapier, Haas School of Business, Juli 1999,
2. Denoyelle, Pantea; Larreche, Jean-Claude: Virgin Atlantic Airways, Fallstudie INSEAD, 595-023-1.
3. Agres, Stuart: »Emotion in Advertising: An Agency's View«, in Agres, Stuart, J.; Edell, Julie, A.; Dubitsky, Tony M.: *Emotion in Advertising*. New York, 1990. S. 1–18.
4. Für weitere Details über verschiedene Ansätze: Aaker, David A.: *Managing Brand Equity*. New York 1991.
5. Richins, Marsha, L.: »Measuring Emotions in the Consumption Experience«, in: *Journal of Consumer Research*, September 1997, S. 127–146.
6. Auf das Konzept des strategischen Imperativs wurden die Autoren von Scott Talgo von der St. James Group hingewiesen, der es bereits mehrfach erfolgreich anwandte.
7. Steward, Thomas, A.: »The Cunning Plots of Leadership«, in: *Fortune*, 7. September 1998, S. 166.
8. Croft, Martin: »Cool Britannia No Media Fad«, in: *Marketing Week*, 27. August 1999, S. 36-37.
9. Mike Berry von Frito-Lay schlug vor, die Markenidentität nach außen abzugrenzen.
10. Zaltman, Gerald: »Rethinking Market Research: Putting People Back in«, in: *Journal of Marketing Research*, November 1997, S. 424–438.
11. »What Price Perfection?« in: *Across the Board*, Januar 1998, S. 27–32.
12. Aaker, David, A.: *Building Strong Brands*. New York, 1996. S. 304–309.

13 Saunders, John; Guoqun, Fu: »Dual Branding: How Corporate Names Add Value«, in: *Journal of Product and Brand Management* 6, Nr. 1 (1997), S. 40–48.
14 Carpenter, Gregory, S.; Glazer, Rashi; Nakamoto, Kent: »Meaningful Brands from Meaningless Differentiation: The Dependence on Irrelevant Attributes«, in: *Journal of Marketing Research*, August 1994, S. 339–350.
15 Pollak, Judann; Sloan, Pat: »ANA: Remember Consumers«, in: *Ad Age*, 14. Oktober 1996, S. 20.
16 Ekin, Tobi: »GE Makes Matches«, in: *Brand Week*, 2. Februar 1998, S. 15.
17 Von Scott Talgo von St. James Group stammt die Idee, dass eine Struktur von Untermarken ihre eigene innere Logik braucht.
18 Swanson, Cheryl L.: »The Integrated Marketing Team: Reinventing Maxfli Golf«, in: *Design Management Journal*, Winter 1998, S. 53–59.
19 Rothenberg, Randall: *Where the Suckers Moon*. New York, 1995.
20 Strasser, J.B.; Becklund, Laurie: *Swoosh: The Unauthorized Story of Nike and the Men Who Played There*. New York, 1993, S. 413.
21 Garfield, Bob: »Top 100 Advertising Campaigns«, in: *Advertising Age*, Sonderausgabe zum Jahrhundert der Werbung, S. 18–41.
22 Garfield, Bob: »Top 100 Advertising Campaigns«, in: *Advertising Age*, Sonderausgabe zum Jahrhundert der Werbung, S. 28.
23 Dieses Material basiert zum großen Teil auf: Quelch, John A.; Knoop, Caren-Isabel: »MasterCard and World Championship Soccer«, Fallstudie 595–040, Harvard Business School Publishing, Boston, 1995.
24 Meenaghan, Tony; Grimes, Eoin: »Focusing Commercial Sponsorship on the Internal Corporate Audience«, in: *New Ways of Optimising Integrated Communications*. Paris, 1997.
25 Eilander, Goos; Koenders, Henk: »Research into the Effects of Short- and Long-Term Sponsorship«, in: Meenaghan, Tony (Hg.): *Researching Commercial Sponsorship*. Amsterdam, 1995.
26 *Financial World*, 13. April 1993, S. 48.
27 D'Alessandro, David F.; Hancock, John: Eröffnungsrede, gehalten auf der IEG Annual Event Marketing Conference 1997.
28 Rajaretnam, J.: »The Long-Term Effects of Sponsorship on Corporate and Product Image«, in: *Marketing and Research Today*, Februar 1994, S. 63–81.
29 D'Alessandro, David F.; Hancock, John: »Event Marketing – The Good, the Bad and the Ugly«, Rede, gehalten auf der IEG Annual Event Marketing Conference, Chicago, 22. März 1993.
30 Die Beschreibung von SponsorWatch und die darauf basierenden Beobachtungen finden sich in: Crimmins, James; Horn, Martin: »Sponsorship: From Management Ego Trip to Marketing Success«, in: *Journal of Advertising Research*, Juli/August 1996, S. 11–21.
31 VISA, eigene Untersuchungen, 1997.
32 Rajaretnam, J.: »The Long-Term Effects of Sponsorship on Corporate and Product Image«, in: *Marketing and Research Today*, Februar 1994, S. 63–81.

33 Pracejus, D.: »Measuring the Impact of Sponsorship Acitivites on Brand Equity«, Arbeitspapier, University of Florida, 1997.
34 Meenaghan, Tony: »Current Developments and Future Directions in Sponsorship«, in: *International Journal of Advertising*, 17, Nr. 1, Februar 1998, S. 3–26.
35 Fitzgerald, Kate: »Chasing Runners«, in: *Advertising Age*, 22. Juli 1977, S. 22.
36 Ukman, L.: »Creative Ways to Structure Deals«, IEG Conference Nr. 14, »Hyper-Dimensional Sponsorship: Vertically Integrated, Horizontally Leveraged, Deeply Connected«, Chicago 1997.
37 VISA, eigene Untersuchungen, 1997.
38 Jones, Mike; Dearsley, Trish: »Understanding Sponsorship«, in: Meenaghan, Tony (Hg.): *Researching Commercial Sponsorship*, Amsterdam 1995.
39 D'Alessandro, David F.; Hancock, John: »Event Marketing – The Good, the Bad and the Ugly«, Rede, gehalten auf der IEG Annual Event Marketing Conference, Chicago, 22. März 1993.
40 Crimmins, James; Horn, Martin: »Sponsorship: From Management Ego Trip to Marketing Success«, in: *Journal of Advertising Research*, Juli/August 1996, S. 11–21.
41 D'Alessandro, David F.; Hancock, John: »Event Marketing – The Good, the Bad and the Ugly«, Rede, gehalten auf der IEG Annual Event Marketing Conference, Chicago, 22. März 1993.
42 »The Real Marathon: Signing Olympic Sponsors«, in: *Business Week*, 3. August 1992, S. 55.
43 Crimmins, James; Horn, Martin: »Sponsorship: From Management Ego Trip to Marketing Success«, in: *Journal of Advertising Research*, Juli/August 1996, S. 11–21.
44 Goff, Mike: »How Sprint Evaluates Sponsorship Performance«, Präsentation anlässlich der IEG Annual Event Marketing Conference, Chicago, 1995.
45 Die Autoren möchten sich bei Jason Stavers und Andy Smith, zwei weltklassige Internetbeobachter, für ihre nützlichen Beiträge zu diesem Kapitel bedanken.
46 Clark, Bruce, H.: »Welcome to My Parlor ...«, in: *Marketing Management*, Winter 1997, S. 11–25.
47 Die in dem Millward Brown Interactive Report erwähnte Untersuchung: »1997 Online Advertising Effectiveness Study«. Die Studie wurde auch von dem federführenden Marktforscher, Rex Briggs, in seinem Papier »A Roadmap to Online Marketing Strategy« interpretiert, die ebenfalls von Millward Brown Interactive veröffentlicht wurde.
48 Briggs, Rex; Hollis, Nigel: »Advertising on the Web: Is There Response before Click-Through?«, in: *Journal of Advertising Research*, März/April 1997, S. 33–45. Sorrell, Martin: »Riding the Rapids«, in: *Business Strategy Review* 8, Ausgabe 3 (1997), S. 19–26.

49 Innerfield, Amy: »Building a Better Ad«, Grey/ASI Online Advertising Effectiveness Study, in: *IAB Online Advertising Guide*, 1998.
50 Für eine Beschreibung siehe: Aaker, David, A.: *Building Strong Brands*. New York 1996, 10. Kapitel.
51 Belk, Russel, W.: »Possessions and the Extended Self«, in: *Journal of Consumer Research*, 15. September 1988, S. 139–168.
52 Beispiele für solche Programme finden sich im Werk von: de Bono, Edward: *Lateral Thinking*. New York 1990. Kao, John: *Jamming: The Art and Discipline of Business Creativity*. New York 1997. Hall, Dough; Wecker, David: *Jump Start Your Brain*. New York 1996. Hall, Dough; Wecker David: *Making the Courage Connection*. New York 1998.
53 Croft, Martin: »Viewers Turned Off by TV Ads«, in: *Marketing Week*, 18. Februar 1999, S. 36–37.
54 Bolton, Ruth N.: »A Dynamic Model of the Duration of the Customer's Relationship with a Continuous Service Provider: The Role of Satisfaction«, in: *Marketing Science* 17, Nr. 1 (1998), S. 45–65.
55 Diese Geschichte basiert auf: Heilemann, John: »All Europeans Are Not Alike«, in: *The New Yorker*, 28. April und 5. Mai 1997, S. 176–179.
56 Gleason, Mark: »Sprite is Riding Global Ad Effort to No. 4 Status«, in: *Advertising Age*, 18. November 1997, S. 300.

Stichwortverzeichnis

1-800-Flowers 252
3Com 217, 218
3M 20, 59, 60, 62, 77, 89, 121 ff., 143, 249, 280

A
AAA Financial Services 146
Abbey National Bank 58
Absatzkanäle 136
Absolut Wodka 188
AC Milano 199
AccuSimmer Element 149
Adidas 38, 127, 175 ff., 194 f., 197 f., 204, 212, 246, 301 ff.
Adidas Adventure Challenge 203
Adidas Predator Cup Toyota Wildcats 228
Adidas Streetball Challenge 199 ff., 204, 212, 220, 236, 276 ff., 291, 303 ff.
Agres, Stuart 9, 66, 97
Air Jordan 57, 185, 203, 204, 291
Air Max 185
Aktienrendite 30 ff.
Alaska Airlines 44
Aldi 60
Alechinsky, Pierre 288
Alete 271
Alexander Biel Associates 9
Allianz 70
Allstates 64
Alpha-Serie 197
alpo 134
Alvarez, Roberto 9
Amazon 78, 241, 247, 254, 261, 266, 304
America Online 241, 266
American Airlines 31
American Automobile Association 146
American Express 31, 57, 59, 149, 207 ff., 221 ff., 230 ff., 244
American Greeting Cards 32
American Mangement Systems 319
Anadrill 135
Anderson Consulting 65
Ansett Airlines 44
Apple 28, 33 ff., 59, 70, 96, 276 f., 305
Archetypforschung 68
Arm & Hammer Carpet Deodorizer 163
Armani 62
Arrivals by United 149
Asics 179
Aspirin 132
Assoziationen 28, 48, 63, 94 f., 97 ff., 130, 133 f., 218, 225, 229, 274, 293
AT&T 9, 31, 78, 94, 131, 239, 240, 246, 304
Athletes West 181
ATP Tennisturnier 217, 294
Audi 60, 62, 118, 125, 277, 334 f.
Avis 188

B
Bad Reichenhaller Salz 25, 64
Banana Republic 59, 119, 134
Bank America System 207
Bank of America 95
Bank of Ireland Gaelic Football Championship 214
Bank of Ireland Proms 214
Barbie 152
Barclays Bank 228
Barnes & Noble 252
Baskin-Robbins 317
Bass Pro Shops 191
Bath and Body Works 62, 87 ff., 99
Bayer 132
Bayern München 199, 215, 228
BBC 49
Bedbury, Scott 189
Beers, Charlotte 43, 75

Beiersdorf 331
Benetton 49, 338
Berendsen 102
Best Foods 9
BestWestern 263
Betty Crocker 20, 60, 122, 261
Betty Crocker`s Hamburger Helper 53
Bic 31
Biel, Alexander 9
Big Mac 123
Bigwords.com 9
Bindung, zum Kunden 204
Biotherm 154
Birkenstock 77
Black & Decker 119, 124, 165, 227
Blair, Tony 89
Blue Ribbon Sports 179, 197
BMW 28, 58, 65, 77, 96, 258, 272, 291, 306
Boeing 26
Bold 117
Bottom-up-Methode 72
Bovril 212
Bowermann, Bill 179
Brand & Company 9
Brand Asset Valuator 97
Brand Leadership Company 9, 325
Brand Strategies 9
Branson, Richard 43 ff., 87, 126, 254
Brasserie Joe`s 119
Bravo 201
Breyer`s 157
British Airways 44 ff., 71
British Rail 46
Britvic 299
Bryant, Kobe 199
Bud Light Beer 60
Budweiser 117
Buick Automobiles 16, 32
Buick Open 217
Bull`s Eye-Grillsaucen 157
Burmann, Gert 9
Burnett, Leo 312
Business One 149
Buy.com 252
BuyerXpert 123

C

Cadbury 120, 153, 295, 303, 306, 317
Cadillac Seville 148
Calloway 225
Calloway Big Bertha Gold Clubs 153
Calloway, D. Wayne 139
Calvin Klein 120, 130
Camay 13
Campbell 20, 124, 148, 164 f.
Campbell, Paul 9
Canon 34, 228, 317
Carlson, Nancy 9
Carter, Dennis 13
Cash-Cows 148
Castano, Charles 9
Caterpillar 116
CDNow 247
Ceat 218
Celebrity Cruise Line 225
Celestial Seasoning 127
Chaps 140
Charles Schwab 25, 60, 77, 78, 87, 147, 241, 246, 276
Chase 75, 226
Cheer 117, 149
Chevrolet 16
Chevron 75, 228, 280
Chevy Trucks 58
Chicken McNuggets 123
Choi, Katy 9
Chrysler 31, 296
Chunky 20
Cigna Gruppe 70
Cildren`s Miracle Network 226
Circuit City 108
Cisco 33
Citibank 72, 112, 143, 151
Citigroup 29, 31, 76, 131
Claritin 255
Clorox 132, 134, 164
CNN 246, 254, 264
CNN Interative`s City Guide 263
Coca-Cola 20 ff., 46, 71, 77, 165, 188, 191, 200, 201, 210, 212, 221 ff.
Coke 143, 177, 254, 273, 283, 314 ff.
Colgate 155, 156, 163
Collins, Phil 43
Co-Marken 151, 152
Compaq 9, 31, 33, 58, 59, 70, 127, 149, 244, 245
Converse 184, 187
Cool Whip 157
Cortés, Hernando 295
Cortez 197
Courtyard 20, 110 ff., 120, 123, 126, 137, 154, 159, 166
Cracker Barrel 157
Craig, Lisa 9
Crest 61, 222

Crowne Plaza 110
Culligan Soft Water 151

D
DaimlerChrysler 324
Dash 117
Dassler, Adi 176, 177, 193
Dassler, Horst 177, 193
Datsun 30
Daytona 500 217
DDB Needham 221
DeBeers 188
Deja News 265
Del Monte 127, 147
Dell 30, 33, 70 , 127, 241, 245, 250
Delta Airlines Business Class 265
DeWalt 119, 165
DFB-Adidas Cup 203, 220, 305 ff.
DHL 220
DiGiorno-Pizza 157
Direktmarketing 296
Disney 77, 119 ff., 127, 191, 241, 244, 247, 266, 280, 291, 314
Disneyland 244, 247, 291
Dixie Chopper 226
DMB&B 77
Dockers 119, 266
Doge Viper 124
Dolby-Lärmreduzierung 149
Domino Sugar 153
Dowell 135
Drugstore.com 245
Dungarees 156
Dunlop 218
DuPont 124, 225, 235, 332
Duracell 65, 255

E
eBay 241
Eddie Bauer 151, 163
Egg McMuffin 123
Einzelmarken, Gruppe von 116
Eisenhower, Dwight D. 325
Ekins 181, 182
Electrolux 255
E-Mail 252
Enrico, Roger 325
Equitable 70
EquiTrend Studie 30 ff.
Erfolgsmessung 324
Ernest und Julio Gallo Varietal-Weine 147
Ernst & Young 262
ESPN 241, 246, 264
Extranet 250
Exxon 31

F
Fairfield 111, 120, 137, 154, 159
Fancy Feast 134
Fanta 298
Federal Express 231
Federal Express Orange Bowl 217
FedEx 220, 250
Firefly 247
Fisher, George 239
Flaggschiffläden 189, 191, 192, 203, 257
FlowTex 290 ff.
Floyd, Doug 107
Forbes 268
Ford 31, 99, 112, 143 ff., 151, 153, 163, 245, 294 ff., 301 ff., 318, 320
Ford-Connection 298, 304
Fortune 184
Fortus 70
Frito-Lay 9, 321, 325
Fruit of the Loom 261
Führung 75 ff.
Fuji 32, 231

G
Galloway, Scott 9, 43
Gap 30, 65, 93, 119, 134, 241, 247, 255, 329
Gardner, Howard 75
Gates, Bill 87
Gateway 33, 62, 70, 75
Gatorade 258
General Electric 20, 28, 48, 63, 85, 107 ff., 112 ff., 122, 128 f., 131, 136, 149, 151, 165
General Mills 148, 244
General Motors 16, 21, 25, 99, 118, 119,133, 134, 164, 280 ff.
GeoQuest 135
Georgescu, Peter 9
Gerstner, Lou 33, 34
Giants 217
Gillette 60, 98, 126, 212, 236, 316
Glaubwürdigkeit 130, 304
Gleem 118
Good News 60
Goodyear 31
Gore-Tex 149, 150
Gottschalk, Thomas 88
Grand Met 288, 330

Ground Link 149
GTE 31

H
H&R Block 240
Häagen-Dazs 89, 277, 288 ff., 302 ff., 332
Hallmark 32, 59, 237, 254
Hallquist, Connie 9
Hamburger Helper 20
Hanes 120
Haribo 88
Haring, Keith 288
Harley-Davidson 72, 191, 227, 255, 260, 263, 274, 276, 317
Hauptmarke 126, 132
Head & Shoulders 2, 117, 118, 133
Healthy Choice 132, 151, 152, 164, 255
Heineken 316 ff.
Hellmann`s Mayonnaise 57, 64
Henkel 321 ff., 331, 336 ff.
Hennes & Mauritz 60
Hensley, Segan and Rentschler 279
Hershey 31, 113, 153
Hertz 298
Hewlett Packard 20 ff., 33 ff., 59, 63, 71, 85, 89, 123, 131 ff., 159, 267 ff., 280, 326, 333
Hilton 31, 146, 222
Hobard Corporation 62, 121, 278 ff., 303 ff.
Hogan, Michael 9
Holiday Inn 110, 222
Holiday Inn Express 153
Holloway, Robert 9
Honda 48, 127, 163, 318, 322
Hooch 89
Hotel Magazine 279
Hotmail 247
Hotpoint 109, 114, 136
HotWired 266
HP-Drucker 123 f., 149 f., 156

I
IBM 20, 31ff., 57, 70, 95, 96, 113, 143, 147, 159, 223, 229, 263 ff., 277, 314, 320 ff., 333
Ideen, innovative 276, 291, 301
Identität 53, 82, 99, 128, 313 ff.
Identitätsmarken 77
IEG Sponsorship Valuation Service 232
IEG`s Sponsorship Report 212
Ikea 28
Indianapolis 500 217, 220, 258, 271
Indicator-Borsten 149, 150
Innovation 45, 203
Intel 13, 27, 32 ff., 47, 124, 149 f., 244, 251, 267, 273
Interbrand 28 ff.
Internet Advertising Bureau 264
Internet 239, 243 ff., 246, 248, 251, 263
Intranet 249, 320
In-your-Face-Marken 77
Iomega 251
Iomega Zip Drives 153
Irish Spring 155
Ironman 227
Isuzu 214
Ivory 13

J
J. Walter Thompson 43, 75, 95
J. C. Penney 222
Jackson, Bo 185
Jacobson, Robert 30
Jaguar 274
Jell-O 157
Jets 227
Jobs, Steve 34
John Deere 94, 159
John Hancock 267
Johnny Walker 317
Johnson & Johnson 86
Jordan, Michael 88, 184 ff., 304
Joyce Julius & Associates 217

K
Kaercher 201
Kellog`s 21, 31, 151, 152
Kennedy Center 225
Kentucky Derby 219, 220
Kenwood 149
Kernidentität 53, 311 ff.
KFC 315
Kings Dominion 124
Kingsford Charcoal 20
Kinko`s 97
Kit-Kat 121
Kleenex 164
Knapp, Duane 9
Knight, Phil 176 ff.
Kodak 31, 32, 64, 70, 94, 116, 149, 151, 166, 229, 231, 239, 255
Kommunikation 22 f., 131, 233, 318

Kool-Aid 228
Kotex 241, 245, 255 ff.
Kournikova, Anna 199
Kraft 61, 127, 157, 158, 264
Krups 247
Kunde, Aktivitäten und Interessen 276
Kunde, Eigentum 276
Kunden, Einkreisung des 304
Kunden, Involvierung des 303
Kunden, Überraschung des 304
Kundenanalyse 51, 68, 324
Kundenbeziehungen, im Modell 275
Kundeneinbeziehung, aktive 291
Kundengruppe, Beziehung zur 274

L

L.L. Bean 78 ff., 85 ff., 94, 255 ff., 261 f.
L`Oréal 118, 136, 154, 156
Lanchette, Craig 188
Lancôme 118, 136, 154
Länderstrategien 326
Lanier, Sterling 9
Lee 32, 136, 156
Lee, Jerry 9
Lee, Spike 188
Legends of Soccer Tour 209
Leitbild, externes 85 ff.
Lester, Howard 87
Lettuce Entertain You 118 ff.
Levi Strauss 9, 32, 46, 77, 119, 146, 249
Levi`s 59, 68, 72, 77, Levi`s 127, 191, 132, 246, 301, 315
Lewis, Carl 187
Lewis, Huey 229
Lexus 59, 77, 96, 108, 118, 119, 155, 179
Libri 266
Lincoln 149
Linquito, Arnene 9
Lipton Hot Refreshment 149, 324
Logan, Andrew 287
Louis-Dreyfus, Robert 194
Lucas, Johnny 9
Lucerne 145
Lufthansa 200, 201
Lycos 264
Lycra 124, 334
Lynch, David 198

M

M & M`s 216
Maggi 122, 159, 164, 283 ff., 302 ff.
Marke 19, 24, 26 ff., 37, 47, 49, 53 f., 60, 76, 78, 87, 107, 113 ff., 120, 124, 129, 134, 143, 146, 152, 156, 162 f., 175, 203, 216, 260, 273, 281, 312, 314 ff., 322, 329
Markenanalyse 50, 323
Markenaufbau 202, 282, 294, 301 ff., 306, 324, 334
Markenfamilie 116, 127
Markengruppen 154
Markenhandbuch 101
Markenhierarchie 154
Markenidentität 23, 37, 43, 44, 50 ff., 60 f., 71, 73, 75, 90, 204, 301
Markenimage 96, 224
Markenpersönlichkeit 63, 78 ff.
Markenpflege 305, 318 ff.
Markenportfolio 144, 153, 169 f.
Markenpositionierung 37
Markenstrategie 73, 269, 317, 323, 326
Markenstruktur 20, 36, 105, 112, 139, 143 ff., 161, 166, 169 f.
Markenteam 143, 204, 331 ff.
Markenwert 19, 33, 165
Marketing 208, 231
Marktumfang 20
Marlboro 77, 188, 191, 243, 314
Marriott 20, 31, 110 ff., 123 ff., 137, 154, 159, 165, 166
Mars 120, 121, 288
Mass Mutual 70
MasterCard 9, 112, 207 ff., 210, 222 ff., 236, 282, 302 ff., 330
Masters 220, 258
Maverick 136
Maxfli 160
Maxwell House 157, 222
Maybelline Cosmetics 136, 154
Maytag 65, 88, 94
Mazda Miata 113
McApple 123
McClanan, Martin 239, 268
McDonald`s 31, 45, 58, 77, 123, 163, 188, 191, 221, 246 ff., 294, 311 ff., 337
McElroy, Neil 13 ff.
McEnroe, John 180, 187
MCI 31, 78
McKenna, Regis 96
McKids 123
McLuhan, Marshall 271
McNamara, James 9
McPizza 123

McRib 123
Medalist 121
Medien 186 ff., 271, 282, 306 f.
Mega Brokers 131
Melbourne 178
Mendini, Alessandro 288
Mennon 155
Mercedes 32, 58, 121, 201, 263, 276, 315, 326
MerchantXpert 123
Mercury 149
Merrill Lynch 31, 94
Metapher 92 f.
MetLife 70
Michelin 65
Microsoft 28, 33 ff., 59, 60, 70, 76, 77, 87, 276
Microsoft Office 60, 125
Milka 255, 319
Millard Brown Interactive 264
Miller 188, 227, 266
Mint Magic 127
Miracle Whip 157
Mitsubishi 127
Mobil 9, 75, 86 ff., 320, 336
Mobil Oil 54, 254 ff., 326, 331 ff.
Montblanc 317
Montezuma 295
Moore, Peter 194
Morgan Stanley 60
Morph Beam 149
Motorola 216
Mountain Dew 119, 120
Mövenpick 288
MRF 218, 224
MTV 189, 191, 200, 201
Muddy Fox 298
Muhammed Ali 198
Mum Deo 264

N
Nabisco 122, 150
Nastase, Ilie 180
National Basketball Association 152, 184 ff., 264
National Football League 216, 221
Nba.com 263
NBC 112, 136
Neon 134
Nescafé 123, 331
Nesquick 123
Nestea 123
Nestlé 120 ff., 134, 135, 151, 271, 283, 288, 295, 307, 324, 336
Netscape CommerceXpert 123
New Covent Garden Soup 89
New York Yankees 199
Newsweek Championship 217
Newton 33 ff.
Nike 28, 30, 38, 57 ff., 77, 88, 116, 127, 133, 143 f., 146, 154, 175 ff., 186, 190, 199, 204, 227, 231, 291, 301 ff., 314
NikeTown 184, 190, 191, 193, 203, 204, 257, 276 ff., 303 ff.
Nintendo 70
Nissan 30
Nivea 116, 127, 148, 331
Nordstrom 59, 76, 85, 86, 131, 291
North Face Parkas 149
Northstar-System 148
Northwestern Mutual 70
Norton Software 87
Novell 33
Nurprin 222
Nutrasweet 149

O
O`Donnel, Kevin 9
Obsession 120
Ocean Spray 113, 163, 236
Öffentlichkeitsarbeit 48
Ogilvy & Mather 316
Old Axe 136
Old Navy 119, 134
Oldfield, Mike 43
Oldsmobile 16, 94
Onizuka 179, 197
Online-Werbung, Anreize 264 ff.
Optiquest 124
Oracle 33
Oral-B 149, 150
Orangina 298
Oscar Mayer 157, 222, 259
Owens, Jesse 177

P
Packard Bell 70
Palmolive 155
Pampers 317
Panasonic 216, 222
Pantene 21, 71, 117 f., 133, 316, 330, 334
Paramount 124
Pasteur, Louis 278

Peapod Web Supermarkt 244
Pelé 209 ff.
Pennzoil 228
Pentium Chip 34, 267
Pepperidge Farm 150
Pepsi 31, 59, 78, 119, 139, 221, 244, 254, 258, 370
Persil 143
Perspektive, globale 22
Pert 21, 133
Pert Plus 117
Peters, Tom 13, 26, 277
Philadelphia 157
Phileas Fogg 89
Picasso, Kiki 288
Pierre Cardin 163
Pillsbury 65, 151, 255, 268
Pillsbury, Dana 9
Plummer, Joe 77
Pointcast 247
Polaroid 31, 236
Porsche 118, 149, 153, 228, 304
Portfolio, graphische Darstellung 146, 158, 159, 170
Positionierung 129, 296
Post 157
Post-it-Haftnotizen 86, 20, 121
Power Bar CEO Challenge Race 226
Powermarken 77
Präsenz 131, 273 ff., 306
Prefontaine, Steve 180
Preiskampf 25
Preis-Leistungs-Verhältnis 45
Presario 127
Price Waterhouse Coopers 101
Prince 156
Pringles 20, 314
Prioritäten 94
Probefahrten 296
Problemanalyse 68
Proctor & Gamble 13 ff., 21ff., 68, 116 ff., 133, 143, 320, 328 ff.
Produkt, neues 133, 215
Produktkategorien 21
Produktmanagement 13
Produktmanager, globaler 331 ff.
Produktumfang 19
Progressive Insurance 272
Promotionaktivitäten 208
Prophet Brand Strategy 9, 43, 91, 192, 239, 268
ProPlan 136
Proprietary Mail 149
Providian 122, 123
Prudential 64, 70
PublishingXpert 123
Puma 176, 179
Purina 136

Q
Quaker Oats 60
Qualitätsaussage 28
Quality Care 149

R
R+V Versicherungen 70
Ralph Lauren 60, 123, 124, 139 ff., 154, 159, 164, 169, 191, 308
Rapaille, Dr. 68
RCA 109
Reach 118
Real Madrid 199
Red Envelope 91
Redken 154
Reebok 31, 149, 175 ff., 199
REI 89, 191, 192
Renault 296 ff.
Resic, Ed 84
Residence Inn 137
Revitalize 120
Revlon Fire and Ice 125, 149
Revo 230
Richardson Vicks 336
Ritz-Carlton 110
RLX Polo Sport-Serie 142
Road Warrior 262
Rolling Stones 43
Rolls-Royce 99
Ronald McDonald 64, 221, 276, 282
Rossignol 60
Rubbermaid 31
Rubicam, Raymond 271
Ruff, Larry 9

S
Saatchi & Saatchi 194
Sabre 159
Safeway 144 ff.
Safina, Kambiz 9
Sage 279
Sagit 288
Salee, Steve 9
San Francisco 49ers 199, 217, 227
Sander, Sandeep 9
Sanders, Deion 186
Sara Lee 64, 268

Sarotti 64
Sat 1 200, 201
Saturn 25, 54, 60, 62, 75, 86, 99, 118 f., 134, 164, 236, 254 ff., 264, 274
Schlumberger 9, 59, 135, 325
Schöller 264, 288
Schultz, Charles 26
Schwab Mutual Fund One Source 147
Sealey, Peter 9, 22
Sears 31, 94, 131, 222
Seat Alhambra 294
Sega 191
Segmentierungsstrategie 304
Seiko 224, 230, 235
SellerXpert 123
Sensor 126
Servicequalität 44
Sex Pistols 43
Shake & Bake 157
Shape Yogurt 89
Shaw`s Crab House 119
Shepherd, Cybill 182
Shiseido 131
Siegermarken 13 ff., 35, 311 ff., 334 ff.
Siemens 200
Silver-Bullets 147
Simon, Andy 9
Simple Home 124
Singapore Airlines 44
Skin Bracer 155
Slates 146
Slogan 57
Smirnoff 46, 329, 332 ff.
Smith Brothers 87
Smith, Andy 9
Smucker`s Simply Fruit 125
Snapple 260
Sony 20, 30, 48, 57, 59, 70, 85 ff., 116, 122 ff., 151, 191 ff., 225, 314, 319 ff., 326 ff.
Sony Television 144
Sony Theaters 144
Sony Walkman 72, 113
Southwest Airlines 78, 274
Specsaver 251
Spectracide 98
Sponsor Watch 221 ff.
Sponsoring 199, 203, 207 ff., 212 f., 221, 230, 232 ff., 236, 288
Sport Bild 200, 201
Sports Illustrated 216, 222
Sprint 200, 216, 229
Sprite 317
Spruchbandwerbung 267
St. James Group 9
Stabers, Jason 9
Stammkunden 69, 274
Starbucks 45, 245, 291
State Farm 70
Stiftung Warentest 256
Stoli Vodka Ski Classic 226
Stone, Richard 86
Storm 119
StoryWork-Istitute 86
Stovetop Stufing 157
Strasser, Rob 194
Structure 99
Stützmarke 112, 118, 121, 124, 148, 157
Sty-Bil National 226
Subaru 61
Sun Maid 59
Sunkist 132, 298
Swatch 97, 219, 287 ff., 302 ff.
Symantec 87
Symbole 46, 64
Synergien 256, 317, 327, 336

T
Talgo, Scott 9
Tango 298 ff., 304 ff.
Tanqueray 221
Tapie, Bernard 193
Taster`s Choice 123
Taurus 134, 144
TCI 70, 95
Teca Schuhe 97
Techtel-Studie 32 ff.
Terry`s 120
Texaco 31
Texas Instruments 249
The Body Shop 77, 275, 280
The Limited 84, 99, 326
The Quiet Company 268
Thomas Pink 291
Tide 117
Tide Stain Detective 262
Tiefeninterviews 68
Tiffany 89, 255, 274, 317
Tiger 179
Timex 224
Titleist 160
Tombstone 157
Top-down-Methode 72
Top-Flite 160
Total Research 30
Touchstone 119, 120

Toyota 108, 118, 119, 155, 214
Transamerica 70, 228
Traveler`s 70, 122
TÜV 256
Twinings Kräutertee 89
Tylenol 86, 153

U
Ultra Brite 155
Uncle Ben`s 124
Uncle Ben`s Country Inn Recipes 124
Unilever 288
Union Bank 252
United Airlines 31, 149
United Express 153
United Mileage Plus 149
United Red Carpet Club 149
Untermarke 112, 125 f., 148, 196 f., 203 f.
Unternehmenskultur 292
Unternehmensstrategie 82
UPS 58, 149, 220, 235
Upshaw, Lynn 96
U.S. Postal Service 231

V
V2 Records 47
Valvoline 258
Variety 268
Velveta 157
VF Corporation 31, 136
Viadent 155
Victoria Street 88
Victoria`s Secret 25, 99, 255
Vidal Sassoon 21
Videofilme 99
Viewsonic 124
Viper 134
Virgin 43 ff., 47f., 54 ff., 77, 87, 98, 116, 119, 126 f., 163, 191, 236, 254, 255, 277, 282
Virgin Airlines 43 ff., 74, 127
Virgin Cola 47, 48, 127, 132, 165
Virtual Vineyards 262
Visa 143, 156, 164, 177, 207 ff., 216, 220 ff., 230 ff., 273, 316 ff.
Visible Air 185
Vogue 61, 89
Volkswagen 9, 58, 118, 188, 295, 304, 318
Volvo 31, 58 ff., 96 ff., 265, 268, 304, 324
Vorteil mit Markencharakter 149, 150
Vorteile, funktionale 58, 65, 203
VW Käfer 147, 294, 305

W
Wal-Mart 61
Warengruppen, Rollen innerhalb von 148, 169
Warner Brothers 191
Water by Culligan 149
Weber, Hubert 9
Website 248, 252 f., 255, 257 ff., 261, 263
Weight Watchers 30, 164
Well Fargo 20, 62, 64, 153, 268
Weltmarke 311 ff., 321, 334, 337
Wendy`s 31
Werbung 48, 203, 315
Werte 59, 130, 275, 280
Westin 119
Wettbewerber 51, 69, 323
Whirlpool 149
White, Susan 9
Wilkinson 264
Williams, Chuck 87
Williams-Sonoma 87, 89, 164, 249
Wilson 160
Wimbledon 220, 258
Windows 34ff.
Wonder, Stevie 221
Woods, Tiger 186, 212
WordStar 30
Wrangler 136

X
Xerox 58, 280

Y
Yahoo! 58, 240 ff., 259, 266
Young & Rubicam 9, 65 ff., 89, 97, 271, 274
Zaltman, Gerald 92
Zapotek, Emil 198, 199
Zidane, Zinedine 199
Ziff-Davies 265
Ziploc 149, 153